L'AFFAIRE TIERNEY

Richard North Patterson

L'AFFAIRE TIERNEY

Traduction de Jacques Martinache

Roman

Titre original : *Protect and Defend*

© Richard North Patterson, 2000
© Presses de la Cité, 2003, pour la traduction française
Publié avec l'accord d'Alfred A. Knopf, département de Random House, Inc.
ISBN 2-258-05924-0

*Pour Katie, Stephen et Adam
avec amour et fierté*

« Moi, Kerry Francis Kilcannon, je jure solennellement de remplir loyalement la fonction de président des Etats-Unis, de protéger et de défendre de mon mieux la Constitution des Etats-Unis... »

Serment d'investiture

PREMIÈRE PARTIE

L'investiture

1

— Moi, Kerry Francis Kilcannon...

D'une voix claire et forte portant une trace d'accent irlandais, Kerry Kilcannon répétait les phrases historiques psalmodiées par le président de la Cour suprême, Roger Bannon.

Les deux hommes se faisaient face sur le patio s'étendant devant l'aile ouest du Capitole, entourés d'invités et de dignitaires, regardés de plus loin par des milliers d'admirateurs inconnus massés en contre-bas. En ce midi le temps était ensoleillé mais froid. Une neige lourde était tombée toute la nuit, et si Kerry Kilcannon portait la jaquette traditionnelle, ceux qui assistaient à la cérémonie avaient les mains enfoncées dans d'épais manteaux au col relevé. Protégé seulement par sa robe de juge, Bannon semblait exsangue, ce qui soulignait encore le contraste entre le vieux magistrat et le nouveau président.

Kilcannon avait quarante-deux ans, et sa minceur ainsi que sa tignasse châtain le faisaient paraître étonnamment jeune pour l'exercice de la fonction présidentielle. Au moment où il y accédait, se trouvaient près de lui les trois êtres qu'il chérissait le plus : sa mère, Mary Kilcannon ; Clayton Slade, son meilleur ami et nouveau secrétaire général de la Maison-Blanche ; sa fiancée, Lara Costello, journaliste de télévision, qui renforçait l'aura de jeunesse et de vitalité entourant le nouveau président. «Quand Kerry Kilcannon pénètre dans une pièce, il est en Technicolor et tous les autres en noir et blanc», avait observé un commentateur.

Kerry savait cependant qu'il était une personnalité controversée. Il avait été élu de justesse en novembre, et les Américains avaient dû attendre le lendemain du jour de vote, une fois qu'on eut recompté les voix en Californie, pour apprendre qui serait à leur tête. Peu d'entre eux en avaient été aussi consternés que Roger Bannon, supposait Kerry.

Ce n'était un secret pour personne que le président de la Cour suprême, âgé de soixante-dix-neuf ans, attendait depuis longtemps de prendre sa retraite : pendant les huit années de présidence démocrate du prédécesseur de Kerry, Bannon avait présidé une cour fortement divisée, uniquement soutenu, semblait-il, par le souhait qu'un président républicain désignerait son successeur et contribuerait à maintenir son héritage conservateur. Dans un rare moment d'imprudence, Bannon avait, lors d'un dîner, laissé échapper ces mots, repris par la presse : «Kilcannon est un homme implacable, violent, qui ne pourrait que provoquer l'effondrement de la Cour suprême.» Ironie du sort, Bannon était tenu par ses fonctions à officialiser la transmission du pouvoir à un autre démocrate, un homme qui incarnait tout ce qu'il détestait.

— ... je jure solennellement de remplir loyalement la fonction de président des Etats-Unis...

Le président sortant observait la scène à la gauche de Kerry. Les cheveux gris, l'air usé, il semblait être une mise en garde vivante des fardeaux qui attendaient son successeur. Pourtant, il y avait au moins deux hommes dans le voisinage immédiat qui espéraient déjà prendre la place de Kilcannon : son vieil adversaire au Sénat, Macdonald Gage, chef de la majorité républicaine, et le sénateur Chad Palmer, président de la commission judiciaire, républicain lui aussi. Ce dernier était convaincu, en dépit de sa rivalité avec Gage et de son amitié pour Kilcannon, qu'il ferait un bien meilleur président que l'un ou l'autre.

— ... de protéger et de défendre de mon mieux la Constitution des Etats-Unis.

D'un ton ferme, comme pour balayer les hésitations du vieux magistrat, Kerry acheva le serment.

A cet instant merveilleux, apogée de deux années de combat et de détermination, Kerry Francis Kilcannon devint président des Etats-Unis.

— Félicitations, marmonna Bannon, ajoutant après une pause : monsieur le président.

A midi trente et une, à la fois dégrisé et exalté par le défi qui l'attendait, Kerry Kilcannon conclut son discours d'investiture.

Il y eut un silence puis une déferlante d'applaudissements, longue, soutenue, et rassurante pour Kerry. Bannon leva alors une main, comme pour agripper l'épaule du nouveau président. Son visage s'empourpra, il grimaça ; ses yeux se révulsèrent. Les jambes flageolantes, le président de la Cour suprême s'écroula.

Avant que Kerry pût réagir, trois agents du Secret Service, qui ne savaient pas exactement à quoi ils venaient d'assister, se précipitèrent vers le nouveau président. En bas, la foule s'était tue.

— Il a eu une attaque, expliqua aussitôt Kerry. Je n'ai rien.

Les trois agents s'écartèrent de Kilcannon, dispersèrent le groupe entourant Bannon. Le sénateur Chad Palmer avait déjà allongé le vieil homme sur le dos et tentait de le ranimer par un bouche-à-bouche, ses cheveux blond-gris effleurant le visage livide du magistrat, ses joues tremblant sous l'effort fourni pour insuffler de l'air dans la gorge d'un mort. Palmer releva enfin la tête et dit à voix basse à Kerry, qui s'était agenouillé près de lui :

— Je crois que c'est fini. La foule a besoin de vous voir, monsieur le président. De savoir que vous n'avez rien.

Kerry acquiesça avec un temps de retard, se releva, vit les visages de sa mère et de Lara, dont la stupeur reflétait la sienne. Ce n'est qu'alors qu'il prit conscience de la façon dont Chad Palmer — qui auparavant l'appelait «mon gars» — s'était adressé à lui.

Il sentit tout à coup le poids de ses responsabilités, à la fois réelles et symboliques. Il avait engagé le pays à compter sur lui, ce n'était pas le moment de faiblir.

Retournant vers la tribune, il jeta un coup d'œil aux ambulanciers qui emportaient Bannon sur une civière. En bas, la foule s'agitait, en pleine confusion. Kerry attendit d'avoir recouvré son calme, comme si le temps s'arrêtait pour lui. C'était un truc qu'il avait appris quand il s'adressait à un jury et qui lui servait encore maintenant. Par-dessus le brouhaha, sa voix s'éleva :

— Le président de la Cour suprême a eu un grave malaise, on l'a emmené à l'hôpital. Je vous demande un moment de silence pendant lequel nous prierons pour lui.

Le silence se fit, respectueux.

Mais le temps manquerait pour songer à la mort de Roger Bannon, se dit Kerry. Le début de son mandat venait de changer abruptement de climat, et un moment décisif se profilait déjà : la soumission au Sénat de la candidature d'un nouveau président de la Cour suprême qui, s'il était confirmé, transformerait peut-être cette instance. Kerry ne pouvait encore prévoir la façon dont cet événement affecterait sa propre vie et celle d'autres, ici et ailleurs.

2

Par un après-midi pluvieux typique de San Francisco en janvier, Sarah Dash se préparait à un nouvel affrontement.

Malgré le crachin, des manifestants opposés à l'avortement cernaient la bâtisse victorienne transformée en clinique pour femmes de Bay Area. Sarah les regardait du perron, insensible à la pluie qui mouillait ses cheveux bruns bouclés, une lueur résolue dans ses yeux marron. Sous une apparence calme, elle était tendue, cependant. C'était un premier test pour la nouvelle injonction qu'elle avait obtenue du tribunal — malgré une vive opposition des avocats du mouvement pro-vie — afin de protéger l'accès à la clinique. Agée de vingt-neuf ans, Sarah était avocate depuis moins de cinq ans, et sa tâche consistait aujourd'hui à faire respecter cette injonction.

Ce jour-là, les manifestants étaient au moins deux cents, estimat-elle. Pour la plupart pacifiques. Certains priaient, agenouillés sur le trottoir; d'autres portaient des pancartes montrant des fœtus sanguinolents ou qualifiant l'avortement de meurtre. Avec quelques habitués — le prêtre grisonnant qui avait entamé avec elle une discussion non violente, la grand-mère qui lui avait offert des cookies maison —, Sarah avait établi des relations fondées sur un respect mutuel. Mais l'aile militante d'Engagement chrétien, ceux qui la traitaient de «tueuse de bébés», la mettait mal à l'aise.

Presque toujours, c'était des hommes — souvent célibataires, âgés d'une vingtaine d'années, avait-elle appris — déterminés à anéantir l'avortement par la peur et la honte. Depuis des semaines, ils accostaient tous ceux qui entraient dans la clinique : d'abord les docteurs et les infirmières, qu'ils appelaient par leur nom, les invitant à «laver leurs mains pleines de sang», puis les femmes qui avaient besoin d'une intervention. Avant que Sarah ne s'adresse au tribunal, ils avaient réussi à faire fermer la clinique.

A présent, le mandat de la jeune avocate était clair : permettre à toute femme assez courageuse ou désespérée pour venir avorter d'en avoir la possibilité. Mais l'unique accès à la clinique était une allée de béton reliant le trottoir au perron sur lequel Sarah se tenait. La zone de protection définie par le tribunal — une bulle d'un mètre cinquante de diamètre autour de chaque patiente — permettrait quand même aux manifestants de harceler les femmes jusqu'à ce qu'elles parviennent au perron. Pour relever le gant, Sarah avait mis un système au point : à l'heure où chaque patiente devait arriver, la clinique enverrait un bénévole en gilet orange pour l'escorter.

Inspectant la foule, Sarah nota un nombre préoccupant de nouveaux visages, d'hommes qu'elle n'avait encore jamais vus. Leur présence révélait une autre tactique d'Engagement chrétien : faire appel à de nouvelles recrues pouvant prétendre que l'injonction du tribunal ne les concernait pas. Mais une recrudescence de la violence du mouvement — l'assassinat d'un médecin à Buffalo, trois autres meurtres dans une clinique de Boston — l'avait conduite à se méfier d'inconnus plus excités et plus dangereux encore. Ce n'était pas une attitude à laquelle sa formation l'avait préparée.

Avant son engagement pour la clinique, le parcours de Sarah avait été sans histoire : une bourse pour Stanford, une rubrique dans le journal des étudiants en droit de Yale, un stage très recherché auprès d'une des juristes les plus respectées du pays, Caroline Masters, de la Cour d'appel des Etats-Unis. Son entrée chez Kenyon & Walker, cabinet d'avocats vieux de quatre siècles, bénéficiant de la clientèle de grandes entreprises et d'une réputation d'excellence, constituait à la fois une progression logique et, peut-être, un premier pas vers une ambition plus haute : devenir juge fédéral à l'instar de Caroline Masters. La seule activité bénévole que son emploi du temps lui permettait — participer au programme d'assistance juridique gratuite du cabinet — était encouragée par ses confrères, du moins en théorie, comme un acte de responsabilité sociale.

Mais, après avoir traîné Engagement chrétien devant les tribunaux, Sarah avait senti un changement net quoique subtil. C'était une chose pour Kenyon & Walker de représenter une clinique ayant pour principale activité la planification des naissances mais c'en était une autre quand cette aide à titre gracieux s'aventurait sur le terrain de l'avortement, sans compter qu'elle réduisait de façon sensible le temps que l'avocate consacrait à des clients payants. Engagement chrétien était redoutable ; il disposait des avocats les plus expérimentés du mouvement contre l'avortement, des porte-parole les plus convaincants, des militants obstructionnistes les plus intimidants.

Malgré le succès obtenu au tribunal, l'associé gérant du cabinet cherchait, selon la rumeur, un moyen de mettre un terme à l'implication de Sarah. Une partie d'elle-même n'admettait pas cette ingérence ; une autre partie, qu'elle admirait moins, reconnaissait que l'intention était peut-être charitable. Les meilleures décisions pour une personne étaient parfois prises par quelqu'un d'autre.

Mais les décisions du jour lui appartenaient : comment protéger au mieux les femmes venant à la clinique ? Fallait-il appeler la police à l'aide ? La première patiente devait arriver un quart d'heure plus tard.

En inspectant la foule, Sarah remarqua une jeune femme qui la regardait de l'autre côté de la rue. Une jeune fille, plutôt, avec des cheveux roux et une maigreur d'enfant abandonnée. Sarah nota toutefois que, sous la robe à fleurs qu'elle portait, son ventre commençait à s'arrondir. Immobile, l'adolescente fixait la clinique comme si elle se trouvait à des milliers de kilomètres.

Deux semaines plus tôt, avant la décision du tribunal, Sarah avait aperçu la même jeune fille.

La clinique était alors assiégée par des manifestants qui en interdisaient l'accès. Pendant un long moment, l'inconnue était demeurée sans bouger, comme maintenant, puis elle s'était brusquement retournée et s'était éloignée d'un pas pressé.

Cette fois, elle traversa la rue en direction de la clinique.

Avançant en biais, elle pénétra dans la foule, les yeux détournés, parvint à l'allée avant qu'un jeune homme brun lui barre le passage. Avec douceur, comme l'aurait fait un grand frère, il posa les mains sur les épaules de la fille.

— Nous te trouverons des vêtements et un abri, promit-il, un foyer plein d'amour pour ton bébé.

Elle secoua la tête en silence. Quittant le perron, Sarah se dirigea vers eux. Quand elle pénétra dans la «bulle», le jeune inconnu se tourna vers l'avocate et elle lui remit une copie de la décision de la cour.

— Vous êtes en train d'enfreindre une injonction du tribunal, l'avertit-elle. Laissez-la passer ou j'appelle la police.

Il la considéra avec un demi-sourire perplexe.

— Laissez-la passer, répéta-t-elle d'un ton calme.

L'homme recula lentement d'un pas.

Sarah prit la main de la jeune fille, l'entraîna vers la clinique. Une fois à l'intérieur, l'adolescente se mit à pleurer. Sarah la conduisit au bureau d'une conseillère, s'assit à côté d'elle sur le canapé au tissu râpé. Penchée en avant, le visage enfoui dans ses mains, la fille était secouée de sanglots. Sarah attendit que les tremblements eurent cessé pour demander :

— Nous pouvons vous aider ?

Au bout d'un moment, l'adolescente releva la tête. Malgré ses yeux rouges et gonflés, son visage avait une joliesse encore imprécise : un nez retroussé, un menton rond, un teint pâle légèrement saupoudré de taches de rousseur, et des iris d'un bleu étonnant. Les yeux mis à part, elle avait l'air d'une lycéenne en difficulté, pas d'un paratonnerre humain, se dirait Sarah beaucoup plus tard.

— J'ai besoin d'un avortement, murmura-t-elle.

3

Kerry descendait Pennsylvania Avenue dans une limousine noire en faisant signe à la foule qui avait envahi les trottoirs et les marches des bâtiments publics. Sur une suggestion de ses conseillers, il s'était fait accompagner de Mary Kilcannon et non de sa fiancée : avant de demander aux Américains de traiter Lara comme la première dame du pays, elle devait le devenir, estimaient-ils. Et Kerry pensait que sa mère avait sa place auprès de lui en cette journée. Elle lui pressa brièvement la main.

— Je dirais bien que je suis fière de toi si je n'avais pas peur de chercher à faire croire que j'y suis pour quelque chose.

Il se tourna vers cette femme de soixante-dix ans encore belle, aux cheveux gris et aux yeux verts.

— Mais tu y es pour quelque chose, m'man.

Elle secoua la tête en silence. Dans le monde de la politique, disait le geste, la famille Kilcannon était un mythe américain fort utile : les deux immigrants du comté de Roscommon, un policier et sa femme, qui avaient élevé ensemble un futur président. Mais, dans l'intimité de la voiture, les deux survivants du mythe pouvaient reconnaître la vérité : à six ans, Kerry se recroquevillait dans un coin quand son colosse de père battait Mary. Ces violences s'étaient poursuivies jusqu'à ce que, âgé de dix-huit ans, débordant d'amour et de rage, Kerry estourbisse son père, beaucoup plus costaud que lui.

— Ceux qui te détestent ne te connaissent pas vraiment, lui dit-elle.

Cela aussi, il n'avait pas besoin de mots pour le comprendre : la conviction coupable de sa mère que les autres comprenaient aussi mal cette rage, transformée par autodiscipline en détermination à atteindre ses objectifs, que les raisons qui la sous-tendaient. Si c'est le cas, tant pis, pensa Kerry. Il ne croyait pas aux aveux calculés, il ne pensait pas qu'enfreindre la vie privée farouchement préservée de sa mère était le prix à payer pour une carrière politique. Sa défense était dans l'humour : quand un journaliste lui avait demandé de décrire l'enfant que Kerry Kilcannon avait été, il avait répondu en souriant : «Sensible. Et implacable.»

A la tombée de la nuit — après avoir passé des heures sur une tribune protégée par des vitres à l'épreuve des balles pour assister au défilé de son investiture —, Kerry avait pénétré pour la première fois dans l'aile ouest en qualité de président. Il avait eu l'impression que la Maison-Blanche, avec ses huit corps de garde et leurs hommes en uniforme, ses caméras de surveillance, ses capteurs sismiques installés dans le sol pour détecter les intrus — attributs et protections qui se transmettaient sans à-coup d'un occupant à un autre — l'enserrait.

A la demande de Kerry, Clayton Slade et Kit Pace, son attachée de presse, attendaient dans le bureau ovale. Faisant passer son regard de l'un à l'autre, il traversa la pièce et s'installa dans un fauteuil à haut dossier, derrière une table en chêne utilisée autrefois par John F. Kennedy.

— Alors? s'enquit-il. Qu'est-ce que vous en pensez?

Kit l'examina, retint un sourire.

— Sauf votre respect, monsieur le président, vous avez l'air d'un gosse dans le bureau du principal. Votre prédécesseur faisait une tête de plus que vous.

Le plaisir de Kerry s'en trouva atténué : il s'irritait parfois qu'on lui rappelle qu'il ne mesurait qu'un mètre soixante-quinze.

— On dit que Bobby Kennedy portait des talonnettes. Vous pourriez peut-être m'en trouver.

Un sourire traversa le visage noir de Clayton.

— Ça ne réglerait pas le problème, répondit-il à son ami. Débarrasse-toi de ce fauteuil avant l'arrivée du photographe.

— «Scandale à la Maison-Blanche : un nain élu président», fit Kerry d'un ton sarcastique.

Il se leva cependant, ferma la porte du bureau, désigna à ses collaborateurs un canapé rembourré et s'assit en face d'eux.

— Je présume qu'il est mort.

— Attaque fulgurante, acquiesça Kit. Il aurait peut-être vécu plus longtemps s'il vous avait moins détesté, ajouta-t-elle à mi-voix.

Kerry prit la réflexion pour ce qu'elle était : non de la dureté mais la constatation d'un fait.

— Nous avons une déclaration?

L'attachée de presse lui tendit une feuille dactylographiée, qu'il parcourut rapidement en murmurant :

— Je suppose que c'est une chance, dans des moments pareils, qu'il nous arrive rarement de dire tout ce que nous ressentons. Et sa femme?

— En état de choc. La mort de Bannon n'est pas une surprise, mais ils étaient mariés depuis cinquante-deux ans.

— Je lui téléphonerai avant le début des bals d'investiture. Qu'est-ce que nous faisons pour les bals?

— On ne les annule surtout pas, répondit Clayton. Tu as des milliers de sympathisants qui attendent cette soirée dont ils parleront à leurs petits-enfants. Tu leur dois bien ça. En plus, Carlie a une nouvelle robe, ajouta-t-il, faisant allusion à sa femme.

— Lara aussi, fit Kerry avec un bref sourire. Il faudra que je trouve quelque chose d'approprié à dire à chaque bal, peut-être après une minute de silence. Quoi d'autre?

Le secrétaire général se renversa en arrière sur le canapé.

— La nomination d'un nouveau président de la Cour suprême, pour commencer.

— Pas ce soir, j'espère.

— Bientôt. La Cour est partagée en deux : quatre conservateurs contre quatre juges de modérés à libéraux, et un paquet d'affaires importantes. Et ce n'est pas comme si personne ne s'était attendu à la mort de Bannon : notre équipe de transition a déjà établi une liste de remplaçants potentiels et constitué un dossier sur chacun d'eux.

— Bon. Soumets-les à nos stratèges politiques.

— Vos électeurs voudront aussi avoir leur mot à dire, intervint Kit. Hispaniques, Noirs, syndicalistes, femmes défendant le libre choix, avocats. Ils pensent tous que vous avez une dette envers eux, et ils ont raison.

— Ils n'ont pas vu le gouvernement? répliqua Clayton. Nous leur avons au moins fait un premier versement.

Il se tourna vers Kerry.

— Ce qu'il nous faut, c'est un homme de consensus : les républicains contrôlent encore le Sénat, et Macdonald Gage t'attend au tournant. Palmer aussi, peut-être, maintenant qu'il est chargé de diriger les audiences sur les candidats que tu proposeras. Je pense que nous devrions chercher un républicain modéré.

— Je croyais l'espèce menacée, repartit Kerry. Apporte-moi la liste demain. Avec un nouveau fauteuil.

Kit fronça les sourcils, comme si elle n'était pas prête à abandonner le sujet.

— Sans les femmes pour le libre choix, vous n'auriez pas remporté la Californie, monsieur le président ; et aucun de nous ne serait ici. Comme Ellen Penn vous le rappellera sans aucun doute.

En entendant le nom de sa vice-présidente batailleuse, ex-sénatrice de Californie, Kerry fit la grimace. On pouvait soutenir qu'il lui devait son élection et elle ne se priverait pas de faire connaître ses opinions.

— Par pitié, j'entendrai Ellen bien assez tôt.

— A juste titre, insista Kit. Le mouvement pour le libre choix a peur, avec cette foutue loi sur la protection de la vie que les républicains viennent de faire adopter, et à laquelle votre prédécesseur n'a pas osé opposer son veto. Même vous, vous aviez trouvé plus commode d'être absent le jour du vote.

— Une voix de plus ou de moins au Sénat n'aurait rien changé.

— Exactement. Les femmes militant pour le libre choix vous ont donc accordé un laissez-passer, en espérant que vous renverriez l'ascenseur une fois élu. En particulier sur la question de la Cour suprême.

— Je suis président depuis cinq heures, soupira Kerry, je dois passer dans onze bals, et j'ai encore du mal à me rappeler ce que je dois faire en cas d'attaque nucléaire. Si cela ne vous fait rien, Kit, je garde la question de la Cour suprême pour ma première vraie journée de travail.

Clayton intervint comme pour court-circuiter l'irritation de Kerry :

— Même avec la mort de Bannon, les gens se souviendront de ton discours d'investiture. CNN a dit qu'il n'y en a pas eu de meilleur depuis celui de Kennedy.

Amadoué, le président sourit et constata avec amusement qu'il avait encore besoin du réconfort de Clayton. Saisissant aussitôt la manœuvre, Kit alla dans le même sens :

— C'était parfait. Dommage que le Secret Service ne vous ait pas laissé vous occuper de Bannon avant Palmer. Il a eu trop de temps d'antenne.

Clayton émit un rire bref.

— L'endroit le plus dangereux de Washington, c'est l'espace entre Chad Palmer et une Minicam.

Kerry Kilcannon sourit à ses deux collaborateurs, comme ils l'attendaient de lui. Mais il savait que sous leur humour mordant, ils considéraient déjà Chad Palmer comme son principal adversaire, que ce serait le prisme à travers lequel ils examineraient les moindres faits et gestes du sénateur. Et le président ferait bien de suivre leur exemple, le prévenaient-ils.

— Laissons Chad être le héros, répondit-il. Il en a gagné le droit quand j'étais encore étudiant.

4

— Comment vous appelez-vous ? fit Sarah.

— Mary Ann, répondit l'adolescente, baissant les yeux.

L'avocate, assise près d'elle, attendit qu'elle relève la tête pour demander :

— Vous en êtes à combien de mois ?

Une fois de plus, Mary Ann détourna les yeux, comme si la question était une réprimande.

— Cinq mois et demi, murmura-t-elle.

— Et vous avez quel âge ?

— Quinze ans.

Jusque-là, ce n'était pas aussi grave que Sarah l'avait pensé.

— Vous vivez chez vos parents ?

Le visage de la jeune fille se crispa ; sa réponse, un rapide hochement de tête, ressembla à un hoquet.

— Si vous ne les avez pas mis au courant...

— Je vous en prie... Mon bébé n'est pas normal. J'ai peur.

A l'expression de l'échographiste, Mary Ann avait aussitôt compris que quelque chose n'allait pas. Une échographie, c'était un examen de routine, avait assuré la femme. Ensuite, il y aurait des photos et, si Mary Ann le souhaitait, elle pourrait connaître le sexe de son bébé. Sa mère, lèvres plissées, expression vigilante, avait agité la main. Mary Ann avait parfois l'impression que c'était sa mère qui était enceinte.

Au début, c'était comme si toute cette histoire arrivait à quelqu'un d'autre, ou en rêve. La première fois qu'elle faisait l'amour, sur la banquette arrière de la voiture de Tony, la douleur qu'elle avait éprouvée, le sentiment d'abandon quand Tony, après un baiser rapide, l'avait déposée au coin de la rue.

Il ne lui avait plus jamais téléphoné. C'était comme si le secret de Mary Ann avait grandi en elle jusqu'à devenir un bébé, jusqu'à ce que sa mère la surprenne en train de vomir dans les toilettes. Elle l'avait emmenée chez le docteur.

A leur retour, son père, trop réservé et trop doux pour lui faire des reproches, avait expliqué ce qu'ils feraient : Mary Ann continuerait à fréquenter Saint Ignace ; ses parents subviendraient à ses besoins et à ceux du bébé. Avec la détermination et les sacrifices nécessaires, ils parviendraient à eux trois à ce qu'elle aille à l'université.

C'était sa mère, dont les longs silences à table étaient plus pénibles que des mots, qui avait préparé la chambre d'amis pour le bébé, et partagé l'émerveillement de Mary Ann de sentir la vie s'agiter en elle. A chaque examen, sa mère devenait plus joyeuse et animée... jusqu'à l'échographie.

L'échographiste avait regardé l'écran en silence et, quand la mère de Mary Ann s'était levée pour voir l'image du bébé, elle avait éteint l'appareil.

« Qu'est-ce qu'il y a ? avait demandé sa mère.

— Le Dr McNally vous parlera dès qu'il aura les clichés. »

Sa mère s'était ensuite forcée à entretenir une conversation anodine pendant que Mary Ann se demandait ce que la femme avait vu grandissant en elle. Une demi-heure plus tard, une infirmière les avait conduites au cabinet du Dr McNally. Quinze ans auparavant, c'était lui qui avait mis Mary Ann au monde. Son visage avait une expression troublée.

« Je pourrais parler à ta mère ? » La demande avait achevé d'effrayer l'adolescente.

« Pourquoi ? C'est mon bébé », avait-elle répondu.

McNally avait jeté un coup d'œil à la mère puis s'était adressé à Mary Ann : « Il y a un problème. Ton bébé est hydrocéphale. »

Dans le silence qui avait suivi, Margaret Tierney avait fermé brièvement les yeux et posé une main sur l'épaule de sa fille.

« Il a la tête pleine d'eau, avait continué le médecin. Malheureusement, cela ne se manifeste souvent qu'après plusieurs mois de grossesse, avait-il précisé en faisant aller son regard de la mère à la fille. Mary Ann en est au cinquième mois, à une semaine ou deux de la viabilité, en moyenne. Rien n'est certain. Mais cela empêche généralement le développement du cerveau.

24

— Généralement? avait répété la mère, blafarde.

— Il y a une faible chance pour que le cerveau se développe normalement, mais l'échographie ne nous permet pas de le savoir.»

McNally avait marqué une pause avant d'ajouter, avec une réticence manifeste :

«Selon toute probabilité, l'enfant mourra peu après la naissance. Mais il faut attendre, j'en ai peur.

— Elle n'a que quinze ans, avait argué la mère. Une tête de cette taille...

— Faites-nous confiance. Nous pouvons pratiquer une césarienne classique, pour la protéger.»

Mary Ann avait l'impression que les mots lui parvenaient lentement, comme de très loin. Elle avait senti que sa mère lui embrassait le dessus de la tête, pressait longuement ses lèvres sur ses cheveux, comme lorsqu'elle était encore enfant.

«Et les grossesses futures? s'était-elle inquiétée. Mary Ann ne risque-t-elle pas de ne plus pouvoir avoir d'enfants?»

La tête baissée, Mary Ann avait fermé les yeux. Doucement, McNally avait répondu à sa mère :

«Je comprends, Margaret, croyez-moi. Mais, de nos jours, ce risque est relativement faible.

— Qu'est-ce que vous appelez faible?

— Cinq pour cent, au maximum. Probablement beaucoup moins.»

Ce n'est qu'à ce moment que Mary Ann avait commencé à pleurer.

— C'était quand? demanda Sarah.

— Il y a trois semaines, répondit l'adolescente en se levant soudain comme si l'angoisse la projetait en avant. Je suis toute seule. Mes parents m'obligent à avoir ce bébé, et il n'y a personne d'autre pour m'aider.

5

— C'est vraiment désolant, ce qui est arrivé à Bannon, dit Macdonald Gage, tendant à Chad Palmer un verre de scotch pur malt. Pour les meilleures des raisons, il est resté trop longtemps.

Les deux hommes étaient seuls dans le bureau spacieux du chef de la majorité, une suite tout en noyer et cuir qui rappelait à Chad un club masculin. Comme toujours, il avait remarqué la courtoisie sans faille de Gage : jamais il n'oubliait le goût de Chad pour le Glenlivet, une double dose servie sur des glaçons dans un verre à cocktail. C'était ce genre de menues attentions, conjuguées à un constant sens du détail et à une fine connaissance de ce qui motivait quatre-vingt-dix-neuf autres hommes et femmes, qui avaient fait de Macdonald Gage le maître du Sénat.

— A Roger, dit-il, levant son verre avec une grimace de commisération. Il a bien servi notre pays.

Chad songea paresseusement que Gage s'était façonné avec soin une personnalité publique onctueuse et prévisible grâce à une série d'homélies aussi peu révélatrices de sa vraie personnalité que son costume gris et sa cravate rayée étaient sans intérêt. Dans un coin de l'esprit de Gage, le monde devait être une interminable réunion du Rotary Club, avait un jour conjecturé Chad. Mais l'expérience lui avait appris que les bonnes manières de Gage étaient destinées à faire oublier aux autres son désir irrépressible de garder sur eux une longueur d'avance.

Par leur conduite et leur aspect extérieur, les deux hommes étaient diamétralement opposés. Gage avait l'allure lisse et prospère d'un notable de province d'âge mûr ; à quarante-neuf ans, Chad Palmer était mince, en forme, et cultivait un goût prononcé pour la spontanéité et l'irrévérence. Cela l'amusait de savoir que Gage le surnommait en privé «Robert Redford» — autant pour l'adoration que lui vouaient les médias que pour ses allures de beau blond — et que Kerry Kilcannon, avec plus d'affection, l'appelait «Harry Tête-Chaude», en référence à l'homme de guerre emporté du *Henry IV* de Shakespeare. Les deux hommes auraient été étonnés d'apprendre que ces deux façons de le voir s'accordaient tout à fait aux objectifs de Palmer.

— A Roger, répondit-il. Et au nouveau président.

Comme il s'y attendait, la fin de la phrase provoqua chez Gage un plissement de front qu'il fit aussitôt disparaître.

— Notre nouveau président a un problème, dit Gage. Et nous aussi.

Terminé pour Roger Bannon. Mais Chad se doutait bien que Gage ne l'avait pas convoqué d'urgence en un pareil jour pour faire l'éloge funèbre du vieux magistrat.

— Notre problème, je le connais : nous venons de perdre une élection. Quel est celui de Kerry?

— Il n'a gagné que de quelques milliers de voix, et nous détenons toujours le Sénat, répondit Gage. Nos électeurs, notamment les conservateurs chrétiens, comptent sur nous pour mettre Kilcannon en échec. La nomination d'un nouveau président de la Cour suprême nous offre l'occasion de marquer un point.

Chad savoura la brûlure au goût de tourbe de l'excellent scotch et fit observer :

— Cela dépendra du choix qu'il fera.

— Il a ses propres électeurs à satisfaire. Il ne nous proposera pas quelqu'un qui pourrait nous plaire. D'abord, il doit passer par vous, le président de la commission judiciaire. Vous enquêtez sur ses candidats, vous dirigez les audiences. Vous décidez ou non de lui faciliter les choses.

Palmer haussa les épaules.

— Je n'ai pas l'intention de lui accorder un blanc-seing. Mais je ne mènerai pas non plus une chasse aux sorcières pour faire avouer au candidat qu'il croit à la théorie de l'évolution — quoi que puissent en penser certains de nos électeurs. Je crois qu'il est temps de nous rendre compte qu'ils sont une des raisons pour lesquelles nous ne cessons de perdre.

— Si c'était vrai, argua Gagé, nous n'aurions jamais pu faire passer la loi sur la protection de la vie. Même un président démocrate a été contraint de la signer. Sans Bannon, la Cour est partagée. Nos exigences sont simples : pas de réformateurs judiciaires, pas de libéraux en matière de criminalité, pas de défenseurs forcenés de l'avortement. Vous êtes notre première ligne de défense, Chad. Il se pourrait bien que Kilcannon tire de sa poche un candidat dès demain. Nos électeurs veulent que nous ayons la même vision des choses.

— Et que nous chantions le même cantique, enchaîna Palmer avec un sourire.

— Accepteriez-vous un conseil?

— De votre part, Mac? Toujours.

— Votre désignation à la tête de la commission a suscité des récriminations, dit Gage sur un ton de confidence. Je suis parvenu à les apaiser. Mais certains pensent que vous êtes trop proche de Kilcannon, en particulier après ce projet de réforme du financement des campagnes électorales que vous avez tous deux soutenu. La plupart des membres de notre parti, moi compris, estimaient qu'il risquait de nous mettre au chômage. Vous devez faire amende honorable, et c'est peut-être l'occasion.

Le message était clair. Une fois que Kerry aurait fait part de son choix, les projecteurs se braqueraient sur Chad : s'il échouait dans cette première épreuve, ses chances d'être le candidat du parti aux prochaines élections seraient fortement compromises. L'idée traversa Palmer que Gage se satisferait également de deux issues contraires : un rejet du choix de Kilcannon, qui accroîtrait les chances de Gage de devenir candidat à la présidence, ou un compromis, qui réduirait celles de Palmer.

— Ni vous ni moi ne pourrons jouer au héros, rétorqua Gage. A moins que le président nous offre une ouverture et il n'est pas idiot. S'il l'était, il serait encore ici avec le reste des bouffons.

— Ecoutez, Mac, je ne veux pas plus que vous d'un libéral. Si Kerry se sent assez embarrassé pour me demander conseil, je le lui ferai clairement comprendre.

— Oh! il vous consultera. Vous n'avez jamais été aussi important pour lui.

Ou pour toi, pensa Palmer.

Gage le fixa sans rien dire. En d'autres circonstances, Chad aurait volontiers joué à qui resterait le plus longtemps muet. Le silence ne le gênait plus : pendant plus de deux ans de ce qui semblait être une autre vie, il avait dû vivre, souvent pendant des journées entières, sans entendre le son d'une voix. Mais ce soir, il était pressé de rentrer.

— A mon tour, je peux donner un conseil, Mac? Sur le président?

— J'en serais ravi. Vous le connaissez tellement mieux que moi.

Chad ne releva pas le sarcasme implicite.

— Kerry est le plus intuitif des hommes politiques que je connaisse, et il joue pour de vrai. Vous êtes ici depuis plus longtemps que moi. Mais je pense que cette ville pourrait bien être un jour jonchée des cadavres de ceux qui ont sous-estimé Kerry Kilcannon.

Le sourire de Gage se crispa, et Chad eut l'impression de l'entendre penser : le tien peut-être, pas le mien.

Chad se leva aussitôt.

— Bon, il faut que je rentre. Agrafer la robe d'Allie.

— Comment va-t-elle? s'enquit Gage, se levant lui aussi. Et comment va *Kyle*?

— Allie va bien. Et Kyle est à l'université maintenant, elle prépare un diplôme de styliste de mode. Si je connais quoi que ce soit aux robes, elle se débrouille plutôt bien.

— Tant mieux, approuva Gage. Tant mieux.

Dans sa voiture, Palmer se demanda pourquoi ce dernier échange, en apparence anodin, le troublait davantage que le reste de leur conversation.

6

— Qui sont vos parents? demanda Sarah.

L'adolescente croisa les bras, resta un moment debout, raide et silencieuse, puis se rassit, comme un pneu qui se dégonfle soudain.

— Mon père est Martin Tierney.

Elle n'eut pas besoin d'en dire plus. Professeur de droit à l'université de San Francisco, Martin Tierney était un défenseur acharné du mouvement pro-vie.

Cachant sa consternation, l'avocate répondit :

— Je sais qui c'est. Et je connais ses opinions sur le libre choix.

— Il n'y a pas que ça, murmura Mary Ann. Quand j'avais douze ans, ma mère et lui m'ont emmenée à une veillée de prières organisée à la prison de San Quentin, le soir de l'exécution d'un homme qui avait violé et assassiné deux petites filles. Ils pensent que toute vie est sacrée, que tuer est un crime, pour quelque raison que ce soit.

— Vous le pensez aussi?

Mary Ann se mordit la lèvre.

— C'est ce que l'Eglise, mon père et ma mère m'ont appris. Avant je l'acceptais.

Elle se tut, leva les yeux.

— Mais si j'ai ce bébé et si je ne peux plus jamais en avoir d'autre? reprit-elle d'une voix tremblante. Même quand je serai mariée?

— Vos parents, qu'est-ce qu'ils disent exactement?

— Lui, il a décidé qu'un avortement était exclu. Ma mère, elle, pleurait en silence.

Sarah tenta de voir clair dans ses sentiments.

— Je vous en prie, l'implora Mary Ann. J'ai besoin de votre aide.

Sarah songea au nombre de fois qu'une personne en crise avait fait appel au bon sens et au calme qu'elle était censée avoir. Mais aucune voie exempte de traumatisme ne s'ouvrait à Mary Ann Tierney, et une seule chose semblait claire : la loi. Il n'y avait aucune charité à tenter de l'y soustraire.

— Je suis désolée mais il est peut-être trop tard. Du moins pour le genre d'aide que vous demandez.

— Qu'est-ce que vous voulez dire ?

— Le Congrès vient d'adopter une loi... la loi sur la protection de la vie. On dirait qu'elle a été rédigée pour vous.

— Pourquoi ?

— Parce que vous avez moins de dix-huit ans, et que votre docteur estimerait probablement que, à son avis de praticien, le fœtus est — ou, s'il est normal, pourrait être — viable hors de l'utérus. Selon cette loi, vous avez besoin de l'autorisation d'un des parents pour avorter d'un fœtus viable. Et cette autorisation doit en plus s'appuyer sur «l'avis éclairé» d'un docteur déclarant un avortement nécessaire tel que le définit cette loi.

Voyant le visage de Mary Ann se tordre, Sarah hésita à poursuivre.

— Sans autorisation parentale, vous devez prouver devant un tribunal que cette grossesse présente un «risque médical important» pour votre vie ou votre santé. Je ne crois pas qu'un risque de cinq pour cent compromettant de futures grossesses serait suffisant.

Les yeux de Mary Ann se fermèrent.

— Même si l'enfant n'a pas de cerveau ?

— La loi ne le prévoit pas, répondit Sarah, s'efforçant de contenir la colère et l'ironie qu'elle sentait dans sa propre voix. C'est une des choses sur lesquelles vos parents doivent prendre une décision.

— Mais jusqu'à l'échographie, je ne savais pas...

— Je vous ai vue ici il y a deux semaines. Pourquoi n'êtes-vous pas entrée ?

— Les manifestants m'ont fait peur. L'un d'eux était le curé de ma paroisse.

Mary Ann Tierney était devenue le jouet du destin, pensa Sarah. Quatre mois plus tôt, il n'y avait pas de loi sur la protection de la vie ; deux semaines plus tôt, à son stade de grossesse, un autre docteur aurait peut-être mis en doute la viabilité du fœtus, même normal. Mais Mary Ann était venue à la clinique, elle avait le droit de savoir quelles chances il lui restait.

— Il y a peut-être une possibilité, lui dit Sarah. Il n'est pas sûr que cette loi soit valide. Selon le verdict rendu dans l'affaire Roe contre Wade, la Constitution garantit le droit à l'avortement. Mais, une fois que le fœtus est «viable» — ce qu'affirme votre propre médecin —, le Congrès peut interdire l'avortement à moins qu'il ne soit nécessaire pour protéger la vie ou la santé de la mère. Personne ne sait exactement ce que cela signifie, et aucun tribunal n'a encore dit si la loi sur la protection de la vie viole le droit d'une mineure de décider, avec les conseils d'un médecin, ce qu'un « risque médical important » signifie pour *elle*.

Sarah marqua une pause avant de conclure :

— Si le tribunal considère que c'est anticonstitutionnel, aucune loi en Californie ne peut vous empêcher de prendre une décision vous-même.

Mary Ann joignit l'extrémité des doigts et fixa le sol, comme s'il lui fallait du temps pour assimiler cet élément nouveau.

— Je dois cependant vous prévenir que ce serait extrêmement pénible, l'avertit l'avocate.

— Mes parents, vous voulez dire ?

— Vous devrez peut-être les affronter au tribunal. A ce stade, il est impossible de cacher un avortement. Si vous entrez dans le cadre de la loi, vous pouvez théoriquement obtenir un avortement sans que vos parents comparaissent au tribunal, bien que je doute que vous puissiez le leur cacher. En revanche, si vous essayez d'invalider la loi, il n'y aura plus de secret. Votre avocat pourra constituer le dossier sous un pseudonyme mais, si l'affaire s'ébruite, tous les médias se jetteront dessus. Ceux-là même que vous avez vus devant la clinique viendront manifester devant le tribunal. Les partisans du libre choix pourraient aussi être tentés de vous prendre pour cheval de bataille. Ce n'est pas tout : comme vous vous attaquez à une loi du Congrès, le ministère de la Justice sera contraint de s'opposer à vous. Et, comme la plupart des gens estiment, sans trop réfléchir, que l'autorisation parentale est une bonne chose, et l'avortement tardif inhumain, les pressions politiques seraient énormes.

Les yeux de l'adolescente s'embuèrent de nouveau. Sans grand espoir, Sarah hasarda :

— Il suffirait d'un parent. Vous ne pourriez pas convaincre votre mère de changer d'avis ?

— Vous ne comprenez pas. Cela briserait leur couple.

— Et votre médecin ? Il pourrait vous aider ?

— Non. C'est un ami de mes parents. Ils pensent tous que l'avortement est un péché. Vous êtes la seule qui puissiez m'aider.

— C'est injuste, je le sais.

— Le tribunal est mon seul espoir, j'ai l'impression.

L'avocate prit une longue inspiration.

— Ce serait une affaire retentissante. Dans le cabinet pour lequel je travaille, je ne suis que collaboratrice. Je ne peux accepter aucune affaire — encore moins gratuitement — sans demander l'accord des associés.

Mary Ann leva les yeux vers elle.

— Alors, demandez-leur. S'il vous plaît.

Sarah prit tout à coup conscience que ses appréhensions pour Mary Ann s'appliquaient aussi à elle-même. En même temps, elle sentit monter en elle un désir d'affirmation de soi et d'indépendance qu'elle s'efforçait souvent de contenir dans un cabinet aussi conservateur et hiérarchisé que Kenyon & Walker.

— Je pourrais au moins donner quelques coups de fil, temporisa-t-elle. Essayer de trouver quelqu'un d'autre...

Le visage de Mary Ann se ferma, comme devant une trahison.

— C'est ça, répliqua-t-elle sèchement.

Elle est à bout, pensa Sarah. Et c'est une gosse de quinze ans : par définition — même avant son problème — instable, peu sûre d'elle et égocentrique. Comme Sarah ne s'en souvenait que trop.

— Mary Ann, il s'agit d'une affaire qui pourrait finir devant la Cour suprême des Etats-Unis.

— Je suis désolée, dit l'adolescente, radoucie.

L'avocate se sentait désespérée à son tour.

— Comment je peux vous joindre ? finit-elle par demander.

— Vous ne pouvez pas. Ma mère a débranché le téléphone de ma chambre.

Seigneur, soupira intérieurement Sarah. Elle prit lentement la mesure de la jeunesse, de l'isolement de Mary Ann, et de la responsabilité que cela pouvait faire peser sur elle-même.

— Je ne dis pas que j'accepte de vous représenter. Mais appelez-moi demain, d'accord ? Du lycée.

Mary Ann tourna vers elle des yeux emplis de larmes, autant d'épuisement que d'espoir, supposa Sarah, et elle se demanda ce qui se passerait si elle refusait d'aider la jeune fille.

7

Il y avait encore des moments où il aimait sa femme à en avoir mal, se disait Chad Palmer.

Elle s'examinait d'un œil critique dans le miroir de la chambre, penchant légèrement sur le côté sa chevelure blonde. Pour Chad, ce geste familier était imprégné de moments de leur vie, toute une galerie de miroirs où le visage d'Allie se reflétait : l'émerveillement d'une intimité nouvelle ; l'image à laquelle il s'était accroché en captivité ; la surprise de lui avoir été rendu ; les dix-huit années écoulées depuis et pendant lesquelles, chaque soir, avec une résignation désabusée, elle avait compté les rides qui, quasi imperceptiblement, marquaient le passage du temps. Lorsque Chad avait fait sa connaissance, elle était jolie : mutine, des yeux bleus, un corps mince, le visage rayonnant de bonne humeur ; vingt-huit ans plus tard, il la trouvait belle. La silhouette svelte était restée ; ce que le temps avait ajouté à son visage, c'était de la sagesse, de la détermination et, Chad s'en désolait, une certaine tristesse. Mais, lorsqu'elle vit le reflet de son mari l'observer, elle eut un léger sourire.

— Pourquoi tu me regardes ?

Il s'approcha, lui embrassa la nuque.

— Parce que tu es ravissante. Et parce que tu as oublié ma présence.

— Mmm, fit-elle, à mi chemin entre satisfaction et autocritique. Si seulement je pouvais oublier que j'ai quarante-six ans.

— Pourquoi l'oublier ? dit Chad en l'enlaçant.

— Trop tard, décréta-t-elle. Le bal est dans une heure et je suis maquillée. Pour une fois, mes cheveux se montrent un peu disciplinés.

La familiarité de la récrimination le fit sourire.

— Oublie ta coiffure. Tu vis avec l'homme que *George* a qualifié de sénateur le plus sexy de la décennie.

— La décennie précédente, précisa Allie. Enfin, tu ne t'endors pas sur tes lauriers, dit-elle en se retournant et en l'embrassant sur la joue. Tu as besoin d'aide pour ton nœud papillon ?

— Comme d'habitude. J'ai renoncé à me battre avec ce truc.

Elle traversa la pièce, prit sur le bureau un ruban noir, le glissa sous le col de son mari, le noua à la perfection. Ce geste aussi eut un écho dans la mémoire de Chad : quand il était retourné auprès d'elle, changé dans son corps et dans son esprit, elle l'avait accepté avec une tendresse qui démentait que ces deux années de captivité l'avaient changée, elle aussi, d'une manière qu'ils ne percevaient que confusément.

Lorsqu'il l'avait rencontrée, elle avait dix-huit ans, elle était en première année à l'université du Colorado et n'avait d'autre ambition que de devenir une épouse et une mère. Chad était en dernière année à l'Ecole de l'armée de l'air, produit arrogant d'une société exclusivement masculine, dont l'objectif était de piloter les derniers modèles d'avion aussi loin et aussi vite que possible. Ils étaient tombés amoureux — du moins, c'était la conception que Chad se faisait de l'amour — et s'étaient mariés avec plus d'optimisme que de perspicacité. Pendant les sept années qui avaient suivi, Chad était resté identique à lui-même — plein d'entrain, porté sur le whisky et sur les femmes, sérieux sur un seul point : être un excellent pilote. Son regret alors, n'était pas ce que la carrière nomade d'un officier de l'aviation avait fait subir à leur couple, mais était d'avoir manqué le Vietnam. La résignation d'Allie, son dégoût silencieux pour leur existence — les déménagements en série, les nuits que Chad passait à boire au club des officiers, ses liaisons désinvoltes de Californie en Thaïlande — étaient pour lui sans importance.

Jusqu'au jour où elle lui était devenue inaccessible et où seule la pensée d'Allie l'avait maintenu en vie.

Une nuit à Beyrouth, Chad, imbibé de scotch, avait été enlevé par trois hommes parlant arabe. Son voyage s'était terminé il ne savait où, dans l'obscurité d'une cellule. Pour la première fois, pendant des jours interminables, Allie avait été au centre de ses pensées, son souvenir était devenu plus précieux que sa présence ne l'avait jamais été. Seul l'espoir de la retrouver l'avait empêché de souhaiter la mort. Pas assez cependant — et cela l'étonnait encore — pour l'amener à révéler à ses ravisseurs ce qu'ils voulaient savoir.

Et puis ils l'avaient libéré.

Quand Chad Palmer était rentré, plus amoureux qu'il ne l'avait cru possible, il avait retrouvé une femme qui ne correspondait pas à ses souvenirs.

Leur fille, Kyle, dormait entourée de photos de son père, mais Allie l'avait cru mort. Maintenant, elle n'avait apparemment plus besoin de lui : pendant deux ans, elle s'était débrouillée seule.

«Tu n'es plus le même, avait-elle souligné. Moi non plus. Je ne serai plus jamais comme avant.»

Blessé par son attitude distante, il avait répondu :

«Je ne crois pas que je t'ai manqué autant que tu m'as manqué.

— J'avais peut-être moins à regretter, avait-elle reparti.»

Chad était rentré avec un sens du sérieux rare chez n'importe quel homme, et tout à fait inattendu chez lui, pour retrouver une femme transformée par sa disparition et une fille qu'il ne connaissait pas. Le but même de sa vie — piloter — n'existait plus : s'il avait fini par se rétablir physiquement, il ne possédait plus certaines qualités requises pour être aux commandes d'un avion de chasse. Il ne connaissait pas non plus l'homme qu'il était devenu par hasard : une personnalité saluée en héros par les médias, l'armée de l'air et une ribambelle d'hommes politiques.

Lentement, sur les ruines de sa carrière, Chad s'était construit un nouveau but dans l'existence. La solitude l'avait contraint à tirer certaines conclusions sur lui-même et sur la société dans laquelle il évoluait. C'était un cadeau, comme chacune des journées qu'il vivait depuis sa libération. S'il ne se prenait pas pour un « héros », il avait assez de bon sens pour savoir que l'héroïsme avait son utilité en politique. Les deux partis voulaient se servir de lui ; il avait choisi les républicains à cause d'une authentique convergence d'opinions. Ce qu'il ne leur avait pas dit, et qu'ils n'avaient appris que peu à peu, à leur grand regret, c'était que Chad n'était pas un conformiste. La prison lui avait révélé qui il était.

Ensemble, Allie et lui avaient trouvé le moyen de rebâtir leur couple. Ils étaient allés vivre dans le nord de l'Ohio, où il avait grandi, et où il se lança dans la politique. Chad Palmer était le rêve des faiseurs d'images : direct mais attirant, beau comme une star de cinéma. Après ce que Chad, sardonique, qualifia de « dix mois pénibles passés à prouver ma stature de dirigeant national », il s'était présenté aux sénatoriales et avait entamé la vie itinérante d'un candidat.

A défaut d'enthousiasme, Allie avait montré de la tolérance. Peut-être parce qu'elle avait maintenant une place à elle, et une fille à aimer. Peut-être parce qu'elle était trop absorbée par les problèmes de Kyle, apparus avec l'adolescence. Peut-être — pensait Chad avec regret — parce qu'elle l'aimait encore assez pour savoir que, quels que soient ses défauts et ses ambitions, il l'aimait beaucoup trop désormais pour toucher une autre femme.

— Là, dit Allie en rectifiant la position du nœud papillon. Tu es assez beau pour te rendre à ta propre investiture.

Il déposa un baiser sur son front, répondit d'un ton badin :

— Et toi, assez sexy pour provoquer un scandale.

— Ce soir, tous les regards seront pour Lara. Je me demande l'effet que ça fait d'avoir trente et un ans et d'être pour le *Post* « la plus belle future première dame depuis Jackie Kennedy » ou « la plus scintillante des petites amies présidentielles depuis Marilyn Monroe ».

— Pour elle, je ne sais pas, mais Kerry m'a dit il y a deux semaines qu'ils se sentaient comme deux ados ayant sur le dos deux cent soixante-dix millions de parents.

— Tu crois qu'il l'épousera vraiment?

— Je ne sais pas, répéta Chad. Kerry n'est pas porté à faire des confidences, surtout à quelqu'un qui pourrait se présenter contre lui dans quatre ans. Je me demande plutôt si Lara a vraiment envie de l'épouser.

— Pour une raison personnelle? Ou parce qu'elle ne veut pas de cette vie?

— Difficile à dire. Cette vie est dure, ce n'est pas à toi que je vais l'apprendre.

Allie regarda son mari dans les yeux.

— Tu te présenteras la fois prochaine?

— Je voulais le faire cette fois-ci, tu le sais bien. Tout dépendra de divers facteurs. Dont tu fais partie.

— J'en suis consciente, fit-elle en posant une main sur l'épaule de Chad. Excuse-moi.

— Et moi, je comprends.

Au bout d'un moment, elle lui tourna le dos en demandant :

— Tu me fermes ma robe?

— Bien sûr.

La fermeture éclair ne pose pas de problème, se dit Chad, c'est cette foutue agrafe...

— Kyle vient aussi?

Allie secoua la tête.

— C'était très gentil à Kerry de l'avoir invitée, surtout avec tout ce qu'il a en tête. Mais elle prétend qu'elle ne saurait pas quoi dire ni par qui se faire accompagner.

Quoi de plus paralysant que le manque d'estime de soi? pensa Chad. Quoi de plus mystérieux dans ses origines? Cela soulagerait sa conscience, supposait-il, de se persuader que Kyle était née comme cela. Mais il devait reconnaître qu'il avait été trop souvent un père absent. Quelle que fût la cause, les Palmer avait une fille de vingt ans aussi fragile que ravissante, et les soucis qu'Allie se faisait pour elle obscurcissaient son visage quand elle se tourna de nouveau vers Chad.

— Qu'est-ce que voulait Gage?

— Me parler de la Cour suprême. Son président n'est pas mort depuis trois heures que Mac tente de faire pression sur moi. Ou je mets le candidat de Kerry — quel qu'il soit — à la torture, ou Mac pourrait chercher à me causer des ennuis.

36

— Tu as déjà essayé de les éviter, les ennuis?

Les pensées de Chad revinrent à Kyle, et il répondit à la mère de sa fille :

— Il n'est pas trop tard pour apprendre.

8

— Qu'est-ce que vous feriez, vous? demanda Sarah.

— Moi? Je me sauverais comme un voleur.

Se retournant, l'honorable Caroline Clark Masters adressa un regard ironique à son ancienne stagiaire.

— L'affaire que tu imagines est un cauchemar, ajouta-t-elle. Sur les plans juridique, politique et professionnel.

Les deux femmes se tenaient dans la cuisine de l'appartement en terrasse de Caroline à Telegraph Hill, spacieux et élégamment meublé, avec de grandes baies vitrées offrant une vue panoramique des tours de San Francisco. Chaque détail, de la sculpture moderne en fil de fer au délicieux chassagne-montrachet que les deux femmes savouraient pendant que Caroline préparait le repas, reflétait les goûts de la propriétaire : raffinés, et peu révélateurs, comme elle. Seul détail personnel, la photo d'une belle jeune femme à la peau basanée, que Caroline, quand Sarah lui avait posé la question, avait dit être sa nièce. Caroline Masters parlait peu d'elle-même : malgré sa célébrité relative, inhabituelle pour un magistrat, elle demeurait — avec une constance parfois irritante — évasive sur son propre compte.

La femme elle-même était impressionnante : grande, très droite, gracieuse, des traits finement sculptés, un long nez aquilin, des yeux marron, un front haut et une chevelure noire lustrée. Elle avait tout à fait l'air de ce qu'elle était : la fille d'une famille patricienne de la Nouvelle-Angleterre, avec une touche exotique — la peau sombre, le sourire un rien sardonique — qui rappelait sa mère, une juive française dont les parents étaient morts en camp d'extermination. Conjugué à une diction irréprochable et à un port naturellement imposant, son aspect physique avait contribué à imprimer son image dans la tête des Américains quelques années plus tôt quand, juge d'un tribunal d'Etat, elle avait présidé le procès télévisé de Mary Carelli, journaliste de télévision accusée de meurtre. Lorsque Carelli avait été acquittée, après des débats suivis par des millions de téléspectateurs, Caroline était devenue presque aussi célèbre que la journaliste.

Aux yeux de Sarah, tous les échelons que Caroline avait gravis depuis — associée dans le cabinet Kenyon & Walker, juge fédéral — servaient un but si élevé que la jeune avocate n'osait le mentionner. Le petit poste de télévision installé près de la cuisinière repassait, volume réduit, le reportage sur l'investiture de Kilcannon, autant, supposait Sarah, pour les conséquences implicites de la mort de Bannon que pour l'accession au pouvoir d'un nouveau président. Pour Sarah, aucun objectif de Caroline n'était trop ambitieux. Pendant son année de stage, elle avait été impressionnée par l'intégrité et la rigueur intellectuelle de son aînée et, si on lui avait demandé sur qui elle voulait prendre exemple, elle aurait répondu sans hésiter Caroline Masters.

Les raisons pour lesquelles Caroline entretenait leur amitié étaient moins claires. Elle montrait cependant un intérêt de grande sœur — de mère, presque — pour la carrière et la vie de Sarah. Peut-être parce qu'elle n'avait pas d'enfants et qu'elle semblait considérer sa seule famille — sa nièce — avec détachement.

— Vous vous sauveriez comme un voleur? Pourquoi? A cause du cabinet?

— C'est une des raisons. Mes anciens associés de Kenyon & Walker pourraient bien éloigner cette coupe empoisonnée de tes lèvres avant que tu n'en boives une goutte. Pour une fois, je ne leur en ferais pas reproche. Ils veulent apparaître comme le plus important cabinet juridique de la côte ouest dans le domaine de l'entreprise, pas comme les défenseurs du droit à l'avortement. Toute action visant à invalider la loi sur la protection de la vie serait difficile. Le sujet est épineux, il remue les passions. Si tu t'imagines que c'est une affaire évidente de légalisation «d'infanticide», attends d'avoir entendu les avocats des handicapés t'accuser de vouloir tuer des fœtus uniquement parce qu'ils ne correspondent pas à *tes* normes, quelles qu'elles puissent être. Tu ferais mieux de préparer une réponse.

Sarah prit conscience qu'elle n'avait pas pensé à cet aspect de la question. Caroline but une gorgée, poursuivit avec plus de douceur :

— Tout ce que je te demande, c'est de peser les choses avec soin. Sur l'avortement, les gens des deux camps, y compris hommes politiques et militants, ont des convictions profondes et la mémoire longue. Il y a des jours où je me félicite de n'avoir jamais prononcé de verdict sur une affaire d'avortement.

Et de n'avoir jamais exprimé non plus d'opinion personnelle sur le problème, remarqua Sarah, peut-être parce que Caroline estimait qu'une conversation sur un sujet aussi explosif ne pouvait que nuire à la carrière d'un juge. Analyse pertinente : pour quelqu'un qui nourrissait des ambitions judiciaires, même naissantes, comme celles de Sarah, prendre parti sur un problème aussi brûlant que l'autorisation parentale et l'avortement tardif pouvait être aussi fatal que se prononcer contre la peine de mort.

— Je ne cesse de penser à la clinique, répondit-elle. Engagement chrétien a presque réussi à la faire fermer. Maintenant, le mouvement pro-vie prétend qu'il s'approprie le corps des adolescentes dans leur intérêt, au moyen d'une loi « protectrice », alors que tout ce que veulent vraiment certains de ses membres, c'est les punir.

« Je ne peux m'empêcher d'avoir du respect pour de nombreux militants pro-vie que je rencontre. Ils sont sincères, ils n'ont pas de basses motivations. Mais Engagement chrétien joue double jeu : sérieux et réfléchi en public, effrayant sur ses marges. Ce type qui a tenté de bloquer Mary Ann ressemblait à beaucoup d'entre eux : un marginal, un solitaire, plein de ressentiment envers les femmes. Je suis sûre que c'est psychosexuel : ils ont tellement peur que les femmes rivalisent avec eux — ou même, Dieu les en préserve, qu'elles s'attendent à avoir un orgasme pendant l'amour — que nous faire avoir des bébés est leur dernière ligne de défense.

Le sourire désabusé de Caroline disparut.

— C'est une erreur de faire la satire de l'adversaire, avertit-elle. Ou de ne pas avoir une idée claire de ce qui le motive. Ce type dont tu parles n'arrive peut-être pas à sortir avec une fille. Mais Martin Tierney est un philosophe.

— Tu le connais ?

— Je l'ai vu, dans des débats, répondit Caroline, qui se retourna pour jeter un coup d'œil au poisson qu'elle faisait cuire et commencer à tourner la sauce. Ses convictions morales et religieuses sont cohérentes, solidement fondées et intellectuellement convaincantes. Si tu ajoutes à cela qu'il est le père de la fille, l'affronter au tribunal ne devrait pas être facile. Moi, je sais que je n'en meurs pas d'envie.

Façon bienveillante de rappeler à Sarah son inexpérience : à quarante-neuf ans, Caroline avait passé plus de vingt années dans les tribunaux, en commençant par des affaires où elle était commise d'office, et elle avait une réputation de brillante avocate.

— Au civil, l'expérience est surévaluée, répliqua Sarah dans une poussée d'orgueil et d'entêtement. Ce qu'il faut surtout, c'est être compétent et se préparer, pour être sûr de ne pas se faire surprendre par la partie adverse.

Caroline la considéra en effleurant son verre des lèvres.

— En fait, je suis d'accord avec toi. A vingt-neuf ans, je défendais des indigents accusés de viol ou de meurtre. La différence, c'est que je ne m'attirais la haine de personne, survivants mis à part. S'il y en avait. Les cas où un juge peut se défiler sont très rares. Ce n'est pas la même chose pour un avocat. Je pense que tu devrais prendre comme critère : «Est-ce que, sur un plan moral, je dois absolument accepter cette affaire?».

Sarah posa son verre sur le bar en marbre noir de la cuisine, se pencha en avant sur son tabouret, les bras croisés : comme c'était sans doute le but recherché, les conseils de Caroline lui avaient remis les pieds sur terre.

— Laissez-moi vous poser une question, dit-elle enfin. D'après la jurisprudence, quelles sont les chances de gagner?

Caroline secoua la tête.

— Il y a une possibilité, quoique faible, pour que cette affaire finisse en cour d'appel, avec moi parmi les juges. Et même s'il n'y en avait aucune, je ne dois pas donner de conseils juridiques à une partie potentielle.

Sarah se sentit frustrée. Sur les vingt et un juges en exercice de la cour d'appel, trois étaient affectés au hasard sur une affaire donnée, ce qui réduisait les chances de Caroline de s'occuper de celle de Mary Ann à une sur sept. Mais Sarah savait que le code déontologique de Caroline ne souffrait aucune exception.

Caroline dut sentir la déception de Sarah car elle ajouta avec plus de douceur :

— Je voudrais pouvoir t'aider davantage. En tout cas, tiens-moi au courant de ta décision.

Elle reporta son attention sur la sauce à l'orange. A côté d'elle, sur le poste de télévision, le président de la Cour suprême s'écroulait au ralenti.

— Incroyable, murmura Sarah. Quel genre d'homme c'était?

— Une intelligence supérieure, bien sûr.

Sur l'écran, le sénateur Palmer se précipitait au secours de l'homme tombé à terre.

— Mais un esprit étroit, rigide, aussi ridiculement sérieux qu'un juge d'une comédie des Marx Brothers.

Ce résumé mordant était si caractéristique de Caroline, femme qui ne s'embarrassait pas de faux sentiments, que Sarah se surprit à sourire. Mais Caroline, elle, ne souriait pas. Continuant à regarder la télévision, elle commenta :

— Cela pourrait chambouler toute la Cour. Selon ce que le président décidera.

— Parce que la Cour est partagée ?

— Entre autres. Mais un nouveau président de la Cour suprême, ce n'est pas seulement une voix de plus dans un sens ou un autre. Tous les étudiants en première année de droit savent que l'affaire Brown contre le Conseil de secteur scolaire a mis un terme à la ségrégation légalisée dans les écoles publiques. Mais peu apprennent qu'après la première audience la Cour était partagée, avec un président, Vinson, fermement partisan du *maintien* de la ségrégation.

« Avant que le verdict ait pu être annoncé, Vinson est mort d'une crise cardiaque. Earl Warren l'a remplacé. La discussion a repris, Warren s'est mis au travail, utilisant toutes ses capacités de persuasion. Il en est sorti l'opinion unanime qui, selon certains, a lancé le mouvement pour les droits civiques et nous a contraints à regarder en face le problème racial.

« Le problème que tu soulèves maintenant divise presque autant l'opinion, et la vie politique est infiniment plus haineuse aujourd'hui. Je ne voudrais pas être à la place de Kilcannon.

— Vous le connaissez ?

— Pas personnellement. Un handicap pour moi, c'est certain.

Si elliptique que fût la formule, Caroline n'avait jamais été plus près de reconnaître l'ambition que Sarah lui attribuait. Enhardie, l'avocate fit observer :

— Mais vous connaissez Ellen Penn.

— Oui. Et je dois déjà mon poste actuel à la vice-présidente.

Après une pause consacrée à la sauce, Caroline ramena son regard sur Sarah.

— Non, je t'en prie. N'y songe même pas.

— D'accord, je censure mes pensées, répondit Sarah avec un sourire. Mais on peut rêver, non ?

9

A un peu plus d'une heure et demie du matin, Kerry Kilcannon et Lara Costello entrèrent dans le salon obscur du président. C'était la première fois que Lara montait à l'étage. Disséminées partout ailleurs dans la Maison-Blanche, une cinquantaine de personnes — le personnel, les agents du Secret Service — savaient exactement où le couple se trouvait, lui avait expliqué Kerry.

— Maintenant, tu l'as vu, dit-il. Mon nouveau foyer. Le joyau de la couronne du système pénitentiaire fédéral.

Aussi impressionnée que lui, Lara regarda autour d'elle. Dans la pièce au mobilier d'époque, une petite plaque apposée par Jacqueline Kennedy disait : «John Fitzgerald Kennedy a occupé cette pièce pendant les deux ans, dix mois et deux jours de sa présidence, du 20 janvier 1961 au 22 novembre 1963.»

Les magazines de luxe la comparaient à Jackie, mais Lara n'était pas issue de la haute bourgeoisie : son père, un Irlandais alcoolique, avait abandonné sa famille quand Lara avait huit ans ; sa mère, hispanique, avait élevé ses filles en faisant le ménage chez les autres ; il y avait deux ans encore, avant que NBC ne la souffle au *New York Times,* Lara avait dû lutter pour aider sa mère et payer les études de ses sœurs. Et Kerry et elle n'étaient pas mariés.

Pourtant elle était à la Maison-Blanche, vêtue d'une robe du soir de Gianfranco Ferre, dans les appartements privés du président.

Les mains dans les poches, Kerry regardait par la fenêtre la neige légère qui tombait sur le parc.

— Difficile à croire, hein ? dit Lara en lui touchant le coude.

Il ne répondit pas — inutile. Il avait suivi un chemin plus long encore que celui de Lara : un père violent, une enfance difficile, des débuts dans la vie adulte sans grande estime de lui, en se voyant comme le petit frère moins doué de James Kilcannon, un prince irlando-américain de fraîche date qui, jusqu'à son assassinat, avait été sénateur du New Jersey. Succédant par hasard à son frère à l'âge de trente ans, Kerry avait dû trouver sa propre voie. Peu de gens l'imaginaient alors en président. Lui-même n'y avait jamais songé.

Lara lui prit la main, contempla son visage ciselé, dont chaque détail lui était cher, maintenant, en particulier les yeux : leurs iris bleus piquetés de vert, plus grands que chez la plupart des autres hommes, donnaient une impression de perspicacité profonde, de secret.

— Dans combien de temps je me transforme en citrouille ? s'enquit-elle.

— Oh ! Clayton a commandé un sondage là-dessus. En Californie, tu pourrais coucher ici. Mais soixante-huit pour cent des personnes interrogées en Alabama veulent que tu partes tout de suite.

— C'est la Californie qui t'a fait président, repartit Lara. Les habitants de l'Alabama ne veulent même pas que tu couches ici tout seul.

— Exact, convint-il. Mais nous connaissons les données du problème depuis longtemps.

Avec leur consentement réticent, Clayton Slade avait défini des règles pour le président et sa maîtresse : Lara et Kerry devaient être fiancés ; elle ne pouvait pas présider aux dîners de la Maison-Blanche ni, d'une manière générale, prétendre agir en qualité de première dame ; bien qu'elle eût des opinions politiques arrêtées, c'était à Kerry, en privé, qu'elle devait exclusivement les exprimer. Et, règle numéro un, elle ne pouvait pas passer la nuit avec lui. Ce soir plus qu'aucun autre soir, le personnel de la Maison-Blanche veillerait à inscrire son nom sur le registre des sorties.

Outre un souci de bienséance, un secret vieux de plusieurs années rendait ces règles impératives : reporter au *New York Times*, Lara était tombée amoureuse d'un sénateur pris dans un mariage sans amour et sans enfants. Kerry était prêt à quitter sa femme pour Lara ; Lara, qui l'aimait, ne voulait pas ruiner ses chances de devenir président. Lorsqu'elle était tombée enceinte, elle avait, contre l'avis de Kerry, subi un avortement et accepté un poste à l'étranger.

Après deux années de séparation — ponctuées par le divorce de Kerry —, ils s'étaient retrouvés, toujours aussi épris l'un de l'autre. Pendant les mois précédant l'élection de Kerry, les médias et ses ennemis politiques avaient reniflé leur présent et fouillé dans leur passé. Bien que partisan du libre choix sur le plan politique, Kerry était catholique, comme Lara. Qu'il eût tenté de la convaincre de garder l'enfant rendait ses sentiments sur l'avortement contradictoires. En cachant leur liaison et son avortement, Lara lui avait permis de devenir président mais les avait condamnés aussi à ne rien faire qui pût provoquer de nouvelles enquêtes.

Ce soir, ils avaient une heure environ. Pas assez de temps pour résoudre ce qui les opposait : le désir de Kerry d'avoir des enfants dès que possible ; le malaise persistant de Lara au sujet de la vie de première dame et de la menace que constituait leur passé. Juste assez pour faire l'amour.

— Ça ne te manque jamais, ce que nous étions avant ? demanda-t-elle.

Il inclina la tête en un geste familier.

— Notre intimité, tu veux dire ?

— Oui. Nous ne pensions qu'à nous. Et à ne pas nous faire prendre.

— C'est la réalité d'une liaison. Mais nous savons tous deux que ce n'est pas la vraie vie.

Lui caressant le visage, elle murmura :

— Et ça, ce sera la vraie vie ?

— C'est devenu la mienne. Sauf qu'elle ne ressemble à aucune autre. Tu ne jettes pas déjà l'éponge ? Je vois d'ici les gros titres : « Le président plaqué après avoir prêté serment. »

— Non, répondit-elle en souriant. Je ne veux pas d'un autre homme. Et j'ai toujours cru que tu devais devenir président.

— Alors épouse-moi.

— Je ne pourrais pas d'abord voir la chambre ?

Après l'amour, il la tint contre lui, chaud et silencieux dans le noir. Son silence, si familier à Lara, était le signe d'une intense rumination. Comme pour en apporter la preuve, il dit à voix basse :

— Je pensais à tout ce que j'ai à faire. A Bannon, en fait.

— Quoi, exactement ? Qu'il ne voulait pas de toi ici ?

— Non. Qu'il aurait dû prendre sa retraite avant d'être usé. Et que son obstination n'a servi à rien. Parce que je suis ici, et que je ne nommerai pas un autre Bannon à la Cour suprême.

— Qui désigneras-tu ? Tu as déjà une idée ?

— Pas encore. Mais Ellen Penn m'a murmuré des choses à l'oreille.

— Alors c'est pour ça qu'elle m'a chipé mon cavalier quand nous dansions ensemble.

— C'est le nouveau dilemme politique, quand le président danse avec la vice-présidente. Je conduis ? Elle suit ?

Si ses réflexes de journaliste étaient un peu rouillés, Lara gardait un sens politique aiguisé.

— Elle veut sûrement que tu choisisses une femme.

Sa perspicacité fit sourire Kerry, qui précisa :

— Pas n'importe quelle femme. Une femme très particulière.

DEUXIÈME PARTIE

La nomination

1

— Caroline Masters serait parfaite, Kerry, insistait Ellen Penn.

Assise à côté de Clayton Slade, elle faisait face au bureau de Kilcannon. A défaut d'autre chose, cette réunion révélerait si la vice-présidente et le secrétaire général parviendraient facilement à coexister, pensait Kerry. Dans leur aspect extérieur et leurs manières, ils étaient très différents — Ellen, menue et passionnée, l'œil vif ; Clayton, massif et calme, terre à terre — et leurs rapports étaient, au mieux, tendus. Clayton n'avait pas approuvé le choix d'Ellen. Profondément loyal envers Kerry, il la trouvait trop indépendante et trop impulsive : un feu d'artifice d'enthousiasmes féministes. Pis encore, soupçonnait Kerry avec un certain amusement, Clayton craignait que la passion d'Ellen ne fausse le jugement du président : l'une des missions de Clayton après l'investiture de son ami consistait à le sauver de ses propres impulsions.

Cette attitude provenait en partie d'une amitié si forte que les deux hommes lisaient mutuellement dans leurs pensées. Des années plus tôt, Clayton avait formé Kerry à la tactique du procès ; Kerry était le parrain des deux jumelles de Clayton, et celui-ci avait dirigé toutes les campagnes électorales de son ami : deux pour le Sénat, une pour la présidence. Seul Clayton savait la vérité sur Kerry et Lara.

Mais les motifs de Clayton n'étaient ni simples ni désintéressés, se rappela Kilcannon. Il voulait devenir le premier ministre de la Justice noir, et obtenir ensuite une place à la Cour suprême. Ces ambitions dépendaient de la réussite de Kerry : une mauvaise candidature, arrangée par Ellen Penn, ne servirait pas les intérêts de Clayton.

Observant son secrétaire général du coin de l'œil, Kilcannon répondit à la vice-présidente :

— Je me souviens de l'affaire Carelli. Masters l'a bien dirigée. Mais « parfaite »...

— Parfaite, réitéra Ellen. Vous avez une dette envers la Californie, une dette envers les femmes. Et jamais une femme n'a présidé la Cour suprême. Nous tenons la candidate idéale. Elle est jeune, télégénique, elle s'exprime avec aisance. Et tout en elle parle en sa faveur : il y a quatre ans, quand on l'a proposée pour la Cour d'Appel, elle est passée à l'unanimité à la commission judiciaire. Chad Palmer et Macdonald Gage ont tous les deux voté sa confirmation. Qu'est-ce qu'ils pourraient dire maintenant : qu'une femme ne doit pas présider la Cour suprême ?

« Ils n'oseraient pas. La position des républicains sur l'avortement a rebuté des quantités de femmes. C'est pour cette raison qu'ils ont perdu, affirma Ellen en se penchant en avant, comme propulsée par la force de ses arguments. Palmer le sait, et il veut votre place. Gage aussi la veut. Vous pourriez utiliser la candidature de Masters pour les diviser.

— Pourquoi se précipiter ? intervint Clayton. C'est la désignation la plus importante qu'un président puisse faire.

Ellen ne se tourna pas vers lui et poursuivit :

— La Cour est bloquée, il lui faut un nouveau président de toute urgence, ce qui contraint Gage et Palmer à dégager la voie. En plus, ils n'ont aucune arme contre Caroline. Le FBI et la Justice ont minutieusement enquêté sur elle pour sa nomination à la Cour d'Appel et n'ont absolument rien trouvé : pas d'appartenance à des associations politiques controversées, pas d'histoire de drogue, pas de problèmes personnels. Elle présente en plus un grand avantage, du moins dans le contexte actuel.

Se tournant enfin vers Clayton, elle lui octroya un sourire d'une suavité bienveillante.

— Elle ne s'est jamais prononcée sur l'avortement. Ni dans un article, ni dans une déclaration publique, ni au tribunal. Gage n'a aucune pancarte à lui accrocher dans le dos.

Voyant la stupeur de son secrétaire général, Kerry demanda :

— C'est qui, cette femme ? La candidate de Mandchourie ? Je suis presque prêt à vous croire pour la drogue. Admettons que dans ce domaine, elle soit parfaitement vierge. Mais comment une femme de quarante-neuf ans peut n'avoir jamais été concernée par l'avortement ? Et qu'est-ce que cela nous dit sur elle ?

Piquée, Penn répliqua :

— Caroline n'est pas un mystère. Elle a une position progressiste sur l'environnement, la discrimination positive, les questions syndicales et les droits garantis par le premier amendement. Mais, même quand elle était en désaccord avec Bannon, la Cour suprême n'a jamais annulé un de ses jugements. Et elle a réclamé l'assouplissement de la procédure d'adoption pour aider les enfants des minorités à trouver un foyer. Les républicains pourraient se plaindre de ça?

Kilcannon la regarda puis baissa les yeux vers son bureau éclairé par un carré de jour hivernal.

— Je veux le meilleur candidat, Ellen. Pas seulement celui qui a le plus de chances d'être confirmé. Ni même celui qui plairait le plus à ceux qui m'ont envoyé ici. Caroline Masters, si je la choisis, pourrait encore présider la Cour suprême quand nous serons tous morts. Et l'impact de ses décisions sur la vie des gens ordinaires se prolongera bien au-delà. Je ne veux pas d'un technicien désincarné, même si c'est le chouchou de tous les spécialistes en droit du pays. Je veux un juriste remarquable qui se soucie également de ce qui se passe en dehors des salles d'audience. Masters est peut-être tout ça, mais j'ai besoin d'en savoir beaucoup plus que ce que vous m'avez dit sur elle.

— Par exemple, enchaîna aussitôt Clayton, comment savez-vous qu'elle est pour le libre choix des femmes? Il ne manquerait plus qu'une surprise de dernière minute.

La vice-présidente croisa les bras.

— Elle est pour, faites-moi confiance.

— Vous lui avez posé la question?

— Pas la peine. C'est une femme indépendante, démocrate, féministe. Rien chez elle ne laisse supposer qu'elle tenterait de remettre en cause le jugement de l'affaire Roe contre Wade, ni qu'elle obligerait les femmes à avoir des enfants dont elles ne veulent pas.

Clayton la considéra d'un air songeur.

— Elle en a, des enfants, elle?

— Non. Mais le président non plus, vous ferai-je remarquer.

Kerry examina de nouveau le carré de soleil, et Clayton répondit d'un ton calme :

— Cela ne constitue pas un avantage, comme le président serait le premier à en convenir. Et côté mariages?

— Aucun.

— Alors, comment savez-vous qu'elle n'est pas lesbienne? Mac Gage et ses amis ont une curiosité malsaine pour ce genre de chose.

Kerry leva les yeux vers Ellen, qui plissa les lèvres et rétorqua :

— Elle protège sa vie privée. Mais je la connais depuis près de vingt ans, elle n'a jamais fait l'objet de la moindre rumeur.

Se tournant vers Kilcannon, elle ajouta :

— Elle n'a pas d'enfants mais sa position sur l'adoption dénote un attachement aux valeurs familiales.

Ellen était sur la défensive, Kerry le sentait. Clayton et lui l'avaient peut-être trop bousculée. Elle croyait manifestement en Masters, elle voulait imprimer sa marque sur le nouveau gouvernement. Ce ne devait pas être facile pour elle de subordonner ses convictions à un homme qui avait accédé au Sénat après elle et qu'elle avait contribué à faire élire.

— Je mettrai la juge Masters sur la liste, lui dit-il. Assurez-vous que le service juridique de la Maison-Blanche a toutes les informations que vous possédez.

Quoique avec courtoisie, il lui signifiait la fin de l'entretien. Ellen hésita puis se leva ; Clayton resta assis. Slade serait toujours celui qui resterait seul avec Kerry Kilcannon, et personne d'autre ne serait au courant de ce qui se passerait entre les deux hommes à moins que l'un d'eux ne souhaite le faire savoir.

— Merci, monsieur le président, dit-elle avant de sortir.

Clayton se leva, les bras croisés.

— Tu n'as pas seulement cherché à la ménager.

— Non.

Le secrétaire général jeta un coup d'œil à la porte pour s'assurer qu'elle était fermée.

— Je n'ai pas confiance en son jugement.

Kerry haussa les sourcils.

— Si son jugement était bon, elle aurait soutenu la candidature de Dick Mason quand il menait de trente points dans les sondages, objecta-t-il. Ou alors, c'est notre jugement à tous les deux qui est meilleur que tu le penses, Clayton.

Le secrétaire général considéra son ami avec un petit sourire.

— Quelquefois.

— Alors, qu'est-ce qui ne te plaît pas ?

— La vie de cette femme. Tu as raison sur ce point : trop austère. Je reconnais que c'est plus difficile pour une mère de famille de parvenir si haut si jeune. Mais quelles que soient ses raisons, elle est célibataire et sans enfants.

— Moi aussi, rappela Kilcannon d'un ton doucereux. Un handicap, comme tu as eu l'amabilité de le souligner.

Clayton soutint son regard sans sourciller.

— Alors voyons les choses en face. Ceux qui la soupçonnent d'être homo se demanderont si tu la baises.

Le menton dans une main, Kerry s'appuya contre un bras de son fauteuil.

— Voilà une possibilité que je n'avais pas envisagée. Bon, je n'ai dormi que trois heures la nuit dernière. Venons-en aux avantages.

— Elle est manifestement à la hauteur, répondit aussitôt Clayton. Les mouvements féministes l'apprécient : dans l'affaire Carelli, l'avocat avait plaidé la légitime défense contre une tentative de viol, et Masters l'avait suivi. Elle pourrait sortir la Cour du cimetière judiciaire où Bannon l'a enterrée.

— Ça, c'est à long terme. Il faut d'abord lui faire franchir la barrière Macdonald Gage, qui cherche une ouverture, et Palmer aussi, peut-être. Peu importe leur position antérieure à son égard : le devoir d'un sénateur d'approuver tes candidats n'est jamais plus sacré que lorsqu'il s'agit de la Cour suprême. Ni plus décisif pour ceux qui auront à choisir entre Gage et Palmer pour te virer d'ici. Une sacrée mise sur une femme dont tu ne sais presque rien.

— Alors cherche à savoir qui elle est. Vite, dit Kilcannon en se levant. Cette fois, j'aimerais couper à l'habituel numéro assommant de kabuki : on fait défiler les différents groupes de notre électorat pour qu'ils nous disent qui choisir, on organise des fuites pour donner aux médias un éventail de candidats potentiels. Nous pourrions simplement déclarer : c'est le meilleur, point. Qui que ce puisse être.

— Nous aurions l'air naïfs. Comme Jimmy Carter.

— Nous aurions l'air d'avoir des principes. Si les gens n'en avaient pas complètement marre des politiciens calculateurs, c'est Mason qui serait assis à ce bureau.

Avec un sourire, le président ajouta :

— Le calcul le plus subtil consiste à ne pas être calculateur. De plus, nous prendrions Mac Gage et ses petits copains réactionnaires par surprise. Cela leur donnerait à réfléchir.

Clayton fixa son ami par-dessus le bureau. Non, corrigea-t-il intérieurement, Kerry n'est pas naïf. C'est la conjugaison rare de principes avec un sens instinctif mais sophistiqué de l'effet que ces principes peuvent avoir dans le monde politique.

— Nous nous en sortirons, dit Kerry à mi-voix. A nous deux,

Clayton, nous faisons au moins un être humain convenable. Peut-être même un président.

Le commentaire était à la fois ironique, affectueux, et rappelait subtilement au secrétaire général, si besoin était, qui occupait le bureau ovale.

2

Les yeux écarquillés, le responsable du service chargé des affaires que le cabinet prenait en charge bénévolement lança à Sarah un regard où se mêlaient l'amusement, la fascination et l'incrédulité.

— Ça voudrait dire des clients furieux, prévint Scott Votek. Des parents en rogne. Des haies de manifestants brandissant la Bible. Mauvaise publicité. Problèmes de sécurité. Dans un cabinet où trop d'associés pensent encore que le «mâle parfaitement blanc» est le modèle idéal.

Quoique décourageante, la liste des conséquences prévisibles énumérées par Votek ne la surprenait pas plus que le ton caustique de sa chute. Avec ses chemises aux couleurs vives, ses lunettes à monture métallique et sa barbe rousse, Votek cultivait une image d'iconoclaste, défendant avec une ardeur subversive les causes libérales. Sarah le considérait comme un ami, sur le plan professionnel et personnel : c'était l'une des rares personnes vers qui elle s'était tournée quand, quelques semaines auparavant, elle avait rompu ses fiançailles avec un homme qu'elle connaissait depuis trois ans.

— Sarah, cette affaire te bouffera, lui assena-t-il.

— Et Mary Ann Tierney?

— Crois-moi, je sais. La loi sur la protection de la vie est une saloperie. J'aimerais voir notre cabinet s'y attaquer : *nous*, tu imagines ! L'idée lui arracha un bref sourire.

— Les vieux blaireaux ne pourraient plus se montrer au Bohemian Club, poursuivit-il.

— Je m'en consolerais, je crois.

— Vraiment?

Il soupira, croisa les mains sur son giron avant de continuer :

— La situation s'est améliorée, je le reconnais ; un certain nombre de femmes deviennent jeunes associées. Mais ce sont toujours les anciens qui décident de t'accepter ou de te blackbouler. Il suffit d'un seul.

Sarah baissa les yeux vers le tapis Bokara de Votek.

— Ils peuvent toujours faire ça ? Ils doivent s'entendre avec tous les autres associés, ceux qui les aident à faire passer *leurs* candidats. En termes nucléaires, c'est la «destruction mutuelle assurée».

— Ne te surestime pas. Je le dis en toute amitié. Même Caroline Masters, la seule superstar féminine que nous ayons eue, ne trouvait pas la vie facile ici.

— Elle a survécu, non ?

— Elle est *entrée* comme associée, et déjà célèbre. Personne ne pouvait la virer. Pour elle, c'était une étape : un ou deux ans avec les pontes, pour se faire des contacts et enrichir son CV.

Votek desserra sa cravate et poursuivit, échauffé par son propre discours :

— Tu as quelques vrais partisans, ici, moi compris. Mais nous ne pouvons rien faire si certains autres ne veulent pas de toi. Au lieu de dire que tu es trop «politique», ils utilisent des mots codés. Comme «jugement». Les avocats spécialisés dans l'avortement peuvent se charger de cette affaire, diront-ils. C'est une erreur de «jugement» de vouloir la prendre, c'est mauvais pour le cabinet. Et si jamais nous l'acceptons quand même et que ça tourne en eau de boudin... Les vieux n'essaieront pas de te virer, ce serait trop flagrant. Ils se mettront d'accord pendant un déjeuner dans un club réservé aux hommes : t'exploiter à mort pendant trois ans encore puis te refuser comme associée. Parce que tu manques de «jugement».

— Scott, c'est ton aide que je demande. Si tu es d'accord sur l'intérêt de cette affaire, nous pourrions nous en occuper ensemble.

Votek joignit l'extrémité de ses doigts et les examina en une attitude de prière.

— D'autres considérations entrent en jeu, répondit-il. Notre président voit dans le travail bénévole une obligation, pas un plaisir, comme tu le sais. Nous avons pu faire du bon boulot parce que nous sommes restés en dessous de l'écran radar : pas de controverses publiques, pas d'investissement massif en temps dans ces affaires.

Il se pencha en avant, plongea le regard dans les yeux de Sarah et poursuivit :

— Ils n'apprécient pas ce qui se passe à la clinique, et Engagement chrétien ne cesse de faire monter les enchères. Jusqu'ici, j'ai pu nous protéger. Mais là, je ne peux pas te couvrir.

— Tu ne peux pas ? Ou tu ne veux pas ?

Une légère rougeur monta aux joues de Votek, et Sarah comprit qu'une bonne partie de ce qu'il venait de dire sur elle s'appliquait aussi à lui. L'indulgence de ses associés lui permettait d'avoir une vie enviable : six cent mille dollars par an ; des treks au Népal, une maison de vacances écolo près de Tahoe, une collection d'objets d'art haïtiens et de coûteux masques africains, des activités bénévoles pour le Sierra Club, la protection des zones humides et la limitation des stations de ski. En retour, il personnifiait l'engagement de Kenyon & Walker pour le bien public. Des concepts comme « infanticide » menaçaient cet équilibre.

— C'est du ressort du président, conclut-il d'un ton ferme. A supposer que tu veuilles aller jusque-là.

— Qu'est-ce que tu veux dire ?

— Tu dois rédiger un mémo exposant les détails de l'affaire, et surtout, expliquant pourquoi *notre* cabinet devrait s'en charger. Je te conseille de bien réfléchir à toutes ces choses avant de décider de remettre ce mémo. Ou même d'y consacrer du temps.

— Le temps, c'est ce qui manque, justement. Chaque jour compte, pour cette fille.

— Raison de plus pour l'envoyer à quelqu'un d'autre, argua Votek en se levant. Ce qui est bon pour toi est aussi bon pour elle.

Elle se tenait à la fenêtre quand le téléphone sonna.

— Sarah ? C'est moi, Mary Ann. Qu'est-ce que vous avez décidé ?

Les mots sortaient de l'appareil en un flot précipité, comme sous la pression de l'angoisse.

— Vous appelez d'où ?

— D'une cabine.

— Il y a un problème. Je n'ai pas encore de réponse.

— Quand saurez-vous... ?

Elle est au bout du rouleau, pensa l'avocate. Une autre vérité lui apparut brutalement : Mary Ann Tierney n'aurait ni le temps, ni la liberté de mouvement, ni la résistance nécessaires pour se débrouiller seule.

— Rappelez-moi demain, dit Sarah.

Entendant ses propres mots, elle ajouta sans réfléchir :

— Tenez bon. Je vous en conjure.

3

— Caroline Masters, dit Kilcannon. Vous avez quoi ?

Il était dans le bureau ovale avec Clayton Slade et Adam Shaw, l'avocat de la Maison-Blanche. Mince, grisonnant, d'une élégance irréprochable, Adam symbolisait le juriste de Washington ayant des contacts à l'intérieur et à l'extérieur du gouvernement. Son avis sur Masters aurait du poids.

— Beaucoup de choses, répondit-il. Elle fait partie des juges sur lesquels votre prédécesseur gardait un œil, au cas où une ouverture se présenterait. Les documents rassemblés pour sa confirmation à la Cour d'Appel remplissent un tiroir : déclarations d'impôt, dossiers médicaux, transcriptions de témoignages, lettres de sympathie…

« Elle bénéficiait alors du soutien des mouvements de femmes, des syndicats, des écologistes, des minorités, des avocats : le cœur de notre électorat. Rien qui puisse les faire changer d'avis dans les jugements qu'elle a rendus depuis.

— Et Frederico Carreras, du deuxième circuit[1] ? suggéra Clayton. Nous le connaissons tous : c'est un Hispanique, un homme cultivé, un républicain modéré.

Il se tourna vers Kilcannon.

— Masters donne l'image d'une libérale classique, et sa vie personnelle — ou son absence de vie personnelle — mettra Mac Gage sur ses gardes. Il y a deux moyens d'obtenir du Sénat la nomination d'un juge : par cinquante et une voix contre quarante-neuf, ou par cent contre zéro. Pourquoi courir un risque politique énorme avec Masters alors que Carreras passerait comme une lettre à la poste ?

— Parce que Carreras n'est peut-être plus avec nous pour longtemps, répondit Kerry. Adam, il ne vient pas d'être opéré ?

— Cancer de la gorge, confirma l'avocat. Gros fumeur. Ses amis assurent que les chirurgiens ont tout enlevé. Mais pourquoi prendre le risque de choisir un nouveau président de la Cour suprême qui nous claquerait entre les doigts ?

— D'accord là-dessus, Clayton ?

— Procurons-nous au moins son dossier médical avant de l'éliminer totalement.

1. Circonscription d'un tribunal itinérant. (N.d.T.)

— Il y a une autre raison, reprit le président. Sur certaines questions, je ne veux pas de « modération ». Les armes à feu par exemple. Après avoir obtenu des milliards en poursuivant les grandes marques de cigarettes, nos amis les avocats s'en prennent aux fabricants d'armes à feu. Je sais que certains de ces « chasseurs d'ambulance » sont aussi cupides que ceux qu'ils attaquent en justice, mais j'ai sur la question un point de vue darwinien : s'ils mettent l'industrie des armes en faillite, ce sera une victoire pour notre espèce. Je ne voudrais pas que mon nouveau président de la Cour suprême leur mette des bâtons dans les roues.

Déclaration sans ambages qui amena un sourire sur les lèvres de Shaw.

— Il n'y a pas moyen de le savoir, monsieur le président. Mais si autoriser les poursuites contre les marchands de mort est le critère, je choisis Masters plutôt que Carreras.

— Ces arguments sont valables dans cette pièce, fit observer Slade avec calme. Pas pour la Cour. Plus je fais de la politique, plus je suis frappé par l'importance de la personnalité. La Cour suprême a besoin d'une personnalité capable de créer un consensus, comme Carreras. Masters n'a pas le profil : libérale, célibataire...

— Et ses jugements ? demanda Kilcannon à Shaw. Ils ont suscité beaucoup de désaccords ?

— Relativement peu. Bien que le neuvième circuit, où elle siège, soit partagé entre libéraux et conservateurs.

— Ce qui suppose qu'elle possède quelques capacités dans les rapports sociaux. Pour une femme dépourvue de vie privée.

— Oh ! elle en a une, dit Shaw. Sa mère est morte dans un accident de voiture quand elle avait douze ans, elle a basculé d'une falaise. Son père, juge dans un tribunal d'Etat du New Hampshire, était une sorte de tyran domestique. Ils n'ont plus aucune relation, semble-t-il. Quand elle a eu une vingtaine d'années, Masters est partie faire des études de droit en Californie. Elle n'est jamais revenue.

Kilcannon réfléchit.

— Nous avons tous nos pères. Le gouvernement précédent a vérifié tout cela, je suppose ?

— Bien sûr. Et il n'a trouvé aucun problème.

— J'espère bien, intervint Clayton. Monsieur le président, si vous tenez absolument à elle, pourquoi ne pas la proposer comme assesseur à la Cour suprême ? De cette façon, vous pouvez promouvoir quelqu'un qui y siège depuis longtemps, comme Chilton. Il connaît les autres juges, et nous savons qu'il est de notre côté.

— C'est aussi un constipé, riposta Kerry. Tu as eu une conversation avec lui, Clayton ? C'est ce qui ressemble le plus à l'éternité, sur cette terre. Il a une mentalité de gratte-papier. Il est en partie responsable de l'état de cette cour. Tu dois vraiment être inquiet pour proposer Chilton. Tu penses que je suis en train de m'enticher de l'idée de nommer une femme ?

— C'est le cas ?

— Pas encore. Et je suis loin d'être convaincu par Caroline Masters : il y a deux jours, je me souvenais à peine de son existence. Nommer une femme constituerait cependant un message important : les femmes ont encore un long chemin à parcourir, et je suis résolu à les aider. Ça donnerait à Gage de quoi ruminer un moment.

Kerry se tourna vers Shaw.

— Adam, je veux que vous fassiez venir Masters ici pour une réunion : Clayton, Ellen et vous. Personne d'autre. Pas de fuites. Vous la laissez sur le gril jusqu'à ce qu'il n'y ait plus rien à savoir. Ensuite, si les résultats sont bons, je la verrai peut-être moi-même.

Slade plissa le front.

— La recevoir reviendrait à la désigner comme candidate.

— C'est pour ça qu'il faut garder le secret. Je veux savoir si Masters est à la hauteur, sans que Gage, ni personne d'autre, soit au courant.

— C'est l'Iowa, tante Caroline. C'est plat, c'est froid…

Même au téléphone, Caroline imaginait la grimace de Brett.

— Le New Hampshire aussi est froid, répliqua-t-elle. Tu t'es gelée toute ta vie. C'est pour cette raison que je voulais que tu t'inscrives au cours de création littéraire de Stanford. Ils ont des palmiers, là-bas.

— Ç'aurait été agréable, admit la jeune femme. Et j'aurais pu te voir plus souvent. Mais le programme, ici, est absolument parfait.

— Tout pour l'art, soupira Caroline. Cette nouvelle que tu m'as envoyée, je l'ai trouvée excellente.

— Vraiment ?

— Vraiment. J'ai soupé des histoires de mâle déraciné qui se traîne hors du lit, se brosse les dents, se demande pendant cinq pages s'il va quitter son appartement et finit par y rester. Tu es l'espoir littéraire de ta génération, Brett.

— Tu es partiale, ma tante, dit la jeune femme en riant.

— J'espère bien.

La secrétaire de Caroline passa sa tête grisonnante par la porte.

— Excusez-moi, vous avez un autre appel sur la 2. De la Maison-Blanche.

Etonnée, Caroline la regarda fixement.

— Brett, un instant, s'il te plaît... De qui, cet appel, Helen ?

— Clayton Slade, répondit la secrétaire, impressionnée.

Caroline sentit les premiers picotements de la nervosité.

— Il faut que je réponde, Brett, s'excusa-t-elle. Je peux te rappeler tout de suite ?

— Bien sûr. Je ne bouge pas.

Elle dit au revoir à sa nièce, reporta son attention sur Helen, lui demanda à voix basse :

— Refermez la porte derrière vous, s'il vous plaît.

Elle s'accorda quelques secondes pour mettre de l'ordre dans ses pensées, appuya sur le bouton clignotant de son téléphone, prit sa respiration.

— Monsieur Slade ? Caroline Masters.

— Bonjour, madame la juge, fit Clayton d'un ton aimable mais officiel. Désolé de vous déranger.

— Je n'étais pas en train de dicter les dix commandements, je bavardais avec ma nièce.

Slade eut un petit rire de pure forme.

— Votre nom a été prononcé ici cet après-midi, attaqua-t-il sans préambule. Le président aimerait savoir si vous seriez disposée à envisager un siège à la Cour suprême.

Caroline ferma les yeux. C'était le moment qu'elle avait espéré, et redouté. Bien plus sidérant dans la réalité que dans son imagination.

— Comme assesseur ? parvint-elle à demander.

— Non, madame la juge. Comme présidente.

Elle se ressaisit.

— Dans un cas comme dans l'autre, veuillez dire au président que j'en serais honorée. Et que j'apprécie le compliment que cela implique.

— Je transmettrai. Il souhaiterait que vous veniez à Washington dès que possible. Pour rencontrer la vice-présidente, l'avocat de la Maison-Blanche, et moi-même.

Elle comprit qu'Ellen Penn était à l'origine de la proposition, et que c'était sérieux. Elle se leva, se mit à arpenter son bureau et demanda :

— Dans trois jours, cela irait ?

Caroline reposa le téléphone, demeura sans bouger. Une demi-heure s'écoula avant qu'elle ne se souvienne que Brett, qui occupait ses pensées, attendait qu'elle la rappelle.

4

— J'ai lu votre mémo, dit John Nolan à Sarah, mais j'aimerais que vous m'en parliez vous-même. Puisque vous voulez que notre cabinet mette en cause la loi sur la protection de la vie.

Le président de Kenyon & Walker était un homme aux réactions soigneusement calibrées. Une voix profonde dépourvue d'émotion, un visage saturnien — yeux noirs, cheveux bruns — indéchiffrable. Il en résultait que la plus infime trace de sarcasme, le moindre durcissement du regard étaient aussi intimidants chez lui qu'un déferlement de rage chez un autre. Grand et solide, il passait pour avoir une habileté dévastatrice dans les contre-interrogatoires, et un manque total de sentiments. Assis à côté de Sarah, Scott Votek semblait ratatiné, simple témoin plutôt que participant.

— Pour commencer, cette affaire ne nous prendrait pas beaucoup de temps, déclara-t-elle. C'est impossible.

— A moins que vous n'alliez jusqu'à la Cour suprême, répondit Nolan.

Son ton légèrement sardonique soulignait l'énormité de ce que l'avocate osait suggérer, mais elle s'était préparée : elle avait passé la nuit dans la bibliothèque du cabinet à analyser la loi, à étudier les règles de procédure des trois niveaux de juridiction fédérale — première instance, Cour d'appel et Cour suprême —, à potasser toutes les affaires similaires d'avortement et d'autorisation parentale.

— Même dans cette hypothèse, la loi requiert un jugement en première instance dans les dix jours, se justifia-t-elle. Un jugement en appel prendrait environ trois semaines. Même chose pour la Cour suprême.

— Mlle Tierney est déjà enceinte de cinq mois et demi. Quand vous en aurez terminé, le fœtus aura sept mois et demi, minimum, fit observer Nolan avec une inflexion de dégoût. Cela rend votre position assez peu confortable, non ?

Sarah éprouva tout à coup un sentiment d'irréalité : assis dans le bureau d'angle de Nolan, offrant une vue panoramique sur la baie de San Francisco, ils discutaient du sort d'une adolescente enceinte avec un détachement olympien.

— Non. Cela démontre le cynisme de cette loi sur le plan théorique et sa cruauté dans la pratique, repartit-elle. Le Congrès prend une jeune fille ayant des raisons médicales et psychologiques d'avorter tout à fait fondées et aggrave sa situation en lui imposant deux mois d'attente, sous prétexte que les tribunaux la « protègent » d'elle-même. Le seul effet est de rendre mère des adolescentes trop jeunes pour cela et d'augmenter les risques qu'elles courent. Dans le cas présent, Mary Ann Tierney risque de mettre au monde un enfant hideusement infirme et de ne plus jamais en avoir d'autre. Je ne trouve pas cela juste. Et vous ?

D'un léger plissement de front, Nolan écarta la question, jugée trop émotionnelle.

— Ce qui est « juste » semble tout à fait clair pour vous. Mais certains de mes associés pensent que le Congrès peut, et doit, limiter le droit d'une fille de quinze ans à avorter d'un fœtus viable pour l'unique raison qu'elle trouve affligeantes les conséquences de sa propre conduite sexuelle.

« Ils n'estiment pas « juste » non plus de financer une action en justice contraire à leurs propres convictions, uniquement parce qu'une collaboratrice le leur demande. D'autant que des juristes militant pour l'avortement seraient ravis de prendre votre place.

— Cette fille vit chez des parents qui soutiennent le mouvement pro-vie, riposta Sarah. Je ne pense pas qu'elle pourra tenir si nous l'envoyons à quelqu'un d'autre.

Nolan se redressa comme pour l'examiner de plus haut.

— En ce cas, comment répondriez-vous à une accusation d'influence pernicieuse ? A ceux qui vous reprocheraient d'avoir séparé une adolescente impressionnable d'une famille aimante pour atteindre vos propres objectifs politiques ?

La question était censée la réduire au silence, elle le savait.

— Comme vous le feriez pour n'importe quelle mineure, renvoya-t-elle. D'abord, je demande à la cour de désigner un tuteur *ad litem* qui parlera en son nom...

— Une conseillère de la clinique, la coupa Nolan. D'après votre mémo, cette fille ne semble pas avoir de tantine favorite dans le mouvement du libre choix.

Ignorant la remarque, l'avocate poursuivit :

— Deuxièmement, je fais appel à un psychologue spécialisé dans les adolescentes, qui témoignera que Mary Ann comprend parfaitement ce qu'elle demande à la cour et qu'elle pense que c'est dans son intérêt. Troisièmement, un expert indépendant — un gynécologue obstétricien — viendra confirmer qu'il y a de réels risques médicaux à mener cette grossesse à terme et que Mary Ann ne les a pas exagérés afin d'avoir un prétexte pour mettre fin à une grossesse non désirée. Quatrièmement, nous faisons signer à Mary Ann un formulaire dans lequel elle expose les circonstances de notre rencontre, les raisons de son désir d'avorter et précise qu'elle nous a demandé d'entamer une action en justice.

Pour la première fois, Nolan parut agacé, autant par la promptitude de Sarah à répondre que par le défi implicite qu'elle lui lançait.

— Une des raisons pour lesquelles j'ai choisi Kenyon & Walker, c'est parce que nous faisons du travail bénévole, poursuivit-elle. Si nous soumettions à un vote d'autres affaires entrant dans ce cadre, certains associés seraient contre aussi, dit-elle en désignant Votek de la tête. Je suis sûre que Scott apprécie moyennement quand nous représentons des pollueurs contre l'EPA[1]. Mais nous le faisons, parce que cela rapporte et parce que même les pollueurs ont le droit d'être représentés. Qu'on soit ou non d'accord avec Mary Ann, notre profession repose sur le principe que même une adolescente a le droit de mettre une loi en question.

Les deux mains à plat sur son bureau de noyer noir, Nolan pencha la tête en avant, comme une figure de proue.

— Je m'y connais un peu en matière de principes. Si nous n'étions pas véritablement attachés à la partie bénévole de notre travail, vous n'y consacreriez pas autant d'heures, Sarah. Elle est financée par les associés mêmes qui ont des réserves de principe à l'égard de *vos* principes, ainsi que par ceux qui, aussi étrange que cela puisse paraître, estiment avoir le « droit » de vous empêcher de choquer nos clients.

— Les associés partisans de la loi sur la protection de la vie seront adéquatement représentés par le ministère de la Justice des Etats-Unis. Et ceux qui se soucient de choquer nos clients devraient se demander « quels clients ? »

— Que voulez-vous dire ?

Sarah hésita, se prépara. Du ton respectueux d'une subordonnée, elle répondit :

— J'ai moi aussi le souci du client. J'ai donc demandé à Pat

1. Agence pour la protection de l'environnement. *(N.d.T.)*

Kleiner et à quelques autres associées femmes quel effet aurait le refus de cette affaire...

— Comment cela se saurait hors du cabinet?

Elle haussa les épaules.

— Une fuite est toujours possible. En tout cas, l'*American Lawyer* ne nous lâche plus depuis que nous avons prétendument renvoyé une collaboratrice pour une liaison avec un associé marié. Il y a deux semaines, quand ils ont souligné que nous sommes le seul cabinet de San Francisco qui paie encore l'adhésion de ses associés à des clubs réservés aux hommes, ils ont ressorti cette affaire. Cela nous expose à une mauvaise publicité, et à des questions de certains de nos clients.

Scott Votek remua sur sa chaise comme pour rappeler à Sarah, si besoin était, les risques qu'elle courait.

— Lesquels, selon vous? demanda Nolan.

— Nos trois plus gros clients de la Silicon Valley ont à la tête de leurs services juridiques des femmes politiquement actives. Selon Pat, ces femmes nous ont confié des affaires de propriété intellectuelle et de détournement de valeurs qui nous ont rapporté vingt-six millions d'honoraires. J'ai travaillé en étroite coopération avec la responsable du service juridique de Worldscope sur deux de ces affaires, elle est très engagée sur les questions du libre choix.

Nolan avait effacé toute expression de son visage. Seuls ses yeux, noirs et fixes, révélaient son irritation.

— Voyons sur quoi s'appuie votre mise en cause, finit-il par lâcher.

— Elle repose sur le droit à la vie privée, s'empressa de répondre Sarah. L'affaire Roe contre Wade l'a étendu au libre choix d'une femme. Mais le jugement de la Cour suprême dans l'affaire Casey en 1992 établit aussi clairement que le Congrès peut limiter l'avortement après «viabilité» *à moins* qu'il ne soit nécessaire pour protéger la vie ou la santé de la mère. En l'an 2000, la Cour a réaffirmé cette position dans l'affaire Stenberg contre Carhart.

Elle s'interrompit, constata que Nolan l'écoutait avec attention.

— La grande controverse, c'est savoir si «santé» inclut «santé mentale», reprit-elle. Une affaire comparable, Doe contre Bolton, va dans ce sens. Mais le mouvement pro-vie soutient que cela reviendrait à légaliser l'avortement à la demande jusqu'au terme, et que la notion de «santé mentale» n'est qu'un prétexte.

Sarah se renversa en arrière, poursuivit :

— C'est le cœur du dilemme de Mary Ann Tierney. La Cour

suprême n'a jamais clairement tranché sur ce point. Est-ce que forcer une fille de quinze ans à avoir un bébé sans cerveau présente des menaces pour la santé mentale? Et la notion de santé physique couvre-t-elle la possibilité, faible mais mesurable, de ne plus avoir d'autres enfants?

Nolan haussa les sourcils.

— Et les affaires d'avortement par «naissance partielle»? Elles n'éclairent pas la question?

Sarah secoua la tête.

— Dans l'affaire Stenberg contre Carhart, le Nebraska a tenté d'interdire une technique spécifique qu'il a qualifiée d'avortement par naissance partielle. La Cour suprême a annulé la loi parce qu'elle s'appliquait à des pratiques à la fois pré- et post-viabilité, parce que la technique particulière interdite était trop vaguement définie, et parce que la loi ne prévoyait aucune exception pour la santé de la mère. La loi pour la protection de la vie adoptée par le Congrès est la première tentative pour tourner le jugement rendu dans l'affaire Carhart.

«Jusqu'ici, aucune loi n'accordait à un parent le droit absolu d'empêcher l'avortement d'une mineure par quelque technique que ce soit, même une fois la viabilité établie. C'est ce que fait cette loi : une fois le fœtus viable, un tribunal pourra autoriser un avortement uniquement si la poursuite de la grossesse est «susceptible» de causer la mort de la mère ou de «nuire gravement à sa santé *physique*».

«Désormais, tout médecin qui pratiquerait un avortement sur Mary Ann sans l'autorisation d'un parent ou d'un tribunal risquerait deux ans d'emprisonnement et la perte de son droit à exercer la médecine. Ce qui signifie que cette fille est coincée.

Malgré son manque de sommeil, Sarah trouva un renouveau d'énergie pour conclure :

— J'estime que cette loi viole le droit de Mary Ann de refuser qu'un parent ou que le Congrès la force à avoir cet enfant dans ces circonstances. Voilà la thèse que je souhaite que notre cabinet défende.

Nolan plissa le front.

— C'est fort différent d'une action contre un propriétaire qui refuse de l'eau chaude à une vieille indigente.

— J'en conviens. C'est aussi plus important pour un plus grand nombre de femmes. A commencer par Mary Ann Tierney, et aussi certaines de nos clientes.

Nolan approcha un crayon de ses lèvres, fixa l'avocate en silence, finit par demander :

— Où trouveriez-vous l'obstétricien ? Le psychologue ?

— A l'UCSF[1]. Selon les groupes libre choix à qui j'ai parlé, on peut y rencontrer certains des meilleurs spécialistes du pays qui ont servi d'experts dans d'autres affaires d'avortement. Je pourrais les joindre en deux jours.

Une fois de plus, la promptitude de la réponse incita Nolan à marquer un temps d'arrêt.

— Je vous autorise à aller jusque-là, dit-il au bout d'un moment. Pas plus loin. Je verrai ensuite s'il faut importuner notre comité de direction avec cette histoire. Mais je peux vous assurer une chose dès maintenant : il laissera peut-être le mouvement pour le libre choix vous aider à préparer votre dossier et à réunir des témoignages, mais en aucun cas il n'acceptera que notre cabinet le prenne comme codéfenseur.

Sarah avait conscience qu'il lui donnait simplement le temps de renoncer et des raisons de faire machine arrière. Il espérait qu'elle ne trouverait pas d'expert ou qu'elle se découragerait, de sorte qu'il ne porterait pas la responsabilité de la décision. Nolan ne s'était pas hissé à la tête du cabinet sans avoir appris à naviguer entre des courants contraires pour maintenir son pouvoir.

Elle sortit du bureau, Votek sur ses talons, et s'abstint de le remercier ironiquement pour son soutien. Le boulot de Scott consistait à empêcher Sarah de semer la pagaille dans le monde de Nolan, et il avait échoué. Elle savait que leurs relations ne seraient plus jamais les mêmes. Comme ils traversaient l'un des couloirs — moquette épaisse, verre et marbre de la réussite —, Votek lui lança :

— Tu fais une grosse erreur.

Elle ne se retourna pas.

— Quelle erreur ?

— Tu l'as obligé à prendre position.

Baissant la voix, il ajouta :

— Il ne l'oubliera pas. Si jamais nous prenons cette affaire, ta seule chance de survivre sera de la gagner.

1. Université de Californie à San Francisco. *(N.d.T.)*

64

5

La journée lui aurait paru bizarre si elle avait eu le temps d'y songer, se dit Caroline Masters. Elle était tendue, sur ses gardes. Elle venait de passer cinq heures dans une suite d'un hôtel proche de la Maison-Blanche, où une amie, Ellen Penn, et deux inconnus, Adam Shaw et Clayton Slade, l'avaient harcelée de questions sur les détails les plus intimes de sa vie et de sa carrière. Ce n'était pourtant pas la raison du malaise qu'elle ressentait.

Il était maintenant deux heures, la pièce était jonchée de canettes de soda vides et de plateaux de service. Caroline avait depuis longtemps cerné le rôle de chacun : Ellen, chaleureuse et encourageante, était son avocate ; Shaw, courtois, doucereux et implacable, cherchait à protéger le président ; Slade voulait simplement que Kilcannon désigne quelqu'un d'autre. Ses questions, quoique modérées, semblaient viser à dénicher des détails qui rendraient plus difficile la confirmation de sa candidature.

— D'après votre dossier, je crois comprendre que vous êtes pour un droit constitutionnel à la vie privée, dit Shaw.

— Pas pour moi, manifestement, répondit-elle. Sinon, j'aurais quitté cette pièce depuis longtemps.

La plaisanterie suscita un petit rire chez Ellen, un sourire chez Shaw... et aucune réaction chez Slade. Dans cet interrogatoire marathon, «vie privée» était un nom de code pour «droit à l'avortement», et tout lapsus pouvait mettre fin à ses chances.

— Ce droit a été établi dans l'affaire Griswold contre le Connecticut, poursuivit-elle. Je pense que le tribunal a eu raison d'inférer que nous avons tous un domaine intime, et que l'Etat du Connecticut ne pouvait pas davantage interdire aux couples mariés d'utiliser des préservatifs que leur prescrire lesquels.

«Mais la notion de vie privée est vague. Et, comme la liberté d'expression, elle n'est pas absolue. Pour savoir si ce droit doit prévaloir dans une affaire donnée, il faut considérer les autres intérêts en jeu.

Caroline marqua une pause avant d'ajouter :

— Comme je le dirai au sénateur Palmer si j'ai la chance de le rencontrer.

Cette fois Slade eut l'air amusé. La situation les empêchait de demander carrément à Masters son point de vue sur l'avortement :

ils ne voulaient pas la forcer à s'exprimer clairement, de peur que Palmer ne le découvre dans son propre interrogatoire, mais aussi parce qu'ils voulaient voir si elle serait assez habile pour éviter elle-même le piège.

— Avez-vous eu recours à une IVG? demanda-t-il tout à trac.

Caroline se raidit. La question, offensante en apparence, recouvrait peut-être plusieurs objectifs : préciser ses convictions, savoir si elle avait des secrets que l'opposition pourrait découvrir, savoir si elle était hétérosexuelle.

— J'ai envie de répondre que cela ne vous regarde pas, dit-elle calmement. Parce que je pense que ce genre de question n'est pas, ou ne devrait pas être, le prix à payer pour un siège à la Cour suprême.

Slade la regarda dans les yeux.

— En théorie, je suis tout à fait de votre avis. Mais je n'ai pas établi les règles. Alors, permettez-moi de vous dire que cela me regarde.

— Pas d'avortement, lâcha-t-elle finalement. Pas même un.

— Avez-vous jamais été fiancée, madame la juge?

— Non.

— Avez-vous une liaison? En ce moment, je veux dire.

— Ce que vous voulez dire, monsieur Slade, c'est : «Etes-vous homo ou hétéro?»

La sécheresse de la repartie fit sourire Ellen Penn et amena Shaw à jeter un coup d'œil à Slade.

— C'est vous qui posez cette question, fit remarquer le secrétaire général. La mienne est différente.

— Alors je répondrai aux deux. Suis-je hétérosexuelle? Oui. Est-ce que j'en fais étalage? Non. J'ai tendance à garder les portes fermées.

Elle vit Ellen couler à son tour un regard vers Slade.

— Est-ce que j'ai une liaison? continua Caroline. Oui. Malheureusement à distance. Avec Jackson Watts, juge d'un tribunal d'Etat du New Hampshire. Nous sortions ensemble au lycée, nous nous sommes retrouvés il y a quelques années.

— Vous avez l'intention de vous marier? s'enquit Clayton.

Un fiancé valant mieux qu'un amant, surtout aux audiences de confirmation du Sénat, elle répondit :

— Pas pour le moment. Nous sommes tous les deux pris par notre carrière.

Slade lui accorda un long regard énigmatique ; Shaw se pencha en avant, comme pour signifier que l'échange sur ce point avait assez duré.

— Il y a quatre ans, dit-il, vous avez rempli pour la Maison-Blanche, la commission judiciaire, le FBI et le ministère de la Justice des formulaires couvrant tous les aspects de votre vie : vie familiale, état de santé, usage de drogue ou d'alcool. Les réponses étaient exactes ?

— Oui.

— Elles le demeurent ?

— Rien n'est changé.

— Alors, avant de conclure, madame la juge, j'aimerais savoir s'il y a un aspect que nous n'aurions pas abordé, quoi que ce soit qui pourrait embarrasser le président s'il proposait votre nomination.

Caroline n'avait pas le choix, elle devait répondre. Elle le devait à Ellen, et à Kilcannon, bien qu'elle ne le connût pas. Se tournant vers la vice-présidente, elle prit sa respiration.

— Je voudrais vous parler. Seule à seule.

Montrant tous les signes d'une extrême nervosité, Sarah Dash attendait dans son bureau que le téléphone sonne. Depuis deux jours, elle essayait de calmer Mary Ann Tierney, qui craignait autant ses parents que la réaction du cabinet de l'avocate. Ces deux dernières heures, prise par une déposition qu'elle devait défendre, Sarah avait quitté précipitamment la salle de réunion pendant une pause pour trouver sur son répondeur un autre message du directeur du département d'obstétrique de l'UCSF. Elle décrocha immédiatement quand le téléphone sonna.

— Sarah ? C'est Allen Parks...

Ce nom était si loin de ses pensées qu'il lui fallut un moment pour le situer : son ancien prof de droit constitutionnel, avec qui elle échangeait quelques mots une fois par an, à peu près.

— Allen ! Comment ça va ?

— Ça va, un peu débordé. Je travaille avec Adam Shaw, l'avocat de la Maison-Blanche.

Une offre d'emploi ? se demanda Sarah.

— Si vous téléphonez pour vous plaindre, je suis trop occupée pour être compatissante. Submergée, en fait.

— Alors, j'irai droit au fait, dit Parks en riant. L'une de mes tâches consiste à revoir les dossiers des personnes envisagées pour une commission ou une autre. Je suis tombé sur Masters...

Sarah se redressa sur sa chaise.

— Caroline est candidate à quoi ?

— Rien de précis, autant que je sache. Mais nous avons une quantité de postes à pourvoir, et je me suis rappelé que vous aviez fait un stage avec elle. Cela m'a donné un prétexte pour vous appeler.

Allen était un homme prudent, se souvint Sarah. Ses explications, son ton même semblaient exagérément anodins, mais il disait peut-être la vérité.

— OK, dit-elle. Pour faire court, Caroline est une femme remarquable, le cerveau juridique le plus pénétrant que je connaisse. Le vôtre mis à part, bien sûr.

— Et sa position sur les problèmes ?

— Lesquels ?

— La panoplie démocrate habituelle : droits des immigrés, syndicats, égalité des sexes, réforme du financement des campagnes électorales...

— Bonne sur tous, répondit Sarah. Sa dernière déclaration sur la réforme suggère que limiter les énormes contributions versées aux partis politiques par des groupes d'intérêts est conforme à la Constitution. C'est aussi l'avis du président, je le sais.

— Sur le libre choix ?

Cette fois, l'avocate hésita avant d'assurer :

— Excellente aussi. Mais elle n'a jamais eu à juger ce genre d'affaires.

— Qu'est-ce qu'elle en dit, en privé ?

— A moi ? Rien.

— Rien du tout ?

Le ton incrédule de Parks soulignait l'importance du sujet et fit naître chez Sarah l'amorce d'un doute dérangeant sur les opinions de Masters.

— Caroline ne se livre pas beaucoup. Mais vous ne trouverez rien laissant penser qu'elle n'est pas pour le libre choix.

Après un silence, Parks reprit de son ton détaché :

— Merci, Sarah. N'accordez pas trop d'importance à cette conversation : nous avons des centaines de noms en vue, et à peu près autant de mouvements qui poussent leurs poulains en avant. Il vaut mieux n'en parler à personne, si vous n'y voyez pas d'objection.

— Aucune.

Allen sortit des pensées de Sarah aussi vite qu'il y avait fait intrusion. De la fenêtre, elle regardait un cargo japonais chargé de voitures passer sous le pont de la baie en direction d'Oakland quand le téléphone sonna.

— Mademoiselle Dash? Dr Flom, de l'UCSF. Vous voulez me parler d'une affaire urgente, d'après votre message...

6

— Elle a une *fille*? répéta Kerry Kilcannon.

Ellen acquiesça.

Peu de choses étonnaient encore Kerry en politique mais rien ne l'affligeait plus que de découvrir, sous la surface d'une existence, les anomalies, tristes ou sordides, qui l'obscurcissaient. Il avait trop conscience de ses propres secrets pour ne pas craindre les conséquences de cette révélation. Du regard, il fit le tour des personnes présentes dans son bureau — Ellen, Clayton, Adam Shaw — et les vit aux prises, chacun à sa manière, avec des sentiments contradictoires.

— Elle a vingt-sept ans, continua Ellen. Elle croit être la nièce de Caroline.

— Alors, Masters s'est parjurée il y a quatre ans, dit Clayton. En indiquant dans le questionnaire du FBI que cette fille était sa nièce.

— Elle l'est, renvoya Ellen. La sœur de Caroline et son mari l'ont adoptée légalement. Caroline suppose que son père a fait établir un nouvel acte de naissance pour qu'Elizabeth, sa demi-sœur aînée, apparaisse comme la mère biologique. Mais, qu'il l'ait fait ou non, le lien de parenté légal entre Caroline et Brett Allen est celui de tante à nièce.

Kilcannon secoua la tête, l'air abasourdi.

— Vous vous rappelez cette scène de *Chinatown* où Faye Dunaway dit que la fille est sa sœur, puis sa fille, puis avoue finalement qu'elle est les deux? Encore une chance qu'on n'ait pas un inceste sur le dos... Qui est le père, à propos?

— Il s'appelait David Stern. Il est mort dans un accident de bateau sans savoir que Caroline était enceinte. Ce qui fait qu'elle s'est retrouvée seule, à vingt-deux ans. Comme sa sœur et son beau-frère ne pouvaient pas avoir d'enfant, Caroline a pensé qu'une adoption était la meilleure solution pour tout le monde. Je trouve cela difficile à contester.

— Alors pourquoi ne pas avoir dit la vérité il y a quatre ans? demanda Slade.

— Parce que sa fille a toujours pris les Allen pour ses vrais parents. Caroline a cru qu'elle pouvait dire la vérité *à la lettre* tout en continuant à protéger une jeune fille innocente.

— En ce cas, pourquoi nous en parler maintenant?

— Les enjeux sont devenus trop élevés. Elle sait que nous envisageons sérieusement de faire d'elle la première présidente de la Cour suprême. Elle a également peur des conséquences pour *nous*.

La vice-présidente marqua une pause, poursuivit :

— David Stern était un insoumis. Caroline ne l'a appris qu'après sa mort, bien longtemps après être tombée amoureuse de lui. Le père de Caroline l'a dénoncé et Stern s'est noyé en tentant d'échapper au FBI. Caroline pense que cette histoire pourrait être embarrassante pour nous, et bouleversante pour sa fille.

— A tout le moins, marmonna Clayton.

— Je suis content de ne pas avoir connu son père, dit Kilcannon. L'un dans l'autre, je ne pense pas qu'il m'aurait plu.

— Caroline m'a plu, elle, reconnut Clayton. En partie parce qu'elle n'a pas cherché à cacher son antipathie pour moi. Elle a de l'orgueil, et si on n'approuve pas son point de vue cela pourrait passer pour de l'arrogance. Mais elle est manifestement douée, elle a une présence. Je la vois bien faire éclater la mesquinerie et la stupidité des membres de droite de la commission de Palmer. Mais...

Il marqua un temps d'arrêt pour donner plus de force à ce qui allait suivre :

— Un mensonge est un mensonge, du moins dans le contexte d'une candidature à la Cour suprême. Elle a eu raison de nous prévenir, et nous serions fous de ne pas l'éliminer. Je suppose que personne ici ne pense le contraire.

Kerry vit Ellen se tourner vers Adam Shaw, qui n'avait encore rien dit.

— C'est un mensonge, Adam?

Shaw pressa un doigt contre ses lèvres.

— Ce que certains verront comme un mensonge apparaîtra à d'autres comme un acte de haute conscience morale. J'ai relu les questionnaires qu'elle a remplis. En termes de droit, Masters a dit la vérité.

Kilcannon se renversa dans son fauteuil pour écouter la suite de l'échange.

— C'est peut-être suffisant pour nous, reprit Clayton. Nous considérons la compassion comme une vertu. Mais Macdonald Gage est moins compréhensif. Voilà ce qu'il avancera : si elle a tripatouillé la vérité une fois, elle l'a peut-être fait à une autre occasion. Quel exemple donnons-nous si nous faisons de cette femme la présidente de notre instance suprême, dans un système judiciaire reposant sur l'obligation absolue de dire la vérité, toute la vérité, rien que la vérité ?

— Elle *a dit* la vérité, affirma Ellen. La justice exige-t-elle qu'on viole sa parole et qu'on brise la vie de quelqu'un d'autre ? Ou reconnaît-elle aussi, dans sa sagesse, un acte de haute conscience morale ?

Clayton secoua la tête.

— Gage rétorquerait que cet acte servait les ambitions de Masters. D'ailleurs qu'est-ce que la morale, pour les gens ? Sur la plupart des questions, Gage est d'un cynisme absolu, mais je crois qu'il pense sincèrement que nous sommes tombés en enfer dans les années 1960...

— Oui, coupa Ellen d'un ton rageur, quand les femmes ont commencé à travailler, les Noirs à voter et les catholiques à devenir président. Il n'y a qu'à regarder dans cette pièce pour voir ce que cela a donné.

— Nous quatre, c'est une chose. Des rapports sexuels avant mariage avec un insoumis, c'en est une autre. Nous sommes les gardiens de la moralité du pays. C'est pour cela que le président a des chaperons. Et l'abstinence ? demandera Gage.

— Et l'adoption ? riposta Ellen. Caroline a fait exactement ce que prône le mouvement pro-vie : adoption plutôt qu'avortement. Elle a ensuite donné à sa fille et à la famille adoptive tout l'amour et toute la loyauté qu'elle pouvait, au prix d'énormes sacrifices, je présume. Voilà ce que j'appelle de la moralité. Si Clayton estime que cela la discrédite...

— J'ai dit que Mac Gage l'estimerait.

— Et moi, j'estime au contraire que cela la rend tout à fait digne de cette nomination.

— Ellen, si nous voulons absolument une femme, je connais une douzaine de juges de Cour d'appel compétentes qui ne traînent pas ce boulet. Le président n'a pas besoin de ça quelques jours après son investiture.

La vice-présidente se tourna vers Kilcannon.

— Les choses sont censées avoir changé. Nous avons fait campagne sur la tolérance, sur la nécessité de débattre des grands problèmes et non des défaillances personnelles.

Clayton jeta un coup d'œil à Kilcannon avant de répondre à Ellen :

— Nous l'avons fait. Mais, que cela nous plaise ou non, la politique est une affaire de *personnes*. Gage n'essaiera pas seulement de rejeter la candidature de Masters au Sénat, il s'en servira pour salir le président.

— Ce n'est pas la fille du président, répliqua Ellen. Je crois les électeurs assez intelligents pour faire la différence, et assez justes pour apprécier notre honnêteté.

— Alors je vous pose la question : Caroline Masters est-elle prête à avouer publiquement les faits ? De cette façon, on reconnaîtra au moins sa franchise et la nôtre. Nous pourrons — peut-être — tirer parti de l'histoire attendrissante d'une jeune femme enceinte qui a choisi de ne pas supprimer une vie et qui a entrepris de devenir une juriste distinguée et une tante aimante. Mais si c'est Gage qui fait ces révélations, Masters n'est qu'une menteuse.

La vice-présidente fronça les sourcils.

— Je ne connais pas la réponse à cette question. Caroline a gardé le secret pendant vingt-sept ans, et il faut penser à la réaction de sa fille.

— Elle veut présider la Cour suprême, oui ou non ? repartit sèchement Clayton.

— Oh, elle le veut. Reste à savoir à quel prix.

Clayton croisa les bras.

— Je ne crois pas qu'elle soit capable de fixer ce prix. Nous encore moins.

Parvenus dans une impasse, Ellen et Clayton se tournèrent vers Kerry.

— Où est-elle, maintenant ? demanda-t-il.

— Toujours au *Hay-Adams,* répondit la vice-présidente.

Il réfléchit, partagé entre le réalisme de Clayton et la position de principe d'Ellen, plus convaincante pour lui, sur un plan personnel, qu'elle ne le soupçonnerait jamais. Quand il prit sa décision, ce fut plus par raison que par instinct.

— J'aimerais au moins la rencontrer.

Clayton Slade se leva, les mains dans les poches.

— Sans vouloir vous offenser, monsieur le président, c'est une bien mauvaise façon de satisfaire votre curiosité. Elle a manifestement les qualités requises pour la Cour suprême. Si vous ne la désignez pas — à juste titre — et si on apprend que vous l'avez rencontrée, vous donnerez l'impression de l'avoir éliminée à la dernière minute. Ce serait embarrassant pour elle, et mauvais pour tout le monde. Parce que vous ne pourrez jamais expliquer votre décision sans la compromettre.

72

— La presse campe dans l'aile ouest, répondit Kerry. Fais-la venir par l'entrée est des visiteurs dans une heure. Personne ne la verra.

— Si jamais on la voit, on pensera que c'est une de vos conquêtes, fit Clayton d'un ton acerbe. Du moins, espérons-le.

Kilcannon eut un léger sourire.

— Elle nous a dit la vérité, au risque de se nuire gravement. Je tiens à avoir au moins ce geste de courtoisie envers elle.

Il regarda Ellen puis Adam avant de conclure :

— Merci de vos conseils.

Comme c'était souvent le cas, ces mots, signifiant la fin de la réunion, ne concernaient pas Slade.

Les deux amis restèrent un moment silencieux, assis l'un en face de l'autre.

— Je comprends ce que tu as essayé de faire, dit Kerry. Je t'en suis reconnaissant.

Clayton remua sur sa chaise, l'air mal à l'aise.

— Je sais combien tu aimes Lara. Jusqu'ici, vous avez réussi à vous en tirer, tous les deux. Mais si tu soulèves la question de la moralité sexuelle, même chez quelqu'un d'autre, j'ai bien peur que la presse et la droite ne reconsidèrent vos relations. Il y a mille raisons pour lesquelles je ne le souhaite pas, Kerry.

Pour Kilcannon, cette conversation reflétait la profondeur de leur amitié : parce que Clayton était la seule personne à qui il avait dit la vérité au sujet de Lara ; parce qu'il l'avait dégagé de l'obligation de l'appeler «monsieur le président» en privé ; parce que Clayton réservait ce privilège aux conversations vraiment personnelles.

— Je sais, répondit-il. Mais je ne veux pas devenir Mac Gage en traitant Masters comme Gage me traiterait. Lara ne voudrait pas de cela non plus.

Clayton le regarda puis, s'appuyant sur la solidité de leurs rapports, répondit :

— Tu veux que Lara devienne le symbole de l'avortement à la carte ? Il y a une différence entre crainte et prudence.

Kilcannon détourna un instant les yeux, revint à son ami.

— A l'exception de Chad Palmer, Caroline Masters est peut-être une des rares personnes de cette ville qui soit largement à la hauteur de ses ambitions. Cela mérite le respect.

Clayton soutint son regard puis haussa les épaules.

— Je dirai au Service de la laisser passer.

— Je compte sur toi. Ensuite rentre, si tu peux. Et embrasse Carlie pour moi.

7

Un assistant fit entrer Caroline Masters dans le bureau du président, referma la porte derrière elle.

Kerry Kilcannon était plus frêle qu'elle ne s'y attendait. Manches retroussées et cravate desserrée, comme un procureur débutant à la fin d'une journée épuisante, il donnait une impression de minceur sous tension.

— Eh bien, on peut dire que vous avez rendu cette procédure plus intéressante, attaqua-t-il sans préambule.

Déroutée, elle réussit à répondre :

— Pas autant qu'elle aurait pu l'être, monsieur le président.

Le léger changement dans les yeux vert bleuté qui la fixaient sans ciller pouvait passer pour un sourire.

— Pour vous comme pour moi, dit-il. L'aveu que vous avez fait à Ellen n'a pas dû être facile.

Caroline sentit qu'avec cet homme la vérité s'imposait.

— C'était dur, reconnut-elle. Rares sont les jours où je ne me suis pas imaginée à la Cour suprême, ces quatre dernières années. Mais ce n'est pas le genre de chose qu'on admet volontiers.

— Je sais. Quand j'ai parlé de mes ambitions, pas mal de gens ont levé les bras au ciel. Mais je suis ici. Asseyez-vous, je vous en prie, dit-il en indiquant un canapé. Avant votre arrivée, je songeais justement à l'ambition, et à son prix. A tous les hommes que j'ai connus qui auraient voulu être où je suis, à commencer par mon frère. Beaucoup d'entre eux ont tant sacrifié de leur vie et d'eux-mêmes à ce but que, après leur échec, il ne restait plus personne dans leur peau. Plus rien que le président qu'ils croyaient être en train de devenir. Pas vous, juge Masters, dit-il en joignant l'extrémité de ses doigts. Je me demande pourquoi.

Caroline fut de nouveau étonnée par cet homme que les circonstances avaient forcé à examiner sa propre vie, et à braquer le même objectif sur d'autres.

— C'est très simple, répondit-elle. J'aime ma fille. Avant sa naissance, j'aimais son père. C'est cela qui m'a conduite aux décisions que j'ai prises — avoir cet enfant, mais ne jamais lui dire la vérité — et qui avec le temps sont devenues une partie de moi-même. A quarante-neuf ans, je suis parvenue à certaines conclusions sur ce que je suis, et sur ce que cela implique.

Kilcannon inclina la tête sur le côté.

— Alors, vous n'avez pas fait ce sacrifice dans l'intérêt de la grande croisade que j'entreprends ?

Après un bref sourire, elle répondit :

— Je vous devais la vérité, bien entendu. Mais j'avoue que ce ne fut pas l'élément décisif. Je connais ma fille depuis beaucoup plus longtemps.

Les yeux mi-clos, Kilcannon garda un moment le silence.

— Supposons que **vous** ayez à faire ces révélations en public, reprit-il enfin. Beaucoup de gens trouveraient humaine et sensée la décision que vous avez prise. Elle laisserait peut-être même sans voix certains républicains sympathisants de la cause pro-vie.

Tristement, Caroline s'apprêta à porter le coup de grâce à ses ambitions.

— Sans avoir la tête politique, je me doutais que la question pourrait se poser. Nous vivons l'ère du confessionnal : aucun péché n'est trop intime pour être avoué, aucun traumatisme trop dévastateur pour ne pas être exploité. Si votre adversaire avait exhibé un parent agonisant ou un enfant malade de plus, j'aurais voté pour vous deux fois. Une chance que vous l'ayez battu avant la mort de ses guppies.

— J'en conclus que vous désapprouvez, s'esclaffa Kerry.

— Absolument. Pour être franche, je veux tellement ce poste que, dans un moment de faiblesse, je pourrais me laisser aller moi aussi à de telles charlataneries. Mais ce n'est pas ma conception de la vie publique.

D'une voix radoucie, elle ajouta :

— Je ne veux pas démolir tout ce que ma fille croit sur sa propre vie. Et si ce n'était pas une raison suffisante, j'ai promis à ses parents — c'est ce qu'ils sont — de ne jamais le faire.

— On pourrait aussi soutenir que votre fille a le droit de savoir.

— On pourrait. Egoïstement, je voudrais qu'elle le sache : c'est dur d'aimer une enfant en secret et de faire semblant d'être sa tante. Mais je n'ai pas le droit de bouleverser sa vie. Pas même pour la présidence de la Cour suprême.

C'est fini, pensa-t-elle. Il se faisait tard, le président était fatigué et elle ne lui était plus d'aucune utilité. Ce moment de renoncement était encore plus douloureux qu'elle ne l'avait imaginé.

— Pourtant, vous étiez prête à accepter d'être candidate, fit-il observer. Donc à courir le risque que votre fille apprenne la vérité, du moment que votre sens personnel de l'honneur était satisfait et que nous acceptions le risque.

L'analyse, aiguë comme un stylet, la fit s'empourprer. Elle prit conscience que Kilcannon pouvait être dur, et difficile à berner.

— C'est vrai, reconnut-elle. Il y a peut-être là quelque hypocrisie. J'ai peut-être toujours *voulu* qu'elle sache. Mais surtout, je voulais ce poste. Pourquoi pas moi ? ne cessais-je de me répéter. Le pays a besoin de mes talents. Je ferais une excellente présidente de la Cour suprême.

Il inclina de nouveau la tête.

— Pour quelle raison ?

— Parce que je suis tout ce que Bannon n'était pas. Pour lui, les gens n'étaient pas des êtres réels mais les pièces d'un jeu d'échecs de son invention. Tout ce fatras imbécile sur la nécessité de juger comme l'auraient fait les pères fondateurs ! Certains d'entre eux avaient des esclaves, bon sang, et leurs femmes ne pouvaient pas voter.

— Bannon répondrait que la loi doit s'appuyer sur des principes éternels. Sinon, elle n'est que le caprice d'hommes dépourvus de racines intellectuelles.

— Nous sommes des juges, monsieur le président. Nous sommes censés appliquer la loi, pas l'inventer au fur et à mesure. Mais les affaires ne surgissent pas du vide. En 1896, la Cour suprême estimait que la ségrégation était une bonne chose, que le système « séparés mais égaux » était non seulement possible mais que c'était la seule chose que nous devions aux descendants des esclaves. En 1954, la Cour était capable de saisir le caractère blessant de la discrimination raciale et donc de voir que la Constitution, correctement interprétée, interdit à un groupe de citoyens d'utiliser la loi pour en rabaisser un autre. Il y a là une leçon. Mais certains des alliés de Bannon à la Cour suprême semblent l'avoir oubliée.

— Je peux maintenant envoyer quelqu'un la leur rappeler. C'est un des plaisirs de la victoire.

— J'en suis heureuse, monsieur le président. Je regrette simplement que ce ne puisse être moi.

Kilcannon réfléchit un instant avant de répondre :

— Moi aussi. J'ai même parcouru l'énorme tas de dossiers qu'Adam Shaw m'a envoyé. Très impressionnant, y compris votre point de vue sur la limitation des contributions financières aux campagnes électorales. J'accepterais volontiers une brève séance de travaux pratiques là-dessus, pour m'aider à choisir un candidat, quel qu'il soit.

— Je connais votre position. Vous proposez d'interdire aux groupes d'intérêts ou aux riches d'acheter une certaine influence en versant à chaque parti politique ces énormes sommes. Mais, sur le plan juridique, vous vous heurtez à un argument redoutable : le premier amendement fait de ces contributions une forme d'«expression» à laquelle vous ne pouvez pas toucher.

«On peut arguer qu'un traitement de faveur accordé à ces groupes d'intérêts noie les voix des citoyens ordinaires : combien de gens peuvent donner un million de dollars aux démocrates pour garantir que vous les écouterez quand ils feront usage de leur «liberté d'expression»?

Avec un sourire, Caroline ajouta :

— Non que vous vous laisseriez influencer, bien sûr.

— C'est bon pour les républicains, ironisa Kilcannon. Je suis au-dessus de tout cela. Ni les avocats ni les syndicats d'enseignants n'ont barre sur moi.

— Naturellement. Mais certains ne s'en sont peut-être pas rendu compte. Ils ont l'impression que, quel que soit leur vote, aucun parti ne se soucie d'eux. Alors, ils ne votent plus. Et c'est là que la démocratie, au vrai sens du terme, commence à vaciller. C'est le prix à payer quand on traite les groupes d'intérêts comme les porte-drapeaux du premier amendement.

Caroline marqua une pause avant de conclure :

— La question n'est pas simple, cependant. Aucun juge intègre ne vous garantira des résultats. Ne choisissez pas quelqu'un qui vous en promettra.

— C'est tentant, fit le président.

Il se leva et demeura un moment immobile, les mains dans les poches, comme s'il avait oublié toute autre préoccupation que les siennes.

— Pour que le pays change, reprit-il, il faut que la Cour change. Je suis résolu à extirper ce système de pots-de-vin légalisés où nous vendons tous des morceaux de gouvernement comme des actions en Bourse. Mais je ne peux pas le faire seul.

Il s'interrompit tout à coup, adressa à sa visiteuse une grimace d'autodérision.

— Je sombre parfois dans le monologue. Comme Hamlet.

Elle eut le sourire attendu.

— J'apprécie les monologues. Mais les juges ne travaillent pas pour vous, et le rôle du président de la Cour suprême n'est pas de dicter le changement. Si vous trouvez simplement un président de la Cour suprême qui contribue à ouvrir les autres juges au changement, vous aurez fait beaucoup. Même si le résultat n'est pas toujours celui que vous souhaitiez.

Un moment, Kilcannon parut surpris puis il eut le sourire désabusé d'un homme qui se connaît bien.

— Oh ! je sais. Je sais.

Ces derniers mots n'appelaient pas de réponse. Tout à coup, leur rencontre avait pris fin. Caroline se leva, tendit la main.

— Merci, monsieur le président. Vous avez été très généreux de me recevoir.

— Merci, juge Masters.

Il hésita puis ajouta :

— Je regrette plus que vous ne l'imaginez le contexte politique actuel, et ce plus encore après notre rencontre. Mais ce que vous m'avez dit me sera très utile.

Caroline quitta la pièce persuadée qu'elle ne le reverrait jamais.

8

La deuxième fois que Sarah Dash rencontra Mary Ann Tierney, ce fut dans le bureau exigu et sans fenêtre de l'hôpital général de San Francisco.

C'était un samedi, mais les tragédies humaines rejetées telles des épaves dans l'établissement public — malades du sida, drogués, sans-abri — ne connaissaient pas de jour de repos. Effrayée par ce qu'elle avait vu dans les couloirs, Mary Ann avait l'air d'une enfant qui vient de traverser le purgatoire et se demande maintenant où elle est.

— Je suis désolée, dit Sarah. Mais nous aurons besoin de témoins si nous entamons une action en justice.

Elle n'ajouta pas que, quelle que soit la réponse de l'obstétricien et de la psychologue, son cabinet n'accepterait peut-être pas l'affaire.

L'adolescente examina le papier que Sarah avait placé devant elle.

— Il faut que je le signe ?

— Le cabinet en a besoin. Et moi aussi.

— Pourquoi?

— Se lancer dans un procès est une décision importante. Je dois être sûre que c'est bien ce que tu veux. Lis ce papier attentivement.

Mary Ann s'exécuta et grommela :

— Voilà, c'est fait. Je peux signer, maintenant?

Une fois de plus, l'avocate fut frappée par l'oscillation de l'adolescente entre vulnérabilité et défi.

— Avant ça, je voudrais savoir comment tu te sens. C'est important aussi.

Des larmes jaillirent des yeux de Mary Ann.

— J'ai tellement peur. Je ne sais pas ce qui va m'arriver.

— Et tes parents?

— C'est tellement difficile de vivre avec eux, maintenant. Comme si nous étions ennemis sans qu'ils le sachent. J'ai l'impression d'être une espionne.

Sarah avait aussi eu cette impression quand elle avait quinze ans, mais ses fautes étaient bénignes : une brève expérience de la drogue, quelques tripotages furtifs avec un garçon. Rien de comparable.

— Tes parents pensent que tu es où?

— Au centre commercial, avec Bridget. A chercher un cadeau d'anniversaire pour ma mère.

Sarah retint une grimace : dans le cadre restrictif de leurs croyances religieuses, les Tierney semblaient gouverner d'une main légère, et Sarah participait à la tromperie. Mais c'était cela ou les laisser traiter Mary Ann comme leur propriété, et le médecin et la psychologue attendaient.

— Oui, tu peux signer.

Quelques heures plus tard, après le départ de Mary Ann, Sarah demeurait assise dans la salle de réunion face au Dr Jessica Blake, la psychologue, et au Dr Mark Flom, l'obstétricien qui pratiquait des IVG tardives. Tous deux avaient déjà été confrontés au problème; tous deux avaient reçu des menaces de mort et avaient cherché protection auprès des tribunaux. Sarah n'avait pas besoin de leur expliquer les risques qu'ils prendraient en parlant pour Mary Ann Tierney.

— Alors? fit-elle.

Blake, une femme soignée aux manières incisives, inclina la tête vers Flom.

— Toi d'abord.

Pour Sarah, les cheveux blancs, les traits fins et l'air distrait de

Flom suggéraient davantage un poète qu'un médecin, mais le ton était ferme.

— Je ne comprends que trop bien l'influence de la religion, mais je n'arrive pas à croire que Jim McNally — ou tout autre docteur — ait pu être aussi optimiste après l'échographie. Ce n'est pas seulement une hydrocéphalie, c'est une hydrocéphalie grave. Il y a de l'eau dans le système ventriculaire du cortex. Elle comprime et détruit les tissus, elle nous empêche de déterminer par ultrasons s'il y a une chance de développement normal.

Il plissa le front et conclut :

— Quand on ne voit absolument pas le tissu cortical — comme c'est le cas ici —, le pronostic est sombre pour le fœtus.

— C'est ce qu'a dit le docteur de Mary Ann.

— C'est ce que dirait n'importe quel docteur. Ce qui me choque, c'est l'idée de faire naître un bébé avec une tête grosse comme une boule de bowling au moyen d'une césarienne. C'est-à-dire une grande incision qui ouvre tout l'utérus. Mis à part le traumatisme psychologique que cela implique pour une fille de quinze ans, il y a risque d'hémorragie, d'infection, d'embolie pulmonaire et, dans les cas rares où cela se passe mal, on peut être contraint de pratiquer une hystérectomie.

Blake se tourna vers l'obstétricien.

— C'est le seul risque pour elle de ne plus avoir d'enfants ?

— Je le voudrais bien, soupira Flom. Comme nous avons affaire à une ossature d'adolescente, il y a également un risque réel, quoique faible, de rupture utérine dans une grossesse ultérieure, ce qui entraînerait la mort du fœtus et contraindrait à une ablation totale de l'utérus.

— Le docteur de Mary Ann estime ce risque à cinq pour cent, commenta Sarah.

— Est-ce une raison pour ne pas en tenir compte ? répliqua Flom. Mais je suppose que c'est assez bon pour les parlementaires. Voilà le problème quand on laisse ces imbéciles du Congrès se mêler de médecine. Ou ils ne savent pas ce qu'ils font, ou ils se fichent de cette fille. Ou les deux.

— Y a-t-il une chance pour qu'un juge, dans le cadre de la loi sur la protection de la vie, autorise une IVG ? demanda Sarah.

— Difficile à dire. Pour la loi, peu importe l'état du fœtus ; ce qui compte, c'est qu'il soit «viable». Personnellement, je doute qu'on puisse qualifier ce bébé de viable, étant donné le peu de chances qu'il a de survivre. Mais quel médecin prendrait le risque d'être poursuivi en justice en s'appuyant sur cette hypothèse ? Et la contraindre à subir une césarienne n'implique pas la probabilité d'un « risque médical important ».

Le Dr Flom croisa les bras, continua :

— Je ne connais aucun médecin qui ait envie de perdre son droit à exercer, d'aller en prison et de verser aux parents l'argent qu'il lui restera. Si vous voulez que moi, ou n'importe qui d'autre, pratique une IVG, vous devez d'abord invalider la loi sur la protection de la vie.

C'était ce que Sarah avait craint.

— En tout cas, Mary Ann ne m'a pas induite en erreur sur ses problèmes médicaux.

— Non, confirma Flom. Je dirais au contraire qu'elle sous-estime le risque d'accoucher de cet enfant. Elle a été élevée dans une famille pro-vie, soignée par un docteur pro-vie.

Sarah jeta un coup d'œil à Jessica Blake.

— Ce n'est pas la fille de quinze ans la plus mûre que j'aie rencontrée, confirma la psychologue. Elle a été surprotégée, et la plupart de ses convictions lui viennent de ses parents. Je pense qu'elle était prête à avoir un bébé normal, soutenue par la doctrine religieuse et une bonne dose de fantasmes sur l'enfant et son père. L'échographie a été l'antidote.

— Elle est capable de prendre une décision rationnelle ?

— Franchement, les problèmes médicaux exposés par Mark ne sont pas difficiles à comprendre. Le plus dur pour elle, c'est de les mettre en balance avec son éducation et l'opposition de ses parents. Le fait qu'elle ait affronté une haie de manifestants hostiles laisse penser qu'elle en est capable.

« Le gros problème de Mary Ann, c'est la loi. Une loi dont l'objectif caché est de forcer des filles enceintes — trop effrayées et trop honteuses pour aller au tribunal — à avoir des bébés.

— Vous seriez prête à faire cette déclaration au tribunal ?

— Oui.

Sarah se tourna vers Flom.

— Et vous ?

— Moi aussi.

— Accepteriez-vous aussi d'être coplaignant ? De me laisser entamer l'action au nom de Mary Ann *et* des médecins soumis à la loi sur la protection de la vie ?

Flom acquiesça de la tête.

— Il faut que les gens sachent ce que cette loi impose aux femmes et aux docteurs. Pour le moment, ils l'ignorent.

Sarah songea que, pour eux trois, il n'y avait aucun doute. Elle aurait voulu avoir la même certitude en présence de Mary Ann.

9

Vingt-quatre heures plus tard, Kerry Kilcannon réfléchissait au plan qui se formait dans son esprit en attendant le sénateur Chad Palmer. Comme souvent, c'était une question de personnalité, en l'occurrence la perception que Kerry avait de ce qui motivait Palmer.

Ils étaient amis depuis l'arrivée de Kilcannon au Sénat, rapprochés l'un de l'autre par un même sens de l'humour, un certain iconoclasme et une préférence pour la franchise. Dans la bataille pour limiter l'influence de l'argent sur la politique, Chad s'était allié avec Kerry, s'attirant l'hostilité à peine voilée de Macdonald Gage et de nombreux autres membres de son parti. Mais, inévitablement, Kerry et Chad se retrouvaient en rivalité : ils croyaient tous deux en eux-mêmes et leur vie les avait menés à des conclusions très différentes sur ce dont le pays avait besoin. Et, comme de juste, pensa Kilcannon, chacun d'eux était convaincu que le pays avait surtout besoin d'un président à son image.

Depuis plusieurs années, de nombreux experts prédisaient un duel Kilcannon-Palmer : «Ce que l'Amérique a de meilleur», commentait l'un d'eux. Kerry s'était attendu à ce que Chad se présente l'année précédente. Qu'il ne l'eût pas fait l'amenait à se demander s'il connaissait son ami et adversaire aussi bien que son plan le nécessitait.

Chad avait certainement pris la mesure de Kerry en songeant à la présidence. Le compliment souvent cité de Chad — «Kerry est de la poésie, moi je suis de la prose» — suggérait une comparaison flatteuse pour Palmer. Le Chad public était un homme au franc-parler et aux opinions simples : pour les crédits militaires, contre l'avortement, contre l'Etat-nounou, pour la responsabilité individuelle. C'était ce personnage que Chad croyait capable de lui ouvrir les portes de la Maison-Blanche, soupçonnait Kerry.

Le Chad Palmer qu'il percevait était bien plus complexe. Sous l'aveu enjoué «Je suis une pute des médias, comme tout le monde», se cachait un homme profondément sérieux. Deux ans de prison et d'introspection forcée avaient fait de lui un homme qui vivait selon ses propres critères : un sens de l'honneur impérieux expliquait son aversion pour Macdonald Gage bien mieux qu'un conflit d'ambitions. C'était là-dessus que Kerry comptait.

Palmer reposa son verre de vin en disant :
— Elle veut que cela reste *secret*?

Assis dans la salle à manger privée du président, ils venaient de savourer un délicieux canard laqué, sans doute échangé, avait suggéré Chad, contre les secrets nucléaires de l'Amérique.

— Elle ne sait même pas que j'envisage encore sa nomination, répondit Kilcannon. Mais vous et moi savons qu'il y a dans les dossiers de votre commission des informations qui ne voient jamais la lumière du jour.

Le sénateur dévisagea son hôte sans cacher sa surprise.
— Fort peu.

Kerry se pencha en avant.
— Dites-moi une chose, Chad. Vous croyez sérieusement que le passé de Masters lui interdit la présidence de la Cour suprême? Ou qu'elle aurait dû tout avouer pour devenir juge de Cour d'appel?

Ça te tracasse vraiment, on dirait, pensa Palmer. Il valait mieux aller au bout de la conversation pour voir ce que Kerry voulait.

— Moi personnellement? Non. Votre juge a eu une conduite honorable, alors et maintenant. Je suis pro-vie, et mal placé pour condamner les rapports sexuels avant le mariage. Dieu merci, j'ai eu un peu plus de chance dans le domaine de la contraception, dit-il en souriant.

Kilcannon ne lui rendit pas son sourire.
— Quoi qu'il en soit, elle a les qualités requises. Je suis fatigué de cette pratique du «tir à vue» où les deux partis exhument les vieux péchés d'un adversaire pour l'éliminer de la vie publique. Je sais que vous n'aimez pas ça non plus.

Chad demeura un moment silencieux. Dans la lumière tamisée, il contempla le cadre élégant, les tableaux, les lustres de cristal et, de l'autre côté de la table, son ami, dont il voulait prendre la place.

— Vous en avez parlé à Gage?
— Bien sûr que non, répondit Kilcannon. Je n'ai pas l'intention de lui en souffler mot.
— Bien sûr que non. Vous préférez me rendre complice de la

dissimulation d'un fait que mon éminent chef de groupe au Sénat aimerait beaucoup...

— Ce qui fait de vous le complice d'une action honorable, coupa Kilcannon.

— Ce qui fait de vous un Machiavel, répliqua Chad. En me mettant au courant, vous vous protégez d'une accusation de couvrir le passé de Masters, tout en m'exposant à des attaques dans mon parti. Qu'est-ce qui vous fait croire que j'ai envie de vous servir de pare-merde, monsieur le président?

— Je reconnais que ce plan présente certains avantages pour moi, admit Kerry avec un sourire. Pourquoi suis-je à la Maison-Blanche, Chad? Grâce aux femmes. Même si cette affaire s'ébruite, nous nous serons élevés vous et moi au-dessus de la politique pour accorder ce qu'elle mérite à une femme talentueuse.

Palmer lui jeta un regard sceptique.

— Certains pensent que je m'élève au-dessus de la politique un peu trop souvent.

— Parce que vous avez de l'instinct. De quoi Gage aura l'air s'il traîne dans la boue une femme remarquable parce qu'elle a préservé la vie d'un enfant à naître? De quoi aurez-vous l'air si vous l'aidez?

Palmer considéra l'argument puis s'enquit:

— Quelle est sa position sur l'avortement, à propos?

Kerry sourit de nouveau.

— Vous me croyez assez obtus pour avoir posé la question? Et pourquoi voudriez-vous faire de la nomination d'une femme à la présidence de la Cour suprême une controverse sur l'avortement?

— Moi, sûrement pas. Gage, peut-être.

— Il ne pourra pas. La juge Masters n'est mêlée ni de près ni de loin à une histoire d'avortement.

— Alors, c'est un cheval de Troie, repartit Chad. OK, vous avez gagné l'élection, vous avez le droit de désigner qui vous voulez, dans un cadre raisonnable. Mais je ne crois pas que vous ayez l'intention de choisir quelqu'un qui a sur l'avortement le même point de vue que notre camp.

Kerry joua un instant avec son rond de serviette en argent.

— Qu'entendez-vous par «notre camp»? Etes-vous du même camp que Gage quand il s'agit de l'influence de l'argent sur la politique?

— Sûrement pas.

— Sûrement pas. Il traite le Sénat de haut tandis que son vieil ami et ancien collègue Mace Taylor collecte des fonds auprès du lobby des armes à feu, d'Engagement chrétien, des fabricants de cigarettes, et de tous ses autres clients. Ces deux-là connaissent la manœuvre mieux que personne : avec de l'argent, on achète de l'influence... et des lois. Taylor dit à Gage quels projets de loi il doit bloquer **ou** torpiller. Taylor s'enrichit, Gage obtient des dons des clients de Taylor, et le pays se fait avoir. Vous aussi, Chad.

« Vous voulez vous présenter contre moi, mais Mace Taylor et ses amis ne veulent pas de vous, parce qu'ils ont déjà acheté leur candidat : Mac Gage. Ils collecteront des millions pour vous éliminer, et leur propagande contre vous ne sera pas jolie-jolie. Vous perdrez.

— Peut-être pas.

— Vous perdrez, répéta Kerry. Ce qui m'ira parfaitement, vieux. Gage sera beaucoup plus facile à battre.

Dans un élan d'orgueil et de défi, Palmer répliqua :

— Vous avez sauté un épisode, monsieur le président. Celui où, avec votre soutien, je fais adopter notre loi de réforme du financement des campagnes électorales sur les cadavres de Gage et de Taylor. Pour démolir leur machine à fric.

— Vous avez sauté un épisode, répliqua Kerry en souriant. Celui où ma présidente de la Cour suprême décide si votre loi est constitutionnelle. Et donc si vous avez une chance de prendre ma place.

Palmer ne put retenir un rire.

— Elle est pour la réforme ?

— Je crois, oui. Je pense qu'elle est aussi beaucoup d'autres choses qui me plaisent et qui ne vous plaisent pas. Mais, comme vous en convenez, c'est ma prérogative. Mac Gage est corrompu. Non qu'il accepte des valises bourrées de billets usagés. C'est bien plus grave : il vend le Sénat au plus offrant pour poursuivre ses ambitions. Tant pis si cela signifie que nous continuons à laisser des enfants se faire massacrer par les armes automatiques que ses amis de la NRA[1] aiment tant.

« J'ai l'intention de fermer les vannes et d'infuser un peu d'intégrité dans le système. Après quoi, nous pourrons nous affronter, vous et moi, sur des questions de principe.

Palmer considéra d'un air songeur le plan proposé et l'homme qui le proposait, mélange complexe de dureté et d'idéalisme, de passion et de machiavélisme froid.

— Vous m'envoyez en première ligne, dit-il enfin. Si cette candi-

1. National Rifle Association : association de défense des armes à feu, classée très à droite. *(N.d.T.)*

dature tourne mal et que je me retrouve du mauvais côté au sein de mon parti, je perds plus que vous.

— Je ne vous demande pas de la soutenir, mais simplement de pousser sous le tapis tout ce que vos enquêteurs pourraient éventuellement dénicher sur la vie personnelle de Masters.

— Ce ne sera peut-être pas facile, prévint Chad. Non seulement parce qu'elle aura le FBI sur le dos, mais aussi à cause de Taylor. Ce n'est pas uniquement un marchand d'influence, c'est le prince des ténèbres. Par ses clients, il contrôle des millions de dollars : de quoi financer une armée d'enquêteurs. Vous savez, ces types qui ont suivi Lara partout pendant la campagne dans l'espoir de vous embarrasser? C'était Taylor.

— Oh, je sais, répondit Kerry avec ce regard froid et cette voix douce que Chad avait appris à associer à la colère. J'ai du mal à l'oublier.

— Vous vous souvenez quand Frank Keller a démissionné de son poste de chef de la majorité en déclarant qu'il voulait consacrer plus de temps à sa famille et qu'il se réjouissait que Mac Gage soit là pour le remplacer?

— Si je m'en souviens? C'était si manifestement faux que j'en étais gêné pour lui. Qu'est-ce que Taylor avait sur lui?

— Une histoire de prostituées, d'après les rumeurs. Dont deux ou trois mineures. Et Gage était dans le coup, je pense. Si nous prenons ce risque, dit Palmer en regardant Kerry dans les yeux, c'est toute la carrière de Masters qui sera en jeu. Ainsi que celle de ceux qui l'auront aidée.

— Je n'ai rien à cacher, répondit Kerry. Et vous?

— Rien non plus, bien sûr. Je suis un héros, voyons.

Dans le silence qui suivit, Palmer pesa le pour et le contre, principes contre ambitions, et fit prévaloir, comme toujours, le sentiment de ce qu'il se devait d'être.

— D'accord, dit-il. Si vous décidez de faire le choix de cette dame, j'essaierai de veiller sur elle.

10

Deux jours plus tard, Kerry Kilcannon et Lara Costello descendaient l'ellipse en direction du Lincoln Memorial dans l'air froid du soir. Il gelait et le bassin qu'ils longeaient était couvert de glace. Le givre avait blanchi la pelouse, les feuilles mortes craquaient sous leurs pieds.

— Ils nous ont donné de nouveaux noms de code, dit-il, faisant allusion aux agents du Secret Service. Bambi et Pan-Pan.

— Lequel de nous est Pan-Pan? demanda Lara avec un grand sourire.

— A moi de décider.

Lui prenant la main, elle lui coula un regard amusé.

— Ça te plaît vraiment, d'être président, n'est-ce pas?

— Plus que je ne le pensais, reconnut-il. Après toutes ces années au Sénat, ces interminables bavardages, j'ai les mains sur les leviers de commande. On devient vite accro.

— Tu ne te sens pas écrasé?

— Je n'ai pas le temps, répondit-il, s'arrêtant pour contempler le monument baigné de lumière au bout de l'ellipse. Oh! la nuit, il m'arrive de penser aux décisions qui ont été prises dans cette maison, de la guerre de Sécession à Hiroshima, et je me demande quelles décisions je serai amené à prendre. On a parfaitement conscience de n'être qu'un occupant provisoire, et que certains de ceux qui vous ont précédé ont été de grands hommes. Et qu'aujourd'hui la politique est plus moche, les regards auxquels vous êtes exposé plus inquisiteurs. De là à parler du «terrible fardeau de la présidence»... Je le sens peut-être au moment de glisser dans le sommeil, mais le lendemain, je suis impatient de me mettre au travail. Je suis fou, c'est évident.

Ces derniers mots prononcés avec un sourire auquel Lara répondit.

— Assez fou en tout cas pour ce boulot. Mon fiancé, le mégalo.

— Tout à fait. Je crois que même Chad est impressionné.

Quand ils se remirent à marcher, Lara demanda :

— Alors, tu as vraiment pris ta décision?

— Presque.

— Clayton est au courant?

— Pas encore. Je veux lui faire la surprise.

— Tu es sûr de toi?

— Elle a du caractère à revendre, une forte personnalité. Et sans une forte personnalité, je ne serais pas ici, soit dit en toute immodestie. Je ne me suis pas présenté parce que j'aime entendre le «salut au chef». J'ai l'intention de changer les choses. Caroline Masters est capable de changer la Cour.

— Et les réserves de Clayton...

— Elles concernent sa vie privée. Il craint que cela ne fasse qu'aiguiser l'appétit de l'opinion pour le scandale. Je comprends que ce soit un risque. Mais je pense que, plus profondément, les gens veulent un président qui demande qu'on juge une vie dans sa totalité, et avec compassion.

— Mais si elle passait aux aveux, et si la réaction n'était pas trop négative, dit lentement Lara, tu serais protégé.

— Mieux que ça encore. Je sais que ça peut paraître cynique, du moins en ce qui concerne sa fille, mais je pense que ce serait bon pour nous même si ses adversaires découvraient l'affaire. Nous en tirerions profit sur le plan politique, quel que soit le sort de Masters.

Il se tourna vers elle, poursuivit :

— Tôt ou tard, nous devrons nous élever contre l'utilisation de la vie privée de personnalités publiques pour les détruire. Il faut mettre un terme à la politique du scandale, et la situation de Masters nous offre un excellent moyen de le faire.

«Je m'attirerai les foudres des réactionnaires qui veulent forcer les adolescentes enceintes à avoir des bébés puis les virer de la National Honour Society parce qu'elles sont filles-mères. Mais je peux vivre avec ça.

Lara lâcha la main de Kerry, baissa la tête.

— Il y a quelque chose avec quoi tu ne peux pas vivre, murmura-t-elle. Notre histoire. C'est pour ça que nous faisons cette promenade.

Il lui toucha le bras.

— Nous faisons cette promenade parce que tu me manques. Et parce que je voulais avoir ton avis.

Elle secoua la tête.

— Je t'en prie, Kerry. J'ai fait un choix ; je dois maintenant vivre avec. Mais je ne veux pas entrer dans tes calculs.

— Chad se fait du souci à cause de Mac Gage. Et de Taylor. Il a raison.

— Parce que c'est difficile de garder un secret. Sauf que Chad ignore que ce sont *tes* secrets que tu cherches à protéger.

Il ne trouva rien à répondre.

— Je ne la connais pas, continua-t-elle au bout d'un moment. Je l'ai simplement vue à la télé, pendant le procès Carelli. Elle m'a fait l'impression d'une femme intelligente, un rien hautaine, peut-être un peu trop wasp pour susciter toute la compassion que tu sembles éprouver à son égard. Mais ce n'est peut-être pas à son égard.

— Qu'est-ce que tu veux dire?

Elle se détourna.

— Masters a eu son bébé, elle.

— Lara, fit-il, la gorge serrée. Pour l'amour de Dieu, ne...

— Laisse-moi finir, le coupa-t-elle.

Elle se rapprocha de lui, le regarda dans les yeux.

— Politiquement, je ne sais pas ce qui serait le plus intelligent pour toi. J'ignore si sa désignation changera quelque chose pour nous. Je ne sais même pas pourquoi tu fais tout ça : par principe ou pour des raisons plus terre à terre et plus subtiles. Tu veux peut-être même me protéger en sacrifiant Masters, pour que l'opinion en ait assez de voir tes adversaires mêler la vie privée à la politique.

La perspicacité et la franchise de Lara le surprenaient encore. Il lui caressa le visage.

— Je ne veux pas te perdre, Lara.

— Alors tu dois accepter la réalité : ceux qui te haïssent seront toujours après nous, quoi que tu fasses. Tu n'as aucun moyen de me protéger. De nous protéger. Tu ne contrôles qu'une chose : ce que tu es. Sois toi-même, Kerry.

Un moment, il eut envie de la prendre dans ses bras puis se rappela les anges gardiens qui les observaient.

— Rentrons, dit-il.

11

Elle était peut-être physiquement présente mais son esprit faisait l'école buissonnière.

Caroline Masters et dix de ses collègues, tous des hommes, occupaient la tribune de la salle d'audience en marbre de la Cour d'appel du neuvième circuit. Devant eux, une magistrate représentant l'Etat de Californie tentait d'expliquer pourquoi un détenu indigent, qui prétendait avoir été battu et sodomisé avec une régularité de métronome par son compagnon de cellule, n'avait pas droit à leur attention. C'était à cause de Caroline que l'Etat de Californie se retrouvait contraint de fournir ces explications.

Ce type d'audience était une rareté : onze magistrats réunis pour réexaminer une affaire déjà entendue par les trois juges habituels. L'homme qui avait prononcé le premier verdict, Lane Steele, était séparé de Caroline par deux autres juges. Il avait l'air ascétique, et furieux contre Caroline Masters. Selon Steele, les tribunaux étaient accablés de requêtes non fondées de détenus ayant une imagination fertile et pas grand-chose d'autre à faire. Sa solution globale était élégante : exposer des conditions requises si complexes et si obscures que la plupart des prisonniers dépourvus d'avocat ne parviendraient jamais à y répondre. En conséquence, dans le cas présent, la cour avait rejeté la plainte du détenu — qui avait entamé une action pour contraindre les autorités pénitentiaires à le protéger — sans déterminer si les accusations de viol étaient fondées.

L'intervention de Caroline avait d'abord été discrète. Apprenant par sa secrétaire, indignée, la décision de la cour, Caroline, plutôt que de demander une nouveau jugement, avait écrit à Steele et à ses deux collègues pour leur demander courtoisement de rouvrir l'affaire et de désigner un avocat pour le détenu. «S'il est vrai que la plainte de M. Snipes n'est pas recevable parce qu'il met en cause le directeur de la prison et non les gardiens, il faut au moins qu'il bénéficie de l'assistance d'un avocat qui l'aidera à mettre en cause la justesse d'une telle décision», avait-elle argué.

Steele lui avait opposé un refus pur et simple. Caroline avait alors suggéré à ses collègues un réexamen de l'affaire, ce qu'une majorité d'entre eux avaient accepté.

Pourtant, elle n'avait pas le cœur à s'en réjouir ce jour-là. La mort de ses aspirations à présider la Cour suprême l'avait déprimée, et c'était presque avec détachement qu'elle observait ce qui se passait devant elle. Après avoir été pilonné par Steele dans sa déclaration liminaire, l'avocat commis d'office du prisonnier, un jeune homme fraîchement sorti de la faculté de droit, attendait la suite avec appréhension. Le substitut du procureur, une robuste magistrate nommée Marcia Lang, débitait maintenant ses arguments avec une ténacité impassible. Derrière eux, les deux femmes noires assises sur des bancs de bois verni devaient être la mère et la sœur du détenu, supposait Caroline. Encore un grand moment pour la justice américaine.

— Nous pensons que la requête du détenu est excessive, disait Marcia Lang.

Steele se pencha en avant, son front haut et ses lunettes aux verres épais lui donnant l'air d'un spécialiste de langues mortes depuis longtemps.

— Bref, votre position, mademoiselle Lang, est que ce tribunal n'a pas à dispenser de conseils juridiques aux prisonniers qui entament des poursuites contre l'Etat, résuma-t-il avec sa précision habituelle.

— C'est cela même, votre honneur. M. Snipes demande que non seulement vous l'autorisiez à formuler de nouveau sa requête, mais que vous lui expliquiez aussi quelles personnes elle doit viser. Nous soutenons pour notre part qu'il est tenu de s'informer lui-même des détails de la loi avant de l'invoquer.

Du Steele tout craché, pensa Caroline. Un théâtre de marionnettes dans lequel il guidait la partie qu'il voulait favoriser vers les arguments qu'il souhaitait faire valoir.

— Estimez-vous également que le simple nombre de ces requêtes nous incite à imposer au moins quelques normes avant de les entendre ? suggérait-il.

— Tout à fait, acquiesça l'avocate. Les requêtes sur les droits des détenus causent beaucoup d'embarras à nos bureaux et à ce tribunal.

La suffisance de l'échange tira Caroline de sa rêverie.

— Tout comme, on peut légitimement le penser, la sodomie cause beaucoup d'embarras à Snipes, ironisa-t-elle.

Surpris, le substitut se tourna vers Caroline, qui poursuivit :

— Vous affirmez que M. Snipes ne peut obtenir réparation parce qu'il n'a pas inclus les gardiens dans sa requête. Où avez-vous vu que cette loi oblige à «inclure les gardiens» ?

— Nulle part, votre honneur, répondit Lang. C'est une interprétation raisonnable des décisions de cette cour.

— Raisonnable pour qui ? Est-ce raisonnable de rejeter la requête de cet homme sans lui expliquer pourquoi ? Ou comment...

— Il me semble que nous ne pouvons prendre parti dans un sens ou un autre, coupa Steele. Ne pensez-vous pas, mademoiselle Lang, que c'est précisément ce que le prisonnier demande ?

— Si, votre honneur.

Caroline lança un coup d'œil à Steele. Bien que la coutume l'empêchât de s'opposer ouvertement à un autre juge pendant l'audience, il le faisait par l'intermédiaire du substitut. Caroline reporta son regard sur Lang.

— Vous pensez sans doute aussi que ce jeu de cache-cache judiciaire nous évitera de déterminer si M. Snipes a été battu et sodomisé. Et de le protéger si c'est le cas.

— Votre honneur, il y a des règles...

— Quelles règles ? Je ne les vois ni dans cette loi ni ailleurs, répliqua Caroline d'un ton froid. Pour éclairer la lanterne du juge Steele et la mienne, vous ne savez pas si les assertions assez précises de M. Snipes sont fondées ou non, me semble-t-il.

Lang hésita, regarda Steele.

— Répondez à la question, insista sèchement Caroline. S'il vous plaît.

— Pas dans l'état du dossier.

— Mais vous savez que, dans sa requête, M. Snipes assure que les violences qu'il a subies peuvent être constatées par un médecin de la prison.

— C'est ce qu'il dit, oui.

— Vous savez aussi que les conditions dans cet établissement sont si abominables qu'un tribunal de première instance envisage de le placer sous contrôle fédéral.

Les mâchoires du substitut se crispèrent.

— La décision n'a pas encore été prise.

— Ce tribunal espère qu'elle le sera — du moins ceux d'entre nous qui se préoccupent plus de sodomie systématique que d'une quelconque théorie juridique abstraite, si intéressante soit-elle.

A gauche de Caroline, son ami et mentor, le juge Blair Montgomery, baissa une tête couronnée de cheveux blancs pour cacher un sourire. Steele revint à la charge :

— N'est-il pas vrai que la loi en question a été expressément adoptée en vue de limiter le nombre de requêtes de détenus ?

— Oui, votre honneur, répondit Lang. C'est tout à fait clair.

— Alors, dans le doute, ne devons-nous pas l'interpréter à la lumière de cet objectif ?

— Absolument.

De la tribune, Caroline regarda les deux Noires qui suivaient l'échange, l'air abasourdies. Le Congrès vote des lois mal rédigées, pensa-t-elle, nous les interprétons ensuite, avec nos préjugés et nos défauts, y compris, aujourd'hui, en ce qui me concerne, un manque d'attention dû à une déception profonde. Et de pauvres types comme Orlando Snipes doivent subir le gâchis que nous avons provoqué.

— N'est-il pas vrai également, reprit-elle sur un ton plus modéré, que M. Snipes ignorait totalement qu'il pouvait soulever ces points avant que cette cour, de sa propre initiative, ne décide de réexaminer l'affaire et de désigner un avocat pour l'aider ?

Le regard de Lang obliqua de nouveau vers Steele.

— Je crois...

— Et que, sans notre intervention, il n'aurait pas été entendu aujourd'hui ? Ni peut-être jamais ?

Lang hésita, haussa les épaules.

— Oui, je suppose.

Caroline se pencha en avant.

— Alors, vous pouvez peut-être m'expliquer comment une procédure qui dissimule à M. Snipes les moyens de se protéger de violences sexuelles, puis qui lui cache son droit à mettre en cause cette dissimulation, est compatible avec les objectifs de la justice.

Une fois de plus, elle vit son voisin retenir un sourire. Devant les difficultés patentes du substitut à répondre, Montgomery semblait lui aussi certain que la cour reviendrait sur la décision du juge Steele. La perspective de passer quelques années de plus avec Steele pour collègue ne la séduisait pas spécialement.

A la fin de l'audience, comme ils quittaient la salle, Montgomery murmura derrière elle :

— Vous lui avez joliment arraché les ailes, à cette vilaine mouche. Un vrai plaisir de vous voir à l'œuvre.

Elle haussa les épaules.

— Mauvaise journée. Je me suis laissé emporter.

Sa secrétaire l'attendait devant la salle de réunion, l'air agitée.

— Qu'est-ce qu'il y a? lui demanda Caroline. Nous allons procéder au vote.

Les yeux brillants, Christine l'entraîna à l'écart.

— C'est la Maison-Blanche. Le président veut vous parler.

12

A deux rues du lycée Saint-Ignace, quelques petites heures avant de se rendre au tribunal, Sarah Dash attendait Mary Ann Tierney dans sa voiture.

L'avocate avait la tremblote : trop de café, pas assez de sommeil. Les six jours qui s'étaient écoulés depuis leur dernière rencontre étaient passés trop vite à consulter des groupes pour le libre choix s'occupant d'affaires d'avortement, à joindre les témoins qu'ils suggéraient et — plus éprouvant pour les nerfs — à se faire des alliés afin de convaincre l'associé gérant. Elle avait eu recours à une méthode qui ne manquerait pas de provoquer la colère de Nolan mais qui constituait la meilleure chance de réussite de l'avocate : informer les femmes associées du cabinet des éléments médicaux de l'affaire favorables à Mary Ann. Cette démarche avait suscité une émotion qui avait étonné Sarah elle-même, et débouché sur une réunion à huis clos de ces femmes avec Nolan. Exclue de la rencontre, Sarah savait seulement que les femmes avaient tenu un langage direct et ferme, révélant des tensions jusque-là masquées au sein du cabinet. Lorsque Nolan avait convoqué Sarah dans son bureau pour lui accorder l'autorisation de représenter Mary Ann, il n'avait pas cherché à cacher qu'il était furieux, ni qu'il reprochait à Sarah d'avoir semé la discorde chez Kenyon & Walker.

Assise à côté d'elle dans la voiture, Mary Ann regardait la déclaration que Sarah lui avait donnée à signer. L'avocate imaginait aisément ce que sa lecture pouvait avoir d'angoissant : qu'elle était enceinte de vingt-quatre semaines, que le bébé était hydrocéphale, qu'elle risquait la stérilité et d'autres complications médicales, qu'elle voulait une IVG, que ses parents lui refusaient l'autorisation, et qu'elle demandait donc à la cour d'invalider une loi du Congrès. D'une petite voix, elle demanda :

— Qu'est-ce qui se passe si je signe ?

Le « si » n'échappa pas à Sarah.

— Commençons par aujourd'hui, dit-elle. Une heure avant d'aller au tribunal, j'appelle le ministère de la Justice pour le prévenir. Vers trois heures, je vais au greffe remplir les papiers et je demande à voir le juge des requêtes.

D'un ton neutre, monotone, elle poursuivit sa récitation :

— Le ministère aura envoyé pour m'attendre quelqu'un des services du procureur général. Ensemble, nous irons devant le juge, je lui exposerai ce que tu réclames : un arrêté déclarant que la loi est anticonstitutionnelle et que tu peux avoir une IVG. Il fixera la date de l'audience : dans dix jours à dater d'aujourd'hui. Je demanderai qu'elle se déroule à huis clos, que ton identité ne soit pas révélée...

— Mes parents seront là ?

— Pas aujourd'hui, je crois. Mais comme tu contestes la loi au lieu de t'y conformer, le ministère peut s'estimer libre de les prévenir, ne serait-ce que parce que ce sont des témoins potentiels.

Sarah s'interrompit, reprit en choisissant ses mots avec soin :

— Ils seront peut-être déjà au courant quand tu rentreras ce soir.

L'adolescente secoua la tête comme si elle s'éveillait d'un rêve.

— Dix jours, murmura-t-elle. L'audience prendra combien de temps ?

— Sept jours de plus.

— Et le tribunal se prononcera?

— Oui. Mais, si nous gagnons, le ministère fera appel devant la cour du neuvième circuit, où j'ai travaillé. Ensuite, il aura encore la ressource d'aller jusqu'à la Cour suprême. La loi sur la protection de la vie est un texte adopté par le Congrès, le ministère doit le défendre. Les tribunaux expédieront l'affaire mais cela prendra quand même plusieurs semaines.

Mary Ann ferma les yeux.

— Seigneur...

Sarah lui toucha l'épaule.

— Je m'attends à ce que tes parents te pressent de renoncer à ton action en justice. Si tu veux une IVG, tu devras t'en tenir à ta position actuelle, au tribunal et ailleurs. Sinon, autant changer d'avis tout de suite.

Mary Ann respira à fond, prit la main de Sarah. Etonnée, l'avocate fixa les doigts de l'adolescente joints aux siens, prit tout à coup conscience que c'était en partie pour elle-même qu'elle avait peur, et que Mary Ann, le sentant, tentait de la réconforter tout en cherchant son réconfort.

— Ça ira, dit la jeune fille.

Chad Palmer ferma la porte de son bureau avant de prendre l'appel.

— Laissez-moi deviner, dit-il à Kilcannon. Vous allez vraiment le faire.

— Oui. Cet après-midi, dans la roseraie.

Le sénateur éprouva une appréhension mêlée d'impatience.

— Aujourd'hui? On peut dire que vous avez réussi à garder le secret.

— C'était l'idée, Chad. Personne au Sénat n'est au courant.

— Pas même Gage?

— Surtout pas lui, répondit le président d'une voix calme. J'espère obtenir la confirmation de Masters le plus tôt possible. Tout dépendra de la rapidité avec laquelle vous la ferez passer devant votre commission.

Palmer saisit aussitôt la stratégie de Kilcannon : une candidature surprise, une déferlante d'éloges, une flambée en faveur de la nomination de la première présidente de la Cour suprême. Accompagnées de pressions inexorables pour contraindre le Sénat à voter avant que l'ennemi n'apprenne ce que Kerry et Chad savaient déjà. Palmer reconnut là l'intelligence du nouveau président : Chad participant à la conspiration du silence, il était aussi dans son intérêt que Masters réussisse.

— Gage n'aimera pas ça, prévint-il. Il me demandera du temps pour pouvoir démolir Masters. Avec la poudre aux yeux habituelle : se «hâter lentement», «exercer nos prérogatives constitutionnelles».

— Mac Gage mourra sans avoir prononcé une seule phrase méritant d'être retenue, prédit Kerry.

La pointe n'amusa pas Palmer.

— Peut-être. Mais quelqu'un pourrait y laisser des plumes. Plutôt vous — ou Masters — que moi.

— Je comprends. Mais, en dernière analyse, il serait préférable pour vous qu'elle soit confirmée. Vous pouvez vous arranger pour trouver un moyen d'aider Masters sans vous compromettre. En commençant par votre profond souci que les travaux de la Cour ne soient pas interrompus...

— Par les ingérences des sénateurs ? Allons, vous étiez encore parmi nous il n'y a pas si longtemps, vous savez combien nous adorons les feux de la rampe. Merci de m'avoir prévenu, monsieur le président, mais je dirigerai les audiences comme je l'entends. Ne vous drapez pas dans vos nouvelles fonctions au point d'oublier ce que vous savez de moi depuis douze ans.

Après un bref silence, un petit rire de Kerry apprit à Palmer qu'il avait fait mouche.

— Pour ne rien vous cacher, j'ai passé ces dernières nuits à dessiner le Kilcannon Memorial, répondit le président.

— C'est un obélisque ? Ou il a des piliers ?

— Les deux. J'apprécie votre aide, Chad, dit Kerry, redevenant sérieux. Et je pense sincèrement que cette nomination nous sera profitable à tous les deux.

— C'est réconfortant. Parce que moi aussi, j'aimerais avoir un jour mon monument.

13

Avant l'annonce officielle, Caroline attendait avec sa famille dans la salle de réception diplomatique de la Maison-Blanche.

Le président et Clayton Slade avaient choisi le vendredi après-midi : jusqu'au lundi, ils pourraient contrôler la presse. Pendant les dernières heures, ils avaient incité leurs alliés — syndicats, minorités, avocats, écologistes, mouvements de femmes — à multiplier les déclarations favorables. Afin de désarmer les républicains, ils avaient préparé pour les médias une liste d'admirateurs appartenant aux deux partis : collègues de Caroline, membres du barreau, anciens clients, ex-associés de Kenyon & Walker. Le service Communication de la Maison-Blanche inonderait la presse d'articles positifs : jeunes étudiantes en droit encouragées par la nomination de Masters; victimes reconnaissantes de ses verdicts dans des affaires de viol ou de violence conjugale. D'ici au lundi, une première impression de soutien unanime et mérité aurait été implantée dans l'opinion.

Le tout à l'intention de Chad Palmer et Macdonald Gage, avait expliqué Clayton. Des porte-parole du gouvernement déployés dans les diverses émissions-débat du dimanche matin souligneraient que les deux sénateurs avaient confirmé la nomination de Masters à la Cour d'Appel. Les journalistes de ces mêmes émissions harcèleraient les deux hommes jusqu'à ce qu'ils réagissent, et ils ne pourraient que faire prudemment l'éloge d'un juge qui, le lundi, serait devenu l'une des femmes les plus célèbres d'Amérique.

Pas moyen de couper à Caroline Masters, pensait-elle avec ironie. Des extraits de l'enregistrement de l'affaire Carelli émailleraient les journaux télévisés. Le dimanche, Lara Costello donnerait un déjeuner pour la présenter à d'autres femmes éminentes. Ce soir, après l'annonce officielle, Jackson Watts et elle dîneraient avec le président et Lara dans un restaurant de Washington, où un photographe et une journaliste de la rubrique mode immortaliseraient ce moment. Mais rien n'était plus important, avait souligné Clayton, que la première image : Kerry Kilcannon présentant à l'Amérique la nouvelle présidente de la Cour suprême dans la roseraie de la Maison-Blanche.

«Nous voulons un tableau, lui avait-il expliqué. Vous, le président, la vice-présidente, votre ami Jackson Watts, votre famille : sœur, beau-frère et nièce.»

La proposition avait rempli Caroline d'appréhensions, et pas seulement parce que Clayton connaissait la vérité. L'attention portée à Brett la mettait mal à l'aise; sa demi-sœur Betty, qui était jalouse d'elle et craignait, encore maintenant, qu'elle ne cherche à récupérer Brett d'une manière ou d'une autre, rechignerait à se montrer. Mais, entraînée par la détermination de Kilcannon à obtenir une confirmation rapide, Caroline perdait le contrôle de la situation.

Cela faisait partie du prix à payer. «J'appellerai ma sœur», avait-elle promis.

Ils étaient donc là, «se cachant à la vue de tous», comme Caroline l'avait fait remarquer à Betty. Une famille américaine typique : Larry, le mari de Betty, professeur de faculté qui — Caroline le savait — avait eu autrefois une liaison avec une étudiante ; Betty, fille de la première femme de leur père, qui avait toujours méprisé la mère française de Caroline ; Caroline elle-même, qui regrettait parfois sa jeunesse et se souvenait encore d'avoir tenu un enfant dans ses bras...

— Réveille-toi, Dorothy. Tu n'es plus au Kansas [1].

Caroline sursauta, se tourna vers Brett, sa nièce selon l'état civil, sa fille en secret. La jeune femme lui souriait avec une expression si semblable à celle de sa grand-mère qu'une fois de plus Caroline se félicita qu'elles ne se soient jamais rencontrées. Devant une photo de Nicole Dessaliers, Brett aurait cru se voir elle-même : les cheveux châtains bouclés, le menton délicat, la bouche pleine, le front haut, les yeux d'un vert saisissant. Mais la beauté de Brett était relevée par une tendresse que Nicole n'avait jamais reçue. De cela, Caroline devait remercier Betty et Larry, supposait-elle. Une famille, malgré tous leurs défauts.

— J'étais partie si loin ? fit Caroline.

— A un million de kilomètres. J'ai cette tête quand j'écris une nouvelle.

— Si seulement je pouvais faire aussi bon usage de mes moments d'absence. Je m'étonnais simplement que ma vie si prosaïque ait mené à cet événement.

— C'est cool, murmura Brett, prenant des intonations de lycéenne. Y a que le président qui est chaud.

Caroline fit du regard le tour de la pièce dont le papier mural offrait un panorama de scènes américaines peuplées de mâles blancs, revint à ceux qui étaient là à cause d'elle. Considérablement plus impressionnés que leur fille, Larry et Betty écoutaient Kerry Kilcannon qui, en public, semblait capable de générer sa propre électricité, un mélange de jeunesse, de magnétisme et d'agitation : l'adjectif «chaud» convenait assez bien. Jackson Watts bavardait avec Lara Costello, qui avait les yeux sombres, pénétrants, la beauté grave que Caroline associait aux Latines. Près d'eux, Clayton Slade,

---

1. Une des répliques du *Magicien d'Oz*. (N.d.T.)

Afro-Américain corpulent, écrasait de sa masse Ellen Penn, non seulement juive mais première femme portée à la vice-présidence. Ensemble, ils symbolisaient les façons diverses dont l'Amérique changeait, et Caroline faisait maintenant partie de cette mue.

Kit Pace, l'attachée de presse du président, entra dans la pièce d'un air affairé et murmura à l'oreille de son patron. Laissant les Allen, Kilcannon se dirigea vers Caroline en annonçant avec un sourire :

— Kit me prévient que c'est l'heure. Vous êtes prête ?

— Oui. Et très reconnaissante. Non seulement pour l'honneur que vous me faites, mais pour tout le reste.

L'expression du regard de Kilcannon indiqua qu'il avait compris. Il tourna son sourire vers Brett puis revint à Caroline.

— Tout l'honneur est pour moi, assura-t-il. La première femme présidant la Cour suprême se devait d'être la meilleure. Ce que vous êtes.

La roseraie était envahie de dignitaires assis sur des chaises pliantes, de reporters, de micros et de caméras. Ellen, Jackson, Caroline, Brett, Betty et Larry — le tableau de Clayton — avaient pris place derrière la tribune où Kilcannon faisait l'éloge de Caroline :

— Une grande présidente de la Cour suprême doit être avisée, impartiale, respectueuse du passé. Elle doit avoir du caractère, de l'intelligence, un savoir étendu. Mais surtout...

Sa voix, quoique mesurée, portait au-dessus de la foule.

— Quand elle prononce un verdict, elle doit voir plus que la lettre d'une loi, elle doit entendre plus que le silence de cloître de la Cour. Elle doit voir les visages et entendre les voix de gens qu'elle ne rencontrera jamais mais dont elle peut transformer l'existence d'un trait de plume. Car le rêve de justice n'est pas la propriété exclusive des juristes, il n'est pas enfermé dans les manuels ou dans les textes de loi. C'est un rêve qui a attiré sur nos côtes des hommes et des femmes innombrables, des premiers colons aux familles qui fuient l'oppression en ce moment même. Nous leur devons la justice, pas plus, mais pas moins.

Habile, pensa Caroline. Sans critiquer Roger Bannon, le président annonçait que le nouvel esprit qu'il avait promis au pays toucherait aussi la Cour suprême.

— Caroline Masters incarne cet idéal, conclut-il. J'ai le plaisir de vous présenter la femme que je propose pour la présidence de la Cour suprême des Etats-Unis, l'honorable Caroline Clark Masters.

Souriant, il fit signe à Caroline de le rejoindre à la tribune, lui serra la main.

— Félicitations, dit-il à voix basse. A vous comme à moi.

Caroline fit face à la foule et aux caméras. Elle n'avait pas besoin de feindre l'humilité qu'elle ressentait, mais l'occasion requérait davantage.

— Merci, monsieur le président. Ce matin, ma nièce, devinant mon émerveillement incrédule, m'a informée que je n'étais plus au Kansas. J'ai quand même du mal à ne pas me sentir un peu comme Dorothy.

De petits rires s'élevèrent de la foule.

— Je tiens simplement à dire que je ferai tout pour justifier votre confiance, monsieur le président. Je suis impatiente de comparaître devant le Sénat, et je réserve mes déclarations à ceux qui auront la responsabilité de se prononcer sur ma désignation.

«Comme le président, je ne m'attarderai pas sur une évidence : je suis une femme. Nous sommes proches, je l'espère, du jour où l'accession d'une femme à de hautes responsabilités n'aurait plus rien de remarquable. Mais lorsque j'ai franchi ces grilles, ce matin, j'ai songé que, au début du siècle dernier, Ellen Penn et moi nous serions trouvées de l'autre côté, manifestant pour le droit de vote. Alors, je crois que je parle aussi au nom de la vice-présidente en disant que nous aimons bien plus ce siècle-ci...

La foule se répandit en sourires et en applaudissements. Le paquebot est lancé, pensa Caroline, en espérant que sa quête finirait aussi bien qu'elle avait commencé.

14

Quelques minutes après son arrivée au tribunal, la stratégie de Sarah était en ruine.

Elle avait imaginé que tout se déroulerait selon la procédure habituelle : rencontrer son adversaire au greffe ; s'entretenir avec le juge dans son cabinet, discuter de la date et de la forme de l'audience, Sarah ayant l'avantage de la surprise ; obtenir un accord pour protéger la vie privée de Mary Ann et, dans la mesure du possible, ses sentiments. Dans l'esprit de Sarah, son adversaire serait un magistrat débordé des services du procureur général, prenant ses instructions au ministère de la Justice, qui, avec le nouveau gouvernement, ne devrait pas trop tenir à une controverse. Les problèmes s'annoncèrent quand, entrant au greffe, elle rencontra non un individu mais un groupe.

Comme prévu, le représentant des services du procureur était un jeune type à peine plus âgé qu'elle et cherchant à gagner du temps pour ses supérieurs de Washington. Mais il était accompagné d'un avocat grisonnant et un tantinet théâtral, spécialisé dans la représentation des médias tentant d'avoir largement accès aux débats judiciaires. Un peu à l'écart, tendus et silencieux, un homme et une femme dont l'affliction semblait aussi profonde que la gêne.

La femme, maigre et pâle, avait le regard hanté d'une mère qui se reproche la perte d'un enfant. Mais ce fut l'homme qui retint l'attention de Sarah. Grand et mince, il avait un visage finement ciselé, le front haut, des cheveux gris et des yeux d'un bleu si pâle qu'ils semblaient translucides. Dédaignant les autres, elle s'avança vers le couple et dit simplement :

— Je suis Sarah Dash. Je représente Mary Ann.

Margaret Tierney se détourna mais son mari répondit :

— C'est nous qui représentons notre fille, mademoiselle Dash. Ainsi que notre petit-fils.

La courtoisie du ton rendait la réponse plus inquiétante que ne l'eût fait la colère : Sarah comprit immédiatement que rien, ni ce jour-là ni plus tard, ne serait comme elle l'avait imaginé.

Au dix-neuvième étage du bâtiment fédéral, le cabinet du juge Patrick Leary était assez vaste pour accueillir un sofa, deux fauteuils, un grand bureau et une table luisante autour de laquelle les différentes parties s'installèrent.

— J'ai pris connaissance des documents de Mlle Dash, dit le juge. Avant d'aller plus loin, j'aimerais que chacun se présente et précise son intérêt dans cette affaire.

— Je suis Craig Thomas, répondit le jeune homme, je représente le procureur général Barton Cutler mais uniquement à cette réunion. Pour toutes les audiences futures, le procureur sera représenté par le ministère.

Leary eut un geste de la main comme pour dire qu'il s'y attendait. Le teint pâle, les cheveux roux grisonnants, il était connu pour se vanter qu'il n'y avait pas de problème, si ardu fût-il, qu'il ne parvenait à saisir en cinq minutes... le temps approximatif qu'il avait fallu à Caroline Masters, avait-elle confié à Sarah, pour saisir que cette suffisance le rendait très dangereux.

— Et vous, Efrem? demanda-t-il à l'avocat des médias. Qu'est-ce qui nous vaut le plaisir?

Efrem Rabinsky sourit avec l'air satisfait d'une vedette des prétoires.

— Je représente les Médias Unis. Nous voudrions assurer la couverture la plus large de ce qui promet d'être une affaire d'une importance constitutionnelle majeure.

— Je m'oppose à la présence de M. Rabinsky, intervint Sarah d'une voix tendue. Une jeune fille de quinze ans est confrontée à un dilemme tragique. Elle est enceinte d'un bébé mal formé, elle souhaite une IVG, ses parents ne sont pas d'accord. Nous demandons à ce que sa vie privée soit protégée en nous appuyant sur l'affaire Doe contre Cutler...

Leary leva de nouveau la main.

— Nous réglerons cela plus tard, mademoiselle Dash. Nous faisons simplement le tour des personnes présentes. Et vous, Martin? dit-il, se tournant vers les Tierney. En quelle qualité souhaitez-vous être ici?

— Comme avocat et comme père. Margaret et moi demandons à intervenir dans les débats.

— Je comprends vos préoccupations, mais, selon la déclaration de votre fille, c'est Mlle Dash qui parle pour elle.

— Et qui parle pour notre petit-fils? Personne.

— Ce n'est pas vrai, dit Sarah. Le ministère de la Justice représente votre point de vue.

Martin Tierney la fixa de ses yeux translucides.

— Cet enfant n'est pas un «point de vue». Si l'accouchement avait lieu maintenant, il pourrait vivre hors de l'utérus.

S'adressant au juge, il poursuivit :

— Mlle Dash demande à la cour de supprimer une vie innocente. Nous souhaitons être nommés tuteurs *ad litem* de l'enfant à naître, avec le droit d'assurer sa défense.

C'était ce que Sarah redoutait le plus : une audience où elle n'aurait pas pour adversaire le ministère de la Justice mais deux personnes parlant avec l'autorité de parents et la ferveur de profonds croyants.

— Je fais respectueusement observer qu'un bébé présentant cette malformation a peu de chances de vivre, dit-elle à Leary. Les Tierney pourront exprimer pleinement leurs préoccupations lorsqu'ils témoigneront. Comme partie, ils seraient non seulement inutiles mais contribueraient inévitablement, malgré leurs bonnes intentions, à enflammer les débats et à aggraver le traumatisme de leur fille. Vous imaginez un père procédant au contre-interrogatoire de son enfant?

— Qui pourrait mieux le faire? repartit Tierney d'un ton calme. En vertu de quoi parleriez-vous au nom de notre fille, évinçant ceux qui l'aiment depuis sa naissance, et même avant, et qui continuerons à l'aimer quand vous aurez disparu de sa vie?

«Je suis sûr que vos intentions sont bonnes, mademoiselle Dash, mais l'arrogance de ceux qui pensent comme vous m'a toujours choqué. Et plus encore en ce moment où, assise en face de deux parents, vous leur expliquez que, au nom de leur fille, vous voulez leur interdire de prendre part à une action que vous avez intentée pour obtenir la mort de l'enfant qu'elle porte.

Sarah se tourna vers Leary, voulut protester :

— Votre honneur...

— Cela suffit, mademoiselle Dash. Il ne s'agit pas d'une affaire de droit de visite et Mary Ann Tierney est mineure selon la loi. J'accorde aux Tierney le droit d'intervenir au nom de l'enfant à naître.

La rapidité des événements acheva de décontenancer Sarah.

— Puis-je poser une question, votre honneur? J'aimerais savoir comment il se fait que M. Tierney *et* M. Rabinsky se trouvent ici une heure après que j'ai prévenu le ministère de la Justice. Plus précisément, qui les a informés de cette affaire?

— Est-ce important?

— Cela laisse penser que quelqu'un cherche à rendre cette affaire aussi traumatisante que possible pour ma cliente. J'espère que ce n'est pas le ministère.

Le jeune juriste parut offensé.

— Vous vouliez une OR[1] cet après-midi. J'ai pris contact avec les Tierney pour qu'ils puissent témoigner, si besoin était.

— Et vous, qui avez-vous contacté? lança l'avocate à Tierney.

— Cette situation est déjà suffisamment pénible pour nous, mademoiselle Dash. Ne me demandez pas de vous révéler qui j'aurais pu solliciter pour m'aider dans ce qui, avant votre action en justice, n'était qu'une affaire de famille.

— Et M. Rabinsky? insista Sarah.

1. Ordonnance de référé. *(N.d.T.)*

— C'est confidentiel, répondit l'avocat avec son assurance habituelle.

Tierney a prévenu un groupe pro-vie, qui a décidé de faire pression sur Mary Ann en mettant les médias dans le coup, raisonna Sarah.

— Vous souhaitez la présence de M. Rabinsky? demanda-t-elle aux Tierney. Vous pensez que c'est dans l'intérêt de votre fille?

Margaret Tierney secoua la tête sans lever les yeux.

— Non, répondit son mari. Nous voulons que ces débats se tiennent le plus discrètement possible. Dans l'intérêt de notre famille.

— Là-dessus au moins, nous sommes d'accord, dit Sarah à Leary. Je demande des règles strictes concernant les médias : qu'ils n'aient pas accès aux documents, que Mary Ann témoigne dans le cabinet du juge et non en salle d'audience. La protection accordée à tout mineur dans un procès.

Rabinsky plissa les lèvres.

— Il ne s'agit pas d'un vol à l'étalage. Nous sommes naturellement d'accord pour ne pas publier le nom de Mlle Tierney. Mais nous voulons une large couverture des débats, y compris par les chaînes de télévision...

— La télévision? fit Sarah, stupéfaite et furieuse. C'est ridicule.

— Le mois dernier, le Conseil judiciaire national a levé son interdiction de retransmettre les débats des tribunaux fédéraux. L'autorisation est généralement accordée pour les grands procès criminels. Or, la question qui nous occupe est bien plus importante puisqu'elle concerne le droit d'un parent d'orienter les décisions de sa fille mineure en matière de procréation, et les limites, éventuelles, du droit à l'avortement établi dans l'affaire Roe contre Wade.

Baissant la voix, l'avocat s'adressa directement à Leary :

— Si je puis me permettre, votre honneur, votre décision dans cette affaire pourrait bien être la plus cruciale qu'un juge fédéral ait prise depuis dix ans. Il est essentiel que l'opinion en saisisse pleinement les raisons, et vous avez désormais toute latitude pour autoriser la présence de caméras.

— Gardons cette question pour la fin, répondit Leary. Je veux d'abord voir quel genre de bestiau nous avons là. Mademoiselle Dash, je vous le dis tout de suite, je ne vous accorde pas d'ordonnance de référé, ni aujourd'hui ni plus tard. Vous me demandez de déclarer immédiatement cette loi anticonstitutionnelle, ce qui reviendrait à autoriser la jeune fille à avorter en toute liberté. Il n'en est pas question.

Ce n'était pas une surprise.

— Je comprends, votre honneur. Mais si nous n'accélérons pas la procédure, Mary Ann en pâtira de manière irréparable : traumatisme psychologique, risque de complications médicales plus élevé à mesure que la grossesse s'avancera. Et si nous tardons trop, une succession d'audiences et d'appels la contraindrait à avoir l'enfant, quelle que soit votre décision.

— Il y a un équilibre à trouver, intervint Martin Tierney. Je m'inquiète pour ma fille. Mais cette affaire concerne aussi mon petit-fils. Le procès contre son meurtre doit se dérouler dans les règles, quel que soit le temps que cela prendra.

— Ce prétendu «meurtre» vise à protéger la santé physique et mentale de votre fille, répliqua Sarah, ainsi que son droit à porter d'autres enfants. Je refuse que vous parliez de meurtre ou que vous traitiez comme une couveuse humaine une fille que vous prétendez aimer.

A la surprise de Sarah, Martin Tierney eut une grimace de douleur. Près de lui, Margaret ferma les yeux. Doucement, il posa ses doits longs et délicats sur le poignet de sa femme.

— Mary Ann n'est certainement pas une couveuse humaine à nos yeux. Etre convaincu de bien agir n'atténue pas la peine. Ce qui est arrivé est une immense souffrance pour nous. Je pense que ce que vous proposez est un meurtre légal, plus immoral encore que la peine de mort. Mais cela ne veut pas dire que vous êtes à mes yeux une meurtrière, une femme cruelle, ou insouciante. Si j'ai donné cette impression, je m'en excuse.

Ce moment de grâce étonna Sarah.

— Moi aussi. J'espère que nous trouverons un moyen de maintenir la civilité des débats… et de ne pas les prolonger plus que nécessaire.

— Cela dépend en partie de vous, souligna Leary. Vous avez demandé une audience dans dix jours sur injonction préliminaire *et* permanente. Vous l'avez : nous ne perdrons pas de temps. Donc qui sont vos témoins?

— Le coplaignant, le Dr Flom. Et une psychologue. Au moins une femme ayant subi une IVG tardive dans des circonstances similaires…

— Pourquoi?

— Pour montrer que la loi empêcherait un nombre important de mineures d'avoir recours à une intervention chirurgicale pour préserver leur santé. Je ferai également témoigner la mère d'une fille morte d'un avortement clandestin parce qu'elle avait peur de demander à ses parents de consentir à une IVG légale.

— Ce n'est pas le cas ici.

— Mais ce le sera pour quelqu'un d'autre. Nous demandons que vous invalidiez cette loi dans l'intérêt de Mary Ann ou dans celui de toute autre adolescente concernée.

Après une pause, l'avocate conclut :

— J'espère ne pas faire témoigner Mary Ann, mais je n'aurai peut-être pas le choix.

— Et vous ? demanda Leary au représentant du ministère. Des témoins ?

— Je ne sais pas encore. Cela dépendra de Washington.

— Alors, dites-leur de se décider d'ici dix jours. C'est le plus grand cabinet juridique du monde, quand même. M. Tierney, vous pouvez peut-être les aider.

Le père de Mary Ann plissa le front.

— Il faut tenir compte de nombreuses considérations, votre honneur, y compris savoir si nous devons demander à Mary Ann de témoigner, pénible décision. Je souhaiterais le concours d'Engagement chrétien, dont le service juridique a pris une part active dans la défense des bébés à naître, et qui connaît les noms de témoins pertinents, experts et autres. Selon ses documents, Mlle Dash se fait aider par des groupes pour le libre choix, après tout. Même s'ils ne seront pas auprès d'elle à l'audience.

Sarah ne pouvait qu'écouter en silence.

— Nous souhaitons des témoignages médicaux sur Mary Ann et sur notre petit-fils, poursuivit Tierney, ainsi que l'avis d'un psychologue sur le traumatisme que constitue l'avortement d'un bébé viable. Peut-être aussi, pour répondre à Mlle Dash, des mères qui ont mené à terme des grossesses comparables.

Il prit une inspiration, continua :

— Les implications de la requête de Mlle Dash sont plus profondes qu'elle ne le croit. Je pense que la communauté des handicapés doit aussi être entendue.

Précisément ce contre quoi Caroline Masters avait mis Sarah en garde.

— A quel titre ? demanda-t-elle.

— Vous proposez un avortement sélectif de fœtus parce qu'ils présentent des caractéristiques qui les rendraient moins « désirables » que d'autres enfants, répondit Tierney. Où tracerez-vous la limite, mademoiselle Dash ? Pratiquer un avortement parce que le bébé est une fille et qu'un parent — ou l'Etat — veut un garçon ?

Sarah s'adressa à Leary :

— Votre honneur, nous parlons d'une adolescente enceinte d'un enfant hydrocéphale. Pas d'eugénisme.

Le juge lui jeta un regard mauvais.

— Vous me demandez d'envisager d'enterrer cette loi — pour tout le monde. Et l'une des raisons que vous invoquez est le risque d'infirmité, c'est du moins ce que je crois lire dans votre dossier. Si quelqu'un souhaite parler au nom des handicapés, je l'entendrai.

— Merci, dit Tierney d'une voix empreinte de reconnaissance et d'affliction. Margaret et moi désirons aussi témoigner, à la fois comme les parents de Mary Ann et comme ceux qui, jusqu'à ce jour, ont été responsables de son éducation morale. Nous craignons des problèmes psychologiques à long terme si elle viole ses propres convictions en avortant.

Sarah commençait à discerner les contours de ce qui ce préparait : affronter Martin Tierney sur ce qui était ou non dans l'intérêt de sa fille, peut-être devant des caméras de télévision ; débattre pour savoir si une loi qui pouvait contraindre une adolescente à un accouchement traumatisant ne constituait pas plutôt un rempart contre le retour de la science nazie ; se battre avec Engagement chrétien, dont la tactique — au tribunal et ailleurs — était plus dure et tortueuse que Tierney ne le supposait ; subir les décisions péremptoires et fantasques de Leary, qui avait plus de sympathie pour les Tierney que pour leur fille, soupçonnait-elle.

— Votre honneur, pouvons-nous revenir à la question des médias, sollicita-t-elle. Si Mary Ann était coupable de vol à l'étalage, son anonymat serait préservé. Parce qu'elle est innocente de tout crime, M. Rabinsky se croit autorisé à la montrer sur CNN...

— Nous pouvons diffuser avec trois secondes de retard, l'interrompit l'avocat. Remplacer son nom par un bip, masquer son visage et ceux des Tierney. Le public s'intéresse à leur problème, pas à leur véritable identité. Non seulement l'affaire est d'une extrême importance, mais le fait que Mlle Tierney soit la fille de militants pro-vie souligne la nature complexe de la question.

— Ce qui reviendrait à punir Mary Ann pour la décision de ses parents, riposta Sarah. Mais, en l'occurrence, les Tierney sont de mon avis, ce qui devrait régler la question.

— Ouvrir les salles d'audience aux caméras n'est pas seulement conforme au premier amendement, cela démystifie la procédure judiciaire, argua Leary. Surtout pour un sujet aussi controversé. En outre, il s'agit d'un jugement injonctif, rendu par la cour elle-même. Le problème d'influence sur un jury ne se pose donc pas.

Non, pensa Sarah, c'est encore pire. La télévision flattera ton ego et facilitera ta carrière.

— Tous ceux qui ont une opinion sur ce point peuvent me présenter un mémorandum avant demain dix-sept heures. Mais je serais enclin à accéder à la requête de M. Rabinsky, modifiée pour protéger l'anonymat de la famille.

— Votre honneur, c'est trop court pour rédiger un mémorandum, protesta Sarah. D'autant que nous ne disposons que de dix jours avant l'audience.

— Mademoiselle Dash, repartit le juge d'un ton exaspéré, Kenyon & Walker dispose d'au moins quatre cents avocats. Mettez-les au travail. Je vous ai accordé les dates que vous réclamiez, ne vous plaignez pas.

Manifestement, le temps d'attention de Leary, jamais très long, était épuisé.

— Bon, OR refusée, requête concernant les médias en considération, conclut-il. Pas de déclarations à la presse avant mon autorisation. Mémo de Mlle Dash dans cinq jours, mémo en réponse deux jours plus tard, audience dans dix jours, trois jours pour les témoins de chaque partie, conclut-il. Rien d'autre?

Personne ne soufflant mot, il reprit :

— Alors, c'est tout pour aujourd'hui.

En sortant du cabinet, Martin et Margaret Tierney évitèrent Sarah. Elle tenta d'imaginer ce que la soirée réservait à la famille Tierney — parents et fille —, se demanda si Mary Ann le supporterait.

Encore secouée, elle se dirigea vers une cabine pour la prévenir.

15

Mason Taylor étendit les jambes sur l'ottomane du bureau de Macdonald Gage, étudia l'éclat de ses chaussures.

— Il faut lui montrer que c'est ici qu'est la limite, dit-il. Ce petit salaud essaie de nous balancer cette femme dans les pattes.

Gage but une gorgée de son bourbon. Sous une apparence placide, il était très attentif : sa carrière, ses espoirs de devenir président pouvaient dépendre des forces que Mace Taylor représentait. Plus que tout autre à Washington, Taylor personnifiait le lien entre l'argent et le pouvoir.

Il n'avait pas toujours inspiré un tel respect, une telle prudence. Quelques années plus tôt, il n'était qu'un sénateur de l'Oklahoma sans autre perspective que sa réélection. Puis le parti l'avait nommé président de son comité pour les sénatoriales et avait découvert son talent exceptionnel : Taylor savait soutirer de l'argent aux groupes d'intérêts par des promesses ou des menaces.

Sa méthode était d'une simplicité brutale : vous voulez qu'on vous donne une place à table ou qu'on vous claque au nez les portes du Congrès ? Les donateurs favorisés étaient encouragés à participer à la rédaction de projets de loi, à désigner les textes à combattre. Les collègues de Taylor furent d'abord surpris par les contributions financières qu'il arrivait à obtenir puis prirent l'habitude de compter sur cette manne. Voulant à tout prix survivre, ils craignaient l'organisation et les fonds que les syndicats et les associations d'avocats pouvaient leur opposer. Taylor s'était imposé comme intermédiaire entre ceux qui donnaient de l'argent pour obtenir un statut favorisé, et les législateurs qui avaient besoin de cet argent pour garder leur siège et leur emploi.

Le système avait aussi changé Taylor. Lorsqu'il était au Sénat, il était forcé de partager le pactole qu'il générait. A l'extérieur, il pouvait réclamer à ses clients un prix d'accès aux parlementaires pouvant leur obtenir ce qu'ils voulaient. Il devint actionnaire des entreprises de ses clients, et presque aussi riche qu'eux.

Ce n'était que le début. L'œil perçant de Taylor ne tarda pas à déceler les avantages de la culture du scandale : la concurrence entre médias pour ces détails sordides qui pouvaient en une nuit permettre à un journaliste, en détruisant une carrière, de s'élever au-dessus de ses pairs. Aux parlementaires pragmatiques qui le craignaient ou avaient besoin de lui, Taylor ajouta une seconde source de fonds et de pouvoir : les groupes d'intérêts prêts à financer des investigations sur des hommes politiques dont ils désiraient la perte, ou que Taylor voulait contrôler. Certains membres du Congrès furent longs à le comprendre : l'ancien chef de la majorité, résistant aux instructions de Taylor, fut réveillé un matin par un coup de téléphone décrivant ses ébats sexuels avec une prostituée de seize ans. Le lendemain, il démissionna. Gage, qui ignorait tout de la manœuvre, devint chef de la majorité parce que Taylor le souhaitait. Ce fut une leçon que Gage n'oublia pas.

Pourtant le sénateur avait de l'orgueil. Je n'ai pas été acheté, se disait-il. J'ai simplement croisé sur mon chemin une force que tout homme aspirant à la Maison-Blanche doit considérer. Mais il n'était pas question de rejeter Taylor, et c'était la raison pour laquelle l'homme se trouvait dans son bureau, les yeux fixés sur l'écran de télévision où venait d'apparaître le visage de Caroline Masters.

Délibérément, Taylor ne cherchait plus à garder son image de sénateur un peu fruste de l'Oklahoma. Sa montre Piaget, ses mocassins Ferragamo et son costume de Savile Row constituaient un rappel calculé de la richesse et du pouvoir qu'il représentait. Mais le personnage restait le même — des cheveux noirs et lisses brillant à la lumière, un visage large reflétant des origines en partie indiennes, des yeux rusés plus aptes à exprimer le mépris que la chaleur humaine — ainsi que le vocabulaire qu'il utilisait en privé. Gage n'avait eu aucune peine à identifier le «petit salaud» comme Kerry Kilcannon, que Taylor détestait autant que les causes qu'il défendait.

— Qu'est-ce que vos gens disent d'elle? demanda Gage.

— Que c'est une libérale. Les fabricants d'armes l'ont à l'œil depuis un moment. Ils pensent qu'elle favorisera les poursuites chaque fois qu'un drogué braquera une épicerie avec un flingue.

— Ou qu'un fan des armes à feu massacrera une classe maternelle avec un AK-47, enchaîna Gage d'un ton mordant.

— Me la faites pas à l'eau de rose. Les gens ont besoin de se protéger et le deuxième amendement garantit le droit de posséder une arme à feu. Vous tiendriez combien de temps au Kentucky si la NRA finançait des spots publicitaires vous accusant de vouloir enlever leurs armes aux citoyens?

— Cela ne risque pas, Mace, répondit le sénateur avec un sourire. Je veux que mes électeurs puissent descendre le percepteur venu leur prendre le dernier dollar durement gagné. Mais nous ne déstabiliserons pas Kilcannon en racontant que Masters laissera les veuves de flic attaquer les fabricants d'armes. Alors comment?

Taylor avala une gorgée de l'excellent whisky que Gage gardait pour lui.

— Le fond du problème, c'est la réforme du financement des campagnes électorales, dit-il lentement. Sur la base des jugements qu'elle a rendus, Engagement chrétien estime qu'elle considère la loi de Palmer comme constitutionnelle. C'est l'argent de ses membres

110

qui vous a aidé à faire adopter la loi sur la protection de la vie et à garder le contrôle du Sénat. Ils ne veulent pas que Palmer ou cette femme portent atteinte au droit de défendre une cause que leur garantit le premier amendement.

Gage se redressa. La loi de Palmer limiterait les dons aux partis politiques et menacerait du même coup le rôle que Taylor jouait à Washington.

— C'est un problème, reconnut le sénateur.

— Je ne vous le fais pas dire. Nos amis des HMO [1], du mouvement pro-vie et de l'industrie du tabac perdraient leur droit à la liberté d'expression. Ces suceurs de sang d'avocats tomberaient sur le dos des fabricants d'armes, tandis que les syndicats et les minorités feraient donner leurs troupes pour aider les démocrates à nous prendre le Congrès. Alors qu'est-ce qu'on fait?

Il me sonde? se demanda Gage.

— On trouve autre chose, répondit-il.

— Comment ça?

— Nous ne gagnerons pas l'opinion en disant que Masters va faire tarir le flot d'argent dont nous avons besoin pour être compétitifs : ça, c'est un argument pour initiés. Quelle est sa position sur l'avortement?

Taylor haussa les épaules.

— On peut supposer qu'elle est pour. Mais Engagement chrétien n'en sait rien. N'empêche qu'on aura l'air malin si on la laisse accéder à la Cour suprême et qu'elle se sert ensuite de l'affaire Roe pour démolir toutes les limitations à l'avortement que vous avez réussi à faire adopter au Congrès. Moi, je crois que c'est ce qu'elle fera.

— Naturellement. Mais elle se gardera bien de nous le dire. D'ici à ce qu'elle passe devant la commission de Palmer, l'équipe de Kilcannon l'aura préparée comme un phoque savant.

— Alors, vous devez gagner du temps, Mac. Jusqu'à ce qu'on trouve quelque chose sur elle.

— Quoi, par exemple?

— N'importe quoi. Vous avez assisté à l'annonce officielle, aujourd'hui. Pas de mari, pas d'enfants : elle est peut-être lesbienne.

L'hypothèse mit Gage mal à l'aise. Enfant d'une mère célibataire indigente, il avait été adopté par un couple aimant à qui il vouait une profonde affection. Préserver la famille était pour lui essentiel. Or les comportements déviants et la permissivité menaçaient la

1. Organismes médicaux privés. *(N.d.T.)*

famille traditionnelle. Il ne laisserait pas une homosexuelle devenir un modèle, encore moins la présidente de la plus haute instance du pays.

— Je ne crois pas que cela dérangerait Kilcannon, dit-il. La question est de savoir s'il est stupide à ce point.

— Stupide, non. Entêté, oui. Ils adorent jouer aux défenseurs des grandes valeurs, ces libéraux.

— Nous aussi. La différence, c'est que deux mille ans d'histoire et de tradition religieuse disent que nous avons raison.

Voyant son image apparaître sur l'écran, Gage augmenta le volume de la télévision. Une équipe de CNN l'avait coincé alors qu'il sortait de son bureau, et bien que l'annonce de la candidature de Masters l'eût surpris, il avait répondu aux questions avec un visage impassible et des mots mesurés qu'il entendait maintenant avec satisfaction : «Je félicite le président de sa promptitude, avait-il déclaré à la caméra. Toutefois, ce que le pays attend du Sénat, c'est une attitude réfléchie et circonspecte, notamment pour les investigations et les audiences de la commission du sénateur Palmer. Nous méritons d'avoir à la tête de la Cour suprême un juriste éminent qui s'en tiendra à une interprétation rigoureuse de la Constitution, sans s'adonner à de l'activisme judiciaire. J'attends avec intérêt de rencontrer la juge Masters et de connaître ses opinions...

— Vous avez déjà voté pour elle, non ?

— Pour la Cour d'appel, avait rappelé Gage avec un sourire bienveillant. J'accorderai toute ma considération à la candidate du président, mais cette personne a déjà une carrière derrière elle, et le peuple américain attend de nous que nous examinions soigneusement ses antécédents avant d'en faire la présidente de la Cour suprême.»

Gage baissa le son du poste, se tourna vers Taylor.

— Elle est *peut-être* lesbienne, Mace. Mais, à coup sûr, c'est une femme. Le parti a un problème avec les femmes. Et apparemment, celle-là ne se laisse pas faire facilement.

— J'ai eu l'impression que vous vous reteniez, Mac. Que vous laissiez à Palmer le devant de la scène.

— Bien sûr. Chad adore ça. Il va falloir lui rappeler que nos électeurs comptent sur lui pour ralentir les choses, nous laisser le temps de fouiner dans la vie et les antécédents de cette femme. Nous avons des amis à la commission qui n'aimeront pas du tout Masters. Paul Harshman, par exemple. Ils exerceront des pressions sur Palmer sans que j'intervienne directement. Mon boulot à moi, c'est de garder nos sénateurs en dehors des premières escarmouches jusqu'à ce que nous puissions leur fournir des munitions.

— Ce n'est pas aussi simple, objecta Taylor. Les voix de Palmer et des soi-disant «modérés» suffiraient à Kilcannon pour obtenir la confirmation de Masters. Et Palmer pense que la réforme du financement des campagnes électorales l'aiderait à vous battre dans la bataille pour la désignation du candidat républicain.

Gage passa mentalement en revue ses collègues : qui se faisait du souci pour sa réélection ; qui avait un projet nécessitant l'approbation de Gage ; qui dépendait de l'argent que Taylor représentait.

— Je peux les retenir, dit-il. Au moins assez longtemps pour que vous trouviez des failles dans la carrière ou la vie de Masters. Les «modérés» ont leurs idées mais ils ne veulent pas me mettre en rogne.

— Sauf Palmer, précisa Taylor. Lui, vous n'avez jamais pu le contrôler. Son passé de héros le protège.

— Il le sait. Quand il s'agit de parfaire son image, il a un numéro bien rodé : l'homme non corrompu.

Gage finit son verre avant de poursuivre :

— Il pourrait faire une connerie, là. Se mettre à dos des gens dont il a besoin. Ou même faire le jeu de son copain Kilcannon.

— Si j'ai bien compris, soit il vous aide à démolir la dame, soit il passe outre aux réserves et se tire une balle dans le pied.

— Oui. D'un côté comme de l'autre, je suis gagnant.

Les yeux froids, le visage impassible, Taylor réfléchit.

— Le problème, c'est que Palmer ne pense pas comme tout le monde. On dirait que deux ans à se faire taper sur la tête par les Arabes l'ont dérangé. Pour moi, c'est l'homme le plus dangereux de Washington.

— Et le plus prévisible. Ce qui vous échappe — et ce que ces Arabes ont compris —, c'est que Palmer est prêt à faire n'importe quoi pour avoir une bonne opinion de lui.

— Pas «n'importe quoi», Mac, répondit Taylor en fixant Gage.

Ces mots provoquèrent chez le sénateur une puissante réaction de rejet.

— Je ne l'apprécie pas plus que vous, Mace, mais j'espère ne jamais me servir de ça contre lui.

Le visage de Taylor se ferma.

— Peut-être pas cette fois-ci. Mais, tôt ou tard, il nous forcera à le faire. Ne serait-ce qu'en se présentant à la présidence.

16

Chad Palmer reposa le téléphone, retourna dans le séjour.

— Désolé, dit-il à sa femme et à sa fille. C'était Mac Gage. La désignation de Masters fait apparemment de moi l'homme le plus important de Washington.

Le tout sur le mode ironique. S'il y avait deux personnes au monde qu'il ne s'attendait pas à impressionner, c'était Allie et Kyle Palmer, surtout quand elles examinaient ensemble les derniers dessins de Kyle, étalés sur la table basse de la résidence du sénateur à Capitol Hill. A son étonnement, Allie releva la tête.

— Qu'est-ce qu'il voulait? Te faire la leçon sur tes obligations envers le parti?

Chad regarda sa fille, qui penchait encore son visage ovale vers le tailleur rouge qu'elle avait dessiné, et qui semblait, comme souvent, détachée de lui.

— Je vous raconterai plus tard, répondit-il. Je n'ai pas vu le reste des dessins.

Cette fois, Kyle leva les yeux vers lui.

— Cela ne fait rien, assura-t-elle d'une voix neutre. Nous finirons tout à l'heure.

La délicatesse de leurs rapports le déroutait. Le ton de sa fille suggérait plus de courtoisie que d'intérêt réel — délibérément, pensa-t-il. C'était la réaction d'une fille qui — sa psychiatre l'avait confié aux Palmer — se rappelait avoir entendu ses camarades de classe s'extasier sur la beauté et le courage de son père, alors que ce qu'elle voulait, c'était un père qui lui accorde autant d'attention que le monde en accordait à Chad. Il avait le choix entre la prendre au mot ou, en protestant de son intérêt pour ses dessins, courir le risque de la traiter comme une infirme. Elle avait vingt ans, après tout.

Allie vint à son secours :

— Vas-y, Chad. Kyle n'a pas souvent l'occasion de t'entendre parler de ton travail, ces temps-ci.

— Pourquoi se priver d'une bonne chose? fit-il avec un sourire. Pour une fois, Gage ne m'a pas expliqué comment être un bon républicain. C'était pire : il a fait semblant de tenir pour acquis que je l'aiderais.

— Comment? dit Allie en l'examinant attentivement.

— En retardant les audiences de notre commission pour que nos équipes, et les groupes d'intérêts de notre électorat, aient le temps de dénicher des raisons de s'opposer à Masters.

— Par exemple?

— N'importe quoi : des jugements trop orientés, un écart de conduite, un joint fumé à la fac. Mac s'est même mis en tête l'idée délirante que Kerry essayait de faire passer en douce une lesbienne.

— Quelles pratiques! s'indigna Kyle, plissant le nez de dégoût.

— Ne me regarde pas comme ça, chérie. Moi, ça me serait parfaitement égal.

— Tu ne le dis pas en public, j'espère? s'inquiéta Allie. Beaucoup de membres de la droite chrétienne t'accuseraient d'encourager une épidémie de conversions à l'homosexualité.

— C'est ça, s'esclaffa Chad. Les gens *décident* de devenir homo parce que c'est un choix tellement séduisant : inimitié, discrimination, difficulté à fonder une famille. Si un gentil monsieur m'avait expliqué que c'était un choix, je mènerais les défilés de la Gay Pride au lieu d'être coincé ici avec ta mère et toi, dit-il à sa fille en feignant le regret.

Kyle entra dans le jeu :

— Il y a encore de l'espoir pour toi, papa. Tu n'es pas aussi réactionnaire que tu prétends l'être.

— Qu'est-ce que tu vas faire? voulut savoir Allie.

Il haussa les épaules.

— Pas exactement ce que veut Mac. Je serai sous les projecteurs, mais ce ne sera bon pour moi que si je traite Masters équitablement. Ce que j'ai l'intention de faire, de toute façon. Ce n'est pas elle que j'aurais choisie, mais Kerry est le président.

Sa femme l'étudia de nouveau avec attention.

— Tu n'as pas été surpris, hein? Kerry avait dû te prévenir.

Une fois de plus, il constatait qu'elle avait des antennes : Allie n'aimait pas la politique mais la crainte de ses conséquences la rendait réceptive aux subtilités politiciennes.

— Exact, reconnut-il. Il pense qu'elle aura une bonne position sur la réforme.

Palmer résolut de ne pas en dire plus : son engagement à protéger le secret de Masters ne ferait qu'attiser les appréhensions d'Allie.

— Je sais que je ne t'apprends rien, mais tu ne dois pas paraître trop proche de Kerry, l'avertit-elle. Cela pourrait te nuire auprès de certains groupes.

— Je ne peux pas non plus leur faire des mamours. Personne n'a barre sur moi et je ne laisserai personne tenter de faire croire le contraire. Si je rencontre Engagement chrétien, ils laisseront entendre que je suis de leur côté… Je le suis, certes, à de nombreux égards. Bien qu'ils aient cessé d'être une cause pour devenir un business. Comme beaucoup de leurs adversaires, d'ailleurs. Mais ils ont une ligne bien trop dure, cela effraie les femmes.

— L'avortement, laissa tomber Kyle.

Chad se raidit. Cette fois, il ne pouvait appeler Allie à la rescousse. Comme toujours avec sa fille, il contourna l'obstacle.

— En tout cas, la droite sera en alerte, et ma commission est partagée : dix républicains et huit démocrates, avec au moins trois alliés de Gage qui regardent par-dessus mon épaule.

— Donc tu ne retarderas pas les audiences, conclut Allie.

— Kerry souhaite qu'elles aient lieu dans un mois. Je suis enclin à lui accorder au moins ça.

Elle jeta un coup d'œil à Kyle.

— Et Gage, qu'est-ce qu'il veut ? Fouiller dans la vie privée de Masters ?

Chad se sentit de nouveau nerveux : le sujet était trop délicat, et il ne pouvait révéler à sa femme ce qu'il avait promis de garder secret.

— Tu connais ma position, répondit-il. Si cela concerne la façon dont quelqu'un s'acquitte de ses fonctions, c'est une chose. C'en est une autre d'éliminer des personnes méritantes à la moindre faute personnelle. Sinon, il n'y a plus de limite.

Par bonheur, Kyle choisit de ne pas poursuivre la discussion. Elle avait l'air beaucoup mieux que quelques années plus tôt, pensa-t-il. Ses variations de poids avaient diminué, son teint était moins pâle, elle ne changeait plus constamment la couleur de ses cheveux blonds presque blancs. Ses yeux, si semblables à ceux d'Allie, était plus brillants, plus heureux. Le pire était peut-être passé.

— Quoi qu'il en soit, je passerai à *This Week* dimanche matin, ajouta-t-il avec un sourire. Un grand moment pour l'Amérique.

Kyle coula un regard ironique à sa mère, revint à son père.

— Tu seras très bien, papa. Rappelle-toi simplement qu'il y a des femmes qui te regardent. Deux au moins.

Mary Ann Tierney pleurait, étendue sur son lit. Une heure plus tôt, quand ses parents y étaient assis, elle leur avait lancé :

— Ce n'est plus ma maison. Tout ce qui vous tracasse, c'est ce qu'ils penseront de vous.

Des larmes étaient montées aux yeux de sa mère. D'une voix douce, son père avait répondu :

— Engagement chrétien s'inquiète du mal que tu ferais aux autres jeunes filles et aux enfants à naître. Nous, nous nous soucions du mal que tu te fais.

Elle avait levé les yeux vers l'homme qui, jusqu'à ces derniers temps, avait symbolisé pour elle la tendresse et la sagesse.

— Je ne veux pas que ma vie soit foutue.

— Ce n'est pas l'apocalypse, Mary Ann. Ce n'est qu'un enfant.

Le ton patient, presque condescendant, de son père la rendit plus furieuse que ne l'auraient fait des menaces ou une punition. Elle eut soudain envie de les blesser, tous les deux.

— C'est toi qui veux cet enfant, asséna-t-elle à sa mère. Ce qui m'arrive à moi, tu t'en fiches.

Margaret Tierney se leva.

— Nous ne t'avons pas demandé de coucher avec ce garçon. Je ne t'ai pas suppliée de tomber enceinte.

— Oh, non, fit Mary Ann d'une voix tremblante. Tu veux seulement que je te fasse un bébé, même mal formé.

S'efforçant de garder un ton mesuré, son père intervint :

— Le moment est mal choisi pour parler de ça, Mary Ann. Ce que tu as fait nous a choqués et attristés. Ce n'est pas normal pour une mère de tuer son enfant, c'est pourtant ce que tu attends que nous te laissions faire. Comme nous refusons, tu demandes à un tribunal de laisser toutes les filles dans ta situation tuer l'enfant qu'elles considèrent comme un fardeau. Un bébé n'est pas un fardeau. C'est une création de Dieu, personne n'a le droit de lui ôter la vie.

Il s'interrompit, reprit après un long soupir :

— Je sais que tu as peur. J'en souffre pour toi. Mais l'égoïsme de ta décision me révolte.

Ces derniers mots firent à l'adolescente l'effet d'une gifle. A travers une pellicule de larmes, elle regarda le premier homme qu'elle eût aimé, ses traits délicats et ses yeux pâles.

— Je ne peux plus vivre avec vous, dit-elle d'une voix blanche.

— Tu as plus que jamais besoin de nous, répondit son père. Tu es complètement perdue, tu n'as aucune idée de ce que tu as mis en branle, tu ne...

— Et vous, vous avez une idée de ce que je ressens? s'écria-t-elle. Vous me traitez d'égoïste, vous me dites que je ne sais pas ce que je fais. Je le *sais* ! Je ne veux pas d'un bébé sans cerveau. Quoi que vous ayez pu m'apprendre, je sais que ce n'est pas un péché.

Sa mère, manifestement au comble du chagrin, la regardait sans rien dire. Un moment, Mary Ann eut envie de se jeter dans ses bras, de s'en remettre à elle comme elle l'avait toujours fait.

— Il faut que je quitte cette maison, fit-elle d'une voix plaintive. Je peux dormir chez Alice.

— Ici c'est ton foyer, déclara son père avec fermeté. Et nous sommes ta famille. Ta place est avec nous.

— Pourquoi? rétorqua-t-elle. Pour que vous puissiez me surveiller?

— *Non*, protesta sa mère. Mais nous ne savons pas ce que tu es capable de faire, Mary Ann.

Martin Tierney se leva, posa une main sur l'épaule de sa femme.

- - Nous te laissons tranquille pour ce soir, dit-il à Mary Ann. Si tu veux, tu peux dîner dans ta chambre.

L'adolescente hocha la tête : tout ce qu'elle voulait, c'était être seule. Comme pour combler le fossé qui s'était creusé entre eux, Martin Tierney lui prit la main.

— Le père Satullo passera te voir un peu plus tard. Nous avons pensé que ce serait plus facile pour toi de lui parler.

Elle se raidit au souvenir du prêtre agenouillé sur le trottoir devant la clinique. C'était en le voyant qu'elle avait fait demi-tour, la première fois. Sans un mot, son père lui lâcha la main et sortit. Mary Ann entendit la porte de sa chambre se fermer derrière ses parents. Elle leva les yeux vers la fenêtre sombre. Au moins, ils ne l'avaient pas condamnée.

Sarah Dash regardait la télévision.

«Si sa désignation est confirmée, la juge Masters deviendra la première présidente de la Cour suprême», conclut le présentateur.

— Tu as réussi, dit-elle à voix haute.

Une bouffée de joie la fit se lever, chassa l'abattement qu'elle ressentait depuis le coup de téléphone qu'elle avait passé à Mary Ann. Elle songea à appeler Caroline puis prit conscience que la magistrate était à Washington et se rappela la raison pour laquelle elle avait allumé le poste : savoir si les médias avaient commencé à parler de l'affaire Tierney. Elle n'eut pas longtemps à attendre.

— *Au tribunal fédéral,* disait une brune piquante, *une mineure enceinte a entamé une action en justice pour invalider la loi sur la protection de la vie...*

Le bourdonnement de l'interphone la fit sursauter.

Le premier journaliste, pensa-t-elle. Malgré le secret protégeant le dossier, quelqu'un avait dû communiquer son nom à la presse. Engagement chrétien, sûrement. Elle alla à l'interphone en se préparant à envoyer paître l'intrus.

— Oui, qui est là ? demanda-t-elle.

— C'est moi, fit une petite voix haletante. Mary Ann.

Appuyée contre le chambranle, elle semblait terrorisée.

— Je n'ai pas pu rester, se justifia-t-elle. Le père Satullo devait venir...

Ces explications à demi cohérentes résumaient des heures de conflit et de confusion, pensa Sarah. Elle lui prit la main, la conduisit au canapé blanc du séjour.

— Dis-moi ce qui s'est passé.

C'est ce que Mary Ann tenta de faire pendant une demi-heure, interrompue par des crises de larmes. A la compassion de Sarah se mêlait un sentiment d'étrangeté : une fille qu'elle connaissait à peine occupait maintenant le centre de sa vie et, littéralement, le seul espace privé qu'elle possédât. Après lui avoir laissé le temps de se calmer, elle annonça :

— Il faut prévenir tes parents.

— Je veux que vous me fassiez avorter, gémit Mary Ann. Dans un autre Etat, peut-être.

— Je sais que tu es désespérée. Mais rappelle-toi, c'est une loi fédérale, elle s'applique à tous les Etats.

Elle cligna des yeux, l'air affolée.

— Le Canada, alors ? Je ne peux pas continuer comme ça.

Sarah choisit ses mots avec soin :

— Mary Ann, je fais tout ce que je peux pour t'aider à faire invalider cette loi. La seule alternative qui s'offre à toi, c'est aller au tribunal ou avoir ce bébé.

La jeune fille déglutit, regarda autour d'elle : le parquet, les tapis aux couleurs vives, le poste grand écran, la chaîne stéréo haut de gamme, le mobilier coûteux. Sarah devina qu'elle s'imaginait dans un tel cadre, à sa place, peut-être. Avocate, avec une vie à elle.

— Je peux loger ici? demanda Mary Ann d'une voix plaintive. Au moins jusqu'à ce que j'obtienne le droit d'avorter?

Sarah prit une inspiration. Il était inévitable que Mary Ann la voie comme un refuge, un substitut parental, un guide vers une liberté symbolisée par cet appartement sûr et confortable.

— Ce n'est pas possible, répondit Sarah. Cela poserait trop de problèmes...

Mary Ann baissa la tête, la secoua violemment dans un accès de protestation désespérée. Soudain elle se leva, se précipita vers la salle de bains. Sarah la suivit, vit la porte se fermer, entendit qu'elle était prise de spasmes.

Elle alla téléphoner aux Tierney.

18

Lorsque les deux couples pénétrèrent à La Citronelle, Caroline Masters prit immédiatement conscience que sa vie avait changé.

Le restaurant était vaste, moderne, offrant une vue dégagée sur les personnes qui y entraient. A la table la plus proche, une femme toucha le bras de son mari en posant sur Kilcannon un regard ébahi, puis reconnut Lara, que les années passées à la télévision avaient rendue presque aussi célèbre que le chef de l'Etat. Un homme se leva pour serrer la main du président et la présence des nouveaux venus électrisa toute la salle : les têtes se tournèrent, des exclamations de surprise fusèrent. Finalement, deux couples se levèrent, se mirent à applaudir. En quelques secondes, comme à la fin d'un opéra, tout le monde fut debout.

Un moment, Kilcannon parut étonné puis son sourire étincela et il se redressa, sa démarche confiante le faisant paraître plus grand qu'il ne l'était. Des mains se tendirent vers lui. Le photographe du *Washington Post* se mit à mitrailler sa progression entre les tables.

Après quelques mots au journaliste du *Post* sur ce qu'ils célébraient avec ce dîner, le président s'arrêta pour saluer un autre couple presque aussi glamour que le sien — le nouveau secrétaire au Commerce Peter Carey et son éblouissante épouse, Noelle Ciano, réalisatrice de documentaires — puis il entraîna ses invités vers leur table.

— Nous ne laissons rien au hasard, confia-t-il à Caroline. Si personne n'avait applaudi, Noelle et Peter auraient ouvert le feu.

Elle eut l'impression d'être passée de l'autre côté du miroir : dans le monde du président, les moments les plus détendus en apparence faisaient partie d'une représentation à laquelle il n'échappait jamais et qui, dans une certaine mesure, se prolongerait jusqu'à sa mort. Pour Lara, ce devait être stressant, mais elle aussi était célèbre, ce qui devait l'aider à supporter d'être constamment sous les projecteurs, pensa Caroline. Quant à Jackson Watts — grand et élancé, les cheveux saupoudrés de gris, l'expression aimable et réfléchie —, il jouait avec grâce et bonne humeur son petit rôle dans la pièce : établir Caroline comme une hétérosexuelle pratiquante. Comme s'il lisait dans les pensées de sa candidate, Kilcannon lui dit par-dessus la table :

— Rien de tel que la vie publique pour aiguiser le sens de l'absurde, Caroline.

Elle sourit. C'était agréable d'être ainsi mise à l'aise : cette première utilisation de son prénom, suggérant à la fois considération et amitié, semblait parfaitement naturelle.

Peter Lake, responsable de l'équipe du Secret Service, s'approcha de leur table, se pencha pour murmurer à Kilcannon :

— Veuillez me pardonner, monsieur le président, Adam Shaw vient d'appeler. Il dit que c'est urgent.

Caroline s'alarma aussitôt — la peur d'une fuite était pour elle une compagne nouvelle et dérangeante —, mais Kilcannon se contenta de froncer les sourcils.

— Il y a une ligne sûre ?

— Dans le bureau du directeur.

Le président s'excusa et quitta la table.

— J'espère qu'il pourra rester dîner, dit Lara en le suivant des yeux. Une si belle journée, ça ne pouvait pas durer.

Caroline masqua ses craintes d'un sourire.

— Pour moi aussi, c'était une journée merveilleuse.

A la façon dont Lara la regardait, elle devina qu'elle était au courant. *Elle sait, bien sûr.*

— Vous le méritez, assura la journaliste. Kerry est persuadé que vous ferez une grande présidente de la Cour suprême. C'est ce que certains ne comprennent pas. Il décide d'abord de ce qui est juste puis il réfléchit à la façon dont cela pourrait lui être utile, pas l'inverse. Ces histoires de calculateur sans pitié me mettent hors de moi.

Ces mots, prononcés avec une intensité contenue, modifièrent l'impression que Caroline avait de Lara : sous le vernis professionnel, il y avait une femme profondément éprise.

— Cela ne doit pas être facile de voir l'homme qu'on aime attaqué de toutes parts, hasarda Caroline.

Au bout d'un moment, Lara acquiesça de la tête.

— Je devrais être habituée, mais je viens de recevoir les épreuves d'un nouveau livre sur lui qu'il n'a même pas encore vu. *Le Prince noir*, ça s'appelle : le fatras psy d'un journaliste de magazine qui ne le connaît même pas. La thèse centrale du bouquin est que Kerry est président uniquement parce que son frère a été assassiné, parce qu'il a fait un usage calculé de la prétendue fascination des Américains pour la mort. Kerry sait parfaitement qu'il n'aurait jamais fait de politique sans Jamie et qu'il évoquera toujours pour le pays le souvenir de son frère.

— C'est inévitable, dit Jackson. Mais le président est manifestement très différent de son frère.

Lara eut un sourire inattendu.

— Si les quelques portraits de célébrités et les publicités rédactionnelles qu'on me confie m'occupaient davantage, j'y penserais moins.

Quelques années plus tôt, Lara Costello s'était distinguée au Kosovo. Maintenant que ses fiançailles avec Kerry lui interdisaient les points chauds du globe, elle était devenue elle-même matière à article, soumise à une surveillance constante. Mais sa défense de Kerry est aussi une façon de m'exprimer sa solidarité sans reconnaître qu'elle est au courant, pensa Caroline. Ce qui la fit se demander de nouveau avec inquiétude pourquoi le président ne revenait pas à leur table.

— Désolé, monsieur le président, s'excusa Shaw, mais il vient de se passer quelque chose et je sais que la presse est là. J'ai voulu éviter que vous et Masters soyez pris au dépourvu.

Ce doit être la fille, pensa Kilcannon, qui attendit la suite en silence.

— Il y a deux heures, une mineure de quinze ans a mis en cause la loi sur la protection de la vie devant le tribunal fédéral de San Francisco. C'est l'horreur absolue : les parents sont des militants pro-vie, le père est professeur de droit. Ils sont intervenus au nom du fœtus, en prévenant qu'ils associeraient Engagement chrétien à leur action. Pire, il est possible que le procès soit télévisé.

— C'est plus que fâcheux, commenta Kerry. Cela remet l'avortement dans l'actualité, et sur les points les plus controversés : IVG tardive, autorisation parentale. Je me félicitais d'y avoir échappé.

— Je sais. Mais le ministère de la Justice doit défendre la loi, bien sûr, bras dessus bras dessous avec Engagement chrétien. On vous posera des questions à ce sujet. Le Sénat et les médias demanderont son opinion à Masters.

— Ça, c'est le plus simple. Le ministère peut laisser Engagement chrétien mener la bagarre contre une ado. Vue sous cet angle, l'implication d'Engagement chrétien est un don du ciel. Je n'ai jamais pris position sur cette loi, et maintenant qu'elle est devant les tribunaux, je dois m'abstenir de le faire. A plus forte raison la juge Masters puisque cette affaire risque de se retrouver en Cour suprême.

Kilcannon tenta brièvement d'imaginer ce qui pourrait se passer et conclut :

— Prévenez-moi dès que le tribunal aura pris sa décision, Adam.

— Ce ne sera pas nécessaire, répondit le conseiller juridique en riant. Vos amis pour le libre choix suivront tous attentivement l'affaire, y compris ceux qui ne vous ont jamais aimé. Quel que soit le verdict, vous entendrez d'ici les cris poussés à San Francisco.

— Pas avant le dessert, j'espère, marmonna Kerry avant de raccrocher.

— La loi sur la protection de la vie est attaquée en justice, annonça-t-il à la tablée.

Caroline s'inquiéta aussitôt pour Sarah Dash.

— Si je ne me trompe pas, l'avocate qui s'occupe de l'affaire est une de mes anciennes stagiaires. Elle doit se sentir assaillie de toutes parts.

— Vous pensez qu'elle pourrait renoncer ? demanda Lara.

— Pas elle. Elle est opiniâtre, elle est douée, elle est fine : c'est de loin la meilleure stagiaire que j'aie eue. Si elle perd, elle ira devant ma Cour d'appel, puis en Cour suprême. Peut-être avant ma nomination.

Kilcannon réfléchit.

— Si je vois bien la composition de la Cour, il y a une division quatre contre quatre sur cette question. Votre ex-stagiaire pourrait bien ne pas obtenir de décision, ni même d'audience.

C'est probable, pensa Caroline, et cela ne peut qu'élever l'enjeu de ma nomination.

— Raison de plus pour que je n'exprime pas mon point de vue sur l'avortement, dit-elle enfin.

Kilcannon lui lança un bref coup d'œil et elle eut l'impression de l'entendre penser : Mais c'est quoi, ton point de vue ? Cela la mit mal à l'aise.

19

En franchissant la porte des Tierney, Sarah eut l'impression de pénétrer dans un autre monde.

Comme la maison de son enfance, c'était une bâtisse modeste des années 1950, proche de l'institut catholique où Martin Tierney enseignait. Mais, pour Sarah, Mary Ann appartenait à une tradition évoquant des images effrayantes : des règles inflexibles, un mélange de mysticisme et de foi portée à son paroxysme, l'oppression des femmes, la répression des dissidents. Martin Tierney incarnait pour elle deux mille ans de cette césure entre religieux et rationnel, cause de tant de souffrances.

Ils s'installèrent dans la salle de séjour, les Tierney sur le canapé, Sarah dans un fauteuil.

— Je suis navrée, dit-elle. C'est la dernière chose que je souhaitais.

Margaret plissa le front d'un air méfiant. Elle était âgée d'une quarantaine d'années et, bien que mince et sans un cheveu gris, elle donnait l'impression que la jeunesse l'avait fuie. Comme si la vie était devenue une épreuve, promettant plus d'adversité que de joie.

— A quoi vous attendiez-vous ? C'est vous qui l'avez poussée à faire ça.

— Ce n'est pas vrai, répondit Sarah. Elle a réfléchi toute seule, elle ne pouvait pas vous en parler. Je n'ai fait que lui exposer les options juridiques qui s'offraient à elle.

Une lueur de doute apparut dans l'œil de la mère, qui repartit cependant :

— Elle pouvait tout me dire.

— Alors pourquoi êtes-vous allée au tribunal pour tenter de l'arrêter, au lieu de la protéger ?

— Le fœtus lui appartient, d'après vous? intervint le père. Ce n'est pas une création de Dieu possédant une âme mais une tumeur qu'on peut se faire enlever à volonté? En aidant Mary Ann à tuer son enfant, vous lui faites plus de mal qu'un accouchement à problèmes pourrait le faire. Dans les cinq années qui viennent, l'avortement causera plus de morts en Amérique que l'Holocauste.

Il se pencha en avant, martela :

— La différence, c'est que les quelque six millions de meurtres auront été commis par les mères, un par un. Vous voulez voir en nous les adeptes d'un mode de pensée obsolète. Or le lent mais inexorable progrès de la morale a appris aux hommes la valeur de la vie, et le développement rapide des sciences nous donne des moyens de la préserver comme nous n'en avions jamais rêvé.

«Vous pensez que Mary Ann est allée vers vous comme vers la lumière de la vérité. Nous pensons, nous, qu'elle est allée vers vous pour se cacher la vérité. Nous ne cherchons pas seulement à protéger notre petit-fils, nous cherchons aussi à protéger Mary Ann. De vous.

— Alors vous ferez pression sur elle jusqu'à ce qu'elle craque.

— Nous devrions être neutres? rétorqua Margaret Tierney, plus incrédule qu'agressive.

— Non, admit Sarah. C'est tout le problème avec une loi qui soumet une mineure aux croyances de ses parents. Moi, mes croyances me laissent le choix.

— Dans une société morale, le meurtre n'est pas un «choix», dit Martin Tierney sans hausser la voix. Notre fille est chez vous, coupée de tout ce qu'elle a connu. C'est un cauchemar pour des parents. Nous l'aimons et elle a besoin de nous. Pensez de nous ce que vous voulez mais ramenez-la chez elle.

A la surprise de Sarah, Margaret lui toucha le poignet.

— Je vous en prie, aidez-nous. Nous aurions pu appeler la police, nous avons préféré vous demander de venir ici. Nous ne voulons pas rendre sa situation plus douloureuse qu'elle ne l'est déjà.

— Moi non plus. Madame Tierney, je pourrais retourner voir le juge demain. Avec un psychiatre confirmant qu'il est traumatisant pour Mary Ann de vivre chez des parents qui s'opposent à elle au tribunal, et que le meilleur moyen de préserver votre famille, c'est de confier votre fille à un tuteur jusqu'à la fin de l'affaire.

Les yeux écarquillés de stupeur, Margaret Tierney retira sa main.

— Je n'ai pas demandé à votre fille de venir chez moi, poursuivit Sarah. Je ne veux pas être accusée de l'influencer. Je ne veux pas que les fanatiques d'Engagement chrétien manifestent autour de mon immeuble. Les impliquer dans cette affaire est une énorme erreur, monsieur Tierney. Je les ai vus de près : tout leur est bon pour gagner. Je vous demande simplement de laisser votre fille s'installer pour un temps chez une amie ou chez des parents.

— J'apprécie votre prévenance, dit Tierney, la voix empreinte de premières traces de colère. Mais tout cela est arrivé parce que vous avez expliqué ses «droits» à Mary Ann, au lieu de respecter les nôtres.

— J'ai fait un choix moral. Comme vous.

Le silence se fit dans la pièce.

— Alors, vous seriez prête à traîner Mary Ann au tribunal pour lui faire dire qu'elle ne veut pas être avec nous, lâcha enfin Tierney.

— Je n'y tiens pas. Mais le juge demanderait peut-être à la voir.

Martin Tierney regarda sa femme, dont les yeux s'étaient embués.

— Nous ne voulons pas lui imposer encore cette épreuve.

— Madame Tierney, je sais que c'est difficile pour vous de l'accepter, mais je cherche ce qui est le mieux pour votre fille.

— Vous n'avez jamais été mère, répondit Margaret. Je me souviens d'avoir senti Mary Ann bouger en moi. Vous ne pouvez pas comprendre ce que j'éprouve. Elle non plus, c'est ce qui me fait le plus mal. Mais si elle avorte de cet enfant, elle comprendra.

— L'enfant que vous portiez était en bonne santé. Dans le cas de votre fille, le fœtus est un danger pour elle.

Margaret Tierney se mit à tripoter l'ourlet de sa robe, et Sarah se demanda si, sans la détermination de son mari, la mère de Mary Ann ne se laisserait pas fléchir.

— Je ne veux pas qu'elle vive chez des inconnus, dit Margaret. Chez une conseillère de cette clinique d'avorteurs. Je veux la voir tous les jours.

— Vous n'avez pas des amis ou des parents qui...

— Nous n'avons pas de parents dans cette ville. Et nous ne voulons pas que cette affaire sorte de la famille.

— En ce moment même, votre fille est dans ma chambre d'amis, elle pleure et elle a peur. Vous ne voyez pas une solution qui n'impliquerait ni la police ni les tribunaux ?

Margaret ne répondit pas. A côté d'elle, Martin faisait aller son regard de l'une à l'autre femme.

— Chez vous, dit-il enfin. Si Margaret est d'accord.

Se sentant prise au piège, Sarah répondit :

— Monsieur Tierney, je n'ai pas vraiment la place pour l'accueillir. Et je ne suis absolument pas préparée à me défendre d'exercer une influence indue sur une mineure.

— Nous pouvons donner notre accord par écrit, fit-il d'une voix lasse. Mieux vaut le diable qu'on connaît que le diable qu'on ignore. Au moins, nous cherchons vous et nous à protéger sa vie privée.

Sarah songea qu'elle s'était leurrée en pensant avoir évalué les dimensions de cette affaire et mesuré les risques.

— Laissez-moi réfléchir, dit-elle. Et en parler à ma cliente, bien sûr.

En sortant de chez les Tierney, elle se sentait exténuée. La joie qu'elle avait ressentie en apprenant la nomination de Caroline avait disparu. Le procès commencerait dix jours plus tard.

TROISIÈME PARTIE

Le procès

1

Résolue mais nerveuse, Sarah arriva au bâtiment fédéral avec Mary Ann Tierney.

Ces dix derniers jours, l'adolescente avait refusé de dormir chez ses parents.

« Ils m'épuisent, avait-elle dit à son avocate. Même quand ils ne le font pas exprès. Je ne supporte pas leurs regards. »

Pourtant, la veille, Mary Ann avait insisté pour venir au tribunal.

« Il s'agit de moi, avait-elle argué. Mes parents seront là, ils prétendront parler dans mon intérêt, alors que je me cache et que je fuis ma propre affaire. Cela reviendrait à admettre que cette loi est juste. »

Sarah avait trouvé l'observation d'une perspicacité étonnante. La présence de Mary Ann démontrerait avec force qu'elle savait ce qu'elle faisait ; son absence confirmerait le droit de ses parents à parler en son nom.

Cela n'allait pas sans risques, cependant. Quoique démocrate, le juge Leary était catholique et semblait mieux disposé envers les Tierney qu'envers leur fille. Le ventre gonflé de Mary Ann pouvait lui rappeler de façon frappante l'état de l'adolescente et la nature de l'intervention qu'elle réclamait. En outre, les débats, que Sarah prévoyait acharnés et chargés d'émotion, risquaient de la traumatiser encore davantage et de sceller la rupture avec ses parents. Ou alors, elle craquerait et ferait machine arrière. Sarah le lui avait expliqué.

« Si je recule, je n'aurai pas d'IVG, n'est-ce pas ? » avait répondu la jeune fille.

Elles montaient donc ensemble les marches du perron, et ce que cette scène avait de familier échappa à l'avocate jusqu'à ce que, parvenue en haut des marches, elle découvrît les manifestants.

C'était comme le jour où elle était venue au secours de Mary Ann à la clinique. Mais, cette fois, les membres d'Engagement chrétien, que Martin Tierney avait enrôlé comme codéfenseur, étaient là pour faire honte à sa fille. Les pancartes étaient d'une précision cruelle. «Ne tue pas ton fils», disait l'une d'elles. Une autre montrait une remarquable photo du magazine *Life* montrant un fœtus dans le ventre de sa mère, avec cette légende : «Voilà ton enfant à vingt-quatre semaines.»

Mary Ann tressaillit, détourna la tête.

— Ça va aller, lui glissa Sarah, bien que, tendue et manquant de sommeil, elle fût loin de se sentir aussi confiante.

L'homme de la clinique se trouvait devant la porte en verre. Un peu à l'écart des autres, il ne brandissait pas de pancarte. En le voyant, Mary Ann s'arrêta, prit la main de son avocate.

— Continue à avancer, murmura Sarah, guidant la jeune fille pour contourner l'obstacle.

— Ils ne se contenteront pas de le tuer, tu sais, dit l'homme sur le ton de la conversation. Ils lui écraseront le crâne, ils lui arracheront les bras, comme des ailes de poulet. Il sortira de toi en morceaux.

Serrant les mâchoires, Sarah ouvrit la porte. Dans l'ascenseur, Mary Ann, en larmes, se blottit contre son épaule.

— Tu n'aurais pas dû venir.

— Si, répondit l'adolescente.

Dans le couloir menant à la salle d'audience de Patrick Leary, au dix-neuvième étage, les hauts talons de l'avocate firent résonner les dalles. A l'intérieur, des journalistes occupaient presque tous les bancs ; trois caméras de télévision étaient braquées sur la zone en contrebas, réservée au juge et aux parties. Sarah maudit intérieurement la vanité de Leary.

— Nous y voilà, dit-elle à voix basse.

La table de la défense était occupée par Thomas Fleming, vieux routier implacable du ministère de la Justice, et Barry Saunders, un Texan rubicond avocat d'Engagement chrétien. Un peu à l'écart, un Martin Tierney à la mine sombre parlait à sa femme en chuchotant.

Quand il vit Sarah et Mary Ann s'avancer entre deux rangées de reporters, toute une gamme d'émotions se reflétèrent sur son visage : surprise, colère, souffrance, amour pour sa fille. Doucement, il pressa l'épaule de sa femme. Margaret se retourna, ouvrit les lèvres sur une protestation muette. Aucun mot n'était nécessaire pour signifier à Sarah que la paix fragile qu'ils avaient conclue était en lambeaux.

— Assieds-toi à la table, dit l'avocate. Il faut que je parle à tes parents.

Elle se dirigea vers le couple, qu'elle voyait comme un tableau vivant : la mère frappée de stupeur, le père débordant d'amour et d'indignation.

— Comment osez-vous l'amener ici ? fit-il à mi-voix. Comment osez-vous lui faire cela ? Nous faire cela ?

— Vous ne pouvez pas être aussi surpris, répondit Sarah. En tout cas, vos amis d'Engagement chrétien ne le sont pas, eux. Ne me dites pas que vous avez manqué le petit spectacle qu'ils ont organisé pour Mary Ann.

Un instant, Tierney parut décontenancé.

— Nous avons obtenu l'autorisation de nous garer au parking et de prendre l'ascenseur du juge. Pour protéger notre vie privée, comme nous pensions que vous protégeriez celle de notre fille.

— Nous n'avons pas eu cette chance, répliqua Sarah. En plus du harcèlement habituel, il y avait une pancarte précisant le sexe du bébé, une autre montrant un fœtus de vingt-quatre semaines, mais parfait, celui-là, pas avec une tête grosse comme une boule de bowling...

— Arrêtez, s'écria Margaret Tierney.

A la table de la défense, Fleming et Saunders tournèrent la tête vers eux.

— C'est à vous d'arrêter, riposta Sarah. Vous avez fait venir ces types d'Engagement chrétien. Vous êtes tellement aveuglés par votre prétendue sainteté que vous ne voyez pas ce qu'ils sont. Ils veulent uniquement faire leur propagande, et entretenir le flot de dollars. Ils se fichent totalement de vous ou de votre fille. Que vous aimez presque mais pas tout à fait autant que votre relation unique avec Dieu et Ses autres représentants sur terre.

Tierney devint cramoisi sous la virulence de l'attaque, qui étonnait Sarah elle-même.

— Mary Ann est ici parce qu'elle veut assumer la responsabilité de ses actes, poursuivit-elle d'un ton plus calme. A vous d'en faire autant. Vous pouvez rappeler les chiens : c'est grâce à vous que leur avocat a un billet pour cette pièce. Si les manifestants sont encore là demain, je ne vous devrai pas d'excuses.

Les joues écarlates et le regard fixe de Tierney révélaient les efforts qu'il faisait pour se maîtriser.

— Je ne les aurais pas acceptées, dit-il. Comment Mary Ann a-t-elle réagi ?

— Elle était en larmes, bien sûr. Mais, s'il le faut, elle les affrontera de nouveau demain.

Margaret Tierney toucha la main de son mari.

— Je vais parler à leur avocat, promit-il à voix basse.

Sarah retourna à sa table, s'assit à côté de Mary Ann.

— Qu'est-ce qu'ils ont dit ? demanda l'adolescente, angoissée.

La bouche sèche, Sarah but une gorgée d'eau avant de répondre :

— Qu'ils t'aiment et qu'ils sont désolés que tu sois ici.

Mary Ann baissa les yeux vers la table tandis que son avocate observait les signes avant-coureurs de l'arrivée de Leary : une sténographe d'audience s'installant devant sa machine, un shérif adjoint efflanqué aux allures de John Wayne sortant du cabinet du juge. De l'autre côté de la salle, Martin Tierney murmura quelque chose à sa femme puis prit place à la table, tandis que Margaret s'asseyait sur un banc du premier rang. Deux des greffiers obliquèrent vers le box du jury.

— Mesdames, messieurs, veuillez vous lever, clama l'adjoint. L'audience de la cour fédérale pour le district nord de la Californie est ouverte, sous la présidence de l'honorable juge Patrick. J. Leary. Dieu protège les Etats-Unis et cette honorable cour.

Cette présentation un rien baroque était tombée en désuétude, mais Leary insistait pour la garder. Et, comme Sarah put le constater, elle eut l'effet attendu : un silence respectueux salua son entrée.

En robe noire, le juge se dirigea vers la tribune d'un pas vif, s'assit, considéra longuement les deux parties puis jeta un coup d'œil aux caméras.

— Bonjour, dit-il. Avant de commencer, je tiens à souligner de nouveau les règles pour tout média qui souhaite assister aux débats. Aucune mention ne devra être faite du nom de la mineure ni de celui de sa famille. Personne ne sera admis dans cette salle sans carte de presse, exception faite pour les avocats, la mineure et les parents.

Leary marqua une pause puis s'adressa directement aux caméras comme pour prévenir CNN :

— La chaîne diffusant le procès en direct devra masquer le visage de la mineure et remplacer toute mention de son nom par un bip. La même règle s'applique à la famille. J'entends tenir compte à la fois de l'intérêt de l'opinion pour une affaire qui fera date et du droit de la mineure à l'anonymat.

Baratin, pensa Sarah, écœurée. La retransmission du procès exacerberait la controverse de manière incontrôlable, elle accroîtrait considérablement le risque que l'identité de Mary Ann soit révélée par une fuite ou percée à jour grâce à un détail biographique.

— Exception faite pour la mineure et ses parents, continua Leary, tous les témoins devront demeurer dans la salle du jury en attendant d'être appelés à témoigner. Tous les témoins, avocats et parties s'abstiendront de faire des déclarations publiques jusqu'à nouvel ordre.

«Dans les transcriptions des débats, le nom de la plaignante sera remplacé par un pseudonyme. Toute page révélant son identité ou celle de sa famille sera gardée sous scellés.

«Tout représentant des médias qui enfreindrait l'une de ces règles se verrait interdire la salle d'audience.

«Les débats dureront six jours et seront suivis par les plaidoiries.

Leary s'interrompit de nouveau, promena le regard sur la salle.

— Aussitôt après, la cour se prononcera, avec avis motivé écrit le lendemain.

Au moins, il m'a accordé cela, pensa Sarah. Vu l'état de grossesse avancé de Mary Ann, il importait de faire vite.

Leary se tourna vers elle et dit :

— Veuillez appeler votre premier témoin, mademoiselle Dash.

Le procès de Jane Doe[1] et al. contre Barton Cutler, procureur général des Etats-Unis, avait commencé.

2

En interrogeant le Dr Mark Flom, Sarah s'efforçait d'oublier les caméras, les signes d'impatience du juge, le regard inquisiteur de Martin Tierney. Elle établit rapidement les qualités du témoin : obstétricien, il avait un diplôme de droit et était l'un des rares spécialistes en avortement post-viabilité pratiquant sur la côte ouest. Puis elle plaça l'échographie d'un fœtus sur le chevalet et marqua un temps d'arrêt.

1. Nom très courant *(N.d.T.)*

135

Devant la taille de la tête, monstrueusement disproportionnée par rapport aux membres, Leary cessa de gigoter sur son siège. Mary Ann avait la tête baissée, le visage enfoui dans ses mains.

— Le fœtus est hydrocéphale, dit Flom.

— En quoi cela affecte ses capacités mentales ?

Le médecin redressa sa cravate. Avec ses cheveux, ses manières circonspectes, son air sensible, il était tout ce que Sarah pouvait souhaiter, l'antithèse du docteur sans cœur massacrant les bébés sans remords.

— Il est presque certain que, s'il devait naître, le bébé n'aurait pas de cerveau.

— Qu'est-ce que cela implique pour ses chances de survie ?

— Elles seraient très faibles. La plupart de ces bébés meurent peu après la naissance, ou dans les jours qui suivent. Quoique je connaisse un cas où l'enfant a vécu deux ans dans un coma irréversible.

Le ton mesuré de Flom devint légèrement plus tranchant quand il ajouta :

— Une existence à la fois parasitaire et coûteuse. La mère, âgée de seize ans, n'avait pas les moyens de payer les frais médicaux. Et, naturellement, personne ne voulait adopter l'enfant.

— Objection, dit Martin Tierney en se levant. Je demande que la dernière remarque soit rayée du procès-verbal. La référence à l'adoption n'est pas pertinente dans cette affaire — puisque nous sommes prêts à pourvoir aux besoins de l'enfant — et purement gratuite, en tout état de cause.

Ignorant Tierney, Sarah s'adressa directement au juge :

— Certainement pas. Nous demandons à la cour de déclarer cette loi anticonstitutionnelle dans *tous* les cas. Les adversaires de l'avortement soutiennent que l'adoption constitue une solution de rechange humaine. Le professeur Tierney veut bénéficier de l'argument sans devoir faire face à son absurdité dans le contexte...

— Cela suffit, coupa sèchement Leary. Il n'y a pas de jury, ici. A l'issue des débats, c'est moi qui jugerai de la pertinence des remarques. Poursuivez, mademoiselle Dash.

Du Leary tout craché, pensa-t-elle. Impatient, suffisant et imprévoyant. Pensant accélérer les choses, il obtiendrait un procès long et cafouilleux où tout serait admissible.

— Merci, dit-elle en prenant un ton déférent. Docteur Flom, quelles autres insuffisances le bébé pourrait-il présenter à la naissance ?

— Insuffisances cardiaques et respiratoires, potentiellement fatales, commença-t-il à énumérer en comptant sur les doigts d'une main. Paralysie spasmodique des extrémités inférieures. Pied bot. Palais fendu. Oreilles mal formées... Mais le problème le plus grave, et insoluble, c'est l'absence de cerveau.

A la limite du champ de vision de Sarah, Margaret Tierney eut un mouvement de recul.

— Insoluble? Et la chirurgie fœtale pour réduire l'hydrocéphalie?

— On a essayé, en utilisant des drains utéro-ventriculaires pour évacuer le liquide. Dans un pourcentage relativement faible, moins de trente pour cent, le cerveau s'est développé normalement. Pour les autres, il n'y a pas eu d'amélioration. Excepté qu'ils ont vécu un peu plus longtemps que prévu, peut-être dans de grandes souffrances. En conséquence, notre profession a décidé un moratoire sur ce type d'intervention.

Le professionnalisme de Flom nourrissait la confiance de Sarah : son témoignage suivait la grille qu'ils avaient dessinée après des heures de travail.

— Considérons maintenant les conséquences potentielles pour Mary Ann si elle menait ce fœtus à terme, suggéra-t-elle.

— A terme, le fœtus hydrocéphale se présente presque toujours par le siège, ce qui est déjà problématique en soi. Mais c'est la tête qui constituerait le plus gros risque pour Mary Ann.

Sarah alla au chevalet et retira l'échographie, révélant le dessin d'un fœtus dans un utérus, les pieds en avant, la tête démesurément grosse.

— Est-ce là une représentation correcte de la position et des proportions du fœtus de Mary Ann s'il devait aller à terme? demanda-t-elle à Flom.

— Oui. Remarquez la tête. Elle a approximativement la taille d'un cantaloup ou d'un ballon de football.

— Votre Honneur, intervint Martin Tierney, le vocabulaire du Dr Flom est à la fois révoltant et inhumain. Ce n'est pas un «ballon de football». C'est la tête d'un enfant vivant : notre petit-fils, le bébé de notre fille. Ce témoignage cherche à épouvanter tout en évitant d'aborder ce que le Dr Flom considère apparemment comme une bagatelle : l'infanticide.

Sarah éprouvait une curieuse impression de dualité. Si l'attitude de Tierney reflétait une émotion sincère, sa rhétorique laissait penser qu'il avait parfaitement conscience de la présence des caméras et d'un public potentiel de millions de personnes.

— Le Dr Flom témoigne sur les réalités de l'accouchement que M. Tierney voudrait imposer à sa fille, dit-elle à Leary. Réalités qui incluent — qu'il veuille le reconnaître ou non — le danger que constitue pour elle la tête d'un fœtus grosse comme un ballon de football.

L'irritation colora le visage crémeux du juge. Les interventions des avocats offensaient son sens d'une salle d'audience bien tenue, dont il occupait le centre. Abruptement, il lança à Flom :

— Ballon de football ou melon d'eau, ne pouvez-vous pratiquer une césarienne pour accoucher ce bébé comme des millions d'autres ?

Le médecin parut un moment désarçonné puis se ressaisit.

— Cela dépend de quel type de césarienne vous parlez, Votre Honneur. Pour ce bébé, il faudrait une césarienne classique, ce qui ne se fait plus pour un fœtus normal : trop radical, trop risqué dans tous les cas, et plus encore pour une jeune fille de quinze ans dont le corps ne s'est peut-être pas complètement développé.

De la main, il mima le geste de trancher.

— Il faudrait ouvrir l'utérus, poursuivit-il. Ce qui présenterait un risque de rupture de douze pour cent environ à la grossesse suivante, un risque d'au moins cinq pour cent pour les capacités procréatrices de Mary Ann, comme l'a reconnu son médecin.

Leary hésita, et Sarah eut l'impression qu'il cherchait une issue.

— Votre Honneur, nous avons une pièce à conviction qui pourrait éclairer ce témoignage, intervint-elle.

Leary eut un bref hochement de tête. Sarah retourna au chevalet, remplaça le dessin par une photo aux couleurs vives. Leary blêmit. D'une voix lente et calme, l'avocate demanda :

— Pouvez-vous commenter cette photo, docteur Flom ?

— Oui. C'est la photo d'un utérus qui a éclaté après une césarienne classique. Outre le sang, vous noterez qu'il semble s'être déchiré au cours de l'accouchement. Ce qui est le cas, en fait.

Silencieuse, Sarah laissa ces derniers mots flotter dans la salle. Elle vit Margaret Tierney détourner les yeux. Leary trouva lui aussi une échappatoire en annonçant :

— Nous prendrons une pause d'un quart d'heure.

Quand l'audience recommença, Mary Ann ne regarda pas ses parents, qui ne tournèrent pas, eux non plus, les yeux vers elle. Sarah reprit l'interrogatoire du Dr Flom :

— En votre qualité de licencié en droit, et d'obstétricien qui a pratiqué des IVG tardives, estimeriez-vous légal — sans cette loi — de faire avorter une adolescente en bonne santé d'un fœtus normal ?

— Objection, intervint Thomas Fleming, représentant le ministère de la Justice. Vous demandez au témoin d'émettre un avis juridique, ce qui est une prérogative de la cour. Sans parler du caractère gratuit de la supposition : elle existe, cette loi.

— Elle contraint Mary Ann à être ici, riposta Sarah. La question est de savoir si elle est nécessaire pour endiguer une vague d'avortements tardifs ou si elle sert simplement à refuser une intervention chirurgicale d'urgence à des mineures enceintes.

— J'autorise la question, trancha Leary. Mais c'est bien de savoir que vous êtes là, dit-il à Fleming.

Dans le box du jury, les stagiaires du juge — des hommes — échangèrent un sourire. C'était un des traits que Sarah détestait le plus chez Leary : son penchant à faire de l'épate aux dépens des avocats pour amuser son public de sous-fifres.

— Pouvez-vous répéter la question ? demanda-t-elle au greffier.

Celui-ci s'exécuta et Flom répondit :

— Pour notre profession, c'est clair, même sans cette loi : il est illégal, après viabilité, de faire avorter d'un fœtus normal une femme bien portante. Quel que soit l'âge de la femme.

— Vous n'avez donc jamais pratiqué ce type d'avortement ?

— Non. Ni aucun médecin que je connaisse, dit Flom, se tournant vers la table de la défense. Ce que les adversaires de l'IVG ne comprennent pas — ou feignent de ne pas comprendre — c'est que les avortements tardifs sont rares : au-delà de vingt et une semaines, moins de un pour cent ; au-delà de vingt-quatre semaines, peut-être un pour mille.

« L'idée qu'on en ferait une utilisation routinière comme moyen de limitation des naissances est une insulte à ma profession. Malgré ce que prétend une certaine propagande, les médecins n'arrachent pas les bébés du ventre maternel quelque temps avant la naissance. Bien que, du fait de cette loi mal pensée, Mary Ann Tierney se rapproche chaque jour de cette situation.

Attention, le prévint Sarah du regard, et elle attendit avant de poser la question suivante.

— Supposons, docteur Flom, qu'une adolescente s'adresse à vous à son sixième mois de grossesse et vous demande un avortement parce que son petit ami l'a abandonnée.

— Malgré toute ma sympathie, je serais contraint de lui répondre que c'est illégal et je lui conseillerais une solution de rechange, comme l'adoption.

— Supposons qu'elle ait été violée.

— Ma sympathie serait plus grande encore, mademoiselle Dash, mais ma réponse resterait la même, dit l'obstétricien en écartant les mains. Il n'y a qu'en cas de menace importante pour la vie ou la santé de la mère, ou d'anomalie fœtale grave, que je pratiquerais un avortement tardif.

Sarah jeta un coup d'œil au juge : il semblait écouter avec une grande attention mais elle se demandait ce que cela pouvait signifier.

— A part l'hydrocéphalie, quelles sont les autres menaces courantes pour la vie ou la santé de la mère ?

— Un problème cardiaque ou un cancer — tout état dont une grossesse empêche ou retarde le traitement, répondit Flom.

Remarquant la direction du regard de Sarah, il se tourna de nouveau vers Leary.

— Il arrive souvent, Votre Honneur, que le traitement ait déjà été retardé par d'autres facteurs — pauvreté, absence de couverture médicale, usage de drogue ou simple ignorance — qui repoussent le diagnostic et rendent nécessaire un avortement tardif. Pour les adolescentes, vous pouvez en ajouter un autre : la volonté de dissimuler leur état.

— D'après votre expérience, pourquoi le font-elles ?

— Parce que, pour une quantité de raisons, elles ont peur.

Flom se tourna vers les bancs, ajouta avec une émotion contenue :

— Notamment — et c'est aussi une cause d'anomalie fœtale — quand il s'agit d'inceste.

— C'est fréquent ?

— Nous le voyons régulièrement. Et là, c'est un peu difficile d'en parler à papa et maman.

Martin Tierney se leva dans le silence qui suivit.

— Votre Honneur, commença-t-il lentement, je comprends que le Dr Flom voie défiler des tragédies sociales que nous déplorons tous. Il n'empêche qu'un fœtus est une vie. Et il ne faudrait pas que la triste réalité d'une famille — ou les accusations, vraies ou fausses, portées contre elle — prive d'autres familles, comme la nôtre, de la protection de cette loi.

C'était une tentative, un peu faible, d'émousser l'impact du témoignage de Flom.

— Votre Honneur, dit Sarah, il ne s'agit pas ici d'un inceste et nous reconnaissons volontiers que les Tierney sont des parents aimants. Mais un grand nombre de mineures concernées par cette loi n'ont pas autant de chance.

— Très bien, poursuivez, décida Leary.

— Dans les cas de famille à problèmes, quels sont les inconvénients de la nécessité de l'accord d'un parent pour une IVG tardive ? demanda l'avocate à son témoin.

Flom joignit l'extrémité de ses doigts d'un air pensif.

— La meilleure façon de répondre, c'est de vous raconter une histoire. L'année dernière, j'ai reçu un coup de téléphone d'une adolescente vivant dans un autre Etat. Elle était enceinte de trois mois, et la législation de cet Etat exigeait l'autorisation parentale pour *tout* avortement. Comme ce n'est pas le cas en Californie, une clinique lui avait donné mon nom.

«Cette fille pleurait au téléphone et j'ai fini par découvrir qu'il y avait un autre problème. Son père, alcoolique, l'avait violée, et elle avait peur d'en parler à sa mère.

Le médecin s'interrompit, se mordit la lèvre.

— Elle espérait que quelqu'un de la clinique pourrait l'amener ici en voiture. Mais le Congrès a aussi adopté une loi qui empêche toute personne autre que les parents de faire passer une mineure sans autorisation parentale d'un Etat dans un autre en vue d'un avortement. Une loi lui ordonnait d'en parler à ses parents, une autre l'empêchait de leur échapper.

«Je n'ai pu que conseiller à cette fille d'essayer de venir ici par ses propres moyens. C'est ce qu'elle a fait, trois mois plus tard. Elle était épuisée, sale et affamée, comme les autres fugueuses que nous recevons. Je lui ai demandé ce qui s'était passé...

Il prit une inspiration et reprit, d'une voix toujours calme mais lourde de colère :

— A cause de ces lois «protectrices», elle avait été contrainte de tout révéler à sa mère. Confronté à sa femme, le père s'était pendu. Et, malheureusement, la mère en avait rejeté la responsabilité sur sa fille.

«L'adolescente s'est enfuie. Quand elle est arrivée ici, elle était enceinte de six mois. Contrairement à ce qui se produit souvent en cas d'inceste, le fœtus était normal. Au lieu de la faire avorter, j'ai dû l'accoucher de l'enfant de son père mort. Elle essaie maintenant de l'élever seule.

Flom leva de nouveau les yeux vers Leary.

— En tant que médecin, je dois vous demander, Votre Honneur, pourquoi nous en sommes arrivés là. Le Congrès ne s'est jamais posé cette question. Il a adopté une loi puis une autre. Dieu sait combien d'autres tragédies ces lois causeront.

Il y eut un silence puis le juge suspendit l'audience pour le déjeuner.

3

Quand la défense entama le contre-interrogatoire du Dr Flom, ce fut Barry Saunders, non Martin Tierney, qui posa les questions au nom du fœtus.

Large d'épaules, la démarche traînante, l'avocat d'Engagement chrétien avait de petits yeux rusés, une bouche aux lèvres minces. Pour Sarah, c'était l'image même de l'entraîneur d'une équipe de football du Sud, avec tout ce que cela impliquait de bluff, de calculs et de rage de vaincre.

— Cette intervention que vous voulez pratiquer sur l'enfant de Mary Ann, commença-t-il d'une voix empreinte de dégoût, c'est bien ce qu'on appelle un avortement par «naissance partielle»?

Flom posa sur lui un regard calme.

— En médecine, cela n'existe pas. C'est une expression inventée par les politiciens et les militants anti-IVG.

Les mains sur les hanches, Saunders repartit :

— Vous voulez dire que les médecins ne font pas partiellement sortir le bébé avant de lui écraser le crâne?

— Certains docteurs, peut-être, répondit Flom. Si c'est la méthode la plus sûre pour protéger la vie ou la santé de la mère. Je n'ai pas l'intention d'y avoir recours.

— Vraiment? Vous préférez démembrer le fœtus et le faire sortir par morceaux?

Sous la table, la main de Mary Ann saisit celle de Sarah.

— Non, répondit l'obstétricien, dont le ton restait calme. Soyons clairs, monsieur Saunders. Traiter une urgence médicale qui nécessite un avortement tardif n'est ni simple ni agréable, pour la femme comme pour son docteur. A des fins de propagande, votre mouvement a tenté de faire adopter dans divers Etats des lois interdisant des méthodes très sûres pour la mère mais qu'on a présentées sous un jour macabre. Ces lois ont été rejetées : elles étaient trop générales pour qu'un médecin puisse savoir ce qui était illégal et constituaient un danger accru pour la mère. Nous avons maintenant cette loi, qui concerne *tous* les avortements tardifs dans *tous* les Etats, et exige une autorisation parentale. Elle m'interdit de protéger les capacités procréatrices de Mary Ann par quelque méthode que ce soit, y compris celle que personnellement j'envisagerais.

Saunders considéra l'obstétricien puis se tourna vers Leary.

— Je me rends compte que le témoin est idéologiquement engagé dans la lutte pour l'avortement, mais il devrait se limiter à répondre aux questions. Il aura tout loisir de faire ses discours sur le perron.

Sarah demeura assise pour contre-attaquer :

— Quand M. Saunders feint de ne pas comprendre le témoin et présente de manière fallacieuse les techniques médicales qui...

— Contentez-vous de répondre, intima le juge à Flom.

Saunders revint aussitôt à la charge :

— Comment avez-vous l'intention de mettre fin à la vie de l'enfant de Mary Ann Tierney?

Après un coup d'œil à Sarah, le médecin répondit poliment :

— Pardonnez-moi, mais nous devrions peut-être laisser à d'autres le soin d'établir si un fœtus sans cerveau a une « vie » telle qu'on l'entend généralement...

— Oh! nous y viendrons, le coupa l'avocat. Répondez à ma question.

— Une urgence médicale de ce type est une tragédie pour toutes les personnes concernées. La question est de savoir quelle technique serait la plus sûre pour Mary Ann. Me permettez-vous de faire un peu d'histoire?

Saunders leva brièvement les bras en un geste d'impuissance et d'impatience.

— Allez-y. Puisque rien ne semble devoir vous arrêter.

A la table de la défense, Martin Tierney plissait le front, et Sarah se demanda ce qu'il pensait du numéro de Saunders. La brutalité masquée et l'anti-intellectualisme de l'avocat d'Engagement chrétien semblaient à l'opposé de l'attachement du professeur au débat et à la raison. Elle décida en un instant de laisser faire Saunders et de faire confiance à Flom.

— Tout d'abord, on pense généralement que l'IVG tardive a commencé avec l'affaire Roe contre Wade et qu'elle constitue une extension particulièrement barbare de l'avortement à la demande. Mais, dès 1716, un traité médical anglais propose de sauver la vie de la mère en drainant le contenu du crâne du fœtus. C'est en gros ce que j'ai l'intention de faire, si possible. En l'occurrence, ce contenu sera essentiellement liquide, je suppose.

La petite bouche de Saunders eut une grimace de dégoût.

— Vous supposez beaucoup, docteur, quand il s'agit du petit-fils d'un autre. Peut-être pouvez-vous préciser comment vous vous proposez de supprimer cette vie que vous jugez sans valeur.

Sarah se leva à demi pour protester, se rassit aussitôt.

— Aucune vie n'est «sans valeur», rétorqua Flom d'un ton acerbe. Mais, en tant que médecin, j'ai conscience que l'anomalie qui condamne quasiment le fœtus menace aussi la capacité de Mary Ann à avoir des enfants normaux. Or cette loi m'empêche de la protéger par le moyen le plus sûr — ou n'importe quel moyen. Et, en tant que médecin, je m'en indigne.

«En cette qualité, monsieur Saunders, je suis confronté au problème de faire passer une boule remplie de liquide, anormalement gonflée — la tête du fœtus — par l'ouverture d'un organe semi-élastique, l'utérus, trop petit pour que cela soit possible sans endommager l'ouverture ou l'organe.

Sous la table, la main de Mary Ann pressait celle de Sarah. Leary était immobile sur son siège; ses stagiaires avaient cessé de ricaner et de chuchoter.

— Une technique — qu'apparemment vous désapprouvez, monsieur Saunders — consiste à faire sortir les pieds comme dans un accouchement par le siège puis à décompresser le crâne, continua Flom. La méthode que je considère comme la plus sûre consiste à décompresser d'abord le crâne. Sur le plan moral, je ne vois aucune différence. J'ai utilisé cette méthode mille trois cent soixante-sept fois, pour être précis.

L'obstétricien semblait s'adresser directement à Martin Tierney par-dessus l'épaule de Saunders.

— Sur tous ces cas, je n'ai eu que cinq hospitalisations pour complications, trois transfusions sanguines, aucune autre intervention chirurgicale, aucune stérilité. Si on m'y autorise, je ferai en sorte que Mary Ann puisse avoir plus tard des enfants.

Les yeux pâles de Martin Tierney avaient une expression songeuse. Comme s'il se parlait à lui-même, il secoua la tête, se leva et demanda au juge :

— Puis-je interroger brièvement le témoin, Votre Honneur?

Saunders se retourna, visiblement stupéfait de cette intrusion. Pour des raisons personnelles, Sarah la regrettait elle aussi : l'avocat d'Engagement chrétien offrait un terrain plus propice à Flom.

144

— Nous ne sommes pas dans un match de catch à quatre, protesta-t-elle.

— J'ai eu l'impression que le témoin s'adressait directement à moi, en qualité de père, voire de grand-père potentiel, se justifia Tierney. J'aimerais poser quelques questions dans cet esprit.

— Allez-y, répondit Leary. Vous pouvez vous rasseoir, monsieur Saunders.

Sans accorder un regard à Tierney, l'avocat regagna la table de la défense. Le père de Mary Ann s'approcha de Flom, lui demanda sur le ton d'une conversation intime :

— Il se pourrait, n'est-ce pas, que cet enfant naisse avec un cortex cérébral normal ?

Sarah réagit aussitôt :

— Objection. En théorie, presque tout est possible. La question est de savoir quelle probabilité…

— Vous témoignez ou vous indiquez simplement au témoin comment le faire ? l'interrompit Leary. Asseyez-vous, mademoiselle Dash. Répondez à la question, docteur Flom.

— C'est très peu probable, votre honneur.

— Mais médicalement possible, insista le juge.

— Posé en ces termes, oui.

Leary adressa à Sarah un regard triomphant. Impuissante, elle se demanda s'il s'était pris d'une telle aversion pour elle ou pour la cause qu'elle défendait, qu'il cherchait à la dévaluer devant sa cliente, son témoin et des millions de téléspectateurs.

Tierney reprit l'interrogatoire :

— Il faut aussi que vous sachiez, docteur Flom, que tout risque de stérilité pour Mary Ann nous angoisse plus, sa mère et moi, que nous ne saurions l'exprimer. Pouvez-vous l'accepter ?

— Bien sûr.

Il soupira, comme écrasé par ses responsabilités de parent, puis poursuivit :

— Vous évaluez ce risque à cinq pour cent, est-ce exact ?

— Oui.

— Mais ce n'est pas un chiffre absolu ?

— Non. C'est une estimation. Cela pourrait être plus, ou moins.

— Quatre pour cent, par exemple. Ou trois.

— Oui.

— En fait, certaines études le situent à deux pour cent, ou plus bas encore.

145

Flom hésita. Comme tout bon expert, avait remarqué Sarah, il devenait moins disert quand il se méfiait de son interrogateur.

— C'est vrai, admit-il. Ce qui nous sépare, c'est que je ne considérerais pas ce risque comme acceptable pour ma fille, si faible soit-il.

Tierney lui adressa un pâle sourire.

— Si mon petit-fils était «normal», de votre point de vue, et si Mary Ann courait le même risque, recommanderiez-vous aussi un avortement?

Dérouté, le médecin fronça les sourcils.

— Ce serait vraiment inhabituel. Je n'ai jamais rencontré ce genre de situation.

— Mettez-vous-y un moment. Sans la loi sur la protection de la vie, la décision vous appartiendrait.

Flom réfléchit, finit par répondre :

— Je ne crois pas, non.

— Donc, votre décision présente se fonde sur votre conviction que mon petit-fils n'est pas «normal», conclut Tierney.

— Je pense qu'il faut peser d'un côté la perspective d'une vie digne de ce nom pour l'enfant, et de l'autre les risques d'une césarienne classique.

Tierney se rapprocha du témoin en disant :

— N'est-ce pas se prendre un peu pour Dieu? Sur quels critères fonderez-vous votre jugement?

— Les critères de l'éthique médicale…

— Tels que *vous* les interprétez? Supposons qu'il n'y ait aucun risque pour Mary Ann mais qu'à six mois de grossesse vous découvriez qu'elle porte un bébé trisomique. En l'absence de loi sur la protection de la vie, pratiqueriez-vous un avortement si elle vous le demandait?

Flom croisa les bras, hésita.

— Dans ces circonstances, je ne serais pas partisan d'une IVG.

— Mais certains de vos confrères le seraient?

— Je ne peux répondre à cette question. Mais pourquoi serait-ce aux grands-parents et non à la mère de décider si elle peut élever un enfant trisomique? Je vous laisse le soin d'expliquer pourquoi c'est mieux.

Flom se pencha en avant, ajouta :

— Nous n'avons pas affaire à un enfant trisomique. Nous sommes face à une anomalie infiniment plus grave, avec des conséquences potentiellement terribles pour votre fille…

146

— Ce qui constitue, selon vous, une urgence médicale justifiant un avortement, enchaîna Tierney. Mais alors, qu'est-ce qui vous empêche d'estimer que toute personne souhaitant un avortement tardif fait face à une «urgence médicale»?

Pour la première fois, le médecin se hérissa.

— Mon sens de l'éthique, qui est aussi celui de ma profession.

— Puisque nous en sommes à parler d'éthique professionnelle, répondit Tierney, pas du tout impressionné, je crois vous avoir entendu dire qu'une intervention chirurgicale peut déboucher sur une naissance «normale» dans trente pour cent des cas de fœtus hydrocéphales.

— Approximativement, oui.

— Mais votre profession interdit maintenant ces interventions.

Flom se laissa retomber contre le dossier de son siège.

— Les résultats pour les soixante-dix autres pour cent étaient tragiques. C'était parfois condamner un enfant infirme et sa famille à plusieurs années de souffrance et de désespoir.

— L'éthique de votre profession vous permet donc de refuser à mon petit-fils ses trente pour cent de chances d'avoir un cerveau «normal», puis de le supprimer parce qu'il représente pour ma fille un risque très faible de stérilité?

A la table du plaignant, Mary Ann était parfaitement immobile.

— Professeur Tierney, dit Flom d'une voix tendue, nous discutons de suppositions, pas de faits. Si vous pouvez m'assurer que ce fœtus a cinq pour cent de chances d'avoir un cerveau, je serai ravi de l'entendre. Mais vous ne le ferez pas, parce que vous ne pouvez pas. Au lieu de quoi, nous avons cette loi.

— Qui protège notre fille et notre famille. Vous ne savez rien d'elle ni de nous, et vous proposez pourtant de vous mettre à notre place, sans connaître nos raisons.

— Non, déclara fermement Flom. Je propose de pratiquer la médecine, du mieux que je peux, et de laisser Mary Ann choisir. Que vous décidiez à sa place est méprisant pour la science médicale et pour elle.

Tierney parut hésiter. Fascinée, Sarah devinait que le père et l'avocat s'affrontaient en lui : avait-il suffisamment marqué de points? Poursuivre causerait-il plus de mal que de bien, pour sa cause et pour sa famille?

Assise à côté d'elle, Mary Ann semblait avoir cessé de respirer.

— Plus de questions, dit Tierney.

Sarah prit sa décision en une fraction de seconde et se leva.

— Pourquoi pratiquez-vous des IVG tardives, docteur Flom ?

— Pour protéger la vie et la santé de la mère, répondit le médecin avec une dignité lasse.

— Vous aimez cet aspect de votre métier ?

— Non. Il est difficile pour tout le monde. A l'origine, j'ai choisi ce métier pour mettre au monde des bébés, pas pour interrompre des grossesses à problèmes.

— Pourquoi votre pratique a-t-elle évolué ?

— Parce que j'ai découvert que des femmes avaient besoin de moi. Les gynécologues-obstétriciens sont appréciés, pas les docteurs qui pratiquent des avortements tardifs. Savez-vous pourquoi j'en ai pratiqué plus de mille ? Parce qu'il n'y a que deux médecins en Californie qui acceptent de le faire.

— Pourquoi si peu ?

— Parce que des mouvements comme Engagement chrétien s'acharnent sur nous. On s'en est pris à ma femme au supermarché, on lui a demandé pourquoi elle avait épousé un tueur de bébés...

— Je proteste ! clama Saunders. Les accusations portées contre Engagement chrétien sont des calomnies...

Sarah se tourna vivement vers lui.

— Vous protestez ? Moi, je proteste contre les manifestants que vous avez envoyés nous harceler ce matin. Je pensais que vous seriez assez fier de votre acte pour le reconnaître.

Elle s'adressa de nouveau à Leary :

— Votre Honneur, je vous prie d'excuser cet accès de colère, mais M. Saunders a insinué tout à l'heure que le Dr Flom faisait preuve de cruauté ou d'insouciance. Je demande qu'il le laisse au moins terminer sa réponse.

Pour la première fois, Leary sembla la considérer avec ce qui ressemblait à du respect.

— Finissez votre réponse, docteur Flom.

Le médecin se tourna vers Saunders.

— Ma femme et moi avons reçu des menaces de mort. Je ne peux que les prendre au sérieux puisque d'autres docteurs ont été assassinés. Avant de décider de venir témoigner, j'ai parlé à ma famille, j'ai consulté mes confrères à la clinique. Parce que mon témoignage devant des caméras de télévision les met en danger, eux aussi.

Lentement, il amena son regard sur le père de Mary Ann.

— Alors, non, professeur Tierney, je ne me prends pas pour Dieu. Je ne joue pas avec la vie des femmes, de ma famille et de mes confrères. Je voudrais simplement que le Congrès et vos amis me laissent faire mon métier du mieux que je peux.

Saunders s'apprêtait à répliquer mais Tierney lui pressa le bras et le silence se fit dans la salle.

— Plus de questions, dit Sarah.

4

— Si nous n'arrivons pas à vous faire confirmer sans que vous répondiez à une seule question sur l'avortement, nous sommes des amateurs, dit Adam Shaw à Caroline Masters.

Ils étaient assis à une longue table en bois dans une salle de réunion de l'aile ouest. Les autres personnes présentes — Ellen Penn et Clayton Slade — eurent un sourire entendu : Shaw avait déjà guidé deux autres candidats à la Cour suprême dans l'épreuve de la confirmation au Sénat et savait ce qu'elle avait de byzantin.

— Se prêter volontiers aux questions est risqué, prévint Ellen. Bob Bork a essayé, ça lui a été fatal. Si vous êtes prudente, les ressentiments qui remontent à la bataille pour la désignation de Bork ne vous retomberont pas dessus.

Une fois de plus Caroline eut l'impression d'avoir pénétré dans une zone d'ombre, entre droit et politique, où la franchise était une menace et la sincérité une malédiction.

— Alors, ce n'est pas l'occasion pour moi de faire étalage de mes talents.

— C'est l'occasion pour *eux*, dit Shaw. Vous devez convaincre de voter pour vous dix sénateurs sur dix-huit à la commission, et cinquante et un sur cent en séance plénière. Plus ils parleront, plus vous écouterez, moins vous risquerez de tout foutre en l'air.

Il coula à Ellen Penn un regard moqueur.

— La vice-présidente le sait bien, ses anciens collègues seront ravis de pouvoir s'exprimer longuement devant les caméras. A commencer par Chad Palmer.

— J'appelle ça la règle du quatre-vingts-vingt, dit Ellen à Caroline. S'ils parlent pendant quatre-vingts pour cent du temps, et vous pendant vingt pour cent, c'est gagné. Si on tombe à soixante-quarante, vous avez un problème ; à cinquante-cinquante, vous êtes dans la merde.

«Ces audiences peuvent vous briser. Notre tâche consiste à faire de vous dans les prochaines semaines la candidate la mieux préparée que la commission Palmer ait jamais interrogée.

Clayton approuva d'un hochement de tête.

— Nous vous fournirons des topos sur tous les sujets possibles. Nous aurons une équipe de profs de droit pour vous briefer sur les nouveaux problèmes. Nous vous soumettrons à des interrogatoires meurtriers...

— Des simulations d'audience? fit Caroline.

— «Interrogatoire meurtrier» reflète parfaitement l'esprit de la chose, répondit Shaw. A la porte de la salle d'audience, la Constitution s'arrête, Palmer et ses collègues deviennent Dieu. Les règles de la procédure ne s'appliquent plus, et certains membres de la commission ne respectent même pas celles de la simple décence. Ils pourraient vous forcer à mettre votre vie à nu, comme John Tower; à révéler vos revenus, comme Nelson Rockefeller; les propos que vous avez tenus devant la machine à café vingt ans plus tôt vous seront jetés à la figure, comme pour Clarence Thomas; les cassettes vidéo que vous avez louées, comme Robert Bork; vos dossiers médicaux, comme William Rehnquist; la drogue ou l'alcool que vous consommiez autrefois, comme Douglas Ginsburg; ou même votre façon de conduire quand vous étiez en fac, comme Dick Cheney. Et, pendant ce temps-là, la commission, le FBI, ainsi que tous les groupes d'intérêts à qui vous déplaisez continueront à fouiner dans votre vie.

Shaw se renversa en arrière, poursuivit avec moins de fougue:

— Notre boulot, c'est de faire en sorte que vos réponses soient convaincantes... et aussi pauvres que possible en informations. Pour que la commission recommence à faire des discours au lieu de vous poser d'autres questions.

Rien de tout cela ne décourageait Caroline. Ce qui n'était pas abordé et qui continuait à la préoccuper, c'était Brett, et le rôle ambigu de Chad Palmer, à la fois protecteur et interrogateur.

— Quand dois-je rencontrer le sénateur Palmer? s'enquit-elle.

— Bientôt, répondit Shaw. C'est par lui que vous commencerez votre série de visites de courtoisie à chaque membre de la commission. Nous vous dirons de qui vous devez vous méfiez...

— Mais Palmer est essentiel.

— Oui. Ainsi que Macdonald Gage, que vous rencontrerez plus tard et à qui il ne faudra surtout pas donner de munitions.

Caroline songea que sa confirmation dépendait des ambitions et des mobiles complexes de deux hommes qu'elle ne connaissait pas.

— Vous ne serez pas seule, dit Ellen. Le chef de la minorité et le leader démocrate à la commission veilleront sur vos intérêts. Nous recueillerons des témoignages de soutien à votre nomination, du barreau à l'AFL-CIO[1]. Enfin et surtout, il y a le président Kilcannon. Il a fait de votre confirmation le premier test de son mandat.

Quoique destinée à rassurer, la dernière remarque souligna l'enjeu pour toutes les personnes concernées.

— Je tâcherai de m'en souvenir, répondit Caroline avec ironie.

Tous les autres sourirent, Clayton compris.

— Quelle que soit la question qu'on vous pose, n'ayez pas l'air nerveuse, recommanda Shaw. Les caméras de télévision soulignent les tics. Quand ils dissimulaient la vérité, Al Haig remuait le genou et Kissinger se grattait le nez.

— Ce qui nous amène aux questions d'image, dit Clayton. Nous réserverons des places pour que votre famille et Jackson Watts puissent s'asseoir derrière vous. Vous ne voyez rien d'autre qui pourrait poser problème ?

— Une seule chose, répondit-elle. Notre cour d'appel s'apprête à faire connaître sa décision sur le cas d'un détenu nommé Orlando Snipes. Elle suscitera peut-être une controverse. Snipes est un braqueur de banques qui a porté plainte contre les autorités pénitentiaires de Californie pour que son compagnon de cellule arrête de le battre et de le violer. Le jugement rendu dans un premier temps par Lane Steele niait à Snipes le droit de poursuivre en just...

— Je connais Steele, coupa Shaw. Il se voit comme l'héritier spirituel de Roger Bannon. Sauf que, pour lui, c'est un compliment.

— Exactement. Quand j'ai appris la décision de Steele, j'ai demandé un réexamen. Onze d'entre nous y ont participé et ont inversé la décision par six voix contre cinq.

— Vous avez rédigé l'avis motivé ? demanda Clayton.

— J'aurais dû, mais le jour de l'audience, le président m'a choisie pour la Cour suprême. Alors mon ami et mentor Blair Montgomery s'est assigné cette tâche. Parce que je serais trop occupée, prétendit-il, mais il voulait en fait m'éviter des ennuis à la commission.

— Est-ce que ça marchera ? dit Ellen. Si vous avez été à l'initiative du réexamen, cela se saura, vous ne croyez pas ?

— Normalement non. Certains aspects — mon rôle, nos délibérations — ne doivent pas sortir de la salle d'audience. Blair s'est

1. American Federation of Labor-Congress of Industrial Organization : fédération de syndicats. (N.d.T.)

efforcé de donner l'impression que je n'étais qu'un des juges favorables à *sa* position.

— Steele a été contre? voulut savoir Shaw.

— Oui. Il a accusé Blair de «créer un nouveau passe-temps pour des prisonniers qui, privés de leurs occupations habituelles, peuvent maintenant faire violence à la vérité». Il se prend pour un ciseleur de phrases.

Shaw fronça les sourcils.

— Apparemment Montgomery vous a tirée d'affaire, mais restons sur nos gardes. Il nous faudrait une copie de sa décision et une trace de l'opposition de Steele.

Caroline hocha la tête.

— Autre chose que je pourrais faire?

— Il s'agit plutôt de ce que vous ne devez pas faire, rectifia Clayton en croisant les bras. Pour le moment, nous sommes partis pour gagner. Alors, entre aujourd'hui et le jour du vote en séance plénière au Sénat sur votre nomination, comportez-vous comme le jeune marié juste avant la cérémonie : vous ne dites rien, vous restez dans votre coin. Pas de discours, pas de lettres, pas d'apparitions en public.

«Il nous faut cinquante et une voix, nous en voulons cent. Parce que, si vous avez des ennuis et si Mac Gage le sent, il pourrait mener une manœuvre d'obstruction et empêcher tout vote.

— Sur une nomination à la Cour suprême? s'étonna la juge. C'est déjà arrivé au Sénat?

— Pas de mémoire d'homme, et il faudrait vraiment que Gage ait des couilles pour s'y risquer. Mais ne sous-estimons pas sa haine pour le président et sa volonté de le déstabiliser. Selon le règlement du Sénat, quarante et une voix suffisent à Gage pour faire obstruction. Ce qui signifie que vous pourriez avoir cinquante-neuf sénateurs en votre faveur et ne jamais accéder à la Cour suprême.

Ellen, étonnée, se tourna vers Slade.

— Cela me paraît peu probable. Gage est peut-être obsédé par l'idée de démolir le président, mais cette manœuvre diviserait profondément le Sénat. Il n'est pas fou.

— Non, convint Clayton. Mais je crois qu'il n'est pas libre de ses choix. Il doit rendre des comptes à certaines personnes.

Bien qu'elle fût au centre de la discussion, la juge Masters se sentait dans la peau d'une profane sur le point d'entrer dans un monde qu'elle ne parvenait pas à saisir. Un moment, la vice-présidente plissa les yeux, l'air songeur, puis se tourna vers Caroline.

— Suivez simplement les règles et apprenez votre texte, lui conseilla-t-elle. Nous nous chargeons du reste.

5

En regardant Siobhan Ryan prendre place, Sarah sentit le poids de ses propres responsabilités. En tant qu'avocate, elle ne devait se soucier que de sa cliente ; en tant que femme, elle aurait préféré que Ryan ne vienne pas témoigner. Barry Saunders aussi, manifestement.

— Votre honneur, dit-il, nous connaissons bien Mme Ryan. C'est un témoin professionnel pour l'avortement et son opposition à la loi sur la protection de la vie est notoire. En outre, elle relate une expérience d'adulte, non de mineure. Ses déclarations ne peuvent donc être que partiales et sans rapport avec Mary Ann Tierney.

— Elles sont tout à fait en rapport avec l'affaire, répliqua Sarah, et M. Saunders le sait. La cour a déjà souligné qu'elle était disposée à entendre tous les témoignages et à juger elle-même de leur pertinence.

De son fauteuil, Ryan observait l'échange avec une résignation lasse, comme si elle avait l'habitude des attaques. Proche de la quarantaine, elle avait un teint pâle, des traits délicats, des yeux sombres et ronds, des cheveux noirs coupés près du crâne.

— Si ses déclarations sont hors de propos, je les interromprai, signifia Leary à Saunders.

Sarah se dirigea vers son témoin, consciente que la caméra la suivait, présence indésirable qui rendrait la vie de Siobhan Ryan plus pénible encore.

«Je suis désolée, lui avait dit l'avocate à leur première rencontre. Si vous ne venez pas témoigner...

— Ce sera pire pour cette fille», avait achevé Ryan d'une voix douce et claire.

Assise au bord de son fauteuil, elle faisait penser à un moineau désireux de s'envoler.

— Pouvez-vous nous rappeler votre identité ? lui demanda l'avocate.

— Siobhan Elizabeth Ryan.

— Vous êtes mariée ?

— Oui.

— Avez-vous été élevée dans une tradition religieuse ?

— Mes parents sont catholiques irlandais. J'ai grandi au sein de l'Eglise.

— Etes-vous toujours catholique pratiquante ?

— Oui.

— Et pro-vie ?

— Objection, Votre Honneur, intervint Saunders. Que Mme Ryan se déclare pro-vie est une insulte à notre mouvement et une tromperie.

Sarah ne condescendit pas à le regarder.

— Nous sommes dans un tribunal, pas dans l'église de Barry Saunders, dit-elle à Leary. M. Saunders n'a pas le pouvoir d'excommunier les témoins de Mary Ann Tierney.

La remarque amena un sourire aux lèvres du juge. Cette fois, la télévision jouait en leur faveur, Sarah en était convaincue : Leary ne pouvait décemment pas imposer silence à cette femme d'allure fragile sur l'injonction d'un homme au ton autoritaire.

— Laissez parler Mme Ryan, dit-il à Saunders. Nous vous entendrons bien assez tôt.

Sarah se tourna de nouveau vers son témoin, qui répondit d'une voix ferme :

— Oui. Je suis moralement opposée à l'avortement comme moyen de limitation des naissances.

— Avez-vous toujours été de cet avis ?

— Toujours. Mes parents étaient et sont intransigeants sur ce point. Quand j'étais adolescente, je participais aux manifestations organisées par le prêtre de notre paroisse devant un centre de planning familial.

Ryan inclina la tête, parut regarder à l'intérieur d'elle-même.

— Je n'étais pas très tolérante, à l'époque, poursuivit-elle. A dix-neuf ans, quand ma meilleure amie s'est fait avorter, j'ai cessé de lui parler. J'en ai honte, maintenant.

— Vous continuez à penser qu'elle avait tort ?

— Oui. Mais elle méritait une amie plus fidèle.

— Votre expérience d'adulte a-t-elle confirmé votre point de vue pro-vie ?

Ryan regarda Martin Tierney.

— Je suis infirmière en pédiatrie. Presque tous les jours, j'assiste au miracle de la vie et aux progrès que la science médicale a réalisés — de la chirurgie fœtale aux soins aux prématurés — pour la préserver. Pour moi, la science a montré que le fœtus n'est pas un simple assemblage de cellules et que nous avons le devoir de le sauver.

La sincérité évidente de la réponse rendait la présence du témoin plus impressionnante encore, pensa Sarah.

— Peu après votre mariage, vous êtes tombée enceinte?

— Oui.

— Au début de votre grossesse, avez-vous passé des tests prénatals?

— Non. Je n'avais que vingt-cinq ans, un âge bien inférieur à celui dit «à risques», et mon mari et moi ne croyions pas que l'avortement puisse être la réponse à une infirmité.

Cette fois encore, Ryan se tourna vers Martin Tierney, qui, plus que Sarah, semblait être pour elle une référence morale.

— Nous nous sentions capables d'aimer et d'élever un enfant trisomique, ajouta-t-elle.

Sarah se rapprocha d'elle.

— Avez-vous finalement passé une échographie?

— A quatre mois de grossesse. Tout allait bien mais on ne pouvait pas déterminer le sexe de l'enfant. Mon médecin, un membre de la paroisse et un ami de ma famille, a proposé d'en refaire une autre six semaines plus tard.

— Pendant ces six semaines, avez-vous senti un changement quelconque dans votre état?

— Je me sentais plus lourde que je ne m'y attendais, et j'avais le ventre plus gros que les autres femmes au même stade, répondit Ryan d'un ton monotone, comme pour vider de sa souffrance une histoire trop souvent racontée. Mais je me disais que ce n'était rien.

Du coin de l'œil, Sarah vit Saunders remuer sur son siège. Impassible au contraire, Tierney fixait le témoin d'un regard sans animosité.

— Pouvez-vous nous dire ce qui est arrivé après la deuxième échographie? demanda-t-elle.

Le témoin ferma un instant les yeux, prit une inspiration.

— Quand nous sommes entrés dans son cabinet, le Dr Joyce examinait l'échographie. C'était la première fois que je voyais un médecin pleurer...

Saunders se leva, lentement cette fois, donna à sa voix un ton sombre et respectueux :

— Votre Honneur, ce témoignage est manifestement douloureux.

Je propose qu'il soit remplacé par une déposition écrite. La partie civile n'a pas besoin d'imposer une telle épreuve à Mme Ryan.

L'hypocrisie de la suggestion était renversante, pensa Sarah. L'impact du témoignage de Ryan sur les téléspectateurs pouvait être dévastateur pour Engagement chrétien, et Saunders s'efforçait d'éviter une catastrophe. L'avocate ravala la réplique cinglante qui lui venait aux lèvres, s'en remit à l'opinion de Ryan sur Barry Saunders. D'une voix mesurée, Sarah dit à Leary :

— J'apprécie la proposition de M. Saunders. Peut-être convient-il de demander au témoin comment il veut poursuivre.

— Madame Ryan ? fit le juge.

Les yeux embués, celle-ci répondit :

— Je suis prête à continuer.

Sarah la remercia et reprit :

— Que vous a dit le docteur ?

— Que c'était un garçon. Qu'il présentait des malformations fœtales graves, notamment des poumons qui n'étaient quasiment pas développés. Après ce jour, je n'ai plus jamais senti mon bébé bouger. C'était comme s'il avait entendu et renoncé à lutter.

— Vous, avez-vous renoncé ?

— Non. Dans les semaines qui ont suivi, Mike et moi avons vu trois spécialistes de la chirurgie fœtale. Deux ont déclaré que c'était sans espoir. Un troisième a dit qu'avec de la chance il réussirait peut-être à faire vivre notre fils un an, mais que cela coûterait très cher.

— Vous étiez prête à le faire ?

— Oui. Mike et moi espérions contre tout espoir que, si nous lui donnions un an, il se passerait quelque chose. Une découverte médicale peut-être.

— L'opération a eu lieu ?

Ryan leva les yeux vers le plafond, comme pour échapper au poids qui l'oppressait.

— Non. J'étais déformée par un excès de liquide amniotique. Au moment où je devais être opérée, mon utérus avait les dimensions de celui d'une femme enceinte de deux mois et demi de plus, et la tête de notre fils avait commencé à gonfler.

— Cela a modifié le point de vue du médecin ?

— Le sien et le mien. Le bébé avait une forme d'hydrocéphalie pouvant empêcher le développement du cerveau. Pour le mettre au monde, le Dr Joyce aurait dû pratiquer une césarienne classique.

156

— Cela a influencé votre décision ?

Ryan pressa ses mains l'une contre l'autre.

— Nous pouvions peut-être donner des poumons à notre bébé, mais pas un cerveau. Bien sûr, nous ne pouvions pas être certains non plus qu'il n'en avait pas.

— Comment avez-vous résolu ce dilemme ?

Elle se détourna, eut un léger haussement d'épaules.

— En tant qu'infirmière, je connaissais les risques d'une césarienne classique. Et Mike et moi voulions avoir d'autres enfants.

— Qu'avez-vous fait ?

— Nous avons prié, répondit-elle d'une voix tremblante, les yeux brillants de larmes. Nous avons décidé de me faire avorter de notre fils.

Sarah laissa à Ryan le temps de se ressaisir avant la question suivante :

— Votre médecin a accepté de pratiquer l'intervention ?

Le bref hochement de tête de Ryan ressemblait à un tic.

— Il a refusé, et notre prêtre nous a conseillé de ne pas le faire. Nous avons fini par en trouver un autre qui nous a dit que ce n'était pas un péché, que Dieu nous a fait don de la raison pour quelque chose.

Sarah vit Martin Tierney secouer lentement la tête.

— Qu'est-ce que vous avez fait, alors ? demanda-t-elle.

— Nous avons trouvé un spécialiste à San Francisco. Le Dr Mark Flom. Après l'intervention…

Ryan s'interrompit, fixa un moment le vide, reprit d'une voix claire et assurée :

— Notre fils n'avait pas de cortex cérébral. Ils lui ont mis un bonnet sur la tête avant de nous le donner. Nous avons pu le tenir dans nos bras, le pleurer, l'enterrer.

Sarah laissa de nouveau quelques secondes passer avant de poursuivre.

— Vos parents ont-ils approuvé votre décision ?

— Non. Pendant trois ans, ils ont refusé de me voir ou de me parler.

— Qu'est-ce qui les a fait changer d'avis ?

Un moment, Ryan sembla absorbée par le passé puis elle répondit à voix basse :

— La naissance de notre fille aînée.

Lara passa un bras par-dessus l'épaule de Kerry pour lui tendre un whisky avec glaçons, l'embrassa sur la nuque et demanda :

— Qu'est-ce que tu regardes ?

— Le procès. L'avocate de la fille a l'air bien partie pour baiser Engagement chrétien.

Lara vint s'asseoir à côté de lui sur le canapé. Il faisait nuit à Washington. Seule la faible lueur d'une lampe éclairait le bureau de Kilcannon. Sur l'écran du poste, Sarah Dash faisait face au témoin.

— *Outre cette rupture avec vos parents, quelles ont été les conséquences de votre décision d'avoir une IVG tardive ?*

La caméra fit un gros plan sur Ryan. Ses yeux étaient lumineux, son expression tranquille.

— *J'avais honte, au début. Ensuite j'ai rencontré d'autres femmes qui avaient subi la même intervention pour des raisons médicales. Toutes avaient désiré ensuite une autre grossesse. L'une d'elles m'a appris que la loi sur la protection de la vie était en discussion au Congrès et m'a demandé si j'étais prête à témoigner devant le Sénat. C'est là que tout a commencé.*

Kerry se sentit mal à l'aise. La nécessité de faire campagne en Californie, quoique réelle et pressante, lui avait fourni une excuse commode pour ne pas participer au vote.

— Je compatirais au sort de Saunders s'il le méritait, dit-il à Lara.

— Quel objectif poursuiviez-vous en témoignant devant le Sénat ? demanda Sarah.

Ryan se tourna de nouveau vers Martin Tierney.

— Si j'avais eu seize ans au lieu de vingt-six, mes parents ne m'auraient pas autorisée à avorter. Le fils et les filles que j'ai maintenant n'existeraient pas. Je craignais que les sénateurs ne le comprennent pas et n'enlèvent à des adolescentes l'espoir d'avoir d'autres enfants. C'est ce que j'ai dit à la commission.

Elle marqua une pause, ajouta :

— Ils ont adopté la loi quand même. Et nous en sommes là.

Sarah jeta un coup d'œil à Barry Saunders. Les mains à plat sur la table, il était prêt à se lever.

— Votre témoignage contre ce texte a-t-il eu des conséquences pour vous et votre famille ?

— Objection, intervint aussitôt Saunders. Quels que soient les préjudices que le témoin prétend avoir subis, ils n'ont rien à voir avec le caractère manifestement constitutionnel de la loi, ni avec son objectif.

— Elles ont tout à y voir, contra Sarah. Engagement chrétien participe à une campagne pour intimider les femmes qui s'élèvent contre cette loi, laquelle découle d'ailleurs des efforts de ses membres pour présenter sous un faux jour une nécessité médicale afin de porter atteinte au droit à l'avortement en général...

— Votre Honneur, tonna Saunders, je proteste, on calomnie nos motivations...

— Vous n'avez pas hésité à dénigrer celles de Mme Ryan, fit remarquer le juge. Asseyez-vous et écoutez la suite.

Pour Sarah, les changements d'humeur de Leary étaient impossibles à prévoir. Elle s'empressa de profiter du dernier :

— Y a-t-il eu des conséquences pour votre famille ?

— Plusieurs, répondit Ryan. Engagement chrétien a manifesté devant chez nous le jour de la première communion de ma fille. Il a ensuite montré une photo de la tombe de notre fils sur sa page Web, en mettant en cause ma sincérité devant le Sénat...

— Qu'a-t-il prétendu ?

— Que j'avais exagéré les problèmes médicaux de notre fils et les miens pour promouvoir la cause de l'avortement. Que, à cause du meurtre de mon enfant, ils avaient besoin de dons plus nombreux afin de protéger la vie d'autres bébés.

Le témoin parlait d'un ton froid en regardant directement Saunders.

— Je ne sais pas combien ils ont collecté d'argent en exploitant l'histoire de notre fils. Ce que je sais, c'est que Mike et moi avons reçu des lettres haineuses, des coups de téléphone menaçants et que deux des camarades de classe de ma fille nous ont traités d'assassins.

— Votre Honneur...

Ignorant l'intervention de Saunders, Ryan se tourna vers Tierney.

— Je partage presque toutes vos convictions, monsieur Tierney, et je ne doute pas de votre sincérité. Mais ces gens se fichent de votre famille comme de la mienne. Nous ne sommes pour eux que l'occasion de faire de la propagande et de collecter des fonds...

Le juge abattit bruyamment son marteau, son expression sévère atténuée par la lueur amusée de son regard.

— Je crois que vous avez parfaitement fait comprendre votre point de vue, mademoiselle Dash. La défense procédera au contre-interrogatoire après une suspension d'un quart d'heure.

— Merci, votre Honneur.

Au moment où Leary descendait de la tribune, Martin Tierney prit Saunders à part et lui murmura quelques mots.

Deux minutes plus tard, quand Sarah sortit prendre un peu l'air, les manifestants avaient disparu.

6

Sarah ne s'étonna pas quand ce fut Martin Tierney et non Barry Saunders qui procéda au contre-interrogatoire au nom du fœtus : l'un des points cruciaux du procès, c'était la personnalité de celui qui parlerait en faveur du mouvement pro-vie. Des deux hommes, Tierney était le plus fermement attaché aux principes, mais aussi le plus subtil et le plus dangereux, estimait l'avocate. A côté d'elle, Mary Ann regardait son père avec un mélange d'amour et de ressentiment, tandis que Ryan l'observait avec une sympathie qu'elle n'éprouvait pas pour Saunders. Tierney restait à distance du témoin, exprimant par cette attitude comme par la mansuétude de son ton que les circonstances étaient pénibles pour lui et pour elle.

— Vous croyez que, dès sa conception, le fœtus est une vie, commença-t-il.

— Oui, je le crois.

— Donc, quelles que soient ses justifications, ma fille a l'intention de supprimer la vie de son fils.

Ryan baissa les yeux un instant, affronta de nouveau ceux de Tierney.

— Oui.

— Pensez-vous que votre situation était la même que celle de Mary Ann ?

— Dans les détails ou d'une manière générale ? Nous devions toutes deux subir une césarienne.

— Mais vous, vous aviez un excès de liquide amniotique. Le danger n'était-il pas plus grand pour votre santé ?

— A la fin, oui. Je ne pouvais plus marcher et le liquide comprimait mes poumons. Il m'était si difficile de respirer que j'avais peur de dormir.

— En d'autres termes, votre état menaçait votre vie ?

— Oui.

Tierney croisa les bras, contempla le sol, donnant l'image non d'un interrogateur implacable mais d'un père profondément concerné, cherchant à résoudre un différend avec une femme de bonne volonté.

— Imaginez, reprit-il, que votre fille aînée ait maintenant quinze ans et soit enceinte. Si elle voulait avorter, l'en empêcheriez-vous ?

— J'essaierais.

— Pourquoi ?

— Parce que je pense que l'avortement à la demande est un péché. Et tout péché fait mal à qui le commet.

— Donc vous témoignez en faveur de Mary Ann uniquement parce que vous estimez que sa grossesse comporte des risques médicaux ?

— Oui.

— Et les risques moraux et psychologiques ? Sont-ils différents pour votre fille et la mienne ?

Ryan baissa les yeux, joua avec son alliance.

— Chaque enfant est différent, répondit-elle enfin. Mais je pense que les principes sont les mêmes. Ainsi que les risques de séquelles psychologiques.

— Vous avez rencontré, dites-vous, plusieurs femmes ayant subi un avortement tardif, rappela Tierney. Y en avait-il dont vous désapprouviez la décision ?

— Il y en avait une. Pour qui j'avais pourtant beaucoup de sympathie. Le fœtus souffrait de graves problèmes cardiaques qui rendaient sa survie très improbable. Elle a décidé qu'elle ne pourrait supporter de voir son nouveau-né mourir.

C'était la plus mauvaise réponse possible pour Sarah, qui voyait clairement où cela pouvait mener.

— Et elle a pris sa vie quand il était encore dans son ventre pour s'épargner une épreuve, dit Tierney.

— Oui.

— Vous ne trouvez pas cela justifié, n'est-ce pas ?

— Pas selon mes convictions morales. Je pense que chercher la perfection et éliminer les épreuves que Dieu nous envoie n'est jamais plus condamnable que lorsqu'il s'agit d'enfants à naître. D'ailleurs, à mes yeux, la peine n'est pas plus facile à porter, au contraire. Dans un cas, elle vient de Dieu ; dans l'autre, de soi-même.

— Vous voudriez épargner cette souffrance à votre fille ?

— Si possible. Oui.

— Supposons maintenant que son état nécessite une césarienne qui, selon un médecin — favorable à l'avortement —, comporterait un risque de stérilité de cinq pour cent. Connaissant le traumatisme que constitue un avortement, et convaincue qu'il revient à supprimer une vie, votre décision en tant que parent serait difficile?

— Extrêmement difficile, répondit Ryan. Je comprends chacun de vous.

— Alors comment pouvez-vous être sûre que, pour notre fille, vous ne prendriez pas la même décision que nous?

Sarah se leva à demi pour objecter puis se rendit compte que ce serait inutile. Appuyé sur les coudes, Leary suivait l'échange avec une vive attention.

— Je n'ai aucune certitude, dit Ryan. Mais je crois que, quand un bébé a aussi peu de chances de survivre et que la possibilité d'avoir d'autres enfants est menacée, il faut tenir compte de la volonté de la mère. Ne pas en tenir compte, comme vous le faites, et affronter sa fille au tribunal comporte aussi des risques.

Elle s'interrompit pour reprendre des forces et conclut :

— J'aime ma mère et mon père, professeur Tierney. Mais nous nous sommes brouillés et, depuis, nos rapports ne sont plus les mêmes. Je me fais du souci pour les vôtres.

Cette mise en garde triste et mesurée prit Tierney de court et approfondit le silence dans la salle. A la table de la défense, Fleming et Saunders le regardaient fixement. Tierney était passé de l'état de père angoissé à celui d'avocat confronté à un dilemme classique : trop sûr de ses rapports avec le témoin, il avait posé une question de trop.

Tierney fit ce que Sarah aurait fait à sa place : il retourna s'asseoir.

Allie Palmer se laissa aller en arrière, posa la tête sur l'épaule de Chad. Mais, au moment où l'image de Sarah Dash traversa l'écran de leur poste, il sentit qu'elle s'écartait légèrement de lui.

— Pourquoi as-tu voté pour cette loi? demanda-t-elle.

La question avait des échos de vieux différend qu'on ne soulevait plus mais qui n'avait jamais été tout à fait enterré.

— Parce que je pense que l'avortement est un meurtre, répondit-il d'une voix calme. Que toi et moi ne soyons pas d'accord là-dessus, c'est de l'histoire ancienne. J'ai de la sympathie pour le père de cette fille. Je veux aussi être président, et je me suis déjà aliéné la moitié de mon parti avec la réforme sur le financement des campagnes électorales. Même si j'étais de ton avis, voter contre cette loi aurait été aussi inconscient que Gage imagine que je le suis.

Elle eut un rire sans joie.

— Les grands garçons qui jouent à des jeux de grands. Quelle importance, la tragédie d'une gamine ?

Doucement, Chad se dégagea et quitta la pièce.

7

Assise devant le bureau de sa chambre, Sarah revoyait ses notes pour le premier témoin du lendemain, le Dr Jessica Blake.

Il était dix heures du soir et, de la rue luisante de pluie froide, des bruits étouffés montaient vers la fenêtre de l'appartement du deuxième étage : pneus faisant gicler l'eau des flaques, rafales de vent faisant trembler les carreaux à travers lesquels apparaissait de temps à autre la perche d'un tramway. Après le stress de la salle d'audience, ces bruits avaient quelque chose d'apaisant, comme — curieusement — la présence de Mary Ann, qui préparait un contrôle dans la chambre d'ami après un dîner avec ses parents, qu'elle avait décrit comme une « tension silencieuse ».

Aux bruits extérieurs s'ajoutait le ronron de la télévision, une rediffusion du procès sur une chaîne câblée. Sarah levait parfois la tête vers l'écran, sur lequel elle voyait Martin Tierney ou elle-même, un carré masquant les visages et un bip remplaçant les noms. Elle appuya sur un bouton de la télécommande pour que son image disparaisse de l'écran : elle avait du mal à se faire à l'idée qu'elle était en train de devenir célèbre, ou connue, et cela la déconcentrait.

Le téléphone sonna, elle décrocha aussitôt.

— Sarah Dash ? fit une voix d'homme. Bill Rodriguez du *San Francisco Chronicle*. Nous aimerions avoir votre réaction sur un article d'*Internet Frontier* qui identifie la famille Tierney et souligne son engagement dans le mouvement pro-vie.

Abasourdie, Sarah mit un moment pour répondre :

— Je n'ai pas de commentaire à faire. La règle est la même que pour les affaires de viol et de mauvais traitements, dans lesquelles votre journal a pris soin de respecter l'anonymat des mineurs. Tout article sur cette affaire porterait atteinte à la vie privée de ma cliente...

— C'est déjà fait, coupa Rodriguez. Et *Frontier* estime que l'identité des Tierney est trop importante pour qu'on ne la publie pas. Des millions de gens suivent le procès à la télé. Si nous ne pouvons rien écrire, nous sommes désavantagés.

— Alors, *Frontier* est votre mauvais génie? répliqua Sarah. S'ils publient des saletés, vous voulez les imiter?

— Si votre cliente est assez âgée pour se faire avorter, elle l'est aussi pour parler elle-même, repartit sèchement le journaliste. Passez-la-moi, mademoiselle Dash. Je sais qu'elle est chez vous.

Luttant pour maîtriser sa voix, Sarah répondit :

— Vous voulez un commentaire?

— Ce serait déjà ça.

— D'accord. Allez vous faire foutre.

Elle raccrocha, le cœur battant, essaya de se calmer. Elle avait perdu son sang-froid. L'indignation n'excusait rien. La seule question qui se posait maintenant, c'était qui elle devait prévenir en premier : Mary Ann, Martin Tierney ou le président de son cabinet juridique. Au bout d'un moment, elle décrocha de nouveau le téléphone.

— Professeur Tierney? Sarah Dash, j'espère que je ne vous réveille pas.

— Me réveiller? fit-il avec un rire bref et amer. Après ce coup de fil du *Chronicle*...

Il est déjà au courant, pensa-t-elle.

— A part Barry Saunders, qui d'autre sait que votre fille est ici? Tierney ne répondit pas.

— Engagement chrétien vous tire dans le dos, poursuivit-elle. Vous les avez forcés à rappeler leurs manifestants, ça les préoccupe. Ils veulent vous mouiller le plus possible. Tant pis pour Mary Ann...

— Cessez d'accuser les autres et assumez vos propres responsabilités, dit-il d'une voix lasse. A commencer par la position que nous prendrons demain, quand Efrem Rabinsky reviendra au tribunal.

Comme Tierney l'avait prédit, l'avocat des Médias Unis les attendait, avec l'expression satisfaite d'un homme armé du droit du public à l'information. Lorsque Leary les fit asseoir à sa table de réunion, ce fut Rabinsky qui ouvrit le feu :

— Nous connaissons tous la situation. L'identité des Tierney circule sur le Net. C'est regrettable mais c'est un fait. Laissez-moi vous lire l'éditorial d'*Internet Frontier*.

Il prit ses lunettes de lecture, baissa les yeux vers un imprimé d'ordinateur.

— «Le cœur du problème, ce n'est pas seulement le droit des

enfants à naître ni l'identité de ceux qui parlent pour eux. Ce n'est pas non plus une affaire de jurisprudence ni de témoignages d'experts, cita-t-il. La question primordiale, c'est de savoir si un intellectuel renommé, membre du mouvement pro-vie, qui partage avec son épouse une longue histoire de lutte pour des principes, de la guerre du Vietnam à la peine de mort, a le droit d'invoquer ces principes dans le cas de sa fille de quinze ans. Car si ces parents-là n'en ont pas le droit, l'autorisation parentale — à laquelle une majorité d'Américains est attachée — cessera d'être un moyen de réglementer l'avortement. »

Rabinsky s'éclaircit la voix, leva les yeux vers Leary.

— Quels que soient leurs motifs, l'argument est intéressant. Et si les médias traditionnels ne peuvent pas couvrir cet aspect de l'affaire, les lecteurs, les auditeurs, les téléspectateurs iront en masse chercher les informations sur Internet. Autrement dit aux sources les moins responsables.

Leary plissa les lèvres. Imbécile, eut envie de lui lancer Sarah. Tu t'attendais à quoi ?

— Ces gens ont enfreint mon injonction, répliqua-t-il. Vous me demandez de les récompenser.

— Pas du tout, répondit Rabinsky. Je vous demande de ne pas punir ceux qui l'ont respectée et qui se trouvent maintenant désavantagés. Internet est une hydre qui a tellement de têtes qu'elle est incontrôlable. D'autres sites suivent déjà l'exemple de *Frontier*. Le temps qu'ils fassent appel de votre injonction et qu'un autre tribunal se prononce, le problème ne sera plus que de pure forme...

— Inculpez-les d'outrage à magistrat, coupa Tierney avec une colère inhabituelle chez lui. Aujourd'hui même, tous ceux qui ont révélé notre nom...

— Tous ? fit Rabinsky. Impossible de remettre le génie dans la bouteille. Quand vous avez choisi d'intervenir au nom du fœtus et de le représenter vous-même, vous avez placé votre identité au centre de cette affaire. Le juge Leary n'a pas compétence pour inculper tout Internet, sans parler des simples citoyens qui discutent de l'affaire. Demandez-vous donc si vous n'êtes pas la cause de toute cette attention et si vous ne devriez pas au contraire la rechercher, au moins à certains égards. Au lieu de faire des médias un adversaire, faites-en le véhicule de vos opinions...

— Mary Ann Tierney n'est pas un «véhicule», protesta Sarah. C'est une jeune fille de quinze ans qui veut qu'une tragédie personnelle reste personnelle. Ce tribunal lui doit au moins de faire appliquer ses propres injonctions.

Leary se tourna vers Fleming.

— Le ministère de la Justice a une position ?

— Notre position — et les défenseurs des droits des enfants devraient lui faire écho —, c'est qu'on nuirait gravement à Mary Ann en ne protégeant pas son anonymat.

— Monsieur Saunders ?

— Nous sommes ici à l'invitation de M. Tierney, votre honneur. Nous nous en remettons à lui.

Ce n'était pas une ferme déclaration de soutien mais cela suffit apparemment à Tierney, qui déclara au juge :

— Toutes les parties sont d'accord. Le seul qui veuille que ma famille soit plus encore exposée aux indiscrétions, c'est M. Rabinsky, qui est ici sans y avoir été invité.

— Vous vous êtes exposés vous-mêmes, riposta l'avocat. Il est clair que cette affaire est inextricablement liée au caractère de la famille Tierney. Alors que l'information circule déjà sur Internet, continuer à masquer des visages et à biper des noms, à censurer les médias traditionnels est à la fois vain et injuste.

Levant la main pour réclamer le silence, Leary fixa un moment la table, comme si quelques secondes de concentration allaient lui suffire pour trancher le différend.

— Bon, dit-il. Je lève mes restrictions concernant les médias. Je suis désolé, monsieur Tierney, mais la position de M. Rabinsky présente l'avantage de reconnaître la réalité. Je maintiendrai l'interdiction pendant vingt-quatre heures pour que vous ou Mlle Dash puissiez faire appel devant le collège chargé des requêtes urgentes du tribunal du neuvième circuit. Je crois que c'est Lane Steele qui la préside, ce mois-ci.

La précision atterra Sarah. Le mois venait de commencer et, de tous les juges du tribunal de Caroline Masters, Lane était le plus notoirement pro-vie.

Dans le couloir menant du cabinet du juge à la salle d'audience, Sarah arrêta Tierney et lui dit à mi-voix :

— Leary est un crétin. Dieu nous protège.

Le père de Mary Ann semblait encore sous le choc.

— Vous ferez appel avec moi ?

— Oui. Mais je doute que Steele, ou un autre juge, décide d'empêcher un tribunal de revenir sur une de ses injonctions.

166

Elle posa doucement la main sur le bras de Tierney et murmura :

— Laissez-la libre de choisir. Donnez votre consentement.

Le regard angoissé, il secoua la tête.

— Vous ne comprenez toujours pas. Je ne peux pas.

Il s'éloigna, laissant à l'avocate le soin d'apprendre la décision de Leary à sa fille.

8

Sarah se sentait tendue pendant l'interrogatoire de Jessica Blake. La psychologue avait été bien préparée mais son témoignage serait capital. Avec ses traits délicats, ses lunettes à monture métallique et ses cheveux tirés en arrière, elle respirait la sérénité. Elle avait cependant commencé par une bombe incendiaire en déclarant que les lois sur l'autorisation parentale nuisaient aux adolescentes.

— D'après votre expérience, enchaîna Sarah, ces jeunes filles sont-elles assez mûres pour choisir entre devenir mère et avorter ?

— Oui, pour la plupart. Quant aux autres, nous devons nous demander pourquoi une adolescente qui n'a pas la maturité nécessaire pour faire ce choix l'aurait pour devenir mère.

— Cela affecte-t-il votre jugement sur ces lois ?

— C'est une des raisons pour lesquelles elles font plus de mal que de bien, expliqua Blake en se tournant vers Leary. Jusqu'ici, nous avions seulement affaire aux lois de divers Etats s'appliquant aux avortements antérieurs à la viabilité, et accordant aux mineures bien plus de dérogations que la loi sur la protection de la vie. Selon ces lois-là, un juge peut conclure qu'une adolescente est assez mûre pour prendre une décision elle-même ou — si ce n'est pas le cas — qu'il vaut mieux pour elle avorter que devenir mère.

— Quel est l'impact de ces lois sur les familles ?

— Leur objectif déclaré est de promouvoir l'unité familiale. En réalité, elles font tout le contraire...

— J'ai eu des filles adolescentes, intervint le juge. Quelquefois, elles n'appréciaient pas les règles que je fixais. Mais être un parent consiste aussi à les aider à prendre de bonnes décisions, parfois en imposant des limites. Maintenant qu'elles sont mères, elles m'en remercient.

La psychologue le considéra en plissant les yeux, choisit ses mots avec soin :

— S'il s'agit de maquillage, de sorties, de travail scolaire — la plupart des questions qui se posent à l'adolescence —, nous sommes parfaitement d'accord. Mais si vous affrontez votre fille au tribunal devant des caméras de télévision et si vous lui dites en substance : «Tu es un moyen de production de fœtus — en l'occurrence sans grande chance de survie — incapable de juger par toi-même de l'effet que cela pourrait avoir sur ta capacité à avoir d'autres enfants», elle pourrait ne pas vous en être reconnaissante.

Décelant l'irritation de Leary, Sarah fut partagée entre amusement et appréhension : Blake lui avait cloué le bec mais risquait d'en payer le prix. En souplesse, la psychologue ajouta :

— Vous avez bien conscience, je le sais, que les paradigmes parentaux normaux ne s'appliquent pas à cette situation. Une fille qui n'a ni les capacités ni l'expérience requises pour choisir n'a que peu de chances de faire une bonne mère. Trop souvent, son «amour» pour l'enfant reflète l'espoir narcissique que l'amour de cet enfant pour *elle* comblera un vide émotionnel que ses propres parents n'ont pas su remplir. Nous sommes très loin de vos filles, j'en suis sûre.

Astucieux, pensa Sarah. Après avoir désarçonné le juge, Blake lui offrait une porte de sortie. Leary saisit l'occasion :

— A quelles conclusions êtes-vous parvenue concernant Mary Ann ?

— Qu'elle est tout à fait dans la norme pour son âge et son expérience, répondit la psychologue. Et donc capable de prendre cette décision. A quinze ans, la capacité d'une mineure à faire ce choix est peu différente de celle des jeunes femmes de vingt et un ans, voire vingt-cinq. Une étude sur des jeunes femmes ayant avorté pendant le premier trimestre de la grossesse montre que dix-sept pour cent d'entre elles seulement souffraient ensuite d'un sentiment de culpabilité...

— Mais au troisième trimestre ? objecta Leary. Là où en est maintenant Mary Ann Tierney.

Sans se laisser démonter, Blake répondit :

— Mary Ann est maintenant dans votre salle d'audience. Ce qui dénote une force de caractère prouvant sa capacité à prendre cette décision et à l'assumer. Le meilleur indice qu'une jeune fille sera en paix avec elle-même après une telle décision, c'est le fait qu'elle l'ait prise toute seule. Et l'un des indices annonçant des séquelles psychologiques, c'est un environnement affectif défavorable. Comme c'est le cas ici.

Tierney se leva aussitôt.

— Je comprends que les experts bénéficient d'une certaine latitude, dit-il à Leary, mais je dénonce la partialité du Dr Blake envers notre famille. Son monde est une zone sans morale où la décision d'avorter est la seule mesure sensée, où les réserves parentales font de nous — de toute famille — des anormaux. Quand Mary Ann choisit dans un premier temps de porter notre petit-fils, elle est narcissique ; quand elle décide d'avorter, elle est devenue psychologiquement saine. Quand nous soulevons des objections, nous sommes un « environnement affectif défavorable ». En réalité, tout cela ne fait que démontrer que le témoignage du Dr Blake est sans valeur.

Leary leva une main, se tourna vers Blake.

— En gros, le professeur Tierney vous reproche des conclusions à l'emporte-pièce, où tout est calibré pour convenir à vos idées préconçues.

— Je n'ai pas d'idées préconçues, répliqua Blake. Les sept heures que j'ai passées avec Mary Ann ont été nourries par quinze ans d'entretiens avec d'autres adolescentes et par des recherches approfondies, les miennes et celles d'autres psychologues. Mais je fonde avant tout mon opinion sur Mary Ann elle-même.

« Lorsqu'elle a découvert qu'elle était enceinte, elle a d'abord imaginé une grossesse sans complications, qui amènerait son petit ami à l'aimer. Ce n'est pas rare, ni limité aux adolescentes. Ajoutez à cela le respect de Mary Ann pour l'opinion de ses parents, et sa passivité n'a rien d'étonnant.

« L'échographie a été un réveil brutal. Mary Ann a pris conscience qu'elle ne portait pas l'enfant normal que toute femme espère et qu'elle risquait de ne jamais en avoir d'autres si elle respectait les convictions de ses parents. Ce qui nous ramène à la question de savoir si les lois sur l'autorisation parentale sont nécessaires ou souhaitables...

— Je sais que vous avez une opinion bien arrêtée, dit Leary, en proie à un accès de ce que Sarah qualifiait d'aérobic judiciaire, inclinant la tête, se penchant en avant puis en arrière, tripotant sa cravate, interrompant le témoin à tout propos, l'air plus content de lui que quand il était forcé d'écouter. Ce que je ne sais pas, c'est sur quoi elle repose.

— Des recherches, répondit Blake. De 1997 à 1999, trois collègues et moi avons étudié sept cents mineures enceintes vivant dans leur famille en Californie, où aucune loi n'exigeait d'autorisation parentale.

«Quatre-vingts pour cent d'entre elles avaient impliqué leurs parents dans la décision, ce qui indique qu'une famille qui fonctionne n'a pas besoin du Congrès pour communiquer. Dans quatre-vingt-quinze pour cent de ces cas, les parents ont soutenu la décision de leur fille, quelle qu'elle s...

— Et les cinq autres pour cent? coupa Leary. Le seul critère d'une famille saine, est-ce l'acquiescement des parents à tout ce que leur fille adolescente demande?

— Non, il y en a d'autres, répondit Blake calmement. Par exemple que le père n'ait pas de rapports sexuels avec elle, ne la batte pas, ne la jette pas à la rue parce qu'elle est tombée enceinte. Et la cause principale d'anomalies fœtales tardives — celles qui sont touchées par cette loi —, c'est l'inceste.

Il y a peu de chances pour que les interventions de Leary fassent perdre son sang-froid à Jessica Blake, pensa Sarah. Le risque, c'est qu'elle le ridiculise devant les caméras.

— Ce que toutes ces lois démontrent, dit la psychologue au juge, c'est la naïveté choquante des législateurs concernant les familles à problèmes. Vous imaginez une mineure expliquant à sa mère que son père l'a mise enceinte? Une mineure vendant son corps à des inconnus parce qu'elle a un enfant à nourrir? Nous avons vu ces cas, de nombreuses fois...

— Mais les Tierney? insista Leary. Une famille normale, où les parents aiment et soutiennent leur enfant et leur petit-fils? Est-ce que cela n'est pas plus fréquent que les difficultés que vous mentionnez?

— Quand la mineure veut un avortement et que les parents s'y opposent? Non. Et c'est aussi bien. Les enfants non désirés de mères célibataires ont une tendance plus grande à abandonner l'école et à commettre des actes violents. A long terme, la mère d'un enfant non désiré a moins de chances d'être une bonne mère, quels que soient les grands-parents. Mais, ce point mis à part, et même dans une famille aimante, les effets négatifs dûs à un enfant non désiré comprennent la dépression, le manque d'estime de soi, un sentiment d'impuissance.

Blake jeta un coup d'œil à Mary Ann Tierney et poursuivit :

— Cela reflète une réalité cruelle : statistiquement, les mères célibataires mineures ont un niveau scolaire inférieur et risquent davantage de se marginaliser.

— Je pensais à l'adoption, dit Leary. Donner l'enfant à une famille aimante, n'est-ce pas plus satisfaisant qu'avorter ? Ou est-ce déprimant aussi ?

— Dans le cas présent, l'enfant n'est pas adoptable, répondit Blake. S'il l'était, je poserais la même question que vous, votre honneur. Parce que nous sommes d'accord : aucune société civilisée ne préfère l'avortement à l'adoption.

Sarah eut envie d'embrasser la psychologue : avec un tact étonnant, elle avait désamorcé le débat et offert une issue à Leary.

— Pourriez-vous développer l'impact que peut avoir cette loi sur les Tierney ? demanda l'avocate.

— Apparemment, personne ne cherche à savoir comment cette fille est tombée enceinte, pour commencer, mis à part l'explication évidente : elle s'est entichée d'un garçon plus âgé. Alors, moi, j'ai posé la question. Selon Mary Ann, elle ne pouvait pas parler de sexualité à sa mère et elle savait que, pour des raisons religieuses et morales, ses parents refusaient la contraception. La seule fois où sa mère en avait parlé, c'était pour dire que la contraception encourageait les jeunes à avoir des rapports sexuels.

— En quoi cela a-t-il affecté Mary Ann ?

— Elle pense que les «règles» de ses parents, conjuguées à leur silence, ne l'ont absolument pas préparée à gérer ses sentiments pour Tony, ni sur le plan émotionnel ni sur le plan pratique, et ne lui ont pas permis d'éviter une grossesse. Ajoutez à cela leur insistance pour qu'elle porte l'enfant qui en est résulté, quel que soit le risque, et vous comprendrez le profond ressentiment qu'elle éprouve envers ses *deux* parents.

Martin Tierney regarda sa fille avec une infinie tristesse.

— Y a-t-il un moyen pour les Tierney de réparer les dégâts ? demanda Sarah.

Blake fronça les sourcils.

— Les deux choses qui pourraient aider le plus leur fille ne dépendent pas d'eux. D'abord que le bébé meure à la naissance. Ensuite, qu'elle puisse avoir d'autres enfants — ce que, dans le meilleur des cas, elle ne saura pas avant des années.

— Cela contribuerait à renouer les liens entre eux ?

— Difficile à dire, répondit Blake, baissant les yeux vers ses mains jointes. Une chose qu'elle m'a dite me paraît essentielle : «Je n'ai pas de bons parents, docteur Blake. Combien de familles contraindraient leur fille à aller au tribunal ?»

Dans la salle d'audience silencieuse, aucun des Tierney — ni les parents ni la fille — n'osait en regarder un autre.

Sarah laissa le juge, pensif à présent, considérer les êtres affligés qu'il avait devant lui.

— Plus de questions, dit-elle.

9

Quand Martin Tierney se leva pour le contre-interrogatoire, le silence se fit dans la salle. A côté de Sarah, Mary Ann fixait la table d'un air apathique.

Tierney lui-même semblait miné : les yeux éteints, le dos moins droit. Blake le regardait avec une attention stoïque qu'elle ne maintenait qu'au prix d'un gros effort, supposait Sarah.

— Quelles sont vos convictions religieuses, si vous en avez? demanda-t-il tout à trac.

Etonnée, Sarah se leva.

— Objection, votre honneur. La question empiète sur la vie privée du témoin et n'a aucun rapport avec son témoignage.

— Cette affaire empiète sur notre vie privée, riposta Tierney avec une soudaine colère. Les médias, Mlle Dash et le témoin en font autant. Quant à la pertinence des convictions religieuses, le Dr Blake a traité les nôtres de symptôme de dysfonctionnement familial. Je me sens donc autorisé à lui demander si elle croit en quelque chose. A part en elle.

— Répondez à la question, enjoignit Leary à la psychologue.

Elle hésita puis fit face à Tierney.

— J'ai été élevée dans la foi épiscopalienne.

— Et maintenant?

— Je n'adhère à aucune foi officielle.

— Vous croyez en Dieu?

Elle jeta un coup d'œil à Sarah mais elles n'avaient pas prévu cet angle d'attaque, elles ne s'y étaient pas préparées.

— Pas comme figure patriarcale. Au-delà de ça, je crois qu'il y a un équilibre dans la nature : le bien que nous faisons est lui-même source de bien, le mal que nous faisons aux autres nous atteint aussi. Quant à savoir si cela reflète une présence divine, je n'en sais rien.

Tierney la considéra un moment en silence.

— Croyez-vous que la vie est sacrée dès sa conception?

Blake réfléchit, le front plissé.

— Je crois qu'un fœtus est une vie potentielle, digne de respect. Mais pas inviolable en toutes circonstances.

— Dans quelles circonstances est-il inviolable?

Elle hésita.

— Sans exemple, je ne sais pas comment répondre.

— D'accord. Croyez-vous qu'une femme — même une mineure — a le droit d'avorter si elle le désire?

— Après réflexion approfondie, et avant la viabilité, oui.

— Et sans réflexion approfondie? A-t-elle le droit absolu, pour n'importe quelle raison, de supprimer cette «vie potentielle»?

— Je n'approuverais peut-être pas ses raisons, mais je lui reconnais ce droit.

— Supposons qu'une femme au huitième mois de grossesse, enceinte d'un fœtus parfaitement viable, décide qu'avoir un enfant est trop stressant. A-t-elle le droit moral d'avorter?

— Objection, intervint Sarah. Aucun rapport avec la loi ni avec l'affaire.

— Il pourrait y avoir un rapport, répliqua Tierney. Tout comme elle est incertaine de l'existence de Dieu, Mme Blake ne peut savoir si notre petit-fils ne sera pas «normal».

— J'autorise la question, dit Leary.

— Les circonstances sont différentes, répondit Blake. Il faudrait en savoir plus...

— Mais, moralement, vous ne l'excluez pas?

Après un long silence, la psychologue haussa les épaules.

— Abstraction faite des circonstances? Non.

— Il semble, docteur Blake, que vous ayez quelques difficultés à imaginer des circonstances où l'avortement ne serait pas un droit de la femme.

— Personne n'aime l'avortement, dit-elle, se raidissant. Moi comprise. La question est de savoir quel mal vous faites en forçant des femmes à avoir des enfants. Comme vous ne tarderez pas à le découvrir.

Sarah se sentit soulagée : son témoin tenait bon.

— Doutez-vous de l'amour que Margaret et moi portons à Mary Ann? demanda Tierney avec douceur. Doutez-vous que nous puissions aimer à la fois notre fille et notre petit-fils à naître?

— Non, je n'en doute pas.

— Pourtant vous attribuez à Mary Ann le sentiment que nous l'avons préféré à elle. Est-ce là un signe de maturité ?

Blake ajusta ses lunettes, soutint de nouveau le regard de Tierney.

— Je ne parlerais ni de maturité ni d'immaturité. Je dirais que, compte tenu des circonstances, c'est une réaction compréhensible.

Les mains sur les hanches, Tierney poussa son attaque :

— Et, sur la base des sept heures que vous avez passées avec notre fille, vous croyez savoir mieux que Margaret et moi l'effet qu'aurait sur elle la violation de ses convictions religieuses ?

— Oui. Sur la base de cet entretien et de quinze ans d'étude et de traitement d'adolescentes.

— Mary Ann est une adolescente particulière, que nous connaissons, nous, depuis quinze ans. Pour le procès-verbal, avez-vous cherché à avoir un entretien avec nous ?

— Non.

— Avec ses professeurs ?

— Non.

— Avec son prêtre ?

— Non, répéta Blake, haussant le ton. Mary Ann m'a parfaitement fait comprendre sa vie familiale, ainsi que le point de vue de ses parents et de son prêtre. Si vous suggérez que leur opposition rendra l'avortement plus traumatisant, votre prédiction est en train de se réaliser. Et vous en portez la responsabilité.

Coincé, Tierney se ressaisit pour un nouvel assaut.

— Est-il exact que l'impact émotionnel d'un avortement tardif est beaucoup plus fort que pour un avortement pratiqué au cours du premier ou du deuxième trimestre ?

— Il peut l'être, oui. Parce qu'il implique presque toujours de graves anomalies fœtales chez un enfant désiré.

— Mary Ann ne désirait pas cet enfant ?

— Avant l'échographie ? Elle croyait le désirer.

— «Elle croyait», répéta Tierney d'un ton moqueur. Le désir d'enfant est un sentiment passager ? Le désir d'avorter aussi, peut-être ?

Blake marqua une pause pour rompre le rythme de l'affrontement.

— Professeur Tierney, retournez-vous donc et regardez votre fille de quinze ans. Face à votre opposition, elle est venue au tribunal pour sauvegarder sa capacité à avoir des enfants. Ne me dites pas que c'est un sentiment «passager».

Immobile, Tierney dévisageait le témoin. Ce fut Leary qui, dans

174

un réflexe, tourna la tête vers Mary Ann qui fixait la nuque de son père.

— Pensez-vous que l'adoption est traumatisante pour la mère? reprit Tierney.

— Dans de nombreux cas, certainement.

— La mère devrait donc avorter pour s'éviter d'autres souffrances?

— «Devrait»? Non.

— Mais elle en a le droit?

Blake hésita de nouveau.

— Oui, répondit-elle.

— La mère est tout, l'enfant à naître n'est rien?

— Ce n'est pas ma position, répondit-elle. Et les gens ne se bousculeraient pas pour adopter cet enfant.

— Margaret et moi sommes prêts à le faire. Nous nous soucions plus de lui et de notre fille que vous ne pouvez l'imaginer. Je n'ai pas besoin de la regarder. Je n'ai pas besoin que vous m'expliquiez qui elle est. Nous aimons Mary Ann depuis sa naissance, et nous l'aimerons encore longtemps après que vous aurez oublié le peu que vous savez d'elle. Alors, cessez de vous montrer condescendante à notre égard.

— Ce n'est pas une question, intervint Sarah. C'est un discours, et offensant qui plus est.

Ignorant l'avocate, Tierney continua à fixer Blake comme pour souligner son arrogance.

— Plus de questions, dit-il.

Sarah se leva, demanda à son témoin :

— Soutenez-vous que les convictions religieuses n'ont pas leur place dans un débat sur l'avortement?

— Je pense qu'elles sont très importantes. La question est de savoir : les convictions de qui? Les miennes? Celles du Congrès? Des Tierney? De Mary Ann? Je crois qu'elle seule peut dire quelles sont ses convictions et quel rôle elles jouent dans sa décision.

Sarah se préparait à s'asseoir quand Blake se pencha en avant.

— J'aimerais ajouter quelque chose.

— Je vous en prie.

— La religion peut mener à de curieuses incohérences. Récemment, mes collègues et moi avons étudié les Etats possédant les lois les plus restrictives sur l'avortement, dont un grand nombre adoptées sous la pression de groupes religieux, dit Blake, se tournant vers Leary. Nous nous attendions à ce que ces Etats compensent par des programmes d'aide aux enfants dans le besoin, aux foyers d'adoption, aux handicapés physiques et mentaux. Or c'est tout le contraire. Les Etats les plus restrictifs sur l'avortement sont ceux qui offrent *le moins* de protection aux enfants que leurs lois ont fait naître. Cette loi n'en fournit aucune.

Blake regarda le père de Mary Ann et poursuivit :

— Le professeur Tierney se dit prêt à subvenir aux besoins de son petit-fils. Mais nous avons appris à nous méfier des plaidoyers religieux en faveur de lois qui ne font grand cas d'une «vie» que jusqu'à ce qu'elle naisse.

C'était la conclusion parfaite.

— Plus de questions, dit Sarah.

10

Dès qu'elle fit la connaissance du sénateur Chad Palmer, Caroline Masters sentit un non-dit qui la mit mal à l'aise : sa dette envers lui. Lorsqu'il demanda à Ellen Penn, qui accompagnait Caroline, s'il pouvait rester seul avec la magistrate, son malaise s'accrut : elle n'avait pas décidé de ce qu'elle devait dire concernant Brett.

Il lui fit traverser le Russell Building jusqu'à un bureau spacieux dans lequel — contrairement à ceux de la plupart des hommes politiques — les seules photos étaient celles de sa femme et de sa fille.

Palmer était d'une beauté frappante et avait les manières aisées d'un homme qui a toujours brillé sans trop d'efforts. Elle savait cependant qu'il l'avait chèrement payé, dans sa chair et dans son esprit. Tendue, elle attendit qu'il lui révèle pourquoi il avait souhaité la voir en privé.

— Le base-ball, lâcha-t-il. Vous y connaissez quelque chose ?

— Plutôt, oui.

— Alors, vous serez confirmée, prédit-il.

Renversé dans son fauteuil, il l'étudiait subrepticement.

— Bob Bork était incapable d'une conversation banale, poursuivit-il. A se demander s'il était jamais allé au cinéma. Kennedy, lui, pouvait parler de base-ball. Vous savez comme moi qui est devenu président de la Cour suprême.

— J'en sais même plus que Tony Kennedy, l'informa-t-elle. Par exemple que Ted Williams a fait une moyenne de 0,406 par coup de batte en 1941.

— Excellent, la félicita le sénateur. Mais vous savez le plus beau ?

— Qu'il était pilote de chasse ?

— Non, ça, même moi, je peux le faire — enfin, je pouvais.

Du ton emphatique de commentateur d'actualités des années 1940, Palmer récita :

— En fin de saison, Williams venait d'atteindre 0,401 et son manager lui a proposé de ne pas disputer les deux derniers matchs pour préserver sa moyenne. Williams a refusé et a frappé cinq fois la balle. L'acte d'un vrai Américain.

Bien qu'il l'eût contée sur le mode humoristique, Caroline devinait que l'anecdote avait un sens pour Palmer. Sans transition, le sénateur se tourna vers le poste de télévision installé dans un coin du bureau.

— Vous avez suivi cette affaire ?

Caroline se tourna elle aussi, vit l'image muette de Sarah Dash interrogeant une femme au physique d'intellectuelle.

— Non, bien sûr, répondit-elle. Si je l'avais fait, je me serais forgé une opinion. Or, avoir une opinion, c'est fatal, m'a-t-on dit.

— Je vois que les gars du président vous ont passée au mixeur, fit-il observer avec un sourire. Mais pensez-vous que la diffusion de ce procès soit une bonne chose ?

— Non.

— Pourquoi ? Vous avez autorisé celle de l'affaire Carelli.

Il ne s'agissait donc pas d'une conversation anodine.

— La défense l'avait demandé...

— L'accusation s'y était opposée, non ?

— Pour un juge, les droits de la défense à un procès équitable doivent toujours prévaloir. Si l'objection avait été soulevée par la défense, ma décision aurait été différente.

Palmer sourit de nouveau.

— Vous ne seriez jamais apparue sur une chaîne nationale. Vous ne seriez peut-être pas à la cour d'appel du neuvième circuit... ni ici.

— A l'époque, l'idée m'avait traversée que cela pouvait m'aider, reconnut-elle. Je suis sûre que le juge Leary, que je connais bien, a eu la même.

— Que pensez-vous de lui ?

— Il a une énorme confiance en lui, que ne justifient ni son intelligence ni ses capacités. A sa place, j'éviterais les caméras.

— C'est ce que je pense aussi, s'esclaffa Palmer. Et moi, je l'ai regardé. Mais je ne sais toujours pas pourquoi la télé était bonne pour l'affaire Carelli et mauvaise dans celle-ci.

Caroline pesa sa réponse, estima qu'avec Palmer, seule la franchise marcherait.

— Après le procès Carelli, j'ai fait une sorte d'examen de conscience. Je savais que j'avais pris cette décision en grande partie pour satisfaire mon ego, mon ambition...

— Vous la prendriez encore ?

— Probablement. Je suis ici, comme vous l'avez souligné. Mais je n'aurais pas autorisé la retransmission de cette affaire-ci.

— Pourquoi ?

Ils s'approchaient du sujet de Brett.

— Si j'ai bien compris, toutes les parties y sont opposées. Le fond de l'affaire — avortement, religion, famille — est de nature profondément privée. Cela passe avant l'intérêt égoïste de Patrick Leary. Ou même avant le droit à l'information garanti par notre premier amendement.

— Pensez-vous que la loi sur la protection de la vie est constitutionnelle ? demanda-t-il.

— Je sais que vous le pensez, et je respecte votre opinion. Dans mon travail, je m'efforce de ne pas juger une loi du Congrès avant qu'elle ne me soit soumise. La seule conclusion que j'aie tirée de cette affaire, c'est qu'il aurait fallu protéger la vie privée de la famille impliquée.

— Le droit à la vie privée inclut-il l'avortement ?

Le caractère direct de la question surprit Caroline mais elle n'avait pas le choix, elle devait y répondre.

— Oui, selon l'affaire Roe contre Wade. La Cour suprême a tranché. En qualité de juge d'une instance inférieure, il ne m'appartient pas de mettre en question la sagesse de sa décision, ni de déterminer si elle s'applique aux situations couvertes par la loi sur la protection de la vie.

Elle s'interrompit, regarda Palmer dans les yeux.

— Mon argument est différent, reprit-elle. Quels que soient les droits de cette fille ou de ses parents selon la loi, leur vie personnelle leur appartient.

Le sénateur hocha lentement la tête.

— C'est une réponse équitable, juge Masters. Merci.

Elle comprit alors qu'il n'avait pas l'intention de soulever directement la question de Brett. C'était à elle d'en décider. Trouver les mots ne fut pas facile.

— Je sais que le président vous a parlé, dit-elle enfin. Que vous votiez ou non pour moi, je vous suis reconnaissante.

Etonné peut-être, il la regarda un moment en silence.

— Vous avez fait le bon choix, du moins selon mes critères, répondit-il. Il ne faut pas que vous en souffriez, ni vous ni elle.

La sincérité de Palmer était quasi palpable, mais Caroline ne put s'empêcher de se demander quels autres calculs, tant personnels que politiques, sous-tendaient la courtoisie de cet homme ambitieux.

— Sans votre compréhension, sénateur, je ne serais pas ici.

Il plissa le front, posa sur elle un regard aigu.

— Ce n'est peut-être pas une faveur, la prévint-il. Il y a dans ma commission d'autres sénateurs — et des collaborateurs — qui passeront au crible tous les détails de votre passé, y compris les actes de naissance. Je peux essayer de canaliser les investigations mais personne ne peut les contrôler. Washington est une ville implacable.

— Je le sais, répondit-elle. Mais il fallait que je vous remercie. En mon nom et au nom de ma nièce.

Ce dernier mot fit naître un sourire sur les lèvres de Palmer.

— Oh! de rien. J'ai une fille, moi aussi. En tout cas, je ne voudrais pas être soumis à cette procédure. Alors, je tâcherai de la rendre la plus humaine possible. Vous pouvez m'y aider, juge Masters. Certains de mes collègues meurent d'envie d'être pris au sérieux; d'autres le méritent. Donnez-leur ce dont ils ont besoin pour se faire une opinion.

Caroline acquiesça de la tête.

— Autre chose que je dois savoir?

— Une seule, répondit-il, se penchant en avant, l'air grave. Essentielle. Vous témoignerez devant ma commission pendant plusieurs jours. Alors, si vous avez besoin d'aller aux toilettes, touchez-vous l'oreille gauche. Je suspendrai l'audience.

— C'est plus important que vous ne pensez, fit-elle avec un sourire.

Palmer se leva.

— Des journalistes nous attendent sûrement. Nous allons leur donner la becquée?

Elle connaissait maintenant la réputation allègrement assumée de «putain des médias» du sénateur.

— Allez-y, dit-elle. Moi, j'ai l'intention d'imiter la femme de Loth.

— Sage attitude... pour un juge. Pas pour un homme politique.

D'un ton plus sérieux, Palmer conclut :

— J'ai été ravi de vous rencontrer et je vous souhaite bonne chance. Si je peux faire quoi que ce soit pour vous aider — hormis capituler honteusement —, n'hésitez pas à me le faire savoir.

Il semble sincère, pensa Caroline. Un homme honorable dans une profession sans pitié, comme l'avait décrit le président.

Dehors, Bob Franken, de CNN, se détacha du groupe de journalistes en présentant un micro à Caroline et à Palmer.

— De quoi avez-vous discuté?

Modestement, elle se tourna vers le sénateur.

— De la famille, répondit-il, souriant. Et de base-ball.

Seul dans son bureau, Chad songeait à l'entretien.

Caroline Masters était impressionnante, et son inquiétude pour Brett Allen touchante. Pourtant l'image qui surgit dans son esprit ne fut pas celle de la fille du juge mais celle de la sienne : un vendredi soir, quatre ans plus tôt, quand elle et Allie vivaient encore à Cleveland et qu'il avait annulé deux rendez-vous pour rentrer à la maison sans prévenir.

C'étaient des préoccupations familiales qui l'avaient fait rentrer plus tôt et, dans l'avion de Washington, il n'avait cessé de s'inquiéter pour Allie. Kyle alternait les hauts — mélange d'insouciance, de témérité et de grandiloquence — et les bas — états dépressifs et léthargiques confinant à l'autisme. Les psychiatres qu'ils avaient consultés ne s'accordaient pas sur la cause : l'un parlait d'une forme de cyclothymie, rare chez les adolescents ; l'autre estimait que l'absence de Chad avait accentué un besoin d'attention chez une fille déjà d'humeur changeante. Quelle que fût la cause, Kyle avait appris à mentir sans remords, à cacher de la drogue ou de l'alcool avec l'habileté d'une voleuse.

Les thérapies, les médicaments n'avaient aucun effet. Kyle minait sa mère et leur couple. Un enfant en danger faisait de la confiance un luxe, rendait chaque jour incertain, faisait de chaque coup de téléphone une raison de tressaillir.

Ça y est, cette fois? se demandait Allie à chaque sonnerie, craignant une overdose, une fugue ou un accident de voiture après une beuverie avec un ami mal choisi. Leur fille était devenue l'ennemi. Par une introspection impitoyable, habitude de deux années d'isolement, Chad avait pris conscience qu'il en voulait maintenant plus à sa fille qu'il ne l'aimait.

Ces pensées l'avaient harcelé jusqu'à ce que, sur une impulsion, il prenne sa voiture pour se rendre à l'aéroport Reagan National, moins pour Kyle que pour Allie. Après le vol, un taxi l'avait déposé devant leur maison Tudor de Shaker Heights.

«Bonne nuit, sénateur, lui avait souhaité le chauffeur. C'est un honneur pour moi. Les gens oublieront jamais ce que vous avez fait.»

Chad était habitué à ce genre de compliments; comme toujours, il les avait écartés.

«Merci, mais s'il avait fallu être volontaire pour se faire enlever, je me serais abstenu.»

Une housse à costume à la main, il avait regardé la maison sombre. Seule la lumière du porche était allumée : Kyle devait être sortie, et Allie pas encore rentrée du concert. Il avait tourné la clef dans la serrure, fait un pas dans le hall, s'était arrêté.

Il avait une sorte de sixième sens dans l'obscurité : en captivité, les yeux bandés ou enfermé dans le noir absolu, il avait appris à déceler la présence de ses ravisseurs. Une sensation sur sa peau, sur sa nuque.

Tendu, il avait allumé la lumière de l'entrée.

Allongée nue sur le tapis persan, Kyle avait levé vers lui un regard de défi étonné. Un adolescent à la chevelure lavande et au dos tatoué d'un serpent se trémoussait sur elle.

Incapable de parler, tremblant de fureur, Chad avait saisi le garçon par les cheveux et l'avait redressé.

«*Non!*» avait hurlé Kyle.

Il l'avait à peine entendue et avait projeté contre le mur le garçon terrorisé.

«Si jamais je te revois, ta vie ne vaudra plus la peine d'être vécue, l'avait-il menacé. J'ai appris ça avec des experts...»

Derrière lui, Kyle s'agrippait à la veste de son costume.

«*Non, je t'en prie...*»

Chad s'était libéré, avait ouvert la porte, poussé le punk complètement nu, qui avait dévalé les marches du perron et était tombé en gémissant sur le ciment froid.

«Achète des vêtements en rentrant chez toi», lui avait lancé Chad.

Il avait refermé la porte, s'était tourné vers sa fille et s'était soudain demandé ce qu'il venait de faire, ce qu'il adviendrait de leur famille. Mais il était trop tard.

11

— Avant que votre fille ne tombe enceinte, connaissiez-vous la loi de l'Ohio sur l'autorisation parentale ? demanda Sarah à Abby Smythe.

Avec ses cheveux bruns, son visage aplati et sa voix basse, Smythe avait l'air de ce qu'elle était : une ménagère de quarante ans d'une petite ville du sud de l'Ohio, imprégnée de valeurs communautaires — la famille, l'Eglise, le bénévolat — qui faisaient passer les autres avant elle.

— Oui, répondit-elle. J'en avais discuté avec des membres de la paroisse. Frank — mon mari — et moi pensions que c'était aux parents, pas à des inconnus ou à l'école, de faire l'éducation sexuelle des enfants, de guider leur conduite. Nous trouvions qu'il y avait trop d'influences extérieures dégradantes, du cinéma à la musique, et qu'une loi renforçant l'autorité des parents ne pouvait qu'être bonne.

A en juger par son expression, Martin Tierney connaissait l'histoire d'Abby Smythe et de sa fille. Il la considérait d'un air lointain, comme pour mettre de la distance entre eux. Mais Mary Ann, qui savait elle aussi, se penchait anxieusement vers le témoin.

— Aviez-vous des inquiétudes particulières au sujet de Carrie ?

— Aucune, répondit la mère d'un ton appuyé et défensif. Elle était *cheerleader*[1], elle avait d'excellents résultats au lycée, participait au programme d'aide de la paroisse en apportant des repas aux personnes ne pouvant se déplacer. Jamais de problème d'alcool, ni de manquement aux règles. Les autres mères me parlaient des épreuves qu'elles traversaient avec leurs filles, et je disais à Frank ... que Dieu nous avait donné une brave petite Américaine.

Sous l'apparence tranquille de Smythe, on devinait une remise en question sans fin, des souvenirs ternis par une vision rétrospective.

— Qu'aviez-vous expliqué à Carrie sur les rapports sexuels ?

Smythe gardait les yeux rivés sur Sarah, comme pour se dissimuler le caractère public de ses aveux.

— Que Dieu les réservait aux couples mariés. Qu'avoir des rapports en dehors du mariage était une faute.

1. Personne qui dirige le chœur des supporters d'une équipe pendant un match. *(N.d.T.)*

— Comment avait-elle réagi?

Le témoin releva légèrement le menton.

— Elle avait répondu qu'elle voulait rester vierge jusqu'au mariage. Je me souviens d'avoir dit à Frank que Carrie serait un modèle pour ses sœurs.

Smythe s'interrompit, prit sa respiration.

— Cela me rassurait, aussi. Elle avait commencé à sortir avec un garçon de l'équipe de football, Tommy. C'était comme si elle nous disait qu'elle restait attachée aux valeurs traditionnelles.

Rien dans ce témoignage ne surprenait Sarah. Elle avait préparé Smythe avec soin, et Smythe répétait les réponses sur un ton d'auto-condamnation las devenu rituel. Mais elles approchaient maintenant du précipice, du moment où la vie d'Abby Smythe avait basculé à jamais, et la partie de Sarah qui n'était pas conditionnée par les nécessités de sa profession se reprochait d'avoir amené cette femme à témoigner.

— Avez-vous jamais senti que Carrie changeait? Ou qu'une brèche s'était ouverte entre vous?

— Non, murmura Smythe, secouant la tête. Je me demande maintenant ce que j'ai bien pu faire pour que ma fille ait senti le besoin de me protéger, alors que je croyais la protéger, elle.

La question tenaillait Sarah. Elle pensait que les actes de défi d'une adolescente — si irritants ou mal choisis fussent-ils — constituaient des étapes dans la création d'une adulte autonome, et que les parents s'illusionnant sur l'inutilité de cette séparation nuisaient à leurs enfants. Abby Smythe ne semblait pas comprendre pleinement la tragédie de la perfection feinte de sa fille : lorsqu'elles avaient regardé ensemble la photo de Carrie, blonde et souriante, dans l'annuaire du lycée, la mère avait assuré : «C'est comme ça qu'elle était vraiment.»

— Quand avez-vous découvert que Carrie avait des ennuis?

Martin Tierney se pencha en avant, Barry Saunders fronça les sourcils, mais Abby Smythe continua à fixer Sarah.

— Le vendredi, Carrie avait demandé à dormir chez sa meilleure amie après leur sortie avec deux garçons. Beth était comme une autre fille pour nous, tout le temps à la maison, et son père travaillait avec Frank à la banque. J'ai accepté, bien sûr. Quand elle est partie, ce soir-là, je ne me doutais toujours de rien. Je lui ai simplement dit de prendre un cache-nez parce qu'il faisait froid.

Smythe s'interrompit comme pour s'accrocher à ce détail banal, preuve de son amour.

— J'étais dans la cuisine, reprit-elle. Je les ai entendues sortir puis

Carrie est revenue m'embrasser en disant qu'elle avait de la chance que je m'occupe autant d'elle...

Elle porta une main à ses yeux, poursuivit d'une voix blanche :

— Je me souviens d'avoir pensé qu'avec tout ce que j'entendais sur les autres parents, je devais être une assez bonne mère.

Le juge s'agita sur son siège.

— Quand avez-vous revu Carrie ? demanda Sarah.

— Le lendemain matin, répondit Smythe d'un ton monocorde. Quand Tommy a sonné à la porte. Il tremblait. J'ai remarqué que la portière arrière de sa voiture était ouverte. De longues mèches blondes des cheveux de Carrie tombaient de la banquette arrière... J'ai couru... Il y avait plein de sang sur sa robe, et sur le cache-nez, entre ses jambes. Elle avait les yeux écarquillés, comme sous le choc, mais elle a battu des paupières en me voyant. Elle a murmuré : « Je ne voulais pas te faire de mal, maman, je ne voulais pas te faire de mal... » Elle est morte à l'hôpital, quelques heures plus tard.

Smythe s'arrêta, déglutit. Doucement, Sarah lui demanda :

— Comment est-elle morte, madame Smythe ?

— D'un éclatement de l'utérus. Je ne comprenais pas, dit la mère, le regard fixe, la voix sans inflexion. Frank a perdu son calme, il a attrapé Tommy et l'a cogné contre le mur jusqu'à ce qu'il avoue la vérité.

« Ils avaient tout manigancé. Beth couvrait Carrie, et Tommy avait raconté à ses parents qu'il dormait chez son copain Ryan. Au lieu de quoi, il a conduit notre fille de l'autre côté de la frontière, à New-port, dans le Kentucky. Il avait entendu parler d'une femme qui avortait les filles ayant des ennuis.

— De combien Carrie était-elle enceinte ?

— Deux mois.

— Savez-vous ce qui s'était passé après qu'elle l'eut découvert ?

Barry Saunders se leva lourdement.

— Nous ressentons tous une vive sympathie pour le chagrin de cette mère. Mais son témoignage est récusable au moins à deux titres. D'abord il n'est pas pertinent : il concerne une loi de l'Ohio sur l'autorisation parentale, pas notre loi fédérale soigneusement rédigée qui ne s'applique qu'aux avortements tardifs.

« Deuxièmement, le témoin s'apprête à parler par ouï-dire. Si, comme elle le reconnaît elle-même, elle ignorait tout de la grossesse de sa fille, elle ne peut avoir une connaissance directe des événements ayant causé sa mort.

Le premier point était discutable, le second fondé en principe. Mais, avant que Sarah pût réagir, Leary répondit :

— La cour siège sans jury et est tout à fait capable de séparer le bon grain de l'ivraie. J'aimerais entendre Mme Smythe.

Sarah songea que le juge ne tenait pas à réduire au silence une mère affligée devant les caméras.

— Elle était allée au centre de planning familial du comté, dit Smythe. Le test étant positif, elle a vu la conseillère…

Son ton était étonné, comme si elle ne parvenait toujours pas à imaginer sa fille aimante et docile parlant à une inconnue d'un sujet aussi intime.

— Depuis, êtes-vous allée, vous, à ce centre ?

— Oui. Pour rencontrer la femme qui avait conseillé Carrie.

— Que vous a-t-elle dit ?

Smythe se redressa, mais son regard demeura lointain.

— Que Carrie avait peur de me décevoir. «Cela tuerait ma mère», répétait-elle.

— La conseillère l'avait informée qu'elle pouvait soumettre son cas au tribunal ?

— Oui, fit le témoin, baissant la tête. Carrie avait peur de ça aussi. Voyez-vous, le juge Clausen est membre de notre paroisse. Alors elle est allée dans le Kentucky…

Au prix d'un gros effort, elle releva la tête et dit, les larmes aux yeux :

— Je l'aurais aidée. J'aurais fait n'importe quoi pour elle. Un avortement, n'importe quoi. Mais elle ne le savait pas, et je n'ai pas eu la possibilité de lui montrer combien je l'aimais.

Smythe s'essuya les yeux du dos de la main, poursuivit d'une voix plus forte :

— Mais si un inconnu devait s'occuper d'elle, il valait mieux un docteur qu'un boucher. Cette loi ne nous a pas rapprochés. Elle n'a pas protégé ma fille.

Se tournant vers Tierney, Abby Smythe conclut :

— Au contraire, elle l'a tuée.

12

A la surprise de Sarah, ce fut Tierney, non Saunders, qui se leva pour le contre-interrogatoire au nom du fœtus : harceler Abby Smythe n'aurait rien de sympathique, et Tierney risquait de ternir son aura de père affligé. De la table de la défense, Mary Ann lui demanda à mi-voix :

— Pourquoi tu ne la laisses pas tranquille ?

Comme à regret, il se tourna vers le témoin.

— Je ne peux prétendre savoir ce que vous ressentez, mais Margaret et moi compatissons à votre souffrance.

Smythe hocha la tête en silence avec une expression mêlée : elle prenait acte de ses propos tout en manifestant la méfiance d'un témoin envers un adversaire potentiel. Avec douceur, il lui demanda :

— Pensez-vous, madame Smythe, que Caroline ne s'est pas confiée à vous à cause de la loi ?

— Non, répondit-elle en détournant les yeux.

— Auriez-vous aimé participer à la décision de votre fille au lieu de laisser ce soin à une conseillère en avortement ?

— Naturellement.

Tierney la regarda d'un air étonné.

— Pourtant vous semblez soutenir que ma femme et moi ne devrions pas exercer ce même droit.

— Non. Je dis que la loi sur l'autorisation parentale a conduit ma fille à subir un avortement clandestin.

— Mais ce n'est pas le cas ici, non ? Supposons donc que Carrie se soit confiée à vous. L'auriez-vous laissée entièrement libre de choisir ou en auriez-vous discuté en famille ?

— Nous en aurions discuté. Nous sommes ses parents, après tout.

— En tant que parents, aviez-vous appris à votre fille que l'avortement est moralement condamnable ?

— Non.

Tierney regarda un moment Smythe avant de poursuivre :

— Ne peut-on concevoir que, si Carrie avait considéré l'avortement comme un péché, elle serait encore en vie ?

— Objection, protesta Sarah. Cette question invite le témoin à spéculer. Ce qui rend sa cruauté patente tout à fait gratuite.

— Gratuite ? Mme Smythe suggère qu'une loi sur l'autorisation parentale a causé la mort de sa fille. Mais la cause réelle, c'est un avortement.

— Un avortement *clandestin*, répliqua l'avocate.

— Cela suffit, intervint Leary. La question est hors de propos, professeur Tierney.

Tierney jeta un coup d'œil à ses notes, attaqua sous un autre angle :

— Regrettez-vous que la conseillère du centre ne vous ait pas informée que Carrie était enceinte ?

— Oui, bien sûr.

— Vous auriez pu en discuter avec votre fille. Essayer de peser toutes les circonstances et décider de ce qui serait le mieux pour elle.

— Oui.

Sarah hésitait. Elle voyait où Tierney voulait en venir. Mais Smythe, prise au jeu d'imaginer sa fille encore en vie, se laissait conduire, et une objection susciterait peut-être chez elle une réaction hostile.

— Si votre fille et vous n'étiez pas tombées d'accord, disait Tierney, vous vous seriez efforcée de la protéger, d'agir dans ce que vous, ses parents, considériez comme son intérêt ?

— Tout à fait.

— Alors pourquoi nous priver, nous, parents, de ce même droit ?

Dans un silence douloureux, Smythe réfléchit.

— Je ne cherche pas à vous en priver, dit-elle enfin. Et je vous envie cette possibilité. Pour une raison quelconque, notre fille ne s'est pas confiée à nous. Nous étions une famille unie, professeur. Ce qui nous est arrivé peut arriver à d'autres bonnes familles. Et à de mauvaises, bien sûr. Je crains ce qui peut arriver quand le seul choix qui s'offre à une fille effrayée de parler à ses parents est une action en justice.

La dignité de la réponse parut faire hésiter Tierney, et Sarah vit Mary Ann se tourner vers lui, comme pour demander une réponse.

— Seriez-vous prête à reconnaître que, même avec cette loi, une fille aurait pu revenir sur sa décision et se tourner vers de bons parents ?

Avec un temps de retard, Smythe répondit :

— Oui, dans certains cas, je suppose.

Tierney recula, posa une main sur la table de la défense.

— Pourtant vous avez fait de l'opposition aux lois sur l'autorisation parentale une sorte de cause, pour vous.

Smythe lui fit face avec un calme retrouvé : la question était attendue, Sarah l'y avait préparée.

— La mort de Carrie n'est pas une « cause ». C'est un drame qui nous est arrivé et auquel j'essaie de donner un sens.

— Vous pensez donc que votre incapacité à communiquer avec Carrie doit gouverner les relations d'autres parents avec leur fille ?

Blessée, elle soutint le regard de Tierney puis secoua la tête.

— Non, professeur. Vos relations avec votre fille sont ce qu'elles sont. Aucune loi ne peut les modifier. Sauf peut-être les rendre pires.

Tierney sembla débattre avec lui-même puis la frustration prit le dessus :

— Ne tentez-vous pas, madame Smythe, de justifier votre échec et d'alléger votre souffrance en privant d'autres parents de leurs droits ?

La question était si scandaleuse que Sarah décida de laisser le témoin y répondre. Tierney, emporté par ses convictions, venait de commettre une terrible erreur.

— «Alléger ma souffrance», répéta Smythe. Depuis que nous avons commencé à partager notre drame, on nous a envoyé par la poste un faux fœtus entouré de fil de fer. On a lancé des pierres sur notre voiture. Mais le pire, poursuivit-elle, les larmes aux yeux, c'est quand nous avons reçu une photo de Carrie publiée dans le journal local, avec le mot «putain» écrit en travers du visage. Et vous osez dire que je témoigne pour «alléger ma souffrance»? Rien ne peut l'alléger. Pour nous il est trop tard, ajouta-t-elle, d'un ton radouci. Pas pour vous. Je ne suis pas ici pour moi mais pour vous, professeur.

Pendant que Sarah interrogeait de nouveau le témoin brièvement, deux collaborateurs de Kenyon & Walker adressèrent, au nom de Mary Ann Tierney, une requête urgente à la cour d'appel pour mettre en cause la décision de Leary d'autoriser les journalistes se pressant dans sa salle d'audience à révéler l'identité de la jeune fille. A cinq heures, sans même tenir une audience, le collège présidé par le juge Lane Steele avait rejeté la requête, ainsi que celle de Martin Tierney.

Ce ne fut pas une surprise. Le soir, pendant que Mary Ann mangeait avec ses parents, Sarah s'interrogea sur les conséquences et se demanda si elle devait conclure le lendemain ou faire témoigner sa cliente.

De retour chez Sarah, Mary Ann s'assit lourdement dans le séjour, les jambes écartées pour soulager son dos du poids de la grossesse. Lissant sa robe, elle posa les deux mains sur son ventre gonflé.

— Il a bougé? s'enquit Sarah.

L'adolescente baissa la tête.

— C'est ce que mon père voulait savoir. J'ai répondu que je pensais l'avoir senti aujourd'hui. Un peu.

Sarah songea que la question était capitale : pour diverses raisons, les mouvements fœtaux avaient une signification à la fois émotionnelle et juridique pour l'avocate comme pour les Tierney. Regardant Mary Ann, qui semblait lasse et songeuse, Sarah pensa à une autre raison de ne pas faire témoigner l'adolescente : la question du père, la réponse de la fille.

— Tu es au courant de la décision de la cour d'appel, je présume ?

— Je vais devenir célèbre, fit Mary Ann d'une voix éteinte. Mes parents m'ont demandé si je voulais aller jusqu'au bout.

— Et eux ?

— Je leur ai posé la question. Mon père a répondu oui et m'a suppliée de ne pas témoigner.

Silencieuse, Sarah se demanda si c'était par amour ou par tactique, et s'étonna une fois de plus que cette loi, dressant les parents contre les enfants, pût pervertir le plus simple des sentiments : le désir d'un père de protéger sa fille.

— Ils témoigneront, eux ? demanda Sarah. Ils se sont inscrits comme témoins potentiels.

Mary Ann se massa les tempes.

— Ils ne me l'ont pas dit. C'est comme si mon père jouait avec ma tête. Ou avec la vôtre.

Cette sagacité était surprenante aussi : propulsée dans l'âge adulte, Mary Ann semblait manifester un intérêt angoissé mais lucide pour la tactique judiciaire.

— Moi, je ne veux pas que tu témoignes, dit enfin Sarah.

— Pourquoi ?

Elle ne donna pas la raison essentielle : que Tierney risquait de saper tellement la confiance de sa fille avec ses questions qu'elle finirait par craquer. Aucune répétition ne pouvait préparer une fille de quinze ans à affronter un homme intelligent et subtil qui était aussi, depuis la naissance de Mary Ann, la figure centrale de sa vie.

— Je préfère te garder en réserve pour réfuter ses arguments, répondit-elle. Quand nous aurons vu quel genre de défense ils nous opposent, quand nous saurons si ton père ou ta mère témoignent, nous prendrons une décision.

Mary Ann semblait partagée entre soulagement et inquiétude.

— Et nous ? Nous avons assez d'arguments ?

— Je le pense.

Après une pause, Sarah reconnut :

— Je ne veux pas te mettre devant les caméras avant de savoir ce que tes parents vont faire.

La remarque, quoique formulée sur un ton neutre, raviva les craintes et l'incrédulité de Mary Ann : enceinte à quinze ans, elle affrontait publiquement ses parents pour obtenir le droit d'avorter. Prise de pitié, Sarah se força à dire :

— Tu n'es pas obligée de témoigner, Mary Ann. Tu n'es pas obligée d'aller jusqu'au bout.

L'adolescente posa sur son ventre un regard empreint d'une tendresse triste, comme si elle pouvait voir le fœtus difforme à l'intérieur.

— Si, dit-elle. Je continue.

13

— Qui, dites-vous ? demanda de nouveau Macdonald Gage.

Au téléphone, la réceptionniste énonça avec soin :

— Le juge Lane Steele. De la Cour d'appel du neuvième circuit.

Gage répéta le nom à voix haute, haussa les sourcils en regardant Mace Taylor, but une gorgée de son café matinal et appuya sur le bouton de l'amplificateur.

— Monsieur le juge ?

— Bonjour, sénateur.

Sous la dignité judiciaire du ton, Gage décela une impatience voilée et articula silencieusement «Masters» à l'intention de Taylor.

— Alors, toujours à la tête de votre vaillante équipe de missionnaires pour aider nos frères et nos sœurs à suivre les principes des pères fondateurs ? fit-il d'un ton à la fois respectueux et jovial.

— Je le voudrais bien, sénateur. Mais, avec les juges qu'il a nommés, le dernier président ne nous a pas facilité les choses. Son successeur ne le fera pas non plus, je le crains.

Après une pause, Steele ajouta d'un ton quasiment révérencieux :

— Nous avons grand besoin de magistrats de la qualité de Roger Bannon.

Comme toi, pensa Gage, moqueur. Il avait deviné de quoi Steele voulait lui parler mais préférait le laisser venir.

— Les hommes de cette trempe sont rares, répondit-il. Vous faites exception, m'a-t-on dit.

Il y eut un silence. L'échange d'amabilités avait conduit la conversation dans une impasse, forçant Steele à se découvrir.

— C'est un peu la raison de mon coup de téléphone. J'imagine que vous avez commencé à songer à sa succession.

L'expression de Taylor, jusque-là amusée, devint attentive.

— Nous y avons été contraints par la hâte indécente de Kilcannon, répondit Gage.

Après un autre silence, Steele eut un accès de franchise :

— Honnêtement, cela m'a surpris.

— Quoi? dit le sénateur avec une ingénuité feinte. La hâte ou la désignation?

Une brève toux résonna dans l'amplificateur.

— Les deux. Normalement, je m'abstiendrais de tout commentaire...

— Mais il s'agit de la succession de Roger Bannon et de la future présidente de notre Cour suprême. A moins que le Sénat n'en décide autrement.

— Lourde responsabilité, dit Steele. Vos collaborateurs aimeraient peut-être avoir connaissance de ses derniers jugements. Ceux qui n'ont pas encore été rendus publics.

Gage remarqua que Taylor était devenu parfaitement immobile.

— Vous pensez à une décision particulière? dit le sénateur.

— Un arrêt rendu lors d'une audience en banc[1] doit être communiqué à la presse la semaine prochaine. Affaire Snipes contre Garrett. Il étend le droit d'un détenu au-delà de ce que, selon moi, le Congrès avait défini l'année dernière. Un juge doit interpréter les lois du Congrès, pas les réécrire.

— Surtout si cette réécriture avantage les criminels, renchérit Gage, griffonnant «Snipes-Garrett» sur son bloc-notes. Malheureusement, c'est le genre de désinvolture que nous avons appris à attendre d'un trop grand nombre de juges de votre circuit.

— Certes, convint Steele. Mais pas, espérons-le, de la future présidente de la Cour suprême.

Taylor eut un sourire, plus pour lui-même que pour Gage, devant les prétendus scrupules d'un homme dévoré d'ambition.

— Dites-moi donc, Lane, l'encouragea Gage. Dites-moi donc.

— C'est la protégée de Blair Montgomery, le membre le plus à gauche de notre cour. Il a rédigé les conclusions mais c'est elle qui a demandé un réexamen. Elle a commencé sa carrière comme avo-

---

1. Audience à laquelle prennent part onze juges tirés au sort sur les vingt et un que compte la Cour d'appel. (N.d.T.)

cate, défendant des criminels endurcis, et cela est apparemment devenu sa religion. Quant à la religion telle que nous l'entendons, elle n'y est pas très attachée.

— Autrement dit, une humaniste laïque, résuma le sénateur. De la pornographie en salle de classe, mais jamais de prières.

Sur un signe de tête interrogateur de Taylor, Gage s'enquit :

— Quelle est sa position sur l'avortement?

— Difficile à cerner, comme beaucoup d'autres choses chez elle. On *devine* ce qu'elle doit penser, mais sans jugement portant son nom, pas moyen de le confirmer.

Du menton, Taylor désigna le poste de télévision.

— Et l'affaire de cette fille? dit Gage. Celle qui veut avorter d'un fœtus de six mois? Elle ne devrait pas finir devant votre cour?

Nouveau silence, au terme duquel Steele vainquit ses résistances :

— L'un de ses aspects nous a déjà été soumis. Je préside le collège chargé des requêtes urgentes. Nous venons de rejeter l'appel de l'avocate de cette fille pour préserver son anonymat. Nous avons estimé que la question relevait clairement du juge chargé de l'affaire.

Après une pause, Steele ajouta dans un accès de hardiesse :

— Si déplaisante soit-elle, je crois que l'opinion doit affronter la réalité de l'avortement : nous refusons à un fœtus humain la protection que la SPA accorde aux chats errants. Toute femme, y compris une mineure de quinze ans, qui réclame un avortement si près du terme doit le faire au vu de tous.

— Cette affaire pourrait concerner votre collègue? voulut savoir Gage.

— Normalement, non, répondit le juge avec prudence. Même si elle devait rester des nôtres, nous disposons d'un effectif de vingt et un juges. En principe, les collèges sont tirés au hasard...

Il laissa sa phrase en suspens.

— Mais? fit le sénateur, qui sentait que Steele se frayait un chemin dans un champ de mines verbal.

— Cette fille est à trois mois du terme. Tout appel doit donc être examiné par le collège chargé des requêtes urgentes.

— Dont vous faites partie.

— Oui. Jusqu'à la fin du mois.

Gage jeta un coup d'œil à Taylor.

— Et la procédure d'urgence est différente?

— Notre collège peut examiner la requête ou la transmettre à un autre collège de juges.

Le sénateur se renversa dans son fauteuil, contempla le plafond.

— Mais, même dans l'éventualité où elle ferait partie de cet autre collège, maintenant qu'elle a le gros lot en vue, elle trouverait probablement une raison de se récuser, raisonna-t-il.

— Il y a un seul autre moyen pour l'amener à entendre le cas de cette fille. Mis à part en qualité de présidente de la Cour suprême, je veux dire.

— A savoir ?

— Après la décision d'un collège, l'une des parties ou un juge de notre cour peut demander que l'affaire soit réexaminée en banc par onze de nos vingt et un membres. Comme cela s'est produit pour ce Snipes dont je vous ai parlé. Ou, pour les affaires d'exception, par tous les membres. C'est rare, mais pour un problème constitutionnel aussi important…

— Cela prendrait combien de temps ?

— Pour une requête urgente, et selon les dispositions de cette loi, l'audience et le réexamen prendraient un mois environ.

— Mais Masters pourrait se récuser ?

— Elle pourrait, oui. Ensuite, le seul recours de la partie perdante serait une requête à la Cour suprême. Que celle-ci pourrait satisfaire ou rejeter.

Taylor prit le bloc-notes, écrivit dessus « Combien de temps pour ça ? » et le montra à Gage, qui lut la question.

— Une semaine, répondit Steele. Peut-être un peu plus.

— Ne pensez-vous pas que, sans président, la Cour suprême dans sa composition actuelle se diviserait en quatre contre quatre sur le maintien de la loi ?

Steele fit à nouveau preuve de circonspection :

— Il ne m'appartient pas de spéculer, sénateur. Mais un tel blocage soulignerait la nécessité de choisir avec sagesse le nouveau président de la Cour. C'est d'ailleurs la gravité de la question qui m'a conduit à décrocher le téléphone.

Taylor sourit à Gage par-dessus le bureau.

— Je compte sur votre patriotisme, dit le sénateur à Steele d'un ton sentencieux. Et vous pouvez compter sur ma discrétion.

Débranchant l'amplificateur, Gage dit à Taylor :

— Renversant : le nom de Masters n'a même pas franchi ses lèvres. Comme s'il écrivait à l'encre sympathique.

— C'était une demande d'emploi, Mac. Il pense que vous avez une chance de devenir président, il veut être nommé à la Cour suprême.

Si Gage trouvait la remarque flatteuse, elle était trop manifestement juste pour mériter un commentaire.

— Elle cessera de se prononcer, prédit-il. Surtout sur des sujets aussi épineux. Dès que Tony Kennedy a été proposé, il a pratiqué la politique de l'autruche.

— Il y a aussi les délais dont parlait Steele. Si on arrive à retarder le vote sur Masters, cette affaire d'avortement pourrait nous être utile. Ne serait-ce que pour démontrer que le vote du nouveau président de la Cour serait décisif.

— Ce qui nous aiderait, c'est que Palmer fasse durer les audiences. Pour le moment, il ne s'engage absolument pas.

Taylor termina son café et conclut :

— Si vous ne voulez toujours pas y aller franco, servons-nous de cette affaire. Les collaborateurs de la commission doivent étudier toutes les affaires dont elle s'est occupée, en remontant peut-être à l'époque où elle était avocate : donner à nos alliés quelque chose à signaler à Palmer pendant que nous examinerons sa vie au microscope. Je continue à penser qu'elle est gouine, malgré ce type qui se fait passer pour son Roméo.

Bien que Gage fût d'accord, la remarque le mit mal à l'aise : Mace Taylor avait trop facilement recours aux questions personnelles. Cela rappela une fois de plus au sénateur qu'en politique chevaucher le tigre — surtout quand il prenait la forme de Taylor — présentait des risques.

Au bout d'un moment, il brancha de nouveau l'amplificateur.

— J'appelle Paul Harshman, dit-il. C'est notre meilleur allié à la commission judiciaire.

— J'ai Mace avec moi, commença Gage. Qu'est-ce que fait Palmer ?

Le jeune sénateur de l'Idaho donna une réponse écœurée :

— Du Palmer. Il joue au solitaire, comme toujours. Il réduit le champ des investigations en court-circuitant les collaborateurs et le FBI. Il use même de son pouvoir de président de la commission pour nous priver de l'accès aux documents bruts du FBI, y compris les rapports d'interrogatoire. Dieu — ou le grand Chad Palmer — sait pourquoi.

Taylor fit glisser sa chaise vers le bureau.

— On n'a pas besoin des collaborateurs, Paul. Si on réussit à se procurer les documents de base, je trouverai des enquêteurs pour les exploiter. Il y a de l'argent pour ça.

Gage lui lança un regard aigu : Taylor était dangereusement prêt de suggérer qu'un sénateur, un membre important de la commission, prenne contact avec le FBI en passant par-dessus Palmer. A l'autre bout du fil, Paul Harshman gardait le silence.

— Parlons plutôt de coincer Palmer, intervint Gage, lançant des yeux une mise en garde à Taylor. Politiquement, s'entend.

14

Du box du témoin, le docteur de Mary Ann, James McNally, parlait d'égal à égal à son ami Martin Tierney. Dans la retransmission du procès, ni le nom ni le visage de l'adolescente n'étaient plus censurés. Sarah aurait pu invoquer la confidentialité des rapports patient-médecin pour empêcher McNally de témoigner contre Mary Ann, mais sa comparution était capitale pour l'avocate.

— J'ai mis Mary Ann au monde, dit-il en tournant les yeux vers la jeune fille. J'ai pour elle une profonde affection. Mais, en tant qu'obstétricien, je dois me soucier d'elle *et* de son enfant. Je ne peux être d'accord quand elle soutient qu'un avortement est médicalement nécessaire.

Le ton de McNally exprimait plus de tristesse que de colère et il semblait impressionner Leary. Les deux hommes se ressemblaient, d'ailleurs, quoique le docteur fût plus âgé et plus corpulent.

— Pour quelle raison êtes-vous parvenu à la conclusion qu'un avortement n'était pas nécessaire ? demanda Tierney.

La voix était plus celle d'un père inquiet que d'un inquisiteur, et l'on imaginait aisément les deux hommes s'entretenant amicalement dans le calme du cabinet de McNally.

— Pour reprendre les termes de la loi sur la protection de la vie, cet enfant ne constitue pas un «risque médical important» pour la vie de Mary Ann ou sa santé, répondit le docteur avec gravité.

— Qu'est-ce qui constituerait un risque important ?

— Une maladie antérieure, d'une manière générale. Un cancer, qu'on ne peut traiter pendant la grossesse. Une insuffisance cardiaque. L'hypertension, qui peut conduire à un arrêt fatal des fonctions rénales. Le diabète...

Là encore, McNally adressa à Mary Ann un regard chargé de tristesse et de reproche.

— Malgré ces difficultés potentielles, beaucoup de femmes poursuivent leur grossesse pour voir si le risque se concrétise. Mary Ann ne présente aucune de ces maladies.

Trouvant ce commentaire sur le choix douloureux de certaines femmes enceintes un peu trop condescendant et patriarcal, Sarah griffonna une note pour le contre-interrogatoire.

— Bien entendu, nous nous soucions *aussi* de la capacité de notre fille à avoir d'autres enfants, dit Tierney.

Ce n'était pas une question mais un témoignage. Bien que radicalement opposé à la présence des caméras, il semblait avoir une conscience aiguë de son rôle de père dans un mélodrame familial.

— Je le sais, Martin, répondit McNally. Mais Flom lui-même reconnaît qu'il est hautement improbable qu'une césarienne classique compromette les capacités procréatrices de Mary Ann.

— Quand vous dites «hautement improbable»...

— Beaucoup moins d'un cas sur quarante, à mon avis.

Mary Ann pressa le poignet de son avocate en murmurant .

— Il ment.

Sarah hocha la tête en gardant les yeux sur McNally.

— Il arrive que des complications ou une faute médicale commise pendant une césarienne conduisent à une hystérectomie mais, là encore, dans un pour cent des cas, au maximum, ajouta le médecin.

Tierney fit un pas vers le témoin, comme pour souligner un point crucial.

— Au cours de vos consultations, que nous avez-vous dit des dangers comparés d'un accouchement par césarienne et d'un avortement tardif pour notre fille ?

McNally considéra Mary Ann avec une expression affligée avant de s'adresser directement à Leary :

— Qu'un avortement tardif constituait un risque plus grand pour sa vie ou sa santé. L'intervention proposée par le Dr Flom est plus que désagréable, elle présente un risque de perforation de l'utérus.

Leary semblait captivé mais Sarah toucha la main de Mary Ann et écrivit sur son bloc-notes : «Grosse erreur».

— Si j'ai bien compris, docteur, reprit Tierney, vous avez déclaré que notre petit-fils pourrait être affligé d'une infirmité.

— J'insiste sur «pourrait», car son hydrocéphalie, pour marquée qu'elle soit, ne revêt pas la forme la plus grave. Une hydrocéphalie grave n'est pas compatible avec la vie. Or, la mesure échographique de l'épaisseur corticale laisse au moins de l'espoir. Il serait peut-être même possible d'installer un drain pour évacuer le liquide et sauver la vie de l'enfant. Ce qui est le rôle d'un médecin.

— Quel pourcentage de cas d'hydrocéphalie trouve-t-on dans les avortements tardifs?

— Très peu, moins de dix pour cent, j'ai étudié les chiffres. Le Dr Flom fustige le Sénat. Moi, je dis : Dieu merci, le Sénat se préoccupe de ce problème. Aucune société saine ne fait des médecins des sortes de grands prêtres chargés de définir ce qu'est une "vie digne de ce nom". Même un bébé qui risque de mourir à la naissance mérite la compassion de la communauté humaine, pas une paire de ciseaux dans l'arrière du crâne.

«Une société humaine adopte des lois — comme celle-ci — pour empêcher des docteurs de commettre cet acte horrible, comme on les empêche d'aider des patients nécessiteux à vendre leurs organes, ou de se prendre pour Dieu en abrégeant la vie d'infirmes. L'argument des partisans du meurtre d'enfants selon lequel l'Etat n'a pas le droit de légiférer en ce domaine est répugnant sur le plan éthique et moral.

«Mais, à supposer que la "normalité" soit le critère, je donne a votre petit-fils dix pour cent de chances d'être normal. Soit bien plus que les estimations exagérées du Dr Flom sur les risques d'une césarienne.

— Qu'est-ce que cela implique pour l'autorisation d'un avortement tardif chaque fois qu'un médecin invoque la protection de la santé physique de la mère?

— Que la «santé physique» telle que le Dr Flom la définit est une pente glissante qui rapproche dangereusement l'avortement tardif de l'avortement à la demande. Et que la «santé mentale» nous y mène tout droit. Sous prétexte de «santé mentale», un médecin pourra réclamer un avortement à trente semaines pour éviter à une fille de dix-sept ans le traumatisme psychologique de ne plus rentrer dans sa belle robe.

McNally se tourna vers Mary Ann avec une expression de sollicitude avunculaire.

— En tant que médecin et ami, je ferai tout ce que je peux faire, dans un esprit de responsabilité, pour Mary Ann Tierney. Mais nous sommes ici aujourd'hui parce qu'elle a décidé d'avoir des rapports sexuels qui ont débouché sur une grossesse. Cette décision — ce fait médical — a des conséquences importantes pour deux êtres vivants, pas pour un seul. Mary Ann est ici pour parler en son nom, prétend-elle. Mais qui, alors, parle pour son fils?

Malgré l'antipathie qu'elle éprouvait pour lui, Sarah devait reconnaître que McNally faisait un témoin convaincant. Les journalistes avaient cessé de murmurer et prenaient des notes.

— Pour enlever un grain de beauté sur la joue de Mary Ann, j'aurais besoin de votre autorisation, dit-il à Tierney. Et l'intervention suggérée par Flom est autrement plus grave.

— En effet, acquiesça Tierney. Pourriez-vous décrire la façon dont le Dr Flom se propose de mettre fin à la vie de mon petit-fils?

— Bien, fit le médecin avec répugnance. Le premier et le deuxième jours, il insérera des dilatateurs dans le col de l'utérus. Le troisième jour, il les enlèvera et incisera la membrane protégeant l'utérus.

«A ce stade, certains docteurs démembrent l'enfant, d'autres font sortir en partie les pieds et les jambes. La technique du Dr Flom est esthétiquement supérieure. Il enfonce une paire de ciseaux recourbés dans le crâne de l'enfant. Puis il écarte les ciseaux pour agrandir le trou, y glisse un cathéter et aspire le contenu de la tête.

Sarah vit le visage de Mary Ann se vider de son sang.

— Médicalement, poursuivit McNally avec un calme dévastateur, le seul avantage est de garantir que votre petit-fils — l'enfant de Mary Ann — sera mort à l'accouchement. Ce n'est pas pour cela que j'ai fait des études de médecine.

15

— Vous est-il arrivé de pratiquer un avortement? attaqua Sarah en se dirigeant vers James McNally.

— Non, répondit-il en croisant les bras.

— Parce que vous y êtes moralement opposé?

— Je suis catholique, je respecte le dogme de l'Eglise. Mais ma position repose aussi sur des faits scientifiques et sur l'obligation pour un médecin de préserver la vie.

Sarah marqua une pause, fixa le témoin.

— En qualité de médecin, avez-vous été amené à soigner une victime de viol?

McNally lança un coup d'œil à Tierney avant de répondre :

— Plusieurs fois.

— Avez-vous observé que ces femmes étaient traumatisées ? *Profondément* traumatisées ?

— Oui, répondit McNally, tordant la bouche.

— Avez-vous soigné des victimes d'inceste ?

Il se raidit, acquiesça de nouveau.

— Et les deux à la fois : quand il y avait eu viol *et* inceste ?

— Un seul cas.

— Quel âge avait la victime ?

— Quatorze ans.

— Avez-vous pu observer la façon dont elle en était affectée ?

— De façon négative, c'est clair. Elle avait du mal à en parler...

— Etait-elle déprimée ?

— Déprimée ? A tout le moins. Elle avait des difficultés à dormir...

— Etait-elle suicidaire ?

McNally réfléchit, répondit :

— Je dirais que oui.

Martin Tierney s'était levé derrière Sarah.

— Votre honneur, je ne parviens pas à voir le rapport.

Leary se tourna vers l'avocate, haussa un sourcil d'un air interrogateur.

— Une question de plus, votre honneur, sollicita-t-elle.

— Allez-y.

— Vous décrivez, docteur, une fille de quatorze ans dépressive, insomniaque, au bord du suicide, après avoir été violée par son père. A votre avis — moral, religieux et médical —, cette fille a-t-elle le droit d'avorter ?

— Non, répondit-il avec une grimace. Si criminelle que soit l'origine de l'enfant, c'est une vie.

— Donc, si elle vous demandait un avortement — légal, à moins de trois mois —, vous le refuseriez.

— Oui. J'essaierais plutôt de lui prodiguer toute l'aide et tout le soutien possibles, y compris en intervenant auprès du père...

— Un peu tard, vous ne pensez pas ?

— Mademoiselle Dash, repartit McNally d'un ton nerveux, je ne puis admettre l'avortement, même dans des circonstances aussi tragiques.

— Même si elle ne rentrait plus dans sa belle robe ?

— Votre honneur ! protesta Tierney.

— Je retire la question, fit Sarah d'un ton détaché, sans quitter McNally des yeux. En d'autres termes, docteur, aucun traumatisme émotionnel, ni l'inceste ni le risque de devenir stérile, ne justifie un avortement?

— Exactement.

— Selon vous, existe-t-il une situation où l'avortement serait moralement justifié?

— Oui. Si la mère risque clairement de mourir.

— Même si le fœtus semble sain?

— C'est un dilemme, mademoiselle Dash. Mais quand la femme en question a déjà des enfants qui dépendent d'elle et qui risqueraient de la perdre, la balance peut pencher en faveur de la vie de la mère.

Sarah continua à l'aiguillonner:

— Dans ce cas précis, vous pensez qu'elle est libre de décider et qu'un médecin doit pouvoir pratiquer une IVG? Même si le bébé est normal?

— Oui.

— Pas quand le fœtus a peu de chances d'avoir un cerveau et que la menace ne concerne pas la vie de la mère mais ses capacités procréatrices?

— On peut toujours échafauder des hypothèses extrêmes, répondit McNally en se renversant dans son fauteuil. Des hypothèses qui touchent le cœur, mettent la conscience à l'épreuve...

— Je présume que cela veut dire «non». Même si cette fille est la vôtre et demande une IVG?

La question, quoique simple, suscita chez le médecin un silence songeur.

— Je conçois la souffrance qu'un tel conflit peut causer. Mais j'espère que je serais aussi ferme sur mes principes que l'est Martin Tierney.

La réponse étant meilleure que ce que Sarah espérait, elle décida d'en rester là et de partir dans une autre direction:

— Supposons qu'un tribunal accorde à votre fille le droit d'avorter, malgré vos objections. Souhaiteriez-vous que l'intervention soit faite dans les conditions les plus sûres et par le meilleur médecin possible? Indépendamment de vos opinions?

— Pour ma propre fille? fit McNally avec une indignation contenue. Naturellement. Et pour toute autre fille.

— Mettez-vous en doute le Dr Flom quand il déclare avoir pratiqué cette intervention plus de treize cents fois sans complications graves?

— Je ne peux ni contester ni confirmer cette affirmation.

— Suggérez-vous que le Dr Flom ment ?

— Non.

— Bien. Connaissez-vous une technique d'avortement tardif plus sûre que celle du Dr Flom, ou un médecin plus capable ?

— Dans ce contexte particulier, fit McNally, dédaigneux, non.

— Vous n'êtes cependant pas d'accord pour qu'il la pratique sur Mary Ann ?

— Oui. Parce qu'elle est barbare...

— Mais pas risquée.

— Non. Sauf pour le bébé, commenta-t-il d'un ton acerbe.

Sarah ne releva pas.

— Vous venez cependant de dire à Martin Tierney qu'un accouchement par césarienne est plus sûr qu'un avortement tardif.

— En général, oui. Selon la littérature médicale.

— Selon la littérature médicale, répéta Sarah. Et selon votre expérience, docteur ?

McNally resta un moment coi, la bouche entrouverte.

— Je vous l'ai dit, je n'ai jamais pratiqué d'avortement. A quelque stade que ce soit.

— Et des césariennes ?

Il hocha lentement la tête.

— Des césariennes, oui.

— Y compris la césarienne classique qui serait nécessaire pour que Mary Ann accouche ?

— Oui.

— La césarienne classique est beaucoup plus invasive qu'une césarienne limitée, n'est-ce pas ?

— Oui.

— Pourtant vous affirmez que, en l'absence de complications inhabituelles, il est «hautement improbable qu'une césarienne classique compromette les capacités procréatrices de Mary Ann»?

— C'est ce que je pense.

— A combien estimez-vous le risque, docteur ? Deux pour cent ?

— Moins.

— Un pour cent ?

— Peut-être.

— Vous, accepteriez-vous un risque de stérilité de un pour cent pour votre fille ?

— Objection ! s'écria Tierney.

Sans cesser de fixer McNally, Sarah agita une main.

— Est-il exact que lorsque vous en avez parlé pour la première fois à Mary Ann et à sa mère, vous avez situé ce risque autour de cinq pour cent?

— Peut-être, admit le médecin en croisant de nouveau les bras. J'ai depuis consulté la littérature.

— La littérature. Nous y revoilà.

Avant que Tierney puisse intervenir, le témoin, piqué, répliqua :

— Personnellement, mademoiselle Dash, je n'ai jamais vu une césarienne classique causer ultérieurement le déchirement d'un utérus, comme le Dr Flom l'a décrit.

— Il ne l'a pas simplement décrit. Il nous a montré des photos. Mais vous avez mentionné comme autre risque une faute chirurgicale commise pendant une césarienne classique. Est-ce exact?

Les yeux mi-clos, le témoin examina Sarah.

— Exact.

— Selon votre expérience, docteur, une telle faute a-t-elle entraîné une hystérectomie?

McNally pressa les lèvres.

— Oui. Je l'ai mentionné.

— C'est fréquent?

— Je ne sais pas. Cela arrive.

Sarah s'approcha de lui.

— C'est arrivé combien de fois quand vous étiez le médecin?

L'angoisse qui apparut dans les yeux de McNally suscita chez Sarah un instant de pitié.

— Deux fois.

— Et, dans les deux cas, vous avez été poursuivi pour faute professionnelle...

La voix furieuse de Tierney couvrit celle de Sarah.

— Objection. La question est sans rapport avec l'affaire et vise clairement à humilier le témoin en public...

— A la différence de son témoignage, qui visait à humilier votre fille en public, riposta l'avocate. Votre honneur, le témoin a prétendu qu'un avortement tardif pratiqué par le Dr Flom est plus risqué qu'une césarienne classique. J'ai le droit de mettre en doute sa crédibilité.

— Désolé, docteur McNally, dit Leary, mais la question entre dans le champ de votre témoignage direct.

Lentement, le médecin se tourna vers Sarah avec une dignité qu'elle trouva plus émouvante que son air de certitude morale.

— Mademoiselle Dash, j'ai pratiqué la médecine pendant trente ans, j'ai mis des centaines d'enfants au monde et j'ai parfois sauvé des vies. Mais rien ne peut effacer la souffrance de ces erreurs.

— Ni pour vous ni pour les deux femmes devenues stériles, dit Sarah.

— Oui, je suppose, murmura-t-il.

Elle hocha la tête, maintint la distance qui les séparait.

— N'est-il pas probable que votre répugnance morale pour l'avortement ait affecté votre estimation médicale des risques pour Mary Ann ?

Baissant les yeux vers ses mains, le témoin répondit :

— C'est impossible à dire.

— Vous n'affirmez donc pas, finalement, qu'une césarienne classique pratiquée par vous est plus sûre que les interventions du Dr Flom ? Ni même aussi sûre ?

Froissé, McNally regarda de nouveau l'avocate.

— J'ai commis des erreurs, mademoiselle Dash. Les médecins ne sont pas infaillibles.

— Vous ne prétendez pas non plus être certain que les risques de stérilité ne sont pas plus proches de votre première estimation de cinq pour cent ?

— Non.

— Ni que les autres risques ne sont pas vingt fois plus élevés ?

— Certain, non. Mais je crois qu'ils ne le sont pas.

— Vous n'êtes pas certain non plus que ce fœtus a plus de chances de développer un cortex cérébral que Mary Ann de devenir stérile ?

— Non. Je dis simplement que le seul moyen de le savoir, c'est de laisser Mary Ann aller jusqu'au terme de sa grossesse. Et que, quelles que soient les probabilités, nous devons respecter les vies à naître.

— Et, dans le cas de Mary Ann Tierney, enchaîna Sarah, ses parents doivent la contraindre à le découvrir, quels que soient les risques.

— Je dis simplement qu'ils le peuvent, moralement.

— Même avec la certitude que le bébé n'a pas de cerveau ?

McNally hésita longuement.

— Oui, répondit McNally. Dans mon système de valeurs, la vie d'un être pèse davantage que les risques limités que court un autre.

Les mains sur les hanches, Sarah lui assena :

— Même si cet être ne survit pas à la naissance ?

— Ce n'est pas de mon ressort, répondit le médecin avec calme. C'est de celui de Dieu.

— Sauf quand le bébé est normal et que la vie de la mère est en danger, répliqua Sarah. Dieu ne devrait pas décider, là aussi?

Pris dans son incohérence logique, le témoin reconnut :

— C'est le pire des dilemmes. Je ne peux imaginer Dieu sanctionnant un tel sacrifice pour quelque raison que ce soit.

— C'est donc Dieu qui vous prive de choix — vous et Mary Ann Tierney?

— Pas au sens où Il me parlerait. Ou alors comme Il nous parle à tous : «Tu ne tueras point.»

— Est-ce là un jugement médical, docteur? Ou une profession de foi reflétant vos convictions religieuses et morales particulières?

Coincé, le témoin chercha une réponse habile, se rabattit sur la vérité :

— Tout ce que j'ai appris indique qu'ils sont inséparables, mademoiselle Dash. Quels que soient les risques.

— Jusqu'à ce que ces risques se concrétisent, répliqua-t-elle. Et pas pour vous.

Assise dans le bureau bois et cuir du chef de la majorité, Caroline Masters s'étonnait que le cadre lui parût familier : elle n'y avait jamais mis les pieds, elle n'avait jamais rencontré Macdonald Gage. Mais elle ne put s'attarder sur cette impression, le sénateur réclamait toute son attention.

Ses manières aimables la rendaient nerveuse. Elle sentait que sa conversation n'avait pas pour but d'exprimer quoi que ce soit et ne servait qu'à dissimuler des chausse-trapes. Même son aspect extérieur — les sourires fréquents, les petits yeux rusés, le banal costume gris à rayures — semblait destiné davantage à évoquer le maire d'une petite ville que le maître du Sénat, l'un des hommes les plus puissants d'Amérique. Leurs cinq premières minutes ensemble avaient été un menuet d'une exquise courtoisie, Gage l'assurant de sa vive sympathie pour Kerry Kilcannon, pour le New Hampshire, où elle était née, et même, avec une infime trace d'ironie, pour San Francisco.

— Cette ville semble si loin du New Hampshire, dit-il. Pourquoi avez-vous décidé de vous y installer?

« Parce que ça grouillait d'homos, là-bas », eut-elle envie de rétorquer. Souriante, elle répondit :

— Parce qu'elle semblait si loin du New Hampshire.

Bien que peu révélatrice, la réponse était plus proche de la vérité que tout ce qu'ils avaient dit jusque-là : à vingt-deux ans, Caroline avait fui son père, un tyran qui cachait une volonté implacable sous le gant de velours de la sollicitude paternelle.

— Grandir est pénible, fit observer Gage d'un ton plaisant. Moi même, je n'ai jamais quitté le Kentucky et je n'ai jamais douté de l'endroit où j'élèverais mes enfants. Question de chance, je suppose.

La remarque ne semblait pas appeler de commentaire. Plutôt que proférer une banalité, Caroline sourit de nouveau. Elle avait appris la réticence avec le juge Channing Masters, dont chaque conversation avec sa fille était un interrogatoire subtil. Et le souvenir enfoui causa en elle un tremblement qui le fit remonter à sa conscience : le bureau de Gage ressemblait à celui de son père.

— Présidente de la Cour suprême... disait Gage. Vous vous sentez à la hauteur ?

Cette fois elle ne sourit pas et répondit simplement :

— Oui.

Sa décision de dédaigner les platitudes habituelles — le grand honneur que ce serait pour elle, l'humilité qu'elle éprouvait — parut le décontenancer, mais un instant seulement.

— C'est très bien, la complimenta-t-il de son accent traînant. Vous savez, je ne peux m'empêcher de penser à Roger Bannon, à la merveilleuse famille qu'il avait. Le premier juge du pays ne doit pas être seulement un puits de jurisprudence mais un modèle pour tous. Vous n'êtes pas d'accord ?

La question, légèrement appuyée, la troubla.

— A défaut d'un modèle de perfection, un modèle d'humanité, répondit-elle.

De la tête, Gage indiqua le poste de télévision éteint.

— A propos d'humanité, vous suivez l'affaire Tierney ?

Le sujet pouvait avoir de nombreuses facettes : politique, juridique et personnelle.

— Non. Et, pour la même raison, je n'assiste jamais aux procès en première instance. Afin d'éviter tout préjugé.

Si Gage trouvait la réponse évasive, il ne l'approuva pas moins :

— Sage habitude. Surtout qu'avec Sarah Dash...

L'allusion, apparemment innocente, la prévenait que Gage fouillait dans sa vie. Sans toutefois préciser s'il parlait du stage de

Sarah ou de leur amitié, ou de quelque chose de plus trouble. En tout cas, l'intention de l'inquiéter était claire.

— Pour toutes les affaires, déclara-t-elle.

Gage lui jeta un regard aigu puis se renversa dans son fauteuil, croisa les mains sur son ventre et contempla le plafond.

— Vous avez quand même dû être aussi surprise que moi lorsqu'ils ont mis cette loi en cause. Qui, me suis-je demandé, pourrait être *pour* l'avortement par naissance partielle et *contre* l'autorisation parentale? Puis je me suis rendu compte que ce procès était en fait un séminaire destiné plus particulièrement aux jeunes femmes pouvant se retrouver dans cette situation.

Caroline resta silencieuse. Les yeux de Gage quittèrent le plafond pour plonger dans les siens.

— Voilà pourquoi c'est une bonne chose que vous ayez une position ferme sur l'adoption.

Allusion à Brett ou digression sur l'avortement? se demanda Caroline. Ou simple avertissement qu'il examinait sa carrière de juge aussi attentivement que sa vie privée?

— Ne pas être aimée est une tragédie, dit-elle. Pour un enfant, et pour nous tous, peut-être.

Gage hocha sagement la tête.

— Une famille aimante est le meilleur des programmes sociaux. Je l'ai appris de ma famille adoptive et de la petite fille que ma femme et moi avons recueillie.

Cela pouvait être une tentative pour sonder ses opinions en matière sociale, ou le rappel d'une absence d'enfants destiné peut-être à pointer chez Caroline une vulnérabilité cachée qui serait la cause de ce manque.

— La famille peut être pour nous la meilleure ou la pire des choses, répondit-elle.

— Juge Masters, comment décririez-vous votre philosophie judiciaire?

Caroline s'était préparée à cette question.

— Prudente, dit-elle. Respectueuse des précédents. Je ne crois pas que les juges doivent légiférer.

Avec un soulagement feint, le sénateur reprit:

— Alors, vous pensez comme Roger Bannon?

Caroline feignit, elle, de peser sa réponse.

— Je ne puis qu'être moi-même. Je dirais qu'une Cour suprême peu soucieuse des lois risque d'affaiblir le respect de la loi. Mais il y a manifestement des cas où ce qui était acceptable pour Thomas

Jefferson ne l'est plus pour nous, et se demander si en 1954 Jefferson aurait fait boire Sally Hemings à la fontaine réservée aux gens de couleur est hors de propos. Au mieux.

Avec cette réponse, Caroline se situait au-delà du débat, en particulier face à un homme appartenant à divers clubs qui n'admettaient les membres des minorités qu'au compte-gouttes et qui excluaient totalement les femmes, lui avait révélé Clayton Slade. Avec une première trace d'agacement, Gage demanda :

— Et le deuxième amendement ? Vous pensez que les pères fondateurs ont eu raison de l'ajouter à la Constitution ?

— Bien sûr, répondit aussitôt Caroline. A tout le moins, il empêche le gouvernement de confisquer toutes les armes. Mais est-il raisonnable de supposer que Thomas Jefferson pensait aux tueurs de flics, aux lance-roquettes cachés dans les arrière-cours ? En l'occurrence, il semble que les pères fondateurs nous aient abandonnés à nos propres choix.

— Vous estimez apparemment qu'il en va de même pour les lois sur le financement des campagnes électorales.

In petto, Caroline remercia une fois de plus Clayton Slade de l'avoir préparée. Elle avait esquivé les premiers assauts de Gage sur l'avortement et les armes — sujets capitaux pour des groupes d'intérêts représentant d'importantes sources de fonds pour sa campagne présidentielle — et il se faisait maintenant plus direct encore.

— Je suppose que vous avez lu mes conclusions sur le sujet ? dit-elle.

— En effet.

— J'ai estimé qu'une limite des contributions dans l'Oregon était tout à fait légale, mais je n'ai exprimé aucun avis sur ce qui n'était pas soumis à notre cour, notamment le projet de réforme beaucoup plus vaste en discussion au Sénat. Et je ne peux pas davantage le faire maintenant. Roger Bannon aurait eu la même attitude.

A l'ironie voilée de la réponse, Gage opposa un sourire aimable.

— Bien sûr. La question concernait plus votre philosophie générale.

Le ton détaché du sénateur était démenti par l'insistance de son regard.

— Elle est plus ou moins la même, assura Caroline. Le premier amendement protège la liberté d'expression sous de nombreuses formes. Mais Jefferson avait-il imaginé la télévision, les campagnes électorales incessantes, les millions de dollars de contributions ? Evidemment pas. Cela signifie-t-il que le premier amendement ne protège pas ces contributions? Pas en soi. Comme tout juge prudent, j'attendrai de voir ce qui me sera soumis.

Gage eut un sourire qui monta à ses lèvres avec une lenteur délibérée.

— J'admire votre position, dit-il. Elle parle en votre faveur... sur le plan professionnel.

Caroline sentit que ces derniers mots n'avaient rien d'anodin. Elle lui avait montré que l'attaquer sur ses principes ne serait pas facile; il la prévenait qu'il y avait d'autres moyens.

— Très bien, fit-il en se levant soudain. J'ai été ravi de faire votre connaissance. Mais je dois vous prévenir que nous avons nos habitudes au Sénat. Elles prennent parfois plus de temps qu'un candidat ne le souhaiterait. Certains de mes collègues estiment que «mûrement réfléchi» implique de mettre son nez partout. Mais je pense que c'est tant mieux pour la Cour, vous ne croyez pas?

Sous les mots, Caroline entendit un second avertissement : si elle avait quelque chose à cacher, elle ferait bien de renoncer.

— Tout à fait d'accord, déclara-t-elle.

— Alors, tout va pour le mieux, dit-il en lui serrant la main.

Il la raccompagna courtoisement et évita la presse, autre signe, s'il en fallait un de plus à Caroline, que Macdonald Gage était résolu à l'abattre.

17

La majeure partie du témoignage de Marlene Brown fut aussi mauvaise que Sarah l'avait prévu, mais pas pire.

Cette fille de seize ans comparaissant pour la défense était l'image même du Middle West. Vêtue d'une robe simple, à peine maquillée, la brune boulotte répondait aux questions de Barry Saunders avec une docilité respectueuse.

— Pouvez-vous nous dire ce qui est arrivé après que vous avez découvert que vous étiez enceinte? demanda l'avocat.

— C'était dur, au début... répondit-elle en baissant les yeux. Mike et moi, on n'avait que quinze ans, et nos parents pensaient qu'on était trop jeunes pour se marier.

— Avez-vous envisagé un avortement?

— J'ai tout envisagé. Mais on a des rapports personnels très forts avec Jésus. Je me suis demandé s'Il serait d'accord pour que je prenne la vie de mon bébé.

Pour Sarah la sceptique, de telles déclarations — sereinement assurées d'une connaissance intime de la divinité — avaient un relent de félicité béate court-circuitant l'usage de la raison. Mais elle avait appris à accepter que cette opinion la coupait de nombreuses autres personnes, et peut-être de Mary Ann, qui écoutait, tête baissée.

— Comment ont réagi vos parents? dit Saunders.

Marlene détourna les yeux.

— Je savais que ce serait dur pour eux, ça me faisait vraiment de la peine. Mais ils ont dit que l'amour est infini et qu'il y aurait de la place dans leur cœur pour mon bébé comme il y en avait eu pour moi, leur petite dernière. Moi aussi, j'étais un accident.

Sarah songea que Marlene s'identifiait peut-être à son propre enfant.

— Ça va aller, murmura-t-elle, autant pour Mary Ann que pour elle-même.

Saunders posa une autre question :

— Vous avez ensuite appris qu'il y avait des problèmes avec votre bébé?

— Le docteur a dit qu'il avait de l'eau dans le cerveau : hydro-céphalie, ça s'appelle. Tout ce que je sais, c'est qu'à l'échographie il avait une tête beaucoup trop grosse pour son corps.

— Pour le vôtre aussi?

Le témoin acquiesça de la tête.

— Pour avoir mon bébé, il fallait que je subisse une opération.

— Une césarienne?

— Oui, répondit Marlene en jetant un coup d'œil à Mary Ann. Et même avec l'opération, mon bébé mourrait sûrement, ils disaient, parce que l'eau empêcherait son cerveau de se développer.

Saunders eut un hochement de tête compatissant.

— A quel stade de grossesse étiez-vous?

— Cinq mois. Peut-être un peu plus.

— Votre médecin vous a-t-il avertie que garder ce bébé pouvait vous empêcher d'en avoir d'autres?

Tripotant sa montre en plastique, Marlene répondit :

— Il a dit qu'il pensait que tout irait bien mais qu'il y avait un petit risque de complications.

— Qu'avez-vous décidé?

— Ben... ma mère était là, fit-elle avec un haussement d'épaules. Pendant un long moment, on a fait que pleurer. Il gelait — ça pince, en décembre dans l'Iowa ; y avait pas école à cause de la tempête de neige. Ma mère a appelé mon père à l'usine, il est rentré tout de suite.

Comme par réflexe, elle se tourna vers Martin Tierney et poursuivit :

— Ils sont restés à côté de moi, ils me tenaient chacun une main. Finalement, ils ont dit — enfin, surtout ma mère — que l'avortement, ça leur plaisait pas mais qu'ils voulaient pas que j'aie mal non plus...

— Et alors ?

— Alors, ils ont dit qu'il fallait qu'on prie, qu'on en discute tous ensemble, et qu'après ils me laisseraient choisir et qu'ils me soutiendraient.

Dans le contexte décrit par Marlene — deux parents pro-vie, un Jésus personnifié qui aimait le bébé à naître —, il était difficile à Sarah d'imaginer que la jeune fille pût choisir d'interrompre sa grossesse.

— Vous avez donc prié ? dit Saunders.

— Oui. On s'est agenouillés en cercle, on s'est pris par la main, on a demandé conseil à Dieu. Et puis on a parlé de ce qu'on ferait si ça se passait mal.

— Qu'avez-vous décidé ?

— Qu'ensemble, on pourrait le supporter. Même si mon bébé mourait peu de temps après, je lui aurais au moins donné une chance. Alors, on a installé un coin pour Matthew dans ma chambre et on a attendu qu'il vienne.

— Quand est-il né ?

— En juillet. Ils ont dû lui mettre un tube dans la tête.

Saunders se retourna, fit signe à un collaborateur qui se tenait près de la porte de la salle. D'un geste un peu théâtral, l'homme l'ouvrit ; une femme entra, un bébé dans les bras. Vêtue d'un tailleur pantalon bleu marine, elle avait des cheveux teints tressés et enroulés autour de la tête, un air bienveillant. Surprise, Sarah se leva. Elle n'eut pas besoin d'explications pour savoir que c'était la mère du témoin. Marlene avait le même profil — nez proéminent, menton estompé — et ses yeux limpides regardaient la femme et l'enfant avec adoration.

— Pouvons-nous nous entretenir un instant ? demanda Sarah au juge.

Leary contemplait la scène avec un demi-sourire étonné.

— Approchez-vous, dit-il aux avocats.

Tandis que Tierney, Saunders, Fleming et Sarah se dirigeaient vers le juge, la femme s'arrêta dans l'allée et le nouveau-né poussa une petite plainte.

— C'est une audience, pas un spectacle de Noël, dit Sarah à mi-voix, furieuse. A moins que nous n'admettions ce bébé comme pièce à conviction? Les déclarations du témoin me suffisent amplement pour croire que son bébé existe. Il n'a pas sa place au tribunal.

— Pas sa place? s'indigna Saunders. On nous a infligé des échographies de tête boursouflée, des photos d'utérus éclaté, et ce magnifique bébé n'aurait pas sa place...

— Bon, l'interrompit Leary. Qu'est-ce que vous voulez prouver?

— Que vous qui êtes contraint de choisir entre la vie et la mort, vous devez voir cet enfant, et tout le pays aussi. Sinon, comment aurions-nous l'autorité morale pour décider du sort de tout autre enfant?

Leary regarda le bébé, leva une main pour devancer les protestations de Sarah. Peut-être commençait-il à prendre conscience que, en admettant des caméras dans la salle, il était devenu un simple acteur manipulé par d'autres, pensa-t-elle amèrement.

— Mlle Brown peut identifier le bébé, dit-il à Saunders. Cela devrait vous suffire. Nous ne sommes pas équipés d'une table à langer.

Saunders hocha la tête, le visage figé en un masque de satisfaction. Sarah savait qu'il avait été plus malin qu'elle et que les cinq minutes qui suivraient seraient terribles. En retournant à la table de la partie civile, elle vit Mary Ann, comme toutes les autres personnes présentes, regarder l'enfant avec un mélange de tendresse et de fascination.

L'avocat d'Engagement chrétien fit signe à la femme d'approcher. Elle traversa la salle, posa le nouveau-né dans les bras de sa mère adolescente.

— Marlene, demanda-t-il avec douceur, c'est votre fils?

Marlene Brown, si pitoyablement jeune pour Sarah, baissa les yeux vers le petit visage qui la regardait.

— C'est Matthew, dit-elle.

Comme pour le confirmer, le bébé leva une main et ferma un poing potelé. D'une voix protectrice, Saunders s'enquit :

— Quel âge a-t-il?

— Il aura sept mois demain.

— Il marche déjà à quatre pattes?

— Il essaie, répondit Marlene avec un sourire de mère. Il arrive déjà à se mettre sur les genoux.

— Qu'est-ce qu'il fait d'autre?

— Oh, des tas de choses. Il touche le mobile de son berceau, il sourit quand je lui chante une chanson. Il suit le chat des yeux comme s'il avait jamais rien vu de plus drôle.

Il changera d'avis quand il m'aura vu vomir, eut envie d'exploser Sarah. Elle savait pourtant à quel point cette mise en scène était efficace. Elle-même, malgré ses défenses, sentait les tiraillements du doute, et Mary Ann, à côté d'elle, refoulait ses larmes.

Par chance, peut-être, Matthew Brown se remit à pleurer.

— Vous pourriez peut-être lui trouver un biberon, monsieur Saunders, dit Leary avec un sourire. Je crois qu'il nous a assez vus.

Souriant lui aussi, l'avocat fit signe à la mère de Marlene. Avec l'habileté de l'expérience, elle prit l'enfant des bras de sa fille, le nicha au creux de son épaule. Les cris cessèrent.

Saunders, silencieux, laissa la scène parler d'elle-même : deux générations remplies d'amour, unies pour en préserver une troisième. Au premier rang, Margaret Tierney semblait en extase. Quand enfin Mme Brown emmena Matthew, traversant la salle entre deux haies de journalistes, Sarah se sentit profondément soulagée.

— Plus de questions, dit Saunders.

Et Mary Ann se mit à pleurer.

18

Au lieu de préparer son contre-interrogatoire, Sarah passa presque toute la suspension d'audience dans les toilettes à consoler Mary Ann.

Penchée au-dessus du lavabo, l'adolescente en larmes gémissait :

— C'est comme s'ils avaient dit que moi, j'aurais tué ce bébé...

Oui, pensa Sarah, et devant des caméras de télévision. Elle ne savait pas à qui elle en voulait le plus : aux Tierney, à Engagement chrétien, à Leary, aux médias.

— Quand j'aurai fini le contre-interrogatoire, les gens comprendront, assura-t-elle avant d'emporter dans la salle d'audience le fardeau de cette promesse.

La tâche était délicate. Marlene Brown semblait sincère, simple pion, jouet de forces habiles, implacables, et Sarah devait se garder de paraître, elle, habile et implacable.

— Vos parents ne vous ont pas forcée à avoir Matthew, je suppose, dit-elle en s'approchant du témoin.

Marlene secoua vigoureusement la tête.

— Oh! non. On a pris la décision tous ensemble.

— Si vous aviez décidé de ne pas courir de risques, ils vous auraient soutenue?

La jeune femme joua avec une mèche de ses cheveux, plissa le front.

— C'est si dur, maintenant, d'imaginer la vie sans lui...

— Ils vous avaient laissé le choix.

Un silence, un mouvement vif de la tête.

— Oui, madame.

Cette marque de déférence fit sourire l'avocate.

— Vous devez être contente d'avoir de tels parents?

— Oh! oui.

— Vous avez sans doute remarqué que d'autres filles, au collège, n'ont pas cette chance.

— Oui, c'est vrai.

— De quels problèmes vous parlent vos camarades de classe?

Barry Saunders s'agita sur sa chaise.

— L'alcool, surtout, répondit Marlene d'un ton désapprobateur. Le père de ma copine la frappe, elle s'est déjà sauvée de la maison une fois...

Elle s'interrompit brusquement en pensant aux caméras. Sarah ne poussa pas plus loin.

— Quand vous avez découvert que vous étiez enceinte, vous en avez parlé à votre mère. Pourquoi?

Marlene se mordit la lèvre.

— Ben, parce que c'est ma mère. J'avais fait une bêtise mais...

— Vous ne vous êtes pas confiée à elle parce qu'une loi de l'Etat de l'Iowa exige l'autorisation d'un parent pour un avortement?

Pour la première fois, elle parut perplexe et sur la défensive.

— Je ne connaissais pas cette loi. J'ai parlé à mes parents parce que je voulais le faire.

— Et vous avez gardé Matthew parce que vous le vouliez.

— Oui. Absolument... Et parce que je pensais que Jésus mon sauveur le voulait aussi.

Savez-vous ce qu'Il veut pour Mary Ann Tierney? songea à

demander Sarah. Mais la question était trop agressive. Attentif, Saunders était assis sur le bord de sa chaise, tandis que Martin Tierney observait Sarah d'un regard froid.

— Vous avez donc accouché de Matthew par césarienne.

— Oui, madame.

— Savez-vous quelles seront les conséquences éventuelles sur votre capacité à avoir d'autres enfants ?

— Je peux pas encore le savoir.

— Vous souhaitez avoir d'autres enfants ?

— Plus tard, quand je serai mariée.

Marlene parut un moment troublée puis son visage s'éclaircit de nouveau.

— Je me suis mise entre les mains du Seigneur. C'est Lui qui m'a donné Matthew, c'est Lui qui décidera si je dois avoir d'autres bébés.

Sarah hésita, décida de tenter le coup :

— Matthew, c'est un peu comme un miracle, non ?

Saunders remua de nouveau sur son siège, mais Sarah savait que, en intervenant sur ce « miracle », il déstabiliserait son témoin.

— Oui, madame, répondit Marlene. Les médecins ont dit que la plupart des bébés comme lui ne s'en tirent pas.

Sarah baissa la tête pour cacher sa satisfaction.

— Là encore, vous avez eu de la chance.

— Pas seulement de la chance, dit la jeune mère d'une voix débordante de gratitude. C'est comme si Dieu avait choisi Matthew parmi tous les bébés du monde et posé Ses mains sur lui pour le guérir.

Sarah n'en était pas si sûre. Elle avait étudié le cas et consulté le Dr Flom : c'était l'incertitude absolue concernant ses capacités mentales à long terme. Mais elle ne gagnerait rien à décortiquer un miracle ou à suggérer que le fils de Marlene Brown pût avoir des capacités cruellement limitées. Il suffirait de demander à la jeune fille de quitter un instant son monde de béatitude pour imaginer celui de Mary Ann.

— Vous voudriez que Mary Ann Tierney ait un fils comme Matthew ?

— Oh ! oui, répondit Marlene avec ferveur. De tout mon cœur.

— Vous savez qu'il naîtrait hydrocéphale. Pour qu'il ait un cerveau comme Matthew, il faudrait un autre miracle, vous ne croyez pas ?

Une ombre traversa le visage de la jeune mère. Saunders se leva à demi, se ravisa. Avec une satisfaction amère, Sarah pensa qu'il était pris au piège de sa propre mise en scène.

— Si, madame. Je crois bien, répondit lentement Marlene.

— Supposons que son bébé ne soit pas comme Matthew et qu'il meure, comme la plupart des bébés hydrocéphales. Vous voudriez qu'elle en ait un autre ?

— Oui, bien sûr.

Sarah inclina la tête sur le côté.

— Et si elle ne pouvait plus en avoir, à cause du bébé mort ? Qu'est-ce que vous lui diriez ?

— Ce serait dur, fit Marlene, tentant d'imaginer la situation.

D'une voix plus ferme, elle ajouta :

— Je lui dirais que c'était la volonté de Dieu et qu'elle doit avoir foi en Lui.

Sarah marqua une pause avant la question suivante :

— Supposons que cela vous soit arrivé à vous : que Matthew soit mort et que vous ne puissiez plus avoir d'enfants. Qu'est-ce que vous penseriez ?

Cette fois, Saunders se leva.

— Votre Honneur, Mlle Dash a le droit d'interroger le témoin sur ce qu'il a vécu, mais comment pourrait-il répondre sur ce qu'il n'a pas connu ?

— Précisément, dit Sarah à Leary. Je veux montrer que l'expérience de Mlle Brown ne s'applique pas forcément à Mary Ann Tierney.

Le juge parut perplexe et, autant par embarras que par sagacité, il décida :

— Vous pouvez répondre, mademoiselle Brown.

Marlene joignit les mains, baissa les yeux.

— Je penserais que c'était la volonté de Dieu. Je ne mettrais pas en cause Sa décision. Ni pour moi ni pour Matthew.

— Mais il y a eu un miracle. Et Matthew va bien.

— Oh ! oui.

Sarah jeta un coup d'œil à sa cliente. Mary Ann avait l'esprit plus vif que Marlene, l'intelligence plus aiguisée. Quoiqu'elle eût encore les yeux gonflés, le regard qu'elle posait sur le témoin dénotait un sentiment hésitant de distance.

— Supposons que vous ayez choisi d'avorter, reprit l'avocate. Cela aurait été mal ?

— Oui, répondit Marlene avec fermeté. Absolument.

— Alors vos parents ont eu tort de vous laisser le choix ?

La question désarçonna la jeune femme et confirma les doutes de Sarah sur cette liberté de choix, plus apparente que réelle.

— Après avoir prié, on a trouvé la réponse ensemble, dit Marlene. Je gardais Matthew.

— Vous pensez maintenant que c'était la seule réponse possible ?

Après un temps de réflexion, Marlene hocha de nouveau la tête.

— Oui.

— Si vos parents vous avaient forcée à avoir Matthew, ils auraient eu moralement raison ?

Saunders l'observait d'un air tendu, mais ce fut le regard translucide de Tierney posé sur elle qui apprit à Sarah qu'elle marquait des points.

— Oui, répondit Marlene. Matthew en est la preuve.

— Les Tierney devraient donc forcer Mary Ann à avoir cet enfant. Même si elle n'aura *jamais* un enfant comme Matthew ?

Elle hésita, répondit d'une petite voix :

— Oui.

La salle était silencieuse.

— Et le père qui bat votre amie ? Il doit lui aussi avoir le droit de décider ?

Le témoin se tourna vers Saunders.

— Objection, protesta-t-il. Nous allons de supposition en supposition.

— Accordée, dit Leary.

Sarah avait fait ce qu'elle pouvait. Déroutée, Marlene Brown la regardait de son box, témoin embourbé dans la tyrannie de sa propre bonté, jeune femme dont les convictions, récompensées par Dieu ou le hasard, servaient maintenant de base à la façon dont tous les autres devaient vivre.

— Merci, Marlene, lui dit Sarah. C'est tout ce que je voulais savoir.

19

Seule dans l'appartement de Sarah, Mary Ann se sentait trop malheureuse pour pleurer, trop abattue pour manger.

On la prenait pour une meurtrière et elle n'avait plus aucun endroit où se cacher. Si elle allait au lycée, ou même au magasin du coin, tout le monde verrait la salope qui s'était fait mettre enceinte par un garçon sur la banquette arrière d'une voiture, et qui voulait maintenant tuer un bébé aussi mignon que Matthew Brown. Le monde entier connaissait à présent Marlene et l'aimait parce qu'elle avait sauvé Matthew ; le monde entier détestait Mary Ann Tierney pour son égoïsme et donnait raison à ses parents.

C'était injuste. Personne ne savait qui elle était vraiment. Sarah l'avait empêchée de témoigner, et tout ce que les gens croyaient reposait sur les déclarations d'autres témoins. Les gens ne soupçonnaient pas ce que c'était de voir une tête déformée sur une échographie, de porter un bébé qui bougeait à peine, d'avoir des parents qui décidaient de votre vie pour vous.

Personne ne le savait. Pas même Sarah.

Avec des regrets amers, Mary Ann pensa à sa vie six mois plus tôt : ses amis, sa maison, sa confiance inébranlable en ses parents et en leur amour. Cela lui semblait maintenant un rêve lointain, fracassé par la stupidité de sa conduite avec Tony. Elle n'était pas sûre d'avoir envie de croire en un Dieu prêt à ruiner une vie pour une seule erreur.

Le bourdonnement de l'interphone la fit sursauter.

Elle se recroquevilla sur elle-même, incapable de répondre.

Nouveau bourdonnement.

Mary Ann déglutit pour chasser la sécheresse de sa bouche et de sa gorge. C'était peut-être Sarah qui avait oublié sa clef. Sarah, sa seule amie. Elle se leva lourdement, le ventre distendu, les jambes et les chevilles gonflées. Appuyant sur le bouton de l'interphone, elle demanda :

— Sarah ?

— Mary Ann ? fit une voix de femme. Je suis Tina Kwan, de Channel Five. Vous pourriez m'accorder une minute ?

— Allez-vous-en.

Mary Ann gardait cependant le doigt sur le bouton, comme si elle craignait sa solitude plus encore que la voix.

— Rien qu'une minute, insista la journaliste. Dans votre intérêt.

L'adolescente pressa son visage contre la grille de l'appareil.

— Mary Ann, si vous m'écoutez, sachez que je veux vous aider. Personne ne vous connaît vraiment.

— Je sais, murmura-t-elle, les larmes aux yeux. Je sais.

Quand ses balais d'essuie-glace commencèrent à grincer, Sarah les arrêta d'un geste rageur.

Elle était épuisée. Elle venait de connaître un bref moment de détente, un dîner avec des amis qui avaient fait imprimer des badges «Libérez Sarah Dash». Au bureau, trois collaborateurs lui avaient résumé les dépositions antérieures de l'expert choisi par les Tierney, mais le travail au cabinet, nécessaire, impliquait des interruptions si nombreuses qu'elles confinaient au harcèlement : coups de téléphone incessants des médias, visites d'encouragement de femmes et autres amis, de mouches du coche qui passaient livrer un commentaire ou un avis, souvent dépourvu de toute sensibilité. «Sale coup, ce bébé, avait dit l'un d'eux. Espérons que le tien sera vraiment mal foutu.» En comparaison, les chasseurs de stars — qui brisaient la concentration de Sarah uniquement pour pouvoir raconter aux amis qu'ils avaient discuté du procès avec elle — étaient un soulagement.

Elle pénétra dans le vaste garage de son immeuble en se félicitant que l'ascenseur descendît jusqu'au sous-sol. Son numéro de téléphone ne figurait pas sur l'annuaire. Avec de la chance, il faudrait quelques jours aux médias et à Engagement chrétien pour découvrir où elle habitait.

En ouvrant sa porte, Sarah se retrouva face à une inconnue.

Comme la femme se levait, surprise, Sarah se demanda pourquoi son visage lui semblait familier, puis comprit.

Mary Ann, assise sur le canapé, un micro-cravate attaché au col de son chemisier, fixait son avocate d'un air coupable. Près de la chaîne stéréo, un technicien tenait une caméra miniature.

La femme se ressaisit, tendit la main.

— Je suis Tina Kwan.

Sarah se sentit submergée d'indignation et de fatigue.

— Sarah Dash. Je ne savais pas que vous aviez transformé mon séjour en studio de télévision.

Insensible à la pointe, la journaliste déclara :

— Nous tenons beaucoup à ce que Mary Ann raconte son histoire.

— Alors, venez me parler — seule à seule.

Sans attendre de réponse, Sarah prit Kwan par le bras et l'entraîna dans le couloir, sous le regard étonné de Mary Ann et du technicien. Elle la fit entrer dans la salle de bains — pas question que cette femme pénètre dans sa chambre —, ferma la porte derrière elles.

Kwan recula un peu et Sarah jeta un coup d'œil à leurs reflets dans le miroir, deux profils au-dessus de la tablette encombrée de produits de beauté et — ça tombait mal — d'une boîte ouverte de tampons périodiques.

— Vous êtes en train de perdre la bataille des relations publiques, la prévint Kwan. Vous ne pouvez pas gagner ce procès sans gagner dans les médias.

Son physique était parfait : cheveux courts d'un noir luisant soigneusement taillés, visage maquillé pour mettre en valeur ses traits exotiques devant la caméra.

— Ce n'est pas une guerre de relations publiques. Il s'agit de la vie d'une fille de quinze ans. Je ne veux pas qu'on la piétine.

— C'est ce qui arrivera si vous laissez ces bigots faire d'elle un ovni, rétorqua Kwan.

La brusquerie de la journaliste calma la colère de Sarah.

— Quand je jugerai le moment opportun pour Mary Ann, nous envisagerons un entretien, dit-elle. Mais uniquement si vous me remettez ce que vous avez filmé maintenant et si vous partez.

— Mary Ann a envie de nous parler. Pourquoi ne la laissez-vous pas décider? repartit Kwan, qui ouvrit la porte et retourna dans la salle de séjour.

La caméra se braqua aussitôt sur elle.

— Mary Ann, votre avocate refuse toute interview. Moi, je veux que les gens vous voient comme vous êtes vraiment. A vous de choisir.

Sarah les rejoignit et dit d'une voix calme à sa cliente :

— Ils cherchent à t'exploiter. Je te demande de me faire confiance.

Mary Ann leva vers elle un regard tour à tour effrayé, boudeur, perdu. Soudain elle se leva et, avec l'expression rebelle d'une adolescente, elle tourna le dos à tout le monde et alla dans sa chambre.

— Sortez, maintenant, enjoignit Sarah à Kwan. Vous vous livrez à une violation de domicile, je pourrais vous poursuivre, bluffa-t-elle. Servez-vous de cet enregistrement et je le ferai.

Sarah ouvrit la porte de la chambre.

Mary Ann, assise au bord du lit, bras croisés, fixait le mur.

— Pourquoi tu les as laissés entrer?

Sans se retourner, elle répondit.

— C'est mon procès, pas le vôtre. C'est mon bébé. C'est ma vie.

Sous les mots, Sarah sentit la peur de Mary Ann.

— Tu n'es pas prête à les affronter...

— Pas *prête*, répéta l'adolescente en se levant d'un bond. Vous parlez comme lui, comme mon père. Il me fait passer pour une tueuse et vous me demandez de le laisser faire.

Elle s'interrompit, la voix étranglée par un sanglot.

— Qu'est-ce que les gens vont penser de moi, Sarah ?

— L'essentiel, c'est ce que tu penses, toi.

Mary Ann regarda son avocate, se laissa retomber sur le lit.

— Quand j'ai vu ce bébé, au tribunal... commença-t-elle.

— J'ai éprouvé la même chose. Cela ne signifie pas que tu as tort.

Elle baissa les yeux vers son ventre, murmura :

— Et s'il n'avait rien de grave, finalement ? Si c'était moi qui le condamnais ?

— En décidant d'avorter, tu cours ce risque, si faible soit-il, reconnut Sarah. Pour être honnête avec ton père, je pense que c'est en partie ce qu'il veut t'épargner. Il ne se préoccupe pas seulement du fœtus.

Pendant un temps qui parut très long à Sarah, Mary Ann garda le silence puis elle secoua la tête.

— Il faut que je le fasse, dit-elle. Pour moi. Pour le mari que j'aurai peut-être un jour, j'espère, et pour nos enfants.

— J'essayais de te protéger, pas de te faire taire, expliqua Sarah avec douceur. Quand nous parlerons à quelqu'un, nous choisirons qui, et nous dicterons les règles. Sinon, ce ne sera pas une interview mais une embuscade.

— D'accord, murmura Mary Ann.

— Si tu sais que tu es quelqu'un de bien, personne ne peut faire de toi quelqu'un de moche, poursuivit l'avocate, posant la main sur l'épaule de la jeune fille.

Mary Ann battit des paupières puis se jeta soudain dans les bras de Sarah et la pressa contre elle.

20

En regardant le Dr Bruno Lasch témoigner, Sarah regretta d'avoir si peu dormi.

Ses références étaient impressionnantes : expert renommé en éthique biomédicale, il avait enseigné à Yale ; ses travaux étaient largement publiés et il occupait une chaire dans l'un des plus prestigieux centres américains d'étude des problèmes bioéthiques. Mais ce qu'il incarnait le rendait plus redoutable encore. Depuis sa naissance, Lasch avait un corps chétif et difforme, pas de doigts aux mains, et ses jambes — plus embryonnaires que fonctionnelles — le condamnaient au fauteuil roulant qu'il avait placé devant le box des témoins. Ce qui frappait plus encore chez lui, cependant, c'étaient ses yeux, pétillants d'intelligence.

Il avait quarante-deux ans et rares étaient ceux qui avaient prévu qu'il vivrait aussi longtemps ou qu'il bâtirait une carrière aussi brillante malgré son infirmité. Le rôle de symbole qu'il jouait pour la communauté des handicapés avait trouvé une confirmation dans le cercle de manifestants, dont un grand nombre en fauteuil roulant, qui avait accueilli Sarah et Mary Ann au tribunal avec des pancartes proclamant : « L'infirmité n'est pas la peine de mort ».

— Il semble clair, disait maintenant Lasch à Martin Tierney, que l'action en justice de votre fille repose essentiellement non sur un risque, extrêmement faible, pour ses capacités procréatrices, mais sur la nature « inacceptable » de son enfant.

S'interrompant afin de reprendre son souffle, il tordit le cou pour regarder Leary et poursuivit :

— A cette aune, je ne serais pas ici. Chaque jour je remercie mes parents d'avoir eu assez d'amour et de courage pour oublier leur rêve d'enfant idéal et me voir moi.

Il avait une voix frêle, un peu tremblante.

— Mais je ne dois pas en faire une question personnelle. Je ne suis pas ici pour dire à Mary Ann Tierney : « Vous parlez de moi », mais pour lui demander, et demander à ce tribunal, dans quelle société nous vivons.

Il se tourna vers Mary Ann.

— Voici ce que je pense : soutenir que la loi sur la protection de la vie est anticonstitutionnelle si elle ne permet pas à Mary Ann Tierney de supprimer *cette* vie rabaisse la valeur de *toute* vie perçue comme moins que « normale », quels que soient les critères subjectifs de la mère pour définir la normalité.

Ce n'est pas un témoignage, pensa Sarah, c'est une conférence, prononcée du haut de la forteresse imprenable du corps cruellement difforme de Lasch. Mais soulever une objection aurait paru mesquin et irrespectueux. Il aurait été vain de souligner que Dieu avait donné au fœtus de Mary Ann des bras et des jambes mais rien, selon toute probabilité, qui ressemblât au cerveau extraordinaire de cet homme.

— Pourriez-vous préciser quelles sont vos craintes concernant l'avortement sélectif des handicapés? demanda Tierney avec la déférence d'un homme s'adressant à un saint laïc.

Lasch déglutit avec difficulté. Il semblait avoir du mal à respirer et parlait parfois avec un sifflement douloureux.

— Certainement. Ma première crainte concerne ce que j'appelle l'argument «expressionniste» : la biologie exprime le destin, une caractéristique exprime le tout. Pour prendre un exemple personnel, mes bras et mes jambes seraient la totalité de mon être.

Sarah grimaça intérieurement : avec habileté, Lasch se servait de lui-même comme pièce à conviction.

— Il y a quelques années, il y avait à Los Angeles une présentatrice de télévision sans doigts aux mains. Elle avait réussi sa carrière, elle formait un couple uni avec son mari. Mais quand elle tomba enceinte et qu'il apparut que son bébé n'aurait pas de doigts non plus, beaucoup de gens lui demandèrent comment elle pouvait envisager de donner naissance à un tel enfant.

«Ils étaient bouleversés par l'image d'un enfant sans doigts parce que cet enfant brisait l'idée qu'ils se faisaient de la beauté et qu'il fallait donc le mettre à mort. En fait, ils disaient à la mère qu'elle n'aurait jamais dû naître. Mais notre conception de l'infirmité est subjective; au XIXᵉ siècle, sur l'île de Martha's Vineyard, la surdité était si courante que quasiment tout le monde s'exprimait par la langue des signes. Ce qui suggère que, au lieu de commettre un meurtre, la société peut — et doit — s'adapter pour accueillir la différence.

D'une main rapide, Sarah griffonna une note et la marqua d'une étoile. Si impressionnant — et troublant — qu'elle trouvât elle-même le témoignage de Lasch, il lui semblait mêlé d'une ingénuité dans laquelle il se complaisait. Et il y avait peut-être là une piste pour le contre-interrogatoire.

— Quelles sont vos autres craintes? demanda Tierney.

— La seconde est de nature sociétale. Nous en sommes venus à considérer nos enfants comme des biens de consommation, non comme des dons à chérir. Trop souvent, les parents voient dans un enfant une extension d'eux-mêmes, pas une fin en soi. Ils se croient donc autorisés à commander un enfant comme un article sur un catalogue. J'en veux pour preuve ces couples qui cherchent sur Internet des ovules de joueuses de volley suédoises grandes et blondes élues par ailleurs Miss Univers.

Le juge sourit d'un air approbateur. Si ce rapprochement entre des parents potentiels riches et vaniteux et la jeune fille en lutte assise à côté d'elle hérissait Sarah, les journalistes, reflet du public, buvaient les paroles du Dr Lasch.

— Les tests génétiques pratiqués sur les femmes enceintes compliquent-ils le problème ? reprit Tierney.

— Oui, et d'une manière inquiétante, répondit l'expert en se tournant vers Leary avec un mouvement spasmodique du cou. Cette technique devient de plus en plus perfectionnée. Aujourd'hui, une femme peut avorter parce que le bébé est hydrocéphale... ou parce qu'elle préfère une fille. Demain, elle avortera parce qu'il est blond ou parce qu'il n'a pas d'oreille — au sens figuré — et ne pourra partager sa passion pour Mozart...

Lasch toussa, le corps secoué de tremblements.

— Excusez-moi, votre honneur. Ma question est la suivante : pouvons-nous laisser la mère choisir entre des traits désirables et indésirables ? Voulons-nous d'un monde de bébés de designer ?

Cette fois encore, l'expression du juge sembla signaler son accord.

— Vous avez parlé de la mère, dit Tierney. Quel est selon vous le devoir d'un médecin ?

— Le corps médical s'est montré lamentablement incapable de tenir son serment fondamental : préserver la vie.

Sarah eut l'impression que les efforts de Lasch pour témoigner l'épuisaient : sa voix se faisait plus grêle et se teintait d'une trace de colère. Elle étouffa en elle toute pitié : dans le cadre implacable d'un procès, la fatigue et la rancœur du témoin — qu'il fût infirme ou non — jouaient pour elle.

— Beaucoup de médecins encouragent l'avortement pour n'importe quelle anomalie, poursuivait-il d'un ton dur. Prenez la trisomie. L'avis "médical" typique se résume à : qu'est-ce que je peux bien répondre à ceux qui me demandent comment je peux mettre au monde de tels enfants ?

« Ces médecins ne croient pas à l'amour avec lequel des parents, des frères et sœurs accueillent un bébé trisomique, ni à l'amour et à la joie que cet enfant, étant aimé, leur rendra.

Le ressentiment de Lasch s'estompa, remplacé par de la tristesse.

— Nous connaissons tous de tels enfants. A cause de la cruauté de ces médecins, il y en a beaucoup d'autres que nous ne connaîtrons jamais. A mes yeux, ce n'est pas seulement un crime contre ces enfants, c'est une tragédie pour nous tous.

Sarah remarqua que, en témoin averti, Lasch avait changé de ton, conscient que l'affliction, non l'indignation, l'aiderait à jeter son anathème.

— Contrairement à vous, professeur Tierney, je ne suis pas croyant. Je suis, au mieux, agnostique. Mais je vois ici tant de paradoxes. Dans mon Etat, une femme renversée par une voiture alors qu'elle se rend à la clinique pour avorter peut poursuivre le chauffeur pour la mort du fœtus. Alors que si elle arrive à destination et avorte, ce fœtus n'a aucun statut...

Lasch déglutit, continua :

— C'est la raison pour laquelle tant de partisans de l'avortement s'opposent aux lois qui visent à protéger le fœtus des terribles conséquences de la toxicomanie de la mère en permettant de l'inculper de mise en danger de la vie de l'enfant, parce que ces lois impliquent que le fœtus est plus qu'une propriété de la mère, qu'elle pourrait traiter comme elle l'entend. C'est la prémisse tacite que Mlle Dash voudrait imposer à ce tribunal : un bébé handicapé est une tumeur qu'il faut exciser.

Au prix d'un gros effort, Sarah se retint de faire objection et considéra Lasch d'un œil froid en songeant au contre-interrogatoire.

— Comment liez-vous ces craintes à la vie, ou à la mort, de mon petit-fils ? demanda Tierney.

Lasch secoua lentement la tête. Son visage émacié exprimait la douleur d'un homme de conviction affrontant le mal.

— Je pose la question : votre petit-fils doit-il mourir parce qu'il pourrait naître infirme ? Pour moi, l'argument le plus convaincant n'est pas Matthew Brown. Il est dans l'existence de celui qu'on a appelé "l'enfant miracle".

«Comme l'a écrit un journaliste, son visage ressemblait à sa naissance à un dessin inachevé : un seul œil, anormalement petit, l'autre côté de la figure pareil à une feuille vierge, les narines séparées par une profonde crevasse. Pas de doigts. Quand le médecin l'a montré à la mère, elle s'est exclamée : "Je ne sais pas ce qu'est cette chose."

Lasch prit une inspiration comme pour chercher en lui la force de poursuivre.

— Cette «chose», c'était un bébé atteint d'une maladie rare appelée le syndrome de Fraser. Il n'avait qu'un seul rein et la liaison nerveuse entre les parties droite et gauche de son cerveau était défectueuse. Aucune infirmière ne voulait s'occuper de lui. Ses parents auraient pu le laisser mourir. Ils ont au contraire lutté pour qu'il vive à travers une longue série d'opérations.

Lasch marqua une pause, s'adressa au public :

— Il est maintenant à l'école. Il a un esprit particulièrement vif, le sens de l'humour, et des amis proches. Parce qu'il existe, les gens

224

ont appris à regarder au-delà de ce qui peut paraître étrange en lui pour voir ce qu'il a de merveilleux. Ce qui est merveilleux est rare et précieux chez tout être, a fortiori chez un enfant. Il a enrichi la compréhension et approfondi l'humanité de tous ceux qui le connaissent.

C'était une histoire émouvante, rendue plus touchante encore par l'effort que Lasch devait fournir pour la raconter. Sarah n'y était pas insensible, ni manifestement Mary Ann, à qui le témoin parlait maintenant.

— Le sacrifice de ses parents était héroïque. Mais la mort de cet enfant aurait été une tragédie aussi grande — plus grande, peut-être — que la mort d'un Matthew Brown. Si l'hydrocéphalie a empêché le cerveau de votre enfant de se développer, mademoiselle Tierney, il mourra probablement à sa naissance ou peu après. Vous ne serez jamais appelée à faire ce genre de sacrifice. Mais, s'il doit mourir, que ce ne soit pas de votre fait. Accordez-lui toutes les chances possibles...

Lasch eut un nouvel accès de toux qui lui fit monter les larmes aux yeux. La respiration sifflante, il reprit :

— Je sais que la mort d'un enfant serait une épreuve cruelle. Mais nous sommes ici à la limite de l'eugénisme, avec de terribles implications pour le monde dans lequel *tous* les enfants pourraient grandir. Ce que vos parents font, c'est un acte d'amour, pour vous et pour votre bébé. J'espère que, finalement, vous ne les en aimerez que plus.

Martin Tierney tourna alors vers sa fille un regard implorant et plein de tendresse.

— Plus de questions, murmura-t-il.

Mary Ann fixait la table, Sarah ses notes, maigre squelette de contre-interrogatoire.

21

Face à Bruno Lasch, Sarah fit appel à ses réserves de mémoire, accumulation de deux nuits passées, pendant la semaine précédant le procès, à lire les articles de l'expert sur l'avortement et les tests génétiques.

— Je voudrais savoir une chose, commença-t-elle. Pensez-vous qu'une adolescente violée par son père a le droit d'avorter?

De son fauteuil à roulettes, Lasch la considéra d'un œil prudent.

— Oui, répondit-il, dans la plupart des cas.

— Laissez-moi vous soumettre un exemple particulier. Supposons que cette fille fasse elle-même un test de grossesse, découvre qu'elle est enceinte et se rende dans une clinique pour avorter. Vous estimez qu'elle en a le droit?

Lasch hésita puis acquiesça.

— Prenons cette même fille, continua Sarah, sauf que maintenant elle est enceinte de son petit ami. A-t-elle toujours le droit d'avorter?

A la table de la défense, Martin Tierney remua sur sa chaise.

Lasch déglutit, acquiesça de nouveau. Sarah recula un peu : avec ce témoin, une trop grande proximité physique pouvait passer pour du harcèlement.

— Bien, dit-elle. Reprenons les mêmes données de base : test de grossesse, résultat positif, avortement. Sauf que la femme a quarante ans, qu'elle est mariée, mère de six enfants, et ne croit pas que la famille puisse subvenir aux besoins d'un septième. A-t-elle moralement le droit d'avorter?

Les yeux de Lasch étincelèrent.

— Il semble que vous ayez lu mes travaux, mademoiselle Dash. En ce cas, vous savez que, selon moi, un avortement visant à préserver une famille en difficulté n'est pas immoral en soi.

— Donc, là encore, la réponse est oui? Pour des raisons économiques?

Il hocha sèchement la tête.

— En effet.

— Donc, à la différence du professeur Tierney, vous n'êtes pas moralement opposé à l'IVG?

— Pour moi, un avortement est toujours regrettable. Mais c'est aller trop loin que soutenir qu'il est toujours immoral.

De la tribune, Leary regardait le témoin avec perplexité.

— Dans votre témoignage, vous nous avez donné l'exemple de Martha's Vineyard, où la surdité était courante au XIXe siècle, rappela Sarah. Savez-vous que la cause principale en était l'inceste?

— L'une des causes, corrigea Lasch en clignant des yeux.

Sarah poursuivit d'un ton neutre, dépassionné :

— Et vous estimez qu'une victime d'inceste a le droit d'avorter.

Lasch se redressa, regarda l'avocate dans les yeux, répondit d'un ton plus vif :

— Dans la plupart des cas, ai-je dit.

— Alors, précisez quand elle ne l'a pas.

Le témoin avala sa salive, répondit d'une voix grêle :

— Je pourrais vous donner une kyrielle d'exemples. C'est le motif qui compte, mademoiselle Dash.

Martin Tierney avait l'air tendu à présent.

— Revenons à la fille violée par son père, suggéra Sarah. Test de grossesse, résultat positif. Mais cette fois, pour être tout à fait sûre, elle va voir un médecin. Cela n'affecte en rien son droit à avorter, n'est-ce pas ?

— Non.

— Ajoutons un facteur. S'appuyant sur d'autres analyses, le docteur annonce que le fœtus — produit d'un viol et d'un inceste — est hydrocéphale. Peut-elle toujours avorter ?

Sarah vit Tierney se lever puis se rasseoir, conscient sans doute de la vanité d'une intervention. Lasch, se sentant pris au piège, toussa, s'étrangla, regarda l'avocate avec une expression de rancœur.

— Je le répète... c'est le motif qui compte.

— Supposons que les résultats des analyses soient «normaux». Dans votre univers moral, une adolescente victime de viol et d'inceste a le droit d'avorter d'un bébé ne présentant aucune anomalie ?

L'orgueil raidissait le corps de l'infirme et faisait briller ses yeux.

— Oui, répliqua-t-il. Je vous l'ai dit.

— Elle peut donc avorter pour cause d'inceste ?

— Oui.

— Ou pour raisons économiques ?

— Oui.

— Ou parce qu'elle est mineure et célibataire ?

— Oui.

— Ou simplement parce qu'elle est enceinte et ne veut pas l'être ? Lasch serra les mâchoires, tordit le cou.

— Oui.

— Pour toutes ces raisons, ou sans raison du tout, continua Sarah, sans pitié. Tant qu'elle pense que le fœtus est normal.

Le ressentiment qu'elle lisait dans les yeux de Lasch reflétait probablement toute une vie de souffrance et de lutte, la conviction — souvent fondée — que les gens «normaux» le regardaient avec mépris.

— Ce que je crois, c'est qu'on ne doit pas utiliser l'avortement pour assassiner des infirmes.

— Autrement dit, les seuls enfants non désirés qu'on doit contraindre une femme à avoir, ce sont ceux qui présentent des infirmités ?

— Non, rétorqua Lasch. On ne doit pas se servir de l'avortement pour les éliminer comme de la mauvaise herbe.

— Une femme peut avorter sans raison, pas pour une *mauvaise* raison.

— Vous déformez mes propos, mademoiselle Dash. Mais fondamentalement, oui.

— Pour régler le problème, le seul moyen ne serait-il pas d'interdire les tests génétiques ? Et l'échographie ?

— Ce n'est pas ma position...

— Cependant, si Mary Ann Tierney n'avait pas passé d'échographie, elle n'aurait jamais su que le fœtus était hydrocéphale. Elle aurait eu l'enfant et ne pourrait peut-être plus en avoir d'autres.

Lasch eut une grimace, croisa ses bras rabougris.

— Les tests génétiques ont une utilisation humaine. Ils peuvent par exemple aider une mère à se préparer à la réalité d'un enfant handicapé.

— Réalité *inévitable*, dans votre univers. Parce que, une fois qu'elle sait, elle n'a plus le droit d'avorter, exact ?

Les paupières de Lasch tressautèrent ; il avait l'air exténué.

— Ce que je crois, dit-il d'une voix altérée, c'est que l'avortement sélectif de fœtus handicapés est moralement condamnable et socialement dangereux.

— Il devrait donc être interdit ?

— Oui. A moins que la vie de la mère ne soit en danger.

— Vous n'êtes donc pas d'accord avec la loi sur la protection de la vie ? Parce qu'elle donne aux parents le droit, pour raisons médicales, d'approuver l'avortement tardif d'une mineure enceinte d'un fœtus potentiellement handicapé.

— Cet aspect me préoccupe, oui.

— En fait, vous pensez qu'aucun parent ne devrait pouvoir consentir à un avortement pour cause d'anomalies fœtales ?

— Oui, si c'en est la raison.

— Et vous condamnez moralement aussi bien l'avortement d'un fœtus aux yeux bleus que celui d'un bébé présentant des infirmités multiples, douloureuses et sans espoir d'évolution.

— Ce que j'ai dit...

Une quinte de toux l'interrompit.

— ... ce que j'ai dit, c'est que l'un peut conduire à l'autre. Et qu'ils sont tous les deux moralement condamnables.

— Vous estimez pourtant qu'un avortement pour raisons économiques peut se justifier.

— Dans certains cas, oui.

— Mais pas quand ces raisons économiques, ce sont les dépenses énormes que doit supporter une famille qui élève un enfant gravement handicapé ?

Le témoin hésita, grimaça quand un spasme nerveux agita son corps. Sarah ne put retenir un sentiment de compassion : les convictions de Lasch, comme celles de tout individu, étaient façonnées par ses émotions, mais, dans son cas, ces émotions étaient particulièrement profondes et une confrontation publique aussi vive ne pouvait qu'accroître son angoisse.

— Je ne dis pas que ces raisons ne sont jamais justifiées. Notre pays, partisans du mouvement pro-vie compris, n'aide pas les familles à élever des enfants handicapés. Le fardeau financier peut en effet être écrasant.

— Et qui en est juge, docteur Lasch ? La mère... ou vous ?

— Votre honneur, intervint Martin Tierney, la partie civile harcèle un témoin — pour qui cette comparution est en soi une épreuve physique — en multipliant les questions hypothétiques qui ne concernent pas notre fille ni notre petit-fils. Cette tactique est profondément injuste pour le Dr Lasch...

— Et profondément embarrassante pour vous, répliqua Sarah. Votre Honneur, M. Tierney espère embrigader les handicapés et leurs préoccupations morales sincères pour obliger Mary Ann à aller à terme. Mais il n'a pas tenu compte des problèmes que pose la prise en considération de ces préoccupations, ni des incohérences inhérentes aux conceptions du Dr Lasch. Et maintenant il ne veut pas qu'on les expose.

Leary acquiesça de la tête.

— Vous pouvez répondre, docteur Lasch.

Le témoin se tourna de nouveau vers Sarah.

— Non, mademoiselle Dash, ce n'est pas à moi de juger. C'est à la société de définir les critères.

— Mais vous ne pouvez pas me dire quels sont ces critères ? Ni qui, dans cette société, doit les définir ?

— Les législateurs, répondit-il. Guidés par des conseils appropriés.

Les conseils de qui? eut envie de répliquer Sarah, mais il valait mieux avancer.

— En l'absence de « conseils », docteur Lasch, le seul moyen pour une femme d'échapper à votre jugement moral — voire juridique —, n'est-ce pas de fuir comme la peste les échographies et les tests génétiques? Parce que, si elle sait que le fœtus est handicapé, ses motivations deviennent suspectes, quelles que soient les autres raisons qu'elle puisse avoir d'avorter.

— Ce n'est pas une interprétation correcte de ma position.

— Vraiment? fit Sarah, qui retourna à sa table et consulta ses notes. Vous avez pourtant commencé votre témoignage en affirmant, je cite : « Il semble clair que l'action en justice de votre fille repose essentiellement non sur un risque, extrêmement faible, pour ses capacités procréatrices mais sur la nature "inacceptable" de son enfant. » Clair pour qui, docteur Lasch?

Il s'humecta les lèvres, tenta d'esquiver :

— Clair d'après les circonstances…

— Pour *qui* ? insista Sarah.

— Pour moi, reconnut-il après un temps d'hésitation.

— Pour vous, dit-elle, posant une main sur l'épaule de sa cliente. Mais vous n'avez jamais rencontré Mary Ann Tierney, n'est-ce pas?

— Non.

— Vous ne l'avez donc jamais interrogée sur ses motivations?

— Non.

— Ce que vous savez, c'est que son fœtus est hydrocéphale.

— Oui. Et que le risque pour les capacités procréatrices est, comme je l'ai dit, extrêmement faible.

— Faible selon qui? repartit Sarah. Selon vous, là encore?

— Non. Selon son médecin.

— D'accord, docteur Lasch. Je ne prendrai pas la peine de vous inciter à vous demander si le risque d'hystérectomie ou de stérilité vous semblerait aussi « faible » si vous étiez Mary Ann. Mais nous ne parlons pas d'un bébé aux yeux bleus, n'est-ce pas?

— Bien sûr que non.

— Ni d'un enfant trisomique.

— Non.

— Ni même d'un bébé souffrant du syndrome de Fraser, comme « l'enfant miracle ».

— Non.

— Nous parlons de l'enfant potentiel de Mary Ann Tierney, qui, selon son médecin, n'aura certainement jamais de cerveau. Et qui, vous le reconnaissez vous-même, mourra probablement à la naissance.

Une rougeur colora les joues creuses de Lasch.

— Oui, admit-il à contrecœur.

Sarah demeura où elle était, près de sa cliente.

— Vous affirmez cependant que Mary Ann n'a pas le droit moral de mettre en balance les chances de vivre de cet enfant et son espoir d'en porter d'autres.

Les mâchoires du témoin se crispèrent.

— Si sa propre vie n'est pas en danger? Non, elle n'a pas ce droit.

— Mais pas, dans votre optique, parce que le bébé pourrait être «normal»?

— Non.

— Non, répéta Sarah. Vous pensez qu'elle n'a pas ce droit *parce que* le fœtus n'a vraisemblablement pas de cerveau. Ce n'est pas le choix auquel vos parents étaient confrontés, je crois?

Lasch grimaça, baissa les yeux. Sa réponse fut à peine audible :

— Non.

— Vous ne représentiez pas non plus pour votre mère un risque de stérilité, exact?

— Exact.

— Et quand vous êtes né, elle avait trente-huit ans.

Un moment, Lasch garda le silence, ruminant probablement le fait que l'avocate avait examiné non seulement ses articles, mais aussi sa vie. De la même voix basse, il répondit :

— Trente-huit ans, oui.

— Avant vous, vos parents n'avaient pas eu d'enfants.

— Non, fit-il, étonné.

— Mais ils avaient essayé d'en avoir pendant des années.

A la table de la défense, Martin Tierney fixait le sol. Lasch laissa son menton tomber sur sa poitrine.

— Oui, murmura-t-il.

— Les circonstances étaient donc très différentes pour vous.

Il releva la tête et dit d'une voix claire :

— Pas sur le plan moral. Cela peut vous paraître cruel, mais accéder à une société plus humaine a un prix. Quelqu'un doit le payer : la mère ou l'enfant.

Elle posa sur lui un regard étonné : de sa passion ou de son orgueil, il avait tiré une force nouvelle.

— Ne pouvez-vous admettre qu'une société plus humaine peut accorder une valeur à toute vie et reconnaître en même temps que l'absence de cortex cérébral compromet la *qualité* d'une vie ? Et que la valeur de cette vie — pour les autres comme pour elle-même — est très différente de la valeur de la *vôtre* ?

Lasch la regarda longuement en silence puis dit d'une voix tremblante :

— Ce n'est pas à nous d'en juger.

Il était temps d'en finir.

— Alors, ne jugez pas Mary Ann, répondit Sarah avant de retourner s'asseoir.

22

— J'ai des nouvelles préoccupantes concernant la candidature de Masters, annonça Macdonald Gage.

Chad Palmer, assis parmi ses collègues dans la salle de réunion du Russell Building, buvait à petites gorgées le café noir qu'il affectionnait le matin. Il n'était que huit heures et un grand nombre des cinquante-quatre sénateurs semblaient somnolents. Se penchant vers lui, son amie Kate Jarman, élue du Vermont, lui chuchota à l'oreille :

— Mac vient de découvrir que Masters pense que l'homme descend du singe. Ça va les réveiller.

Chad sourit. Avec son air de lutin et sa langue irrévérencieuse, Kate, comme les autres esprits indépendants qui gravitaient autour de lui, partageait son antipathie pour Gage. Mais elle le savait aussi bien que Chad, la réunion convoquée par Gage visait autant Palmer que Caroline Masters. Resté debout, Gage leur lança un regard réprobateur et poursuivit :

— Hier la Cour d'appel de Masters a rendu public un jugement, Snipes contre Garrett, qui réduit en miettes la loi sur la justice pénale adoptée l'année dernière et autorise les interminables actions en justice de criminels professionnels qui se prétendent «maltraités».

«Non seulement Masters a voté avec la majorité des juges, mais, selon mes sources, elle a contribué à faire annuler la décision antérieure, prise par un magistrat plus strict.

Il regarda de nouveau Palmer avant de conclure :

— Bref, elle semblerait plutôt favorable aux criminels.

Chad prit une expression vaguement intéressée mais se sentait tendu. Gage avait décidé d'intensifier leur guerre des nerfs au sujet de Caroline Masters et utilisait leurs collègues dans ce but.

— Ce n'est qu'un des aspects troublants d'un ensemble, continua le chef de la majorité. Nous sommes tous bombardés de lettres, de fax et d'e-mails sur cette affaire Mary Ann Tierney — Dieu sait à quel point je le suis. La loi sur la protection de la vie constitue la limite que nous avons fixée au mouvement pour l'avortement. Si nous sommes incapables de protéger les mineures ou d'interdire ce genre de boucherie, autant rentrer chez nous.

«Masters prétend qu'elle ne peut en parler et nos amis de la Maison-Blanche assurent qu'elle n'a jamais exprimé d'opinion sur l'avortement. Peut-être, mais il y a un fait révélateur.

Gage prit la posture d'un homme fermement planté sur ses jambes et sur ses principes.

— L'avocate de Mary Ann Tierney, une féministe du nom de Sarah Dash, a été la stagiaire de Masters.

— Oups, murmura Kate Jarman.

Favorable au libre choix sur la plupart des questions, elle avait voté la loi sur la protection de la vie dans l'espoir d'adoucir par ce baume politique ses relations tendues avec l'aile droite du parti.

— Y a-t-il autre chose que ce stage ? demanda-t-elle.

— J'ai fait faire une enquête, répondit Gage. Masters et Dash continuent à se voir.

Son regard passa d'un sénateur à l'autre, comme pour jauger leur réaction, puis revint à Kate.

— Vous prendriez peut-être cette fille comme stagiaire, sans savoir. Mais est-ce que vous l'inviteriez à dîner ? Une semaine avant que Mlle Dash n'entame cette action grotesque ? On peut se demander de quoi elles ont parlé.

L'information vient de Mace Taylor, pensa aussitôt Chad. Il a fourni l'argent, il a lâché des enquêteurs sur Masters. Son appréhension s'accrut : s'ils savaient avec qui la juge dînait, ils pouvaient découvrir l'existence de sa fille.

— Nous devons vérifier la nature de leurs rapports, conclut Gage. Avant de faire de cette femme la nouvelle présidente de la Cour suprême, nous devons en savoir beaucoup plus sur ce qu'elle est vraiment.

Roublard, comme toujours, se dit Chad. Gage n'avait pas mentionné les audiences de la commission : se posant en chef de majorité dispensant des informations, il s'efforçait de faire monter la pression des autres sénateurs sur Chad. Paul Harshman, principal adversaire de Chad à la commission, demanda pour la forme :

— Et les audiences, Mac ? C'est la clef du problème, il me semble.

— Oh ! je laisse ça à Chad, répondit Gage en se tournant vers Palmer. Quel est le calendrier, monsieur le président ?

La chorégraphie était bien réglée : la réunion, les craintes exprimées par Gage, ses allusions à ce qui pourrait survenir, l'intervention de Harshman. D'un ton détaché, Palmer répondit :

— Les audiences auront lieu dans deux ou trois semaines, Mac. Les collaborateurs ont beaucoup de choses à préparer.

— Deux ou trois semaines ? fit Gage d'un ton incrédule. Pas deux ou trois mois ? On dirait que Masters prend la voie rapide pour la confirmation.

Chad compta les voix qui lui seraient favorables à la commission. Les huit démocrates voteraient pour lui, et sur les dix républicains, Harshman avait peut-être trois alliés.

— A l'heure actuelle, la juge Masters semble qualifiée, dit-il. Je ne m'étendrai pas sur le problème que notre parti a avec les femmes, mais une attitude obstructionniste ne nous servirait pas.

— Pas obstructionniste, objecta Gage. Responsable. Vos collaborateurs ont-ils exploré sa vie privée ?

Est-ce qu'il est déjà au courant pour la fille ? se demanda Chad.

— Nous l'avons fait, répondit-il avec un calme étudié. Mais nous nous concentrons plus sur sa carrière, comme cette affaire que vous venez de mentionner. Une curiosité excessive et injustifiée concernant un domaine intime pourrait avoir un effet boomerang.

— Certainement pas injustifiée, contra Harshman. Non seulement Masters entretient des relations suivies avec Sarah Dash mais elle ne s'est jamais mariée. Comment savoir si elle partage nos valeurs ?

— Kate non plus, repartit Palmer, et je ne doute pas de ses valeurs. Mais, s'il s'avère que Caroline Masters pratique le tennis sur gazon, je vous préviendrai.

Un sourire sans gaieté traversa le visage osseux de Harshman. Derrière ses lunettes à monture métallique, ses yeux se réduisirent à deux fentes.

— Vous avez gardé pour vous les dossiers du FBI. Ils contiennent quelque chose que nous devrions savoir ?

Un mouvement en tenailles, pensa Palmer. Si Masters avait des problèmes personnels, il devait les révéler, l'avertissaient Gage et Harshman.

234

— Il n'y a rien dans ces dossiers, déclara-t-il tout net.

C'était la vérité : jusque-là, le FBI n'avait pas découvert les faits concernant la naissance de Brett Allen. Mais Chad les sentait tapis sous la discussion, bombe à retardement dont seul, espérait-il, il entendait le tic-tac.

— Personne ne cherche à vous critiquer, Chad, assura Gage. Mais vous n'êtes pas juriste, et ce sera votre première audience en qualité de président. La désignation d'un nouveau juge à la tête de la Cour suprême, c'est beaucoup, pour se faire les dents, et nous voulons vous fournir tout le soutien possible.

Ce ton aimablement condescendant, assorti d'un rappel de l'enjeu, ne serait perdu pour personne. Chad sentait autour de lui ses collègues observer avec curiosité, tout en songeant à leur propre intérêt, ces deux hommes qui désiraient tant être président. Souriant, il répondit :

— Je crois que je m'en sortirai, Mac. Je ferai en sorte que nous nous en sortions *tous*. Et sans compromettre les prochaines élections.

— Selon certaines rumeurs, Masters coucherait avec Kilcannon, avança Harshman. Il paraît qu'il trompait son ex-femme, vous savez.

— Alors sur quoi je dois d'abord enquêter ? s'enquit Palmer d'un ton plaisant. Sur votre hypothèse qu'elle est homo ou sur la rumeur pernicieuse qu'elle est hétéro ?

— Peut-être qu'à San Francisco tout le monde s'en fiche, répliqua Harshman. Mais vous devenez un peu trop désinvolte, sénateur.

— Et la politique devient un peu trop rance. Si nous n'y prenons garde, les électeurs auront la nausée et finiront par tous nous vomir.

Gage leva une main, joua la voix de la raison :

— Doucement, doucement. Paul cherche simplement à nous éviter à tous une grave erreur. Etant donné les circonstances, je crois qu'on peut envisager de retarder un peu les audiences.

Sur le ton de la plaisanterie, il ajouta :

— Vous ne trouverez pas de McCarthy dans cette salle, Chad. Et vous ne voudriez sûrement pas que Paul s'imagine que vous avez plus de sympathie pour Kilcannon que pour lui.

Nous y voilà, pensa Palmer. Une accusation implicite de déloyauté, qu'il ne pouvait réfuter qu'en reportant les audiences sur Caroline Masters. Mais, pour Chad, cela marquait aussi le point où l'imagination faisait défaut à Gage : des années plus tôt, Chad Palmer avait affronté bien pis.

Avant Beyrouth, Chad avait souvent l'impression que le monde avait été créé rien que pour lui.

Il était né dans la banlieue de Cleveland, aîné d'une famille de six enfants, aux moyens modestes. Mais il ne s'était jamais senti désavantagé. Doué d'un esprit agile, d'un visage de beau blond et d'un corps d'athlète, il était devenu un leader. Dès l'école primaire, il y avait toujours eu quelqu'un — instituteur, prêtre, entraîneur — pour l'aider à se hisser au barreau suivant de l'échelle. Quand il acheva ses études secondaires et conçut l'ambition de devenir pilote, le parlementaire local fut heureux de le pistonner pour l'Ecole de l'air.

Ses parents n'approuvaient pas son choix : ils ne connaissaient rien à l'armée et rêvaient plutôt pour lui d'une université prestigieuse. Si la première année fut dure pour Chad, son orgueil et sa résistance l'aidèrent à survivre à des mois de nuits sans sommeil et de bizutage. A la sortie de l'Ecole, il se classa sixième de sa promotion mais, pour lui, ce n'était qu'un échauffement avant la première fois où il franchirait le mur du son.

Il n'eut pas longtemps à attendre. Sûr de lui, aimant la compétition, doté de réflexes et d'une coordination œil-main que même ses instructeurs trouvaient stupéfiante, Chad traversa l'école de pilotage en tête. Il passa rapidement des chasseurs F-4 aux nouveaux F-15, d'Okinawa à la Thaïlande, collectionnant les cuites et les femmes, trop occupé à vivre chaque moment pour apprécier Allie comme il l'aurait dû. Son plus grand regret était d'avoir raté le Vietnam.

En fait, sa vie était une série de rendez-vous manqués avec l'aventure. Après un stage dans la célèbre école Top Gun, où il avait appris à se servir d'un système de bombardement guidé par laser ultra-secret — surnommé Pointe pavée —, le capitaine Chad Palmer avait été affecté en Iran. Le shah voulait former son aviation à repousser les Russes en Afghanistan. Il s'avéra que son problème se situait plutôt à l'intérieur du pays. Chad était en permission quand l'ayatollah Khomeyni avait forcé le shah à l'exil. Selon certains rapports, les nouveaux maîtres du pays avaient torturé plusieurs des collègues de Chad dans l'armée de l'air iranienne pour les faire parler puis les avaient exécutés.

C'était la raison pour laquelle Chad Palmer se trouvait dans un bar enfumé de Beyrouth, ville aux cent factions et aux mille tentations, buvant d'un air morose à la mémoire de ces hommes. Il avait eu de la chance, supposait-il : les Russes, les Afghans et les Iraniens, qui tenaient beaucoup à en savoir plus sur Pointe pavée, ne l'auraient sans doute pas traité avec tendresse. Il entreprit de se soûler systématiquement.

Cinq scotches firent l'affaire. Assis au comptoir, Chad regardait le barman, un aimable chrétien maronite portant une croix autour du cou, faire la conversation à une clientèle bigarrée : une Française mince, des hommes d'affaires de diverses nationalités, deux ou trois marines. En d'autres circonstances, il aurait laissé la Française le draguer, mais ce soir-là il se fichait des femmes. Il songeait sans cesse à son ami pilote iranien le plus proche, Bahman, et se demandait s'il était mort.

Chad s'imbibait, enveloppé d'un patchwork d'images : la fumée sinueuse d'une cigarette, la croix miroitante du barman, les œillades de la Française. Son corps svelte, voluptueux malgré des hanches étroites, lui rappelait celui d'Allie, même si les deux femmes ne se ressemblaient absolument pas. Et Allie était enceinte de huit mois.

Il ne l'avait pas vue depuis quatre mois. Encore trois semaines et Chad rentrerait chez lui. Confusément d'abord, puis avec une netteté croissante, il se vit tenant dans ses bras un fils nouveau-né.

Il se leva brusquement. C'était le matin aux Etats-Unis. Il allait retourner à son hôtel, se libérerait de ses pensées de mort et appellerait Allie. En sortant, il remarqua vaguement que le barman décrochait le téléphone.

Dehors, l'air chaud et dense empestait les fumées d'échappement et le chiche-kebab d'agneau d'un restaurant aux portes et aux fenêtres ouvertes. Chad se rendit compte qu'il était plus ivre qu'il ne l'avait pensé. Après quelques pas, il s'arrêta pour se rappeler la direction de l'hôtel.

Soudain trois hommes surgirent d'une ruelle proche. Avant qu'il pût réagir, ils l'entraînèrent dans l'ombre. Les bras plaqués contre le dos, Chad luttait pour garder l'équilibre quand il reçut un coup à la tête.

Il n'eut plus ensuite que des impressions : l'haleine puant l'ail d'un de ses agresseurs, une douleur à l'épaule lorsqu'on le jeta dans un fourgon. Un deuxième coup au crâne remplit l'obscurité d'étoiles rouges. Tandis que les trois hommes lui attachaient les mains, Chad songea qu'il marchait bien dans la direction de l'hôtel, finalement, et que le barman avait dû les prévenir. Après le troisième coup, il ne se souvint plus de rien.

23

Chad se réveilla dans le noir avec une envie de vomir. Il ne gardait en mémoire que des souvenirs fragmentaires d'un trajet qui lui avait paru interminable : des hommes échangeant quelques phrases laconiques en arabe l'avaient drogué, battu, enfermé dans le coffre d'une voiture.

Ne pouvant rien voir, il ignorait où il se trouvait et quel moment de la journée il était, la nuit ou le jour. Il se demandait si quelqu'un d'autre que ses ravisseurs sans nom avait connaissance de ce qu'il était devenu. Une âcre odeur de terre battue montait du sol où il était étendu. Tendant une main devant lui, il se mit à ramper, finit par toucher de la pierre.

Allie.

Il s'agenouilla, s'efforça de rassembler ses esprits.

Il ne savait rien de ses ravisseurs, mais, au Moyen-Orient, les otages servaient de pions, de monnaie d'échange contre des terroristes emprisonnés. Si ces hommes voulaient des informations, il ne connaissait qu'une chose qui pût avoir de la valeur. Pointe pavée.

Il voulut se lever, se cogna la tête contre un plafond de ciment et retomba à genoux, étourdi. Sa cellule était conçue pour limiter ses mouvements, il ne pouvait remuer les jambes qu'en position accroupie.

Pendant un temps qui lui parut très long, Chad s'accroupit, rampa, essaya de dormir, se soulagea dans un coin de la cellule.

Finalement, une lumière le tira de sa torpeur.

Il sursauta, se mit péniblement sur les genoux. C'était une torche électrique, aveuglante après une si longue obscurité.

— Qui êtes-vous ? demanda-t-il.

— Pointe pavée.

La voix était douce, l'anglais était teinté d'un accent arabe ou peut-être farsi.

— Pointe pavée ? répéta Chad d'un ton ahuri. Pointe pavée ?

La torche recula puis s'abattit en travers de sa bouche. Sonné, Chad bascula sur le côté, sentit dans sa bouche un goût de sang, des éclats de dent.

— Pointe pavée, répéta la voix. Dis-nous comment ça marche.

Il ferma les yeux. Le code d'honneur était gravé en lui, le devoir de ne rien révéler qui pût leur servir. Une autre idée suivit aussitôt : une fois qu'il leur aurait dit ce qu'il savait, son utilité prendrait fin. Et, avec elle, sa vie aussi, peut-être. Il demeura immobile dans le faisceau de la lampe, comme un animal pris au piège.

La porte se referma, l'obscurité revint.

Plus tard, la porte s'ouvrit de nouveau.

238

Dans le cercle de lumière, une main brune lui tendit un bol métallique à demi rempli de gruau.

Chad attendit que la lumière eût disparu et que la porte se fût refermée pour se précipiter sur le bol, porter la nourriture tiède à sa bouche avec la main. Il avait à peine terminé quand la porte se rouvrit.

Ils étaient deux, maintenant, d'après les bruits de pas. Avec une efficacité brutale, ils lui lièrent les bras derrière le dos, tirèrent ses jambes en arrière et attachèrent ses pieds à ses poignets. Mâchoires serrées, Chad luttait pour garder le silence.

Lentement, avec un bâton en guise de levier, ils tordirent la corde reliant ses mains. Lorsque ses bras furent sur le point de se disloquer, il poussa un cri.

— Pointe pavée, chantonna la même voix, puis la cellule redevint noire et silencieuse.

La souffrance était si aiguë que Chad faillit s'évanouir. Au lieu de quoi, les sensations dans ses pieds et ses bras disparurent progressivement. Il savait que ses ravisseurs tenaient cette technique du Viêt-cong : un professeur de l'Ecole de l'air l'avait décrite. La porte s'ouvrit. Les deux hommes s'agenouillèrent pour suspendre leur prisonnier à un crochet du plafond par la corde entravant ses mains.

Quand ses deux épaules se déboîtèrent, Chad perdit connaissance.

Il fut réveillé par une douleur fulgurante et par la même voix insinuante :

— Pointe pavée.

Les yeux clos, Chad essaya de se transporter dans un autre endroit. Il se concentra sur Allie, sur le fils qu'il imaginait. Ils constituaient sa raison de vivre.

— On sait que tu étais avec le shah. On sait que tu as été formé pour utiliser Pointe pavée.

Des terroristes islamistes, supposa Chad. Ils ont besoin de comprendre nos systèmes d'armes, peut-être pour l'Iran, la Libye ou les Russes, peut-être pour apprendre ce que les Israéliens savent déjà.

— C'est quoi, Pointe pavée ? réussit-il à bredouiller.

Ils le suspendirent de nouveau.

Au bout d'un moment, ses mains et ses pieds gonflèrent. Chad retourna auprès d'Allie, imagina le corps de sa femme s'unissant au sien. Ils faisaient l'amour quand il s'évanouit de nouveau.

Les hommes sans visage continuèrent à briser lentement, implacablement son corps et son esprit.

Parfois ils le suspendaient. Parfois ils le cinglaient avec des lanières de caoutchouc dont l'odeur laissait penser qu'elles avaient été découpées dans des pneus. Parfois ils le faisaient asseoir sur un tabouret aux bords tranchants, les mains attachées derrière le dos. Chaque fois qu'il tombait, ils le battaient. Il n'était jamais seul, on ne le laissait jamais dormir.

Son esprit cessa de raisonner. Difficile de savoir ce qui était le pire : le manque de sommeil, qui explosait en hallucinations et accès de folie, ou la douleur atroce d'être suspendu au plafond, replié sur lui-même comme une balle, sentant l'odeur de ses excréments qui lui collaient au corps. Chad préférait les lanières de caoutchouc, même si elles lui avaient cassé le nez et plusieurs dents : au moins, avec elles, la souffrance finissait par s'arrêter et il perdait conscience allongé sur le sol.

En se réveillant, il sentit des lèvres humides contre son oreille.

— Parle-nous de Pointe pavée et nous dirons à ta femme que tu es en vie, murmura son tortionnaire. Sinon, tu resteras pour elle et pour ton gouvernement ce que tu es maintenant : un mort.

— S'il vous plaît, l'implora Chad, laissez-moi dormir.

Les deux hommes sortirent juste avant qu'il ne s'évanouît de nouveau. Dans un dernier sursaut de lucidité, il laissa son esprit quitter son corps. Ce fut un soulagement. Reprenant conscience, il se concentra sur le code d'honneur. Ses compatriotes le retrouveraient s'il parvenait à rester en vie. Ils garderaient foi en lui s'il gardait foi en eux. Ce qu'il lui fallait, c'était une histoire.

La torche électrique lui fit mal aux yeux comme la lumière d'une explosion.

— Tu vas parler, maintenant, dit la voix.

Le ravisseur, sans visage derrière le faisceau de la lampe, commença lentement à lui poser des questions. Ponctué de séances de torture, l'interrogatoire dura des jours, jusqu'à ce que Chad leur livre le nom de sa femme, du commandant de sa compagnie, l'entraînement qu'il avait suivi et tous les endroits où il avait servi. Tout sauf ce qu'ils voulaient.

Le silence se fit. La voix prononça quelques mots en arabe et une autre paire de mains apporta un tabouret pour que Chad puisse s'asseoir.

— Pointe pavée.

Il secoua la tête, ils le suspendirent de nouveau. Du temps passa.

— Assez ? demanda la voix.

— Oui, murmura Chad. Oui.

Ils le descendirent.

— Pointe pavée, répéta la voix.

Sur un rythme haché, il commença à débiter son histoire à moitié formée, s'efforçant de trouver des bribes d'informations exactes mais sans danger, d'autres plausibles mais fausses. Ce qu'il savait de Pointe pavée était fragmentaire ou anecdotique, leur dit-il ; il n'avait pas reçu de formation complète. Il l'affirma en regardant en face un homme qu'il ne pouvait pas voir.

L'autre tortionnaire lui rattacha les mains et les pieds, lui passa un nœud coulant autour du cou.

Lentement la corde se tendit, souleva Chad vers le plafond. Les yeux fermés, il tenta de se rappeler un passage de la première Épître aux Corinthiens : «Dieu ne permettra pas que vous soyez tentés au-delà de vos forces. Avec la tentation, il vous donnera le moyen d'en sortir et la force de la supporter.»

Le moyen d'en sortir, c'était la mort. Juste avant que la dernière bouffée d'air ne quitte ses poumons, il gémit d'une voix étranglée :

— Je ne sais rien d'autre.

Ils le laissèrent retomber sur le sol.

Malgré les coups, malgré la torture, Chad s'en tint à son histoire et attendit la libération de la mort.

La mort ne vint pas.

La torture se poursuivit. Entre ses plages noires, il créa un monde, une échappatoire à la souffrance.

Il reconstruisait un livre ou un film, un poème. Il revivait sa vie en détail. Quand il eut épuisé cette mine, il s'inventa des avenirs, d'abord dans l'aviation puis comme fermier, joueur de football professionnel, chanteur, homme politique. Sa première campagne présidentielle fut un tel triomphe qu'il fit le tour du monde en voilier pour la célébrer.

Torse nu, Allie plongeait de la proue de leur mince voilier dans les eaux bleues du Pacifique et lui faisait signe de la suivre. Le petit garçon qui les regardait était aussi blond et bronzé que Chad l'avait été à la fin de l'été.

Quand la porte s'ouvrit en grinçant, que l'horreur de la réalité bannit son rêve, il se cuirassa pour survivre.

Chad répétait son histoire comme un catéchisme.

Le temps avait disparu. Chad n'avait plus pour repères que les repas insipides, les changements de vêtements, les brocs d'eau dans lesquels il devait se baigner, les coups : presque pour la forme, maintenant, pour lui rappeler qu'il était à leur merci. Il n'avait pas de compagnons de captivité, il ne voyait jamais le visage de ses ravisseurs. Pour passer le temps, et l'estimer, il se mit à compter le nombre de fois où la porte de sa cellule s'ouvrait et se refermait.

Il en compta trois cent douze.

Des mains le saisirent, le soulevèrent doucement. Dans un anglais sans accent, un homme lui dit :

— On va vous tirer de là, capitaine.

La suite fut parcellaire. L'homme fit sortir Chad de sa cellule par un tunnel où, chose curieuse, il pouvait se tenir debout. Pouvant à peine marcher, il laissa l'homme le soutenir pour l'aider à monter un escalier en bois menant à une trappe, à une cabane, puis à une lumière aveuglante.

Il se retrouva sur une terre crevassée, desséchée par un soleil si éclatant qu'il poussa un cri. Il tomba à genoux en se protégeant les yeux, découvrit le visage d'un Arabe mort, le crâne percé d'une balle. Parcourant le sol du regard, il vit d'autres cadavres.

— Ils ont mis du temps à nous dire où vous étiez.

Chad leva alors la tête. L'homme était américain, il avait des yeux vifs et durs, des cheveux noirs coupés court.

— Où sommes-nous ?

— En Afghanistan.

— Je suis ici depuis combien de temps ?

Devant ce qu'il restait de Chad Palmer, le regard de l'homme s'adoucit.

— Deux ans, répondit-il.

— J'ai un fils ?

— Une fille. Elle s'appelle Kyle.

Elle avait presque deux ans.

C'était à Kyle qu'il pensait maintenant en regardant Macdonald Gage. Pour Chad, parler de la valeur de la vie n'était pas une tactique politique ni un héritage religieux mais quelque chose de plus profond et de plus personnel. Surtout quand cette vie était sans défense.

Il se souciait de peu de choses en dehors de sa famille, de son sens de l'honneur. Les questions matérielles ne l'intéressaient pas beaucoup. Une belle journée, qui pour d'autres allait de soi, lui rappelait que chaque instant de la vie était précieux. La souffrance devait l'éclairer, non le définir, et il était résolu à vivre dans l'avenir, pas dans le passé.

D'autres voyaient en lui un héros. Chad se considérait comme un ivrogne imprudent qui n'aurait jamais dû se faire prendre et dont la capture avait causé beaucoup de souffrances à sa famille. Il n'aimait pas en parler et, excepté avec Allie, le faisait rarement. Un jour, Macdonald Gage, intrigué et cherchant peut-être à désarmer un rival, lui avait avoué :

— Je n'aurais jamais pu tenir le coup.

— Peut-être que si, peut-être que non, lui avait répondu Chad. Mais ne perdez pas votre temps à vous poser la question parce que vous ne le saurez jamais.

Faisant face à Gage dans la salle de réunion, il sentit que Kate Jarman les observait. Une fois de plus, Chad se demanda ce que Gage savait, et pas seulement sur Caroline Masters.

— Alors nous pouvons compter sur vous, Chad ? demanda Gage d'une voix chaleureuse.

— Pour être loyal ? Toujours. Mais reporter les audiences n'est pas une bonne idée.

Le regard de Gage devint glacial.

— Selon qui ?

— Selon moi, répondit Chad. En tant que président de la commission.

24

— Selon moi, dit le Dr David Gersten d'un ton solennel, les lois sur l'autorisation parentale peuvent prévenir un traumatisme psychologique grave. Et tout particulièrement dans le cas de Mary Ann.

Déprimée, Sarah écoutait le témoin de Tierney. Elle avait tenu le coup face à Bruno Lasch pour s'effondrer pendant l'heure du repas, victime d'un reflux d'adrénaline qui l'avait laissée sans énergie et sans concentration. Et, à en juger par ces cinq premières minutes, le témoignage de Gersten risquait d'être redoutablement efficace : psychologue spécialisé dans la réaction des adolescentes à l'avortement, il n'était ni affilié à un groupe pro-vie ni moralement opposé à l'IVG. En outre, à la différence de Lasch, il avait rencontré Mary Ann Tierney : cinq heures d'entretien, sur ordre du tribunal.

Martin Tierney semblait revigoré par la présence de Gersten ; sa voix était ferme, il se tenait droit.

— Pouvez-vous nous expliquer sur quoi vous vous fondez, docteur Gersten ?

— Bien sûr. Je commencerai par vous, professeur. Nous avons passé quelques heures ensemble. Vous et votre femme êtes des adultes mûrs d'une quarantaine d'années, riches d'une expérience qu'on ne peut malheureusement acquérir qu'en vieillissant.

« Il manque aux adolescentes de quinze ans cette expérience pratique et la sagesse qu'elle apporte. C'est pourquoi le taux de suicides est si élevé chez les filles de cet âge. Chaque situation est nouvelle. Ne sachant souvent comment faire face, elles cèdent au désespoir. Ou elles prennent une décision sans en avoir estimé pleinement les conséquences pratiques et morales et ne les supportent pas.

Gersten fronça les sourcils. Rond et barbu, il avait un regard limpide et son visage mobile humanisait son témoignage.

— Le fait que des adolescents se tuent là où des adultes font face nous montre combien il est dangereux que des parents abdiquent leurs responsabilités.

— Comment reliez-vous cette observation au désir d'avorter de Mary Ann ?

Le psychologue joignit les mains et répondit :

— La décision qu'elle doit prendre est complexe, sur le plan médical et moral. Sur le plan médical, il faut mettre en balance des considérations importantes. Il semble cependant que Mary Ann ait réagi plus vivement à un aspect du problème — les risques d'une césarienne, y compris la stérilité — qu'elle ne l'aurait peut-être fait si elle avait été adulte.

Sarah releva brusquement la tête de son bloc-notes : l'air sûr de lui de Gersten commençait à lui apparaître comme de l'insensibilité.

— Sur le plan moral, poursuivit-il, un avortement est autre chose qu'une opération des amygdales... pour laquelle, paradoxalement, elle aurait besoin de votre autorisation, selon la loi.

Il regarda Mary Ann avec une apparente sollicitude et ajouta :

— Une fois mise en œuvre, la décision d'avorter est irréparable. Je crains un profond sentiment de culpabilité et une forte dépression.

Les épaules affaissées, Mary Ann fixait la table. Sarah était la seule, du moins dans la salle d'audience, qui pouvait parler au nom de l'adolescente. Il était temps de se secouer, malgré la fatigue.

— Votre inquiétude pour Mary Ann repose-t-elle sur l'expérience que vous avez des adolescentes? demanda Tierney.

Gersten hocha la tête.

— Deux faits apparaissent : d'abord que la capacité de prendre des décisions morales — et d'apprécier leurs conséquences — ne se développe pleinement qu'à partir de dix-huit ans. Deuxièmement, que l'exclusion des parents nuit aux relations familiales et retarde en conséquence la maturation personnelle que l'implication parentale favorise. Ce qui à son tour peut compromettre la capacité de nouer des relations saines avec qui que ce soit.

Sarah fronça les sourcils, griffonna sa première note : « Opinions trop générales », suivie de « L'inceste, un jeu pour toute la famille ». Comme s'il l'avait devancée, Tierney demanda au témoin :

— Avez-vous estimé les conséquences de l'exclusion des parents dans le cas de Mary Ann?

— Oui. Mais considérons aussi les conséquences d'un acquiescement à votre demande. Les handicaps de l'enfant — s'ils existent — signifient que les conséquences pratiques de la décision de le garder seront de courte durée. Par ailleurs, si Mary Ann a la chance de mettre au monde un enfant normal, en grands-parents éclairés, vous les aiderez, elle et lui, de votre mieux. Dans un cas comme dans l'autre, votre amour pour Mary Ann et son amour pour vous faciliteront le processus de cicatrisation.

Sarah était loin d'en être certaine. A côté d'elle, Mary Ann eut une grimace de rancœur.

— En revanche, un acte de défi envers vous créerait une brèche que, dans son immaturité, Mary Ann aurait peut-être du mal à combler, continua le psychologue. Pourtant — et c'est capital — la nature de *cet* avortement implique qu'elle aura d'autant plus besoin de vous. Selon une étude, plus de la moitié des femmes ayant subi un avortement tardif font état d'un traumatisme psychologique grave. C'est particulièrement vrai quand l'enfant était au départ *désiré*.

Tierney hésita, comme s'il pesait la question suivante. Avec une réticence manifeste, il demanda :

— Votre entretien avec Mary Ann a-t-il modifié votre opinion?

— Il l'a confirmée. J'ai beaucoup de sympathie pour elle, dit Gersten en adressant à la jeune fille un petit sourire embarrassé. Elle est très intelligente, elle promet de devenir une adulte remarquable. Ce qu'elle n'est pas pour le moment.

Il se tourna de nouveau vers Tierney et déclara d'une voix ferme :

— Pour le moment, Mary Ann est entêtée, parfois immature, et pas tout à fait capable de considérer les conséquences de ses actes. Par exemple que des rapports sexuels non protégés peuvent conduire à une grossesse.

Sarah remarqua que la remarque condescendante avait fait rougir Mary Ann.

— A quinze ans, les filles essaient de se différencier, dit Gersten. Elles cherchent l'autonomie en défiant leurs parents et, très souvent, leur font jouer le rôle d'ennemi. Malheureusement, le défi de Mary Ann porte sur un sujet bien plus grave que l'heure de rentrer à la maison.

Tierney semblait encore hésitant, comme s'il sentait que chaque question creusait le fossé entre sa fille et lui.

— Quel rôle pensez-vous que joue Sarah Dash dans le comportement de Mary Ann ?

Posant son stylo, l'avocate regarda Tierney avec surprise.

— Un rôle indispensable, répondit Gersten.

Sarah voulut protester : l'interrogatoire passait toutes les bornes, il prenait un tour personnel, orienté. Mais ces raisons mêmes la retinrent : objet de la question, elle ne pouvait soulever d'objection sans paraître pleurnicharde et sur la défensive.

— A mon avis, enchaîna le psychologue, Mary Ann ne serait pas ici sans les encouragements de Sarah Dash. Cela relève du coup de foudre. Mlle Dash est une femme de vingt-neuf ans manifestement douée et, pourrait-on dire, d'une détermination implacable.

Sarah reprit son stylo, le serra dans son poing : Tierney se servait de Gersten pour l'accuser d'avoir détourné Mary Ann, sur le plan idéologique *et* émotif. L'effet pouvait être dévastateur. Du haut de la tribune, Leary regardait le témoin avec intérêt.

— Mais Mary Ann n'est *pas* Sarah Dash, poursuivait le témoin. Ces mêmes traits de caractère qui font de Mlle Dash un substitut séduisant dans la guerre de Mary Ann contre ses parents rendent son imitation non seulement stupide mais dangereuse... Et sans espoir. Quand l'affaire sera terminée, Mary Ann redeviendra ce qu'elle était avant : une jeune fille convaincue qu'un fœtus est une vie. Prendre cette vie pourrait lui causer un mal immense.

Sarah se remit à griffonner furieusement tandis que Gersten s'adressait directement à Martin Tierney :

— La loi sur la protection de la vie vous donne la possibilité d'empêcher cela. J'admire le courage que vous avez d'essayer.

— Mauvais après-midi pour l'ancienne stagiaire du juge Masters, dit Kerry Kilcannon à Clayton et à Lara.

Slade était là pour l'informer des derniers événements en liaison avec la candidature de Masters, Lara pour prendre un verre et dîner. Maintenant qu'ils l'avaient tous deux rejoint dans son bureau, il éteignit le poste de télévision.

— Et pour nous, ajouta Slade. Si cette affaire va jusqu'au bout, Caroline détiendra le vote décisif, tout le monde le sait.

Dans l'esprit de Kerry, le regard amusé de Lara pour Clayton avait un côté caustique que son secrétaire général devait sentir. Moins pragmatique, Lara était aussi plus favorable au libre choix. Clayton devait s'adapter à une femme encore plus proche de Kerry que lui-même l'était.

— Où est-elle, maintenant? demanda le président.

— De retour à San Francisco, elle exerce son métier de juge, répondit Slade, avec un coup d'œil à Lara pour l'associer à la discussion. Selon tous les témoignages, ses visites au Sénat se sont déroulées le mieux possible. Mais Gage est clairement en embuscade.

Hochant la tête, Kilcannon alla au bout de sa pensée :

— A moins que Chad n'accélère les choses à la commission, l'affaire Tierney pourrait passer devant le tribunal de Caroline avant qu'elle ne soit à la Cour suprême.

Slade but une gorgée de son scotch puis fit observer :

— Il n'y a pas à s'inquiéter pour ça. Les appels passent devant un collège de juges présidé par un clone de Roger Bannon. Même s'il l'assigne à d'autres, même si — fait improbable — Caroline fait partie du collège, elle a une bonne excuse pour se récuser : Dash a été sa stagiaire.

Kerry alla s'asseoir sur le canapé, Lara s'installa près de lui, Slade dans le fauteuil en face.

— A propos de se tenir en embuscade, votre avocat du ministère de la Justice ne bouge absolument pas, fit observer la jeune femme. Il est catatonique?

— C'est l'effet de la drogue, répondit Kerry avec un sourire. Tous les matins, notre émissaire de la CIA glisse des Quaalude dans son café.

— La dernière chose dont un nouveau gouvernement ait besoin, c'est d'une bataille autour de la loi sur la protection de la vie, expliqua Slade à l'intention de Lara. Cela donnerait des munitions à Gage pour nous descendre et compromettrait tout notre programme.

— J'en ai vaguement conscience, répondit-elle d'un ton ironique, et je ne tiens pas à ce que Macdonald Gage s'en prenne à mon cher et tendre. Je suis simplement curieuse de savoir quelle devrait être, selon deux dirigeants éminemment moraux comme vous, l'issue de ce procès.

— Moi aussi je suis curieux, repartit Slade. Alors j'ai demandé à notre sondeur de nous dégoter quelques chiffres. J'ai pensé que cela pourrait nous être utile pour guider Caroline.

Quoique surpris, Kerry pensa que l'initiative cadrait bien avec la prudence de son ami.

— Qu'est-ce qu'il en est ressorti? demanda-t-il. Une majorité écrasante?

— A peu près ce à quoi on pouvait s'attendre, fit Clayton avec un haussement d'épaules. Soixante et un pour cent favorables aux parents, trente-neuf à la fille.

— C'est plus serré que je ne l'aurais cru, dit Lara. Ce procès fait peut-être réfléchir les gens.

Slade se tourna vers Kilcannon, comme pour évaluer la subtile réaction chimique qui s'opérait entre cette femme et le président.

Avec un sourire, Kerry répondit à Lara :

— Même moi, il me fait réfléchir. Quand je trouve le temps.

25

La colère n'était pas une émotion que Sarah aimait éprouver mais elle avait son utilité. Faisant face au Dr Gersten, l'avocate ne sentait plus sa fatigue.

— N'ayez pas peur, je n'approcherai pas davantage, lui dit-elle d'une voix calme. Je ne veux pas paraître trop implacable.

Le psychologue esquissa un sourire incertain que Sarah ne lui rendit pas.

— Ou «d'une détermination implacable», plutôt? C'est ce que vous avez dit, non?

Le sourire disparut.

— Nous nous connaissons? poursuivit-elle, inclinant la tête sur le côté.

— Non.

— Vous ne pouvez donc prétendre connaître les facettes sombres de mon âme. Ni mon éducation.

Il plissa les lèvres.

— Je me référais à ce que vous symbolisez pour Mary Ann Tierney : l'indépendance et l'autonomie.

— Diriez-vous, docteur Gersten, que devenir «indépendant» et «autonome» est un processus ?

— Absolument.

— Que ce processus commence dans l'enfance ?

— Commence ? Oui.

— Vous ne suggérez donc pas qu'à seize ou vingt-deux ans je suis subitement devenue par magie ce que je donne l'impression d'être ?

— Non. Il s'agit, je l'ai souligné, d'un processus.

— Et ce processus inclut les adolescentes de quinze ans ? Il ne saute pas la quinzième année ?

A la table de la défense, Martin Tierney leva la tête de ses notes.

— Bien sûr que non, mademoiselle Dash, répondit Gersten. Ce n'est pas ma position.

— Votre position, c'est que la grossesse de Mary Ann confirme son immaturité ?

Gersten croisa les jambes, remua sur son fauteuil et rectifia avec prudence :

— Elle la *suggère*.

— Elle suggère certainement quelque chose, rétorqua Sarah d'un ton plus dur. Pensez-vous que les parents d'une fille de quinze ans doivent lui parler de sexualité ou s'en remettre au hasard ?

Le psychologue s'appuya au dossier de son siège.

— Je pense qu'il convient de fournir au moins quelques informations.

— Par exemple ? Que la sexualité pour une adolescente peut inclure des rapports avec un adolescent ?

— Je ne vois pas où vous voulez en venir.

— Vous ne trouvez pas les adolescentes très mûres. Soutiendriez-vous que, en matière de sexualité, les garçons sont plus mûrs, plus prévoyants ?

— Non, fit Gersten d'un ton patient. Leurs pulsions hormonales sont très fortes.

— Vraiment ? ironisa Sarah. Assez fortes pour les inciter à *dévoyer* une fille de quinze ans ?

— Les garçons passent eux aussi par un processus avant de devenir sexuellement responsables.

Sarah marqua un temps d'arrêt, regarda délibérément Martin Tierney.

— Des parents aimants, «riches d'expérience» ne devraient-ils pas en discuter avec leur fille de quinze ans?

Gersten tourna lui aussi les yeux vers Tierney.

— Ce serait utile, oui, admit-il.

— Ou, à défaut, parler au moins de contraception?

— Cela dépend des familles, mademoiselle Dash. Mais c'est certainement quelque chose qu'une fille de quinze ans peut gérer.

— En ce cas, ne conviendrez-vous pas aussi que l'absence de discussion sur la sexualité peut, je reprends vos termes, retarder «une maturation personnelle que l'implication parentale favorise»?

Le témoin réfléchit avant de répondre :

— Certaines familles, pour des raisons morales et religieuses, condamnent tout rapport sexuel avant le mariage. Ce qui limite la discussion.

— Alors, quand «l'implication parentale» doit-elle intervenir? Une fois que la fille est tombée enceinte?

— Selon moi, l'implication parentale peut être bénéfique à n'importe quel stade, répondit Gersten avec un sourire forcé.

— Y compris pour contraindre une adolescente de quinze ans à avoir un enfant à cause de rapports sexuels auxquels ses parents ne l'ont pas préparée?

— Cela dépend de la dynamique en œuvre au sein de la famille.

— Admettons. Pendant vos longs entretiens avec les Tierney, leur avez-vous demandé s'ils avaient parlé de sexualité à Mary Ann?

— Non, dit lentement Gersten.

— C'est un peu tard maintenant, vous ne croyez pas? Surtout pour elle.

— Votre honneur, intervint Tierney, Mlle Dash présente une image déformée de notre famille...

— Je m'en excuse, fit Sarah, sarcastique. Je ne voudrais pas que mes propos ressemblent aux remarques du Dr Gersten sur votre fille. Ou sur moi-même...

— D'accord, dit le juge à l'avocate. Si vous voulez établir quelque chose, posez une question. Et vous, monsieur Tierney, vous pouvez vous rasseoir.

Sarah se tourna de nouveau vers le psychologue.

— Vous avez interrogé Mary Ann et ses parents. Avez-vous le

sentiment que les Tierney ont ordonné à leur fille d'avoir cet enfant ?

Le témoin lança un coup d'œil à Martin Tierney.

— Ils cherchent à empêcher un avortement, si c'est ce que vous voulez dire.

— Leur opposition est d'ordre religieux ?

— Et moral.

— Rien à voir, donc, avec le fait qu'ils seraient plus qualifiés qu'elle pour prendre une décision ?

— Non. Excepté, comme je l'ai dit, que leurs convictions morales sont réfléchies et solides.

— Assez réfléchies pour obliger leur fille de quinze ans à avoir un enfant sans cortex cérébral ?

Gersten plissa le front.

— Ils pensent aussi — à juste titre — qu'un avortement pourrait traumatiser leur fille.

— Selon votre expérience d'expert, docteur Gersten, Mary Ann est-elle capable de saisir que son bébé n'aura probablement pas de cerveau ?

— Oui.

— Sur ce point-là, sa compréhension est égale à celle de ses parents ?

— Oui.

Sarah marqua une nouvelle pause, pencha la tête de côté.

— A propos, avez-vous jamais subi une césarienne ? Personnellement ?

Une vague de rires parcourut les rangées des médias. Contraint à sourire, Gersten répondit :

— C'est une expérience qui me manque.

— A moi aussi. Mais pensez-vous comme moi que, quelle que soit la façon d'estimer les risques, une césarienne peut conduire à la stérilité ?

— Oui.

— Et Mary Ann Tierney est aussi capable de le comprendre que vous et moi ?

Il acquiesça de la tête.

— Comme je vous l'ai dit, elle voit surtout cet aspect du problème.

— Elle comprend donc les risques médicaux — hydrocéphalie, infertilité — aussi bien que ses parents ?

— Oui.

Sarah se retourna, revint auprès de sa cliente.

— Alors pourquoi Mary Ann Tierney ne peut-elle décider de ne pas courir le risque d'une césarienne pour un enfant vraisemblablement condamné à la naissance?

Gersten regarda Mary Ann, dont l'expression — à la satisfaction de son avocate — mêlait colère et défi.

— Le problème, ce n'est pas sa compréhension des données médicales, finit-il par répondre. Je m'inquiète des conséquences potentiellement graves sur le plan émotionnel d'un avortement tardif qui serait en contradiction avec sa conviction profonde qu'un fœtus est une vie.

— Une vie *inviolable* ? En toutes circonstances? Elle n'a jamais affronté de telles circonstances, n'est-ce pas?

— Non. Mais sa foi catholique demeure forte.

— Essayez-vous sérieusement de me faire croire, docteur, que depuis son enfance Mary Ann nourrit la conviction inaltérable que les filles de quinze ans doivent mettre au monde des fœtus hydrocéphales par césarienne, quel que soit le risque pour leurs capacités procréatrices?

Le psychologue gigota dans son fauteuil avant de répondre :

— Nous parlons de principes généraux, mademoiselle Dash. Principes qui, selon l'éthique dans laquelle elle a été élevée, s'appliquent à cette grossesse.

— Une adolescente de quinze ans n'est-elle pas capable de décider que, concernant ce problème difficile, ses convictions diffèrent de celles de ses parents?

— Sur le plan intellectuel, peut-être. Du moins, en théorie. Mais je m'inquiète pour l'impact émotionnel.

— Et l'impact d'être forcée à avoir cet enfant? Ne serait-ce pas traumatisant pour Mary Ann, et dévastateur pour la famille?

Gersten but pensivement une gorgée d'eau. Sarah remarqua que Margaret Tierney se tordait les mains d'angoisse.

— A court terme, c'est négatif, reconnut-il. Mais je pense que l'amour et les convictions partagées guériront les blessures des Tierney.

— A court terme? Et la naissance d'un bébé gravement handicapé, qui meurt presque aussitôt, laissant Mary Ann affligée d'une stérilité à vie?

Gersten secoua la tête avec une grimace.

— Stérilité à vie? Cela poserait un problème beaucoup plus large. Si les choses en venaient là.

— Alors, parlons d'un problème plus immédiat. Ce procès.

— Que voulez-vous dire ?

— Vous êtes un expert reconnu, docteur Gersten, vous avez une connaissance approfondie de la vie émotionnelle des adolescentes. Ne pensez-vous pas que les parents de Mary Ann, en la présentant — à travers vous — comme une fille immature, aux capacités limitées, simple pion dans les mains de son avocate, mettent gravement en danger leurs relations ?

Martin Tierney se redressa, regarda attentivement le témoin.

— Ce procès leur a été imposé, répondit Gersten. C'était le seul moyen d'aborder les questions que vous...

— Imposé ? Le *gouvernement des Etats-Unis* était prêt à défendre cette cause.

— Le gouvernement des Etats-Unis n'est pas la famille de Mary Ann. Selon moi, l'intervention des Tierney est un acte de courage...

— Répondez à la question, dit sèchement Sarah. Le portrait que vous faites de Mary Ann n'est-il pas humiliant pour elle et néfaste pour ses relations avec ses parents ?

— Néfaste ? répéta Gersten, fronçant les sourcils. Je n'accepte pas ce terme. Pas plus que je n'accepte que c'est de la faute des Tierney, ou de la mienne.

— Tiens ? Alors, c'est forcément celle de Mary Ann. Ou, mieux encore, la mienne.

— A ce stade, il ne sert à rien de désigner des coupables, soupira le psychologue. Ce procès laissera sans doute des cicatrices.

— Poursuivons, donc. Savez-vous qu'en 1989 C. Everett Koop, ministre de la Santé, a informé le président Reagan que les risques psychologiques d'un avortement sont quasiment nuls ?

— Je le sais. Mais il parlait de *tous* les avortements...

— Savez-vous que Koop a précisé que les recherches antérieures sur les risques psychologiques — notamment celle sur laquelle vous vous fondez — sont tellement mal faites qu'elles ne permettent de soutenir ni un point de vue ni l'autre ?

Gersten croisa les bras.

— Mon expérience me conduit à penser que l'avortement tardif est qualitativement différent. En particulier quand il entre en conflit avec les convictions profondes de la femme concernée.

— Ce traumatisme supposé ne peut-il être atténué, au moins dans le cas de Mary Ann, par l'espoir d'empêcher la stérilité ?

Gersten examina brièvement ses ongles, reconnut à contrecœur :

— C'est possible. Ce n'est pas certain.

— Ne sera-t-il pas plus encore atténué si les Tierney accordent à leur fille amour et soutien... même si elle choisit l'IVG?

— Là encore, c'est possible.

— Le traumatisme que vous pronostiquez ne serait-il pas plutôt dû à la désapprobation obstinée des Tierney?

— Etant donné leurs convictions, ils ne manqueraient pas d'être blessés...

— Et les blessures qu'ils ont infligées à Mary Ann?

Posant une main sur l'épaule de l'adolescente, Sarah détacha chaque mot avec soin :

— D'après vous, docteur, les Tierney aiment-ils assez leur fille pour lui pardonner de violer leurs convictions?

Livide, Martin Tierney se tourna vers Mary Ann.

— Ils l'aiment, répondit Gersten. De cela, je suis sûr. Mais la question du pardon est au-delà de ma compétence.

— Certes, approuva Sarah. Vous soutenez cependant que la loi sur la protection de la vie joue un rôle salutaire. Est-ce que ce serait encore vrai si les Tierney molestaient leur fille?

— Peut-être pas.

— Si le père violait la fille?

— Non. Pas dans ce cas.

— Ou si les parents, fondamentalistes, voulaient punir leur fille d'avoir eu des rapports sexuels?

— Non.

— Où s'ils appartenaient à une culture taxant d'infamie la sexualité des filles?

Gersten hésita.

— Le partage d'une culture implique souvent le partage des valeurs...

— Le Congrès n'a pas fait ces distinguos subtils, je crois? coupa Sarah.

— Non. Mais dans chaque cas que vous mentionnez, la mineure a le recours d'aller en justice.

Elle feignit de nouveau la surprise.

— Une mineure trop immature pour choisir d'avorter serait assez mûre pour choisir un avocat et entamer une action en justice?

Gersten ouvrit la bouche, la referma, finit par lâcher :

— Mary Ann Tierney l'a fait.

— Vraiment? Je croyais que c'était moi qui l'avais traînée ici.

Dérouté, Gersten fixa l'avocate sans pouvoir répondre. Sarah regarda sa montre, dit avec douceur :

— Décidez-vous, docteur Gersten. Je vous laisse tout le temps dont vous avez besoin.

26

Attendant Martin Tierney dans son bureau, Sarah savourait le silence, quelques instants de répit.

Il était neuf heures passées, les couloirs étaient vides et les lumières traçant l'arc de Bay Bridge brillaient sur une obscurité d'encre. Mais en fin d'après-midi, au retour de Sarah, des manifestants d'Engagement chrétien assiégeaient l'immeuble et une femme hystérique s'était enchaînée au pied d'un bureau de réceptionniste de l'un des sept étages de Kenyon & Walker. John Nolan avait rapidement engagé des vigiles ; quelques-uns des associés mâles les plus anciens exprimèrent leur colère à Sarah en l'ignorant.

Sur sa table s'empilaient plusieurs tas de lettres — certaines admiratives, un grand nombre critiques, quelques-unes ouvertement menaçantes et antisémites — et sa messagerie vocale était saturée de demandes d'interview et de tirades haineuses. Dans un effort vain mais plein de gentillesse pour amortir cet assaut, sa secrétaire avait découpé un article favorable du *New York Times* dans lequel des experts juridiques, évaluant ses capacités, la qualifiaient de «superstar des prétoires» de vingt-neuf ans. Sarah était devenue célèbre sans s'en rendre compte, probablement parce qu'elle n'avait pas le temps de s'en rendre compte, supposait-elle. Un procès requérait un rétrécissement du champ visuel.

Le téléphone sonna.

Le garde chargé de la sécurité du rez-de-chaussée la prévenait que Martin Tierney était dans le hall.

Parcourant la pièce des yeux, Tierney remarqua le courrier entassé sur le bureau, hocha la tête.

— Vous aussi, vous en êtes inondé ? dit Sarah.

— Bien sûr, soupira-t-il avec une expression de tristesse. Quand je regarde Patrick Leary, je me demande s'il a une idée du mal qu'il fait.

— Leary est incapable de voir plus loin que le bout de son nez, répondit Sarah.

Tierney posa sur elle ses yeux bleu-gris.

— Vous voulez que nous plaidions demain ?

Sarah ne répondit pas directement.

— Mary Ann est enceinte de plus de six mois. Cet après-midi, j'ai appelé Mark Flom, il craint que le stress du procès ne provoque un accouchement prématuré. Elle est prisonnière de cette procédure comme d'un piège dont elle attend que Leary, ou vous, veniez la délivrer...

— Vous ne comprendrez jamais, la coupa Tierney. Nous sommes *tous les trois* prisonniers. Demain, ou après-demain, Leary peut condamner à mort une vie innocente. Et vous, vous ferez tout pour que la sentence soit appliquée. Vous vous comportez comme si vous aviez affaire à des entêtés qui ne défendent la vie que poussés par un orgueil insensé. Mais je vois bien le prix que nous paierons tous, je vois bien qu'il n'y a pas d'issue heureuse. Il y a seulement un choix entre moral et immoral, bien et mal.

— Raison de plus pour ne pas témoigner demain, dit Sarah.

— Et laisser la défense de la vie de notre petit-fils s'achever avec le témoignage de Gersten ?

— C'est vous qui l'avez choisi, répliqua-t-elle. Je ne vous ai pas forcé à le faire comparaître. Pourquoi Mary Ann devrait-elle en subir les conséquences ?

— C'était une erreur...

— Une erreur. Peut-être pour vous, pas pour Barry Saunders et ses amis. Ce procès est une aubaine pour eux : tous les fondamentalistes enverront l'argent des courses à Engagement chrétien pour mettre fin à l'outrage antifamilial infligé aux parents martyrs de Mary Ann. Pour Saunders, ce procès est un Téléthon.

A la surprise de Sarah, Tierney eut un rire bref et amer.

— Pour faire encore grimper les parts d'audience, reprit-elle, rien de tel qu'un témoignage des parents pro-vie contre leur fille dévoyée. Prenez donc le temps de vous demander si Saunders n'a pas suggéré à Gersten de vous forcer la main.

Dans le regard que le père de Mary Ann lui adressa en réponse, Sarah lut un assentiment et de la résignation.

— Quelles qu'aient été les motivations, c'est fait, maintenant, dit-il à voix basse.

— Ne témoignez pas, Martin. Je vous en conjure. Sinon, Mary Ann sera contrainte de le faire elle aussi si elle veut gagner.

— Vous la feriez comparaître ?

Tierney ne pouvait en être étonné, et le ton était plus peiné que surpris.

— Après vous avoir entendu déclarer qu'elle est incapable de décider pour elle-même ? Elle l'exigera. Je suis son avocate, vous ne me laisseriez pas le choix.

— Vous me proposez un marché. Si nous ne témoignons pas, elle ne témoignera pas non plus.

— Oui. Nous en restons là tous les deux. Avant d'avoir atteint le point de non-retour.

Tierney posa un doigt sur ses lèvres, baissa les yeux, et Sarah tenta d'imaginer les êtres qui s'affrontaient en lui : le père protecteur, le croyant résolu à sauver la vie de son petit-fils, le juriste contraint d'évaluer ses chances.

— Margaret ne témoignera pas, dit-il enfin. Moi si. J'y suis obligé. Vous pensez que je parle contre ma fille. C'est pour moi la dernière chance de lui parler, dans le seul lieu où elle m'écoute encore.

La tristesse de cet aveu impressionna Sarah mais, comme toujours avec Martin Tierney, rien de ce qu'il disait ou faisait n'était simple. Ainsi, le choix de témoigner lui-même et de ne pas faire comparaître sa femme était aussi la décision calculée d'un adversaire habile.

— Qu'est-ce qui pourrait m'empêcher de faire comparaître Margaret comme témoin hostile ? répliqua-t-elle. Si j'étais vous, je me ferais du souci pour les deux : votre fille *et* votre femme.

Le sourire de Tierney masquait une colère contenue.

— J'avais prévu que vous proféreriez cette menace. Vous pourriez même la mettre à exécution pour nous diviser, comme vous espérez le faire depuis le début. Vous parliez de choix, Sarah. Eh bien, à vous de choisir. A vous et à votre conscience.

— Je suis désolée, dit-elle. Plus que vous ne pouvez le penser.

Tierney laissa la remarque ambiguë flotter un moment entre eux puis hocha la tête.

— A un certain niveau, je suppose que vous l'êtes, murmura-t-il avant de quitter la pièce.

27

Barry Saunders commença lentement l'interrogatoire en sollicitant du témoin, Martin Tierney, des précisions sur les dimensions de sa foi.

— Quelles sont vos convictions concernant la peine de mort?

— J'y suis opposé, répondit Tierney. Je crois que la vie est un don de Dieu et que nous n'avons pas le droit de la supprimer.

— Vous avez cependant servi au Vietnam.

— Comme infirmier, pas comme combattant.

— Pourquoi?

— Je ne suis pas contre toutes les guerres mais j'étais sans conteste contre celle-ci. Devenir infirmier m'a donné la possibilité de sauver des vies au lieu d'en ôter.

— Votre femme partageait ces convictions?

— Bien avant de me rencontrer, répondit Tierney en adressant à Margaret un bref sourire. Ensemble, nous allions abolir la peine capitale. Apparemment, il nous reste du chemin à parcourir.

La remarque était teintée d'ironie et de tristesse : leurs idéaux étaient mis en question au sein de leur propre famille.

— Mary Ann croyait elle aussi au caractère sacré de la vie?

— Profondément, assura-t-il d'une voix calme, contenue.

L'adolescente fixait la table, tout aussi incapable de regarder son père qu'il l'était de la regarder. Que des caméras pussent filmer cette scène emplissait Sarah de dégoût.

— Quand votre fille est tombée enceinte, comment avez-vous réagi? demanda Saunders.

Tierney plissa les yeux comme s'il s'efforçait de donner une réponse aussi complète que franche.

— Nos sentiments étaient multiples. Colère et désillusion de parents choqués par la conduite de leur enfant. Ressentiment, puisque nous étions aussi peu préparés à devenir grands-parents que Mary Ann l'était à devenir mère. Avant tout, nous étions profondément inquiets pour notre fille. Elle est si jeune. Mary Ann imaginait de former un couple pour la vie avec le garçon qui était le père. Tout ce que nous voulions, nous, c'était qu'il se conduise décemment envers elle.

Tierney s'interrompit, jeta un coup d'œil à sa femme et ajouta :

— Nous sommes allés le voir, ainsi que ses parents.

Mary Ann leva la tête, aussi sidérée que Sarah.

— Que vous ont-ils dit? demanda Saunders.

— Les parents furent aussi intransigeants que leur fils, qui ne voulait pas entendre parler de Mary Ann. Nous l'avons laissée croire que c'était nous qui ne voulions pas le rencontrer. En fait, il refusait de la voir.

L'adolescente devint cramoisie de stupeur et d'humiliation, ses yeux s'embuèrent. Tierney ne la regardait toujours pas.

— A-t-elle alors envisagé un avortement?

— Absolument pas. Mary Ann avait peut-être fantasmé sur ce garçon, mais ses raisons de porter cet enfant étaient bien plus profondes, bien moins passagères.

Pour Sarah, cette réponse avait l'accent de la vérité mais elle pensait que les raisons du silence de Mary Ann étaient différentes de celles que son père avançait.

— Quel a été l'effet de l'échographie?

— Nous avons tous été anéantis. Je me suis demandé un moment si c'était la façon de Dieu d'épargner Mary Ann, mais c'était une souffrance terrible pour sa mère, et rien finalement n'a été épargné à notre fille.

Margaret Tierney ferma un instant les yeux. Sarah écrivit sur son bloc-notes «peur de la stérilité». Le visage rayonnant de compassion, Saunders se rapprocha du témoin.

— Quand vous parlez de Mary Ann...

— Elle était profondément déprimée, elle n'arrêtait pas de pleurer. Finalement, elle nous a dit qu'elle ne voulait pas d'un bébé sans cerveau.

Sarah comprit tout à coup où cela menait.

— Vous pouviez encore communiquer avec elle? dit Saunders.

— Non. Le choc était trop grand, je crois. C'est la seule fois où j'ai vu sa sollicitude pour une vie innocente lui faire défaut. Cela lui ressemble tellement peu qu'elle me fait l'impression d'être une autre fille. Je crains le jour où, ayant commis l'irréparable, elle prendrait soudain conscience de son acte.

Saunders aussi paraissait ému.

— Combien de temps s'est-il écoulé entre l'échographie et le jour où Mlle Dash a entamé les poursuites?

— Trois semaines.

— Pendant ces trois semaines, Mary Ann a-t-elle exprimé sa peur de devenir stérile?

— Non. Pas une seule fois.

L'impact du témoignage de Tierney devint évident : Mary Ann commettait l'euthanasie non par peur de devenir stérile mais parce que la perspective d'avoir un enfant infirme l'horrifiait.

— Qu'en concluez-vous?

— Que notre fille cherche une raison plausible d'avorter. Qu'il lui est arrivé trop de choses, trop vite pour qu'elle puisse les intégrer.

Se tournant vers Sarah, Tierney ajouta d'un ton accusateur :

— Et qu'elle est manipulée par d'autres dont, fondamentalement, elle ne partage pas les opinions et qui ne comprendront jamais le mal qu'ils lui font.

Dans le silence que Saunders laissa se prolonger, Sarah pressa fortement du bout des doigts le bord de la table.

— Est-ce la raison pour laquelle vous êtes intervenu ?

— Nous n'avions pas le choix. Dans quel monde vivrons-nous si des parents ferment les yeux sur une faute morale qu'eux seuls peuvent empêcher ?

Tierney s'interrompit, reprit en baissant encore la voix :

— Mais en de telles circonstances, les principes ne sont qu'un soutien froid et lointain s'il n'y a pas d'amour. Nous aimons profondément notre fille et nous la connaissons. Nous *savons* qu'au fond de son âme son fils sera toujours une vie. Et que prendre cette vie la traumatiserait à jamais. Il ne s'agit pas seulement d'une vie. Il s'agit des innombrables vies qui seraient perdues si Mlle Dash parvenait à faire abolir cette loi.

Martin Tierney se tourna enfin vers sa fille.

— A cause de ce procès, Mary Ann n'aura plus jamais de vie privée. Et si Mlle Dash devait l'emporter, Mary Ann porterait le poids de tous ces enfants. Avortement après avortement, mort après mort, ils l'acculeraient au désespoir.

Indignée et furieuse, Sarah sentait chaque mot s'abattre sur Mary Ann : le jugement d'un père, plus terrible que des coups. Elle se tourna vers l'adolescente, la vit tenter de refouler ses larmes, la lèvre inférieure tremblante.

Son père la regarda puis s'adressa au juge :

— A moins que vous ne l'empêchiez. C'est ce que je vous demande, votre honneur, comme un père qui aime son enfant plus que la vie. Parce que gagner ce procès la détruirait plus sûrement qu'il détruirait son bébé.

28

En se dirigeant vers Martin Tierney, Sarah ne vit personne d'autre, ne sentit rien d'autre que la nécessité de l'abattre. De son fauteuil, il l'observait avec une froide antipathie.

— C'était un discours très impressionnant, dit-elle. Tout à fait dans la veine de l'Ancien Testament. Alors, commençons par un catalogue du péché. Vous croyez à la contraception ?

— Non.

— Parce que c'est un péché ?

Un instant, Tierney parut agacé puis il se reprit.

— Parce que la vie est un don de Dieu.

— Donc, la contraception est un péché, persista l'avocate.

Il lissa les revers de sa veste de costume, répondit :

— Je crois que c'est une faute.

— Cela aurait été une faute aussi de parler à votre fille de contraception ?

— Oui.

— Et elle, elle y voit une faute ?

Il hésita.

— Je l'ai toujours pensé.

— S'est-elle forgé cette conviction à dix ans ?

— Je ne sais pas.

— Ou à quinze ?

— Je ne saurais vous donner de date, dit Tierney en se redressant. Manifestement, plus on prend de l'âge, plus les convictions s'enracinent...

— Ou plus on a d'occasions d'en changer ?

Il adressa à Sarah le sourire prudent d'un adversaire.

— Le sens du bien et du mal est moins élastique, je l'espère.

— Notamment en ce qui concerne l'avortement ?

— Oui.

Elle inclina la tête.

— Pensez-vous que l'avortement soit justifié en cas de viol ou d'inceste ?

— Non. Quelle que soit son origine, un fœtus est une vie.

— Mary Ann le pense aussi ?

— Je l'ai toujours cru.

Sarah haussa les sourcils.

— Vraiment ? Quand cette conviction est-elle née dans son esprit ?

— Je ne peux vous donner ni l'heure ni le jour, mademoiselle Dash.

— Ni l'année ?

— Non plus.

— Vous ne savez donc pas si, à sept ans, votre fille pensait que l'inceste ne justifie pas l'avortement ?

— Objection, intervint Saunders. Ce n'est ni plus ni moins que du harcèlement de témoin.

Sarah leva la main, garda les yeux sur Tierney.

— Mary Ann est-elle aussi opposée à la peine de mort?

Tierney tira de nouveau sur les revers de sa veste.

— Catégoriquement.

— Qu'en savez-vous?

— Je suis son père, répondit-il avec une patience lasse. Nous en avons discuté, j'ai lu les exposés qu'elle a écrits sur le sujet pour le collège...

— Vous les avez lus ou vous les avez rédigés?

— Objection, s'exclama Saunders.

— Retenue, dit Leary. Veuillez traiter le professeur Tierney avec plus de respect.

Plus de respect qu'il n'en a accordé à Mary Ann? eut envie de répliquer Sarah.

— Votre fille a participé à des séances de prières devant la prison de San Quentin. Quand a-t-elle commencé?

— A onze ans, je crois.

— Elle avait demandé à y aller?

Cette fois, Tierney jeta un coup d'œil à sa fille.

— Margaret et moi l'avions emmenée. Nous pensions que cela faisait partie de son éducation morale.

— Donc, elle y était contrainte?

— Pour qu'un enfant apprenne, les parents doivent enseigner. Et Mary Ann était consentante.

— Selon vous, «l'éducation morale» comporte aussi un engagement à renoncer à la violence?

Tierney réfléchit; Sarah devina qu'il se demandait si elle avait lu ses écrits.

— Oui. A quelques rares exceptions près.

— Alors, laissez-moi vous poser une question de caractère philosophique. Si nous étions en 1940 et que vous aviez la possibilité d'assassiner Hitler, connaissant son projet d'exterminer les juifs, le feriez-vous?

Tierney la fixa de ses yeux pâles, sans ciller.

— Non, déclara-t-il. Pas plus que je n'assassinerais un avorteur, même si je pense qu'il se livre — comme Hitler — à un meurtre légalisé. Parce que je crois *aussi* à la résistance passive comme l'ont pratiquée Gandhi et Martin Luther King.

— Je ne discuterais pas avec vous pour savoir si des manifestations pacifiques auraient empêché la Shoah, professeur. J'observe simplement que vos convictions concernant la vie sont d'une rigueur et d'une exigence inhabituelles.

Sarah marqua une pause, inclina la tête.

— Quand vous sont-elles venues ?

A l'expression à la fois embarrassée et défensive de Tierney, elle devina qu'il avait compris où la question pouvait mener.

— Elles se sont formées à mon entrée en faculté puis se sont approfondies pendant mes années d'études à la lecture de philosophes et de théologiens.

— Et plus encore au Vietnam, avez-vous écrit, je crois. A cause de la violence dont vous avez été témoin.

— En effet.

— Vous n'aviez donc pas ces convictions quand vous aviez dix ans ?

— Non.

— Ni quinze ?

Le regard de Tierney devint fixe.

— Non, répéta-t-il.

— On est donc en droit de conclure que vos opinions sur le respect de la vie sont le résultat d'une éducation, d'une maturation et d'une expérience personnelle difficile ?

— Dans mon cas, oui, acquiesça-t-il. Mais ce n'est pas la seule voie qui...

Sarah l'interrompit :

— Ne se pourrait-il pas que l'opinion de Mary Ann sur cette situation tragique soit, elle aussi, le fruit d'une éducation, d'une maturation et d'une expérience personnelle difficile ?

— Une opinion *passagère*...

— Plus précisément, poursuivit-elle, parce qu'elle a quinze ans et non plus onze, parce qu'elle a été confrontée à des convictions différentes des vôtres et à l'expérience personnelle difficile d'un bébé hydrocéphale.

Tierney se raidit.

— Comme j'essayais de le dire, mademoiselle Dash, les gens forment leurs convictions de différentes manières. Moi, à l'adolescence, j'étais seul. Mais nous avons aidé Mary Ann à bâtir ses convictions dès le plus jeune âge. L'actuelle confusion de ses pensées est passagère...

— Vraiment ? Qu'est-ce que le risque de devenir stérile à quinze ans a de plus «passager» que se faire traîner à une séance de prières à onze ans?

Les joues pâles de Tierney s'empourprèrent.

— Cette expérience est trop empreinte d'émotion...

— Votre expérience au Vietnam ne l'était pas? N'est-ce pas plutôt que Mary Ann a commencé à se forger ses propres opinions et que vous ne le supportez pas?

— Non, rétorqua Tierney d'un ton cassant, mais il se ressaisit aussitôt. Sa mère et moi agissons pour la protéger...

— En la maudissant quasiment devant des millions de téléspectateurs? En faisant porter sur elle la responsabilité de la mort «d'innombrables» enfants? Le traumatisme que vous craignez, n'est-ce pas plutôt le *vôtre* ?

— Ce n'est pas vrai.

— Ce procès n'est-il pas un cas aigu de projection parentale?

Tierney temporisa, se força à avaler un peu d'eau.

— Absolument pas, répondit-il en affectant le plus grand calme. Vous m'insultez en insinuant que j'ai voulu ce procès pour satisfaire des pulsions personnelles.

Sarah le dévisagea un moment avant de choisir son arme suivante.

— Souhaitiez-vous avoir d'autres enfants, vous et votre femme?

Les yeux de Tierney ressemblaient à des cristaux de glace.

— Objection, s'écria Saunders. Quel rapport cette question peut-elle avoir avec ce qui nous occupe?

— Oh! le professeur Tierney le sait parfaitement, dit Sarah à Leary. Si vous le laissez répondre, il en établira la pertinence.

— Répondez à la question, professeur.

— Oui, lâcha Tierney.

— Pourquoi n'en avez-vous pas eu?

— Parce que Margaret ne pouvait pas.

— Parce qu'elle avait subi une césarienne, c'est bien ça?

Tierney regarda sa femme, garda le silence. Sarah le poussa dans ses retranchements:

— Plus précisément, n'avait-on pas prévenu votre femme qu'après la césarienne nécessaire pour mettre Mary Ann au monde, un autre accouchement présenterait de gros risques pour sa santé?

Tierney hocha lentement la tête, acquiesça d'une voix lasse:

— Oui. Mais les données médicales étaient différentes.

— Vraiment? fit Sarah, les mains sur les hanches. Mary Ann savait-elle que sa mère avait accouché par césarienne?

— Naturellement.

— Savait-elle aussi qu'on avait conseillé à sa mère de ne plus avoir d'enfants ?

— Oui.

— Cela a dû être très pénible pour votre femme.

— Oui.

Après un temps d'arrêt, Sarah demanda :

— Et pour vous, professeur ?

Un moment, Tierney parut blessé, comme s'il en voulait à sa fille — quelle ironie, pensa Sarah — d'avoir étalé en public leur vie privée.

— Ce fut pénible pour nous deux.

— Vous avez pris soin de souligner que pas une fois Mary Ann n'a invoqué la crainte de devenir stérile pour justifier un avortement... Mais il était tout à fait inutile, n'est-ce pas, qu'elle discute de cette crainte avec vous ?

— Rien ne l'empêchait de...

— En fait, continua Sarah, dès l'instant où elles ont vu ensemble l'échographie, Mary Ann a su que sa *mère* avait peur pour elle.

— Je suppose, admit Tierney.

— Et elle savait aussi que vous étiez profondément triste de ne pas avoir eu d'autres enfants.

Il jeta un coup d'œil à sa fille avant de répondre :

— Ma femme et moi avons tout fait pour épargner ce fardeau à Mary Ann.

— Pourtant vous lui avez dit tous les deux qu'elle *devait* mettre au monde cet enfant hydrocéphale. Malgré les risques de stérilité encourus.

Tierney croisa les bras.

— Il arrive que ce qui est moralement juste soit éprouvant, voire cruel. Cet enfant est une vie, on ne peut y toucher.

Sarah le regarda avec incrédulité.

— Mary Ann n'avait-elle pas une raison personnelle impérieuse — sa crainte de revivre l'expérience de sa mère — de tirer une conclusion différente ?

— Elle ne l'a pas invoquée une seule...

— Pourquoi l'aurait-elle invoquée ? Elle a vu l'échographie faire remonter chez sa mère la déception qui avait suivi *sa propre* naissance. Et Mary Ann, contrairement à sa mère, ne peut espérer accoucher d'un bébé normal.

Sarah marqua une nouvelle pause avant de conclure en baissant la voix :

— Tout cela, elle le savait, et vous avez quand même exigé qu'elle mène cette grossesse à son terme. Alors, vous parler de stérilité était tout à fait inutile.

Tierney joignit les mains devant lui.

— Si vous pensez que nous n'avons pas souffert comme parents, vous vous trompez. Comme parents, nous voulons le bonheur de Mary Ann et nous faisons passer le traumatisme émotionnel à long terme avant le désarroi immédiat. Cela implique la lourde tâche — infiniment compliquée par votre action en justice — de nous conformer à un respect de la vie, que Mary Ann a toujours partagé. Et qu'elle partage encore, nous en sommes persuadés.

— Persuadés, répéta Sarah. Mais Mary Ann ne vit même pas avec vous. Parce que cela lui est impossible tant que vous vous opposez à elle au tribunal.

— Seulement pour la durée du procès...

— Et aussi parce que, à ses yeux, vous faites passer vos convictions avant sa peur de devenir stérile.

— Si c'est ce qu'elle croit, c'est trop cruel.

— Pourtant, votre expert, le Dr Gersten, a déclaré que cette loi a pour objectif principal de resserrer les liens familiaux.

D'une voix à peine audible, Tierney argua :

— Le Dr Gersten veut dire «à long terme», pas sur une dizaine de jours...

— En réalité, le coupa Sarah, votre décision d'invoquer cette loi n'est-elle pas en train de détruire votre famille ?

Tierney se raidit, se leva à demi du fauteuil des témoins.

— Ma décision ? C'est *vous* qui avez entamé cette action.

— Ce n'est pas mon action, c'est celle de Mary Ann, répliqua Sarah. Il est temps de la croire capable de penser par elle-même.

Tierney prit une longue inspiration, dans un effort si patent pour se maîtriser que Patrick Leary le regarda en haussant les sourcils.

— Un jour, vous serez peut-être mère, vous aussi, dit le professeur à l'avocate. Vous pourrez alors me téléphoner pour vous excuser.

— Pourquoi ? repartit-elle. Parce qu'il faut être un parent mûr et aimant pour imposer à Mary Ann le risque qui vous a causé à tous deux tant de souffrance ?

Il la fixa un moment avant de répondre :

— Non. Parce que vous comprendrez alors qu'être parent n'est pas synonyme de permissivité et que l'amour est bien plus complexe que le simple respect des «droits» de l'enfant. Vous comprendrez peut-être aussi pourquoi — malgré tous vos efforts — nous serons redevenus une famille unie.

Sarah le regarda, épuisée. Il y avait beaucoup de choses qu'il ne saisissait pas encore, notamment qu'il venait probablement de forcer sa fille à témoigner.

— J'espère que vous avez raison, répondit-elle. Mais je pense que c'est vous qui aurez des excuses à faire. A Mary Ann.

29

— J'espère que cette fille ne témoignera pas, dit Vic Coletti. La situation ne fait qu'empirer.

Le sénateur du Connecticut était assis dans le bureau ovale avec Kerry Kilcannon. Il était plus de sept heures du soir, le président en avait terminé avec son agenda officiel. Comme souvent pendant son temps libre, il s'occupait de la candidature de Masters.

— C'est à se demander si nos amis du Congrès avaient une idée de ce qu'ils faisaient, avec cette loi, soupira Kilcannon.

— Oh! Gage savait parfaitement ce qu'il faisait : en donner pour son argent à Engagement chrétien tout en choisissant une question sur laquelle la plupart des gens croient être d'accord. Rappelez-vous, il a fait adopter ce truc avec une marge de vingt voix, dont la mienne.

La position de Coletti était, comme d'habitude, perspicace et pragmatique. Trapu, le crâne dégarni, le nez crochu et l'allure énergique, Coletti était un drogué de la politique. Clayton Slade se plaisait à dire que, le jour de son enterrement, Vic jaillirait de son cercueil pour annoncer sa candidature à un nouveau mandat.

— Sur le plan politique, l'affaire Tierney joue pour nous ou non? demanda Kilcannon.

— La télévision a un effet désastreux, monsieur le président. Chaque audience de ce procès fait monter la pression sur Caroline Masters : «Quand vous serez présidente de la Cour suprême, vous prononcerez-vous pour la famille et contre le meurtre de bébés?», «Une présidente de la Cour suprême sans enfants peut-elle veiller sur nos enfants?». Pour nous, ce procès, c'est comme recevoir une météorite sur la tête.

C'est dégrisant, pensa Kerry, de découvrir qu'être président ne consiste pas pour l'essentiel à suivre un plan soigneusement établi mais à affronter l'imprévisible.

— Clayton a fait faire un sondage, dit-il. Près de quarante pour cent des personnes interrogées soutiennent Mary Ann Tierney.

Coletti eut un petit grognement sceptique.

— Et les autres veulent la marquer au fer rouge d'un A écarlate sur la poitrine pour «avortement». Mais le vrai problème, c'est l'argent. Hier, Engagement chrétien a commencé à envoyer sur le Net un e-mail avec la photo de Mary Ann à côté de celle de l'autre mère adolescente, Marlene Brown, pour demander de l'argent afin de lutter contre les partisans de l'avortement qui «assassineraient les bébés à naître». Avec les millions collectés, ils passeront des spots télévisés contre nous et pour Gage aux prochaines élections législatives — si Mac se conduit bien.

— Alors il essaie de retarder les audiences de la commission.

— Bien sûr. Le procès lui permet de dire qu'il faut longuement réfléchir avant de confirmer la candidature Masters, et nous n'y pouvons pas grand-chose.

— A part compter sur Chad.

Coletti roula les yeux.

— Un grand réconfort quand on sait que Palmer veut vous virer de ce bureau pour prendre votre place.

Kerry réfléchit à sa réponse. Chef du groupe démocrate à la commission, Coletti était le seul autre sénateur qui connaissait le secret personnel de Caroline Masters et savait que Palmer la protégeait. Mais si Coletti était assez perspicace pour deviner les mobiles de Chad, Kerry n'avait révélé à personne la teneur de leur discussion, encore moins que Chad estimait que, à la tête de la Cour suprême, Caroline pourrait l'aider dans sa lutte contre Gage.

— A ma connaissance, il n'a jamais manqué à sa parole, dit simplement le président.

Coletti sourit.

— Vous ne pensez pas plutôt que notre héros espère que Masters soutiendra sa loi sur le financement des campagnes électorales, coupant ainsi les sources de fonds pour Gage ? Y compris le pactole d'Engagement chrétien ?

Décidément, Vic Coletti n'est pas un imbécile, pensa Kerry. Avec un haussement d'épaules, il répondit :

— Je ne suis pour rien dans ce qu'il espère.

Le sourire de Coletti se fit cynique, signe de son incrédulité.

— Cela expliquerait leur réunion d'avant-hier.

— Ils vous avaient invité ?

Le sénateur s'esclaffa, avec un plaisir étonnamment juvénile chez un vieux manœuvrier comme lui.

— Non. Mais j'ai des amis.

Kate Jarman, devina Kerry. Ce n'était un secret pour personne que la sénatrice du Vermont n'aimait pas Mac Gage et qu'elle et Coletti échangeaient leur vote à l'occasion.

— Je n'en ai jamais douté. Qu'est-ce que vos confidents républicains vous disent ?

— Gage a essayé de forcer Palmer à reporter les audiences. Jusqu'ici, Chad tient bon.

«Jusqu'ici» : la précision dénotait de fortes réserves.

— Mais ? fit Kerry.

— La position de Palmer est pire que la vôtre. En tant que président de la commission, il est en première ligne : l'affaire Tierney accentue les pressions en faveur d'un report, notamment de la part des pro-vie de son propre camp. Avant de vous battre à la présidentielle, Chad boit battre Gage aux primaires. Si l'aile droite de son parti s'oppose à lui, il est fichu.

Kerry haussa de nouveau les épaules.

— Chad a de quoi se protéger, Vic : il a toujours été pro-vie, sincèrement.

— Bien sûr. Mais est-ce qu'il est aussi dévot que les autres ? Est-ce qu'il rêve la nuit des bébés à naître ? Il s'est déjà mis Engagement chrétien à dos sur la question du financement. Voyons les choses en face, monsieur le président, quand Chad vous a promis de garder le secret sur la vie privée de Masters, il n'avait pas prévu que Mary Ann Tierney entamerait une action en justice. Ni qu'elle aurait pour avocate une ancienne stagiaire de Masters.

— Cela n'aide pas, convint Kilcannon. Ce qui rend vos collègues républicains du centre d'autant plus critiques.

— Une belle bande d'indécis, ceux-là, grogna Coletti.

— Connaîtriez-vous par hasard la position de votre amie Jarman ? demanda Kerry d'un ton détaché.

— Kate ? Elle n'a pas de position, monsieur le président. Elle se planque avec les autres, elle observe le match Gage-Palmer.

— Je parierais plutôt sur Chad. Mais donnez-lui toute l'aide que vous pourrez.

— J'espère que je n'interromps pas votre dîner, dit Kilcannon.

A l'autre bout du fil, Chad Palmer fit entendre un rire.

— Bien sûr que si. C'est l'heure du dîner pour les gens normaux. Allie vous accorde cinq minutes.

— Alors, je serai bref. J'ai entendu dire que Gage fouille dans la vie privée de Caroline Masters.

Après une courte pause, Palmer repartit d'un ton mordant :

— Seulement dans celle de Masters ? L'autre jour, Paul Harshman, l'expert en fusées, insinuait que vous couchiez avec elle.

— Dites-lui qu'elle est trop grande, que c'est pour ça que je la propose à la Cour suprême.

D'un ton las, Kilcannon ajouta :

— Il vous arrive de vous poser des questions sur vos coéquipiers, Chad ?

— Tout le temps. Mais tant que Harshman s'occupe de *vous*, et pas du vrai problème, je ne m'en fais pas trop.

Après un silence, Palmer reprit :

— Vous vous demandez si je vais reporter les audiences, je présume.

Kerry choisit d'avoir l'air étonné.

— Vous en avez l'intention ?

— Je vous ai donné ma parole, répondit Palmer avec rudesse. Il vous reste quatre minutes, vous les gaspillez.

C'était un rappel assez sec du fait que Chad n'appréciait pas qu'on mît son honneur en doute, même par allusion.

— Il ne s'agit pas de votre parole. Je me demande simplement si vous réussirez à contrôler les autres. Avec la pression que Gage exerce sur eux... et sur vous.

La remarque ne titillait pas cette fois l'honneur de Palmer mais son orgueil. D'un ton plus mesuré, il répondit :

— J'ai fait le compte. Je pense que Coletti dispose des huit voix de son groupe et je suis sûr de la moitié au moins des dix miennes. Nous ne prendrons pas plus d'une semaine de retard, grand maximum.

Kerry estima rapidement la durée de l'affaire Tierney.

— Ça devrait aller.

— C'est ce que je me suis dit. Mais comprenez que je ne veux pas être vu en votre compagnie avant un bout de temps.

La dureté du ton était révélatrice des pressions que Palmer devait subir.

— J'en ai bien conscience, dit Kilcannon.

— Que cela ne vous empêche pas de dormir, quand même, fit le

270

sénateur, sarcastique. Mac Gage a raison, monsieur le président :
j'ai toujours eu plus de sympathie pour vous que pour lui.

30

Quand Sarah arriva chez elle, des manifestants assiégeaient son
immeuble. Les flammes des bougies dont ils étaient munis tremblo-
taient dans l'obscurité comme des lucioles. Levant les yeux vers le
deuxième étage, elle vit à travers le pare-brise de sa Honda la silhouette de Mary Ann à la fenêtre de son appartement.

— Tu-euse de bébé, scandaient les manifestants.

Lorsque Sarah s'arrêta au bord de l'allée et attendit que la porte
du parking s'ouvre, ils encerclèrent la voiture.

— Tu-euse de bébé...

Un visage se pressa contre la vitre, à une dizaine de centimètres
du sien, séparé d'elle uniquement par quelques millimètres de verre.
Le type de la clinique, pensa-t-elle. Quand la porte du parking se
releva, trois adolescentes se couchèrent devant la voiture.

— Tu-euse de bébé...

La bouche de l'homme se mit à former des mots. Tout autour,
les bougies dansaient, déformant les visages qui la cernaient. Au
deuxième étage, Mary Ann plaquait les mains contre la fenêtre.

— Tu-euse de bébé...

Sarah décrocha le téléphone de sa voiture pour appeler la police.
Les manifestants se mirent à secouer la Honda.

— Tu-euse de bébé...

Luttant pour maîtriser sa voix, elle indiqua au policier du standard où elle se trouvait. La voiture continuait à monter et à descendre. S'accrochant au tableau de bord, Sarah poussa le volume de
sa stéréo pour que le CD de Carlos Santana couvre les cris. Elle eut
l'impression que la Honda se soulevait au rythme de la musique. Les
bouches grandes ouvertes et les traits grimaçants des hommes et des
femmes qui l'avaient prise au piège ressemblaient à une hallucina-
tion. Tout à coup des éclairs de lumière rouge zébrèrent leurs visages
et les sirènes de la police percèrent le grondement des basses.

Sarah se retourna, vit deux voitures radio stopper derrière elle,
puis une troisième, puis un fourgon. Elle poussa un soupir.

Les visages commencèrent à reculer. Sept flics — cinq hommes et deux femmes — entreprirent de soulever les corps inertes bloquant l'accès au parking. Sarah arrêta le CD. Dans le silence, l'homme aux yeux sombres continuait à la fixer, son haleine se condensant sur la vitre. Un policier le tira en arrière, il disparut.

Tremblante, des mèches de cheveux collées au front, Sarah engagea sa voiture dans le parking.

— C'est l'enfer, d'être célèbre, s'efforça-t-elle de plaisanter.

La plupart du temps, elle buvait peu, et pas du tout lorsqu'elle plaidait. Ce soir, avant de s'effondrer sur le canapé, elle s'était servi un grand verre de vin.

Assise en face d'elle, Mary Ann fixait le renflement de son ventre. Des voix désincarnées montaient encore de la rue vers la fenêtre obscure :

— Tu-euse de bébé...

— Vous étiez effrayée ? demanda la jeune fille.

Sarah but une gorgée de vin avant de répondre :

— Je l'étais. Je le suis. Je le resterai un moment.

Elle ne parla pas du message téléphonique de sa mère la suppliant d'être prudente, elle ne précisa pas que celle-ci avait fini par avouer, sur l'insistance de Sarah, qu'elle avait elle-même reçu des menaces par téléphone. Le correspondant anonyme avait déclaré, d'une voix anormalement calme, qu'il suivait le procès à la télévision et qu'il tenait les parents de l'avocate pour responsables du sort de l'enfant de Mary Ann. Après avoir rassuré sa mère, Sarah avait pris contact avec une agence de gardiennage. Elle ne pouvait retourner au tribunal sans savoir ses parents en sécurité.

— Tu-euse de bébé...

— Je suis désolée, lui dit Mary Ann. Jamais je n'aurais pensé...

— Tu ne pouvais pas te douter. De toute façon, cela ne m'aurait pas dissuadée.

Sarah espérait qu'elle ne mentait pas. En tout cas, Mary Ann la croyait et ses yeux brillaient de gratitude. La jeune fille se massa les tempes du bout des doigts et murmura :

— Je crois qu'il faut que je témoigne.

Sarah vida son verre. Elle avait l'impression que ses membres étaient lourds, sans vie. En bas, les manifestants reprenaient de plus belle :

— Tu-euse de bébé...

— Allons prendre l'air, proposa Sarah.

Sur la terrasse du toit, située six étages plus haut, le vent soufflait de la baie et les cris des manifestants étaient à peine audibles.

Elles s'assirent dans des fauteuils en plastique, le dos au vent. A leur gauche, les lumières de maisons spacieuses — en brique, en bois ou en pierre — montaient et descendaient les pentes douces des rues de Pacific Heights. A huit cents mètres devant elles, le Golden Gate Bridge enjambait l'espace étroit s'étendant du Pacifique à l'ovale noir de la baie. Au-delà, d'autres lumières pointillaient les collines du Marin County. Le toit de l'immeuble était un endroit calme, où Sarah aimait réfléchir.

La voix de Mary Ann, basse, presque un murmure, la tira de sa rêverie.

— Je ne peux plus vivre avec eux.

Il y avait dans le ton de l'adolescente quelque chose de pathétique qui serra le cœur de Sarah.

— Je sais que c'est dur à imaginer pour toi. C'est pourquoi je me demande si tu dois vraiment témoigner.

— Il l'a bien fait, lui, protesta Mary Ann, furieuse maintenant. L'autorité suprême : saint Martin, qui dit comment tout le monde devrait vivre.

Sarah la regarda. Dans la bouche d'une autre fille, la remarque n'aurait exprimé qu'une rancœur passagère, typique de l'adolescence. Pas chez Mary Ann. Sarah devinait que, bien avant sa grossesse, les certitudes morales de son père avaient commencé à l'irriter. L'échographie n'avait peut-être fait que hâter l'ouverture d'une brèche qui menaçait depuis un moment les relations entre le père et la fille. Et peut-être aussi le couple des Tierney.

— Et ta mère ? dit Sarah.

Mary Ann se détourna. Sa colère fit place à du regret, voire à un sentiment de culpabilité.

— Si je la fais comparaître ? insista Sarah. Si je la pousse dans ses retranchements, elle continuera quand même à le soutenir ? Suppose qu'ils se séparent...

— *Non.*

Le mot avait été prononcé avec une intensité soudaine. Surprise, Sarah demanda avec plus de douceur :

— Non, elle ne changerait pas ? Ou non, tu ne veux pas que je le fasse ?

Mary Ann parla elle aussi d'une voix plus calme :

— Je ne crois pas qu'elle changerait. Et je ne veux pas que vous la fassiez témoigner. Je le connais, cela pourrait le briser.

Cette simple déclaration était empreinte d'une profondeur de sentiment et d'une lucidité qui étonnèrent l'avocate. L'épreuve du procès avait fait mûrir Mary Ann, elle était devenue plus consciente des conséquences possibles de ses actes, plus compatissante dans ses choix que son père, muré dans ses convictions, ne pouvait l'être. Ils ne méritent pas une telle compassion, eut envie de répondre Sarah. Ni lui ni elle.

Mary Ann redressa les épaules. Vue de profil, elle présentait une frêle silhouette au ventre si distendu qu'il paraissait douloureux.

— Alors, il faut vraiment que je témoigne, conclut-elle.

Sarah aurait pu dire beaucoup de choses pour la dissuader : qu'elle ferait plus de mal encore à sa famille, qu'elle pouvait gagner son procès sans témoigner. Ce qui la retint, ce fut le respect.

— Je crois que tu as raison, répondit-elle.

31

— Aviez-vous envie de tomber enceinte ? demanda Sarah.

Assise dans le box des témoins, Mary Ann Tierney portait une robe de grossesse à fleurs qui flottait autour d'elle, dissimulant en partie la rondeur de son ventre et, espérait Sarah, le caractère inquiétant d'un avortement tardif. Pour Sarah, elle avait l'air de ce qu'elle était : une jeune fille écrasée par les circonstances, tirée de l'univers secret de l'adolescence pour s'expliquer devant tout le monde.

La salle d'audience était anormalement silencieuse ; même Patrick Leary avait cessé de gigoter sur son siège et se contentait de tripoter son stylo. Le regard que Martin Tierney posa sur sa fille était pénétrant, et cependant profondément triste. De la première rangée, Margaret les observait tous deux avec une expression blessée, sa réaction oscillant entre le désir de protéger sa fille et la stupeur de la voir témoigner contre ses parents.

— Non, répondit Mary Ann d'une voix grêle. J'en avais peur, au contraire.

Sarah hocha la tête pour l'encourager.

— Pourquoi n'avez-vous pas eu recours à la contraception ?

Mary Ann fixa un point du sol situé à mi-distance entre son père et elle.

— Je ne savais pas comment ni où me procurer le nécessaire. Et

Tony disait que ce ne serait pas agréable. Quand j'étais avec lui, j'essayais de ne pas y penser. De ne penser qu'à lui.

— Pourquoi ne pas en avoir parlé à votre docteur?

— C'était l'ami de mes parents, pas le mien. Et même si j'avais trouvé ce qu'il fallait, j'aurais eu peur de l'avoir sur moi ou dans ma chambre.

Mary Ann s'interrompit, posa sur son avocate un regard épuisé : elles avaient passé une partie de la nuit à préparer son témoignage puis avaient vainement tenté de dormir.

— C'était ma mère qui nettoyait ma chambre, expliqua-t-elle avec réticence. J'ai toujours pensé qu'elle fouillait dans mes affaires.

— Pensiez-vous, vous aussi, que la contraception était condamnable ?

— Je ne savais pas. Je savais seulement que nous ne pouvions pas en parler.

— Quand vous avez découvert que vous étiez enceinte, avez-vous parlé d'avortement?

— Jamais. Mon père pensait que c'était un péché. Le père Satullo aussi, les gens de mon lycée, tous ceux que je connaissais...

— Et votre mère ?

— Elle le croyait aussi, répondit Mary Ann avec un regard triste en direction de Margaret Tierney. D'abord c'était dur, mais au bout d'un moment elle s'est mise à acheter des vêtements de bébé, à aménager la chambre d'amis. Elle a même acheté un journal pour que je puisse y inscrire tout ce qui arrivait à mon corps. Quand je n'avais pas envie d'écrire, elle me posait des questions et le faisait elle-même.

Sarah avait appris la veille seulement ces détails qui renforçaient son sentiment d'une fille dont la vie était, à un degré inhabituel, le produit des convictions inflexibles de ses parents et de leurs désirs inconscients.

— Vous sentiez-vous prête à devenir mère ?

— C'était sans importance. Je l'étais, mère. Je savais que j'aimerais toujours mon bébé et que je le protégerais.

— Qu'est-ce qui vous a fait changer d'avis ?

— Pas seulement l'échographie, répondit Mary Ann avec douceur. L'expression de ma mère quand le docteur lui a expliqué ce que cela signifiait. Le son de sa voix quand elle lui a demandé si je pourrais avoir d'autres bébés. J'ai su, d'un seul coup, j'ai su que je ne devais pas essayer d'avoir ce bébé. Parce qu'il ne vivrait pas et que je n'en aurais peut-être pas d'autre.

— Pouviez-vous le dire à vos parents ?

Refoulant ses larmes, l'adolescente baissa les yeux vers son ventre.

— Non. Je savais ce qu'ils avaient subi pour moi, ce que ma naissance leur avait coûté. Leur dire me paraissait égoïste.

La voix rendue rauque par la souffrance et la révolte, elle poursuivit :

— C'est le mot que mon père m'a lancé à la figure quand j'ai fini par lui dire ce que je voulais : égoïste.

Martin Tierney regardait fixement la table de la défense, comme si l'étalage aux yeux de tous d'un moment aussi intime lui faisait honte. D'un ton calme, Sarah demanda :

— Est-ce que savoir que vous aviez peur de ne plus avoir d'enfants les aurait fait changer d'avis ?

Mary Ann secoua la tête.

— Ils le savent, maintenant. Et regardez où nous en sommes.

Martin Tierney continuait à fixer la table, désolé, supposait Sarah, d'avoir laissé entendre que Mary Ann refusait cet enfant par un désir de perfection et non par crainte de devenir stérile. Et Sarah s'emploierait à ce qu'il soit plus désolé encore.

— Qu'est-ce qui vous a décidée à vous opposer à eux ?

— Ma mère. Je veux dire, elle avait ces convictions, mais parfois elle était tellement triste.

Mary Ann s'interrompit, comme bouleversée par un souvenir ineffaçable.

— Après l'échographie, reprit-elle, je l'ai trouvée dans la chambre d'amis, fixant le berceau, le visage ruisselant de larmes. C'est alors que j'ai su que je devais le faire.

— Vous saviez où aller ?

— Non. Puis je me suis souvenue que le père Satullo, notre prêtre, organisait des séances de prières devant une clinique pratiquant l'IVG. J'ai cherché l'adresse...

— Vous en étiez à quel stade de grossesse ?

— Cinq mois, répondit Mary Ann, la voix tremblante. En arrivant là-bas, j'ai vu le père Satullo agenouillé sur le trottoir...

— Vous êtes partie.

— Oui. Après ça, j'étais comme prise au piège. Ma mère m'avait souvent raconté qu'elle me sentait bouger dans son ventre. Je ne pensais qu'à une chose : mon bébé ne bougeait jamais.

— C'est pour cela que vous êtes retournée à la clinique ?

Les yeux couleur bleuet de Mary Ann semblaient regarder à l'intérieur d'elle-même.

— Je ne cessais de penser à ma mère en larmes près du berceau.

Elle avait tellement besoin de croire à quelque chose qu'elle repassait par les mêmes souffrances, en aidant mon père à me faire souffrir.

La jeune fille étonnait Sarah : elle avait la lucidité triste de quelqu'un qui a fini par accepter la vie.

— Ensuite, vous m'avez rencontrée, fit Sarah. Vous m'avez expliqué que vous vouliez avorter.

— Oui. Vous m'avez parlé de cette loi. De ce que je devrais faire. Vous avez souligné que ce serait très dur. En particulier d'affronter mes parents au tribunal. Je ne *voulais* pas les affronter. Je ne voulais pas aller au tribunal.

Sarah attendit un moment avant de demander :

— Vous ai-je conseillé de le faire ?

— Non. Vous m'avez seulement dit que si je voulais un avortement, c'était l'unique moyen légal. A moi de décider.

Sarah hésita à poursuivre : Mary Ann était visiblement fatiguée, il fallait qu'elle garde des forces et du courage en réserve pour le contre-interrogatoire.

— Après que vous avez entamé votre action en justice, vos parents vous ont-il demandé d'y renoncer ?

— Oui. Tous les deux, répondit la jeune fille avec une véhémence contenue.

Margaret Tierney blêmit.

— Et moi ? fit Sarah. Que vous ai-je dit ?

— Que je pouvais renoncer si je le voulais. Vous m'avez traitée comme une personne, pas comme une marionnette.

Mary Ann regarda directement Martin Tierney, poursuivit d'une voix claire et distincte :

— C'est mon père qui m'a contrainte à venir ici. C'est lui qui prétend que je ne sais pas ce que je fais, que je ne suis même pas capable de voir ce qui est arrivé à ma mère. Mais quand je l'écoute, ce n'est pas de moi qu'il parle, c'est de quelqu'un qu'il a inventé.

Elle prit une inspiration, continua d'une voix chargée d'émotion :

— Il prétend maintenant que je ne pensais qu'à avoir un bébé parfait. C'est ça, le plus terrible : ils me traitent encore d'égoïste, alors que je cherchais à ne pas leur faire de mal.

A la table de la défense, Martin Tierney dévisageait sa fille avec ce qui ressemblait à de l'étonnement.

— Comment cherchiez-vous à les épargner ? demanda Sarah.

Mary Ann détourna les yeux pour ne plus voir l'expression de stupeur et de compréhension soudaine de Margaret Tierney.

— En ne parlant pas de ma mère, répondit-elle avec une fermeté lasse. Ni à eux, ni même à vous. Je ne l'ai fait qu'après que mon père a témoigné contre moi.

La salle devint silencieuse ; Margaret Tierney baissa la tête.

— Plus de questions, dit Sarah.

32

Pour Sarah, la suspension d'audience — dix minutes seulement — parut interminable.

Assise dans une pièce nue avec Mary Ann, elle jetait de temps en temps un coup d'œil à une horloge de salle de classe qui semblait mesurer le temps avant que l'élève n'affronte son examinateur. L'exposition au grand jour des blessures de la famille avait laissé la jeune fille sans force et déprimée.

— Tu as été très bien, l'encouragea Sarah. Il ne te reste plus qu'une heure à tenir.

Mary Ann battit des cils, seul signe qu'elle avait entendu. Sarah la sentait intégrer douloureusement l'idée que ses rapports avec ses parents — et de ses parents entre eux — ne seraient plus jamais les mêmes. Cela plaçait Sarah face à ses responsabilités. Elle avait pris les décisions qu'une avocate devait prendre, elle avait trouvé des arguments et pilonné sans remords les points faibles des Tierney. Mais si elle pouvait se dire que le Congrès avait pavé la voie à ce conflit en votant sa loi, elle ne pouvait nier qu'elle avait elle-même contribué à le porter à ce point culminant. Elle ne pouvait plus qu'espérer que ce serait Saunders ou Fleming, non Martin Tierney, qui procéderait au contre-interrogatoire.

Un dernier coup d'œil à l'horloge puis :

— C'est l'heure.

Il se dirigea vers sa fille, s'arrêta à distance respectueuse, enfonça les mains dans ses poches.

— Mary Ann, dit-il à voix basse, je voudrais m'excuser.

L'expression méfiante de l'adolescente s'adoucit, se durcit de nouveau. Sarah s'étonnait de l'intimité fausse de la scène — un père aimant, qu'un tel fossé séparait maintenant de sa fille qu'il devait exprimer ses regrets devant des caméras de télévision — tout en s'interrogeant sur les mobiles de l'homme complexe qu'elle avait pour adversaire.

— Tu n'as jamais été égoïste, poursuivit Tierney. J'étais trop bouleversé, semble-t-il, pour comprendre que tu voulais protéger ta mère et que tu t'inquiétais pour nous deux. Moi, qui devrais te comprendre mieux que personne. Exception faite peut-être de ta mère.

L'espoir et la méfiance s'affrontaient sur le visage de sa fille.

— Est-ce que cela t'aurait fait changer d'avis ?

Tierney secoua la tête.

— D'avis, non. De sentiment. J'ai honte d'avoir été aussi aveugle. Mon incapacité à comprendre tes craintes et à te réconforter est inexcusable. Pardonne-moi, je t'en prie.

Le public était captivé — partagé, soupçonnait Sarah, entre la compassion et le désir de détourner les yeux. Peut-être était-elle la seule à prendre suffisamment de distance pour voir en Tierney non seulement de l'amour mais cette habileté diabolique que seuls possèdent les parents pour saper la détermination de leur enfant. Elle se leva lentement.

— Votre Honneur, je respecte les sentiments du professeur Tierney, je comprends ses regrets, si tardifs soient-ils. Mais ce n'est pas là un contre-interrogatoire, et ses propos sont sans rapport avec les problèmes que soulève son intervention. A moins que les excuses de M. Tierney ne s'accompagnent d'une autorisation, ma cliente demeure prise au piège de ce procès et d'une tragédie à laquelle nous devons mettre fin.

Tierney tourna vers elle son regard translucide.

— Personne ne tient autant que ma femme et moi à y mettre fin, mademoiselle Dash. Mais vous êtes avocate, vous vous préoccupez avant tout de gagner : c'est votre droit. Nous, nous sommes des *parents*, nous ne pouvons pas avoir ce seul but en tête. Aucune décision ne réparera les torts que nous avons eus envers Mary Ann, ni notre retard à lui demander pardon… Mais j'ai terminé.

Soulagée, Sarah s'attendait à ce qu'il aille se rasseoir, épargnant ainsi le pire à sa fille. Mais Tierney se tourna vers Leary et déclara :

— Je ne poserai à ma fille que les questions indispensables.

Incrédule, Sarah fit un pas en avant.

— Un père qui procède au contre-interrogatoire de sa fille ?

— Qui d'autre serait mieux placé pour le faire ? répliqua Tierney, en se tournant de nouveau vers le juge. Nous formons une famille, unie par quinze années partagées. Avec tout le respect que je leur dois, ni M. Saunders ni M. Fleming — ni Mlle Dash — ne connaissent les questions qu'un père doit poser à son enfant.

De son fauteuil, Mary Ann suivait l'échange d'un air hébété.

— Bien sûr, approuva Leary. C'est votre droit, professeur. Et votre devoir, pourrait-on même estimer.

Il y avait une note de reproche dans la voix du juge, non pour le père du témoin mais pour Sarah, qui ne put que se rasseoir. Tierney fit de nouveau face à sa fille.

— Tu aimes ton enfant, Mary Ann ?

Elle cligna des yeux, répondit dans un souffle :

— Oui.

— Avant qu'il fasse partie de nos vies, tu étais convaincue qu'on n'a pas le droit de prendre une vie innocente, quelle qu'elle soit.

Après une hésitation, elle acquiesça de nouveau.

— Tu crois toujours que ton fils est une vie ?

Inconsciemment, Mary Ann baissa les yeux vers son ventre.

— Oui, répondit-elle, mais il n'aurait sans doute pas de vie.

Ce fut au tour du père de marquer un temps d'arrêt.

— Tu penses que tu dois lui ôter la vie parce que Dieu lui a peut-être donné une infirmité ?

Elle gardait les yeux baissés, comme une pénitente.

— Non. Pas si c'est la seule raison. Mais ce n'est pas la seule.

Tierney la regarda avec une expression traduisant si parfaitement l'étonnement et le doute qu'une idée surprenante traversa l'esprit de Sarah : quels que fussent ses sentiments, Martin Tierney avait des dons de comédien.

— Tu veux donc maintenant soustraire la vie de ton enfant aux mains de Dieu pour la placer entre les tiennes ? Et, cela fait, y mettre fin ?

Cette fois, elle releva la tête.

— Les médecins pensent que mon bébé n'a pas de cerveau. Mais Dieu m'en a donné un pour prendre des décisions. Je ne crois pas que ce soit un péché de vouloir d'autres enfants qui vivront.

Elle tient bon, pensa Sarah. Mais Tierney semblait inébranlable. Armé du savoir du père, il avait une autre question pour chaque réponse.

— Comme Matthew Brown ?

Les lèvres de Mary Ann s'écartèrent.

— C'était un miracle. Sa mère elle-même l'a dit.

— Sa mère l'a laissé entre les mains de Dieu. Tu penses qu'elle a eu tort ?

Pas si c'était son choix, souffla silencieusement Sarah à sa cliente, mais Mary Ann baissa de nouveau la tête.

— Non, répondit-elle.

Le visage de Tierney devint aussitôt l'image même de la compassion et de l'inquiétude.

— Suppose que tu prennes la vie de ce bébé et que tu découvres ensuite qu'il avait un cerveau normal. Qu'éprouverais-tu?

Mary Ann était toujours incapable de regarder son père.

— Ce serait atroce, fit-elle d'une voix tremblante. Pire encore.

D'un mouvement furieux, Sarah se tourna vers Margaret Tierney. Vous restez là sans réagir? eut-elle envie de lui assener. Mais la mère, quoique pâle, observait son mari sans broncher. Tierney se rapprocha de leur fille.

— Tu regretterais ta décision, n'est-ce pas?

— Oui.

— Pour toi, ça, ce serait un péché.

Mary Ann serra ses bras autour d'elle comme pour se protéger du froid.

— Je n'aurais pas voulu ça. J'étais forcée de faire un choix.

— Non, tu n'y es pas forcée. Ne comprends-tu pas, Mary Ann, que ta mère et moi voulons t'épargner les terribles conséquences qu'il y aurait à faire ce choix?

Elle releva lentement la tête.

— Peut-être. Mais votre conduite vous est aussi dictée par vos convictions. Elles sont si fortes et vous en êtes si sûrs que ce que je crois, moi, ne compte pas.

Ce défi soudain appelait une question que Tierney, malgré des réticences manifestes, ne pouvait que poser :

— Et que crois-tu, Mary Ann? Ou que penses-tu croire?

Puisant dans ses dernières forces, elle se redressa.

— Ce bébé a peu de chances de vivre. Mais si je le mets au monde, il sera peut-être le seul enfant que j'aurai jamais, et je devrai le regarder mourir. Personne d'autre que moi ne peut m'imposer une chose pareille.

Bien que ferme, la réponse de Mary Ann était celle d'une fille au bord de l'épuisement. Tierney poursuivit l'offensive :

— Tu te rappelles ce qu'a dit le Dr McNally? Qu'il y a autant de chances que ton fils soit normal qu'il y a de risques pour toi de devenir stérile. Un pourcentage très faible.

Elle fixa le sol, marmonna :

— Oui, je m'en souviens.

Puis, faisant de nouveau face à son père, elle s'écria :

— Je le comprends aussi bien que toi. Mieux, même, parce qu'il s'agit de *moi*. Tu dis que je ne comprends pas parce que j'ai quinze ans. Tu veux me forcer à courir ce risque. Tu veux m'expliquer ce que veut dire "très faible".

«Le problème, ce n'est pas moi, c'est toi. Toi et ce qui est arrivé à ma mère. Toi et ce que tu crois. Je me sentirai peut-être coupable après l'avortement, mais qu'est-ce que vous ressentirez, toi et ma mère, si je ne peux plus jamais avoir d'enfants?

Pris au dépourvu, Tierney répondit :

— Le problème n'est pas là.

— Tu ne t'es jamais posé cette question? Tu ne l'as jamais posée à ma mère?

Le silence, absolu maintenant, oppressa Sarah.

— Bien sûr que si, répondit-il. Comment peux-tu en douter?

Le visage livide, Margaret Tierney ferma les yeux.

— Tu lui as peut-être demandé, mais moi je l'ai *regardée*.

Impuissante, Sarah eut soudain l'impression que trop de vérités avaient été dites.

— Je l'ai regardée, moi aussi, murmura Tierney. A ta naissance, et pendant toutes les années qui ont suivi.

Mary Ann semblait se tasser sur son fauteuil, la honte d'en avoir trop dit chassant d'elle toute résistance.

— J'ai envie d'avoir d'autres enfants, gémit-elle. S'il te plaît.

Indécis, Tierney se tenait entre sa fille et sa femme, images spéculaires de souffrance. Il parut peser sa décision, le risque qu'il prendrait de tout compromettre en allant plus loin et finit par lâcher :

— Plus de questions.

Leary se tourna vers Sarah et, comme à contrecœur, lui demanda :

— Mademoiselle Dash?

— Non. Moi non plus.

33

Le matin où le juge Patrick Leary devait rendre son verdict, Sarah Dash se leva pour prononcer sa plaidoirie.

La salle d'audience était silencieuse. Après les vives émotions des deux jours précédents, le père affrontant la fille, Leary paraissait moins fringant, comme si le fardeau de juger avait supplanté en lui le plaisir de présider. Mary Ann Tierney semblait à la fois pleine d'appréhension et d'espoir, revigorée par quelques heures de sommeil prises avec l'aide d'un sédatif léger. Martin et Margaret Tierney affectaient tous deux le plus grand calme, comme pour affirmer — à la manière des familles déchirées — qu'il ne s'était rien passé de remarquable. Mais leur tension, de même que celle de Mary Ann, se reflétait dans leur immobilité, dans l'incapacité des parents et de leur fille à se regarder. Quant à Sarah, elle s'efforçait de ne pas sentir les pressions pesant sur elle — ses doutes concernant Leary, le public invisible, l'enjeu pour de nombreuses autres jeunes femmes — et de se concentrer sur un seul objectif : faire comprendre au juge ce qui était arrivé à Mary Ann Tierney.

— Cette affaire est l'histoire d'une jeune fille de quinze ans, enceinte de cinq mois, qui se retrouve face à une échographie, commença-t-elle.

«Sur cette échographie, elle voit un fœtus à la tête énorme. Très probablement, il n'a pas de cerveau. Et il ne peut sortir d'elle que de deux façons : un avortement ou une césarienne. Si la jeune fille avorte, le fœtus mourra. Si elle accouche, le fœtus mourra, presque aussi sûrement. Seule différence : si Mary Ann accouche à l'aide d'une césarienne, il y a un risque, faible mais mesurable, qu'elle ne puisse plus *jamais* avoir d'enfants.

En l'écoutant, Leary avait l'air mal à l'aise, insatisfait, et l'idée traversa Sarah qu'il préférait s'imaginer à la place d'un des parents qu'à celle de l'enfant. Elle poursuivit :

— Tout cela, elle le sait depuis une minute, mais il y a autre chose qu'elle sait quasiment depuis toujours : sa naissance a privé la femme qui l'a entourée d'amour, sa mère, de la possibilité d'avoir d'autres enfants. Bien qu'elle soit elle-même maintenant confrontée à cette perspective effrayante, Mary Ann garde le silence.

Sarah se tourna pour faire face aux Tierney.

— Elle ne connaît que trop bien les principes de ses parents. Ne jamais parler de sexe. Ne jamais parler de contraception. Ne jamais, *jamais* parler d'avortement. Et, comme elle sait ce que ces principes leur ont coûté, ne jamais faire du mal à sa mère en disant qu'elle a peur de devenir stérile, comme elle.

Tierney soutenait son regard mais ses joues creusées trahissaient un effort extrême.

— Elle a peur, pourtant. Désespérée, elle demande à ses parents, elle les supplie, de l'autoriser à avorter. Elle reçoit en réponse le froid réconfort de leurs principes et se fait cruellement accuser par son père d'être «égoïste». Elle apprend la plus triste leçon qu'une enfant puisse apprendre : être en désaccord avec *ce* père et *cette* mère, c'est se retrouver seule dans la vie.

Tierney baissa les yeux puis ramena son regard dépourvu d'émotion sur Sarah, qui se tourna de nouveau vers le juge.

— Mary Ann n'a plus personne pour l'aider. Le seul refuge qui lui vient à l'esprit, c'est une clinique où l'on pratique l'IVG. Elle la connaît uniquement parce que le prêtre de sa paroisse essaie d'en imposer la fermeture. Quand elle s'y rend, elle le voit et s'enfuit.

«Il lui faudra deux semaines pour y retourner. Deux semaines pour rassembler le courage nécessaire à une adolescente de quinze ans pour affronter une foule de manifestants qui partagent les idées de ses parents. Pour toute récompense, elle découvre qu'elle est devenue la première justiciable de la loi sur la protection de la vie. Qu'elle a perdu le droit de protéger sa santé physique et mentale. Que son seul espoir, c'est de mettre en question *cette* loi, et *ces* parents, devant *ce* tribunal.

Sarah marqua une pause, se redressa.

— Elle se doute que ce sera très dur. Qu'elle devra affronter la colère de ses parents. Que des inconnus la détesteront, que d'autres chercheront à exploiter son drame. Qu'elle déclenchera une guerre politique dont elle saisit mal les dimensions.

Baissant la voix, Sarah poursuivit :

— La seule chose que son avocate n'imagine pas, et ne pense donc pas un instant à lui dire, c'est que le tribunal auprès duquel elle est contrainte à chercher protection la placera devant les caméras d'une chaîne de télévision nationale.

Leary devint écarlate et Sarah s'empressa d'ajouter :

— Le tribunal avait ses raisons, je le sais. Mais Mary Ann Tierney est encore ici, demandant sa protection. Et je ne crois pas que la cour puisse encore douter qu'elle le fait en toute indépendance et avec détermination. S'il subsiste un doute, considérons ce que ses parents lui ont fait subir. Devant des caméras de télévision, ils ont offert leur fille à la vindicte des adversaires du libre choix. De la droite chrétienne. Des handicapés. Des aigris. Sans parler du propre docteur de Mary Ann et, enfin, d'eux-mêmes.

«Au nom de quoi déversent-ils des injures sur leur fille de quinze ans ? De la loi sur la protection de la vie, dont l'unique objectif, nous assurent-ils, est d'aider les parents à "protéger" leurs filles.

«Rien ne discrédite davantage cette loi que le fait que les Tierney l'invoquent. Elle leur a permis d'imposer leur volonté à leur fille — au péril de sa santé — avec le soutien d'un concert de voix discordantes poursuivant tous les objectifs concevables à l'exception du bien-être de Mary Ann.

« Tout cela lui est arrivé pour la plus arbitraire des raisons : la personnalité de ses parents. Ou, diront les témoins des Tierney, l'*admirable* personnalité de ses parents. Considérons donc tous les parents moins *admirables* que ce tribunal approuverait s'il maintenait cette loi à la demande de Martin et Margaret Tierney. Les pères qui violent leur fille. Ou la battent. Ou la jettent à la rue parce qu'elle est enceinte. Ou qui boivent trop pour se soucier d'elle… Ou qui la tueront si elle tente d'aller au tribunal.

Leary secoua la tête.

— Vous allez trop loin.

— Je ne crois pas, répliqua Sarah. Le Congrès peut légiférer autant qu'il veut mais aucune loi ne peut créer une famille comme celle de Norman Rockwell, ni donner à la plupart des adolescentes le courage et les moyens de se protéger. Cette loi causera d'autres traumatismes, d'autres mauvais traitements ; elle privera d'autres adolescentes enceintes de soins médicaux appropriés. D'autres jeunes filles donneront naissance à des enfants qui seront leur frère ou leur sœur. Et, oui, d'autres jeunes filles mourront.

« Et pour quoi ? Parce que contraindre une mineure à obéir aux ordres de ses parents resserrera les liens familiaux ? demanda Sarah, inclinant la tête en direction de Martin Tierney. Ce tribunal a constaté par lui-même les conséquences sur *cette* famille, je ne m'attarde pas sur ce point. Examinons plutôt la justification finale de cette loi : le Congrès a mis en balance la vie et la santé d'une femme, et l'intérêt pour la société de protéger la vie potentielle que cette femme porte une fois qu'elle est devenue viable.

« Voici les faits : l'avortement est tardif dans un cas sur *six mille*. On le pratique quand la vie ou la santé de la mère est menacée ou quand le fœtus présente des anomalies graves.

« C'est précisément pour ces deux raisons que Mary Ann Tierney se trouve ici, Votre Honneur.

« On peut se demander si un tel fœtus est "viable" au sens humain du terme, ou si la "vie" dont il "bénéficie" à la naissance — mesurée en secondes, en minutes, en heures ou en jours — est une vie telle que nous le comprenons. Mais la question plus fondamentale est la suivante : qui décide, et à quel prix ? Le Congrès ? Les Tierney ?

Sarah se tourna vers Mary Ann, baissa le ton :

— Ou la jeune fille de quinze ans qui devra vivre avec les conséquences de cette décision ?

Sous le regard résolu de Mary Ann, Leary détourna les yeux.

— Une jeune femme qui s'est montrée tout à fait capable de peser cette décision puis de la prendre, dit Sarah au juge.

« Une loi qui lui dénie ce droit est irrationnelle. Une loi qui déclare qu'une césarienne ne constitue pas un risque pour la santé de la mère est inhumaine.

« Pour ces deux raisons, cette loi viole le droit de choisir établi dans l'affaire Roe contre Wade. Tout comme le fait une loi qui impose le traumatisme psychologique d'une rupture avec les parents, l'épreuve d'un procès et le risque — la réalité, peut-être — d'une vie sans enfants à soi.

Avec un mépris tranquille, Sarah ajouta :

— Pour une femme, Votre Honneur, c'est bien autre chose que le désagrément de ne plus rentrer dans sa belle robe.

Leary ne regardait plus Mary Ann ni son avocate, mais ses notes. Inquiète, Sarah se demanda si c'était parce qu'il avait déjà rédigé son verdict et que, confronté à ses arguments et à Mary Ann elle-même, il revenait sur sa décision. Elle attendit qu'il relève la tête, avec une expression neutre qui ne révélait rien.

— Cette loi, lui dit-elle, est une tragédie en puissance. Seul ce tribunal peut y mettre fin.

Elle prit une inspiration et conclut :

— Au nom de Mary Ann Tierney, et de toutes les mineures d'Amérique, je demande à la cour de déclarer la loi sur la protection de la vie anticonstitutionnelle.

34

« Le gouvernement simple observateur dans l'affaire Tierney » avait titré le *New York Times*. Sarah ne fut donc pas surprise quand Thomas Fleming déclara à Leary que le ministère s'en tenait à son dossier soigneusement élaboré soutenant la loi. Citant un « éminent conseiller du président », le *Times* soulignait dans son article : « Le nouveau gouvernement n'entend laisser perdre aucune bonne volonté dans ce conflit amer entre parents et enfant, à un moment où au Sénat les partisans des uns et de l'autre s'apprêtent à mettre la juge Masters sur le gril. »

La question que Sarah continuait à se poser — qui parlerait au nom du fœtus ? — reçut une réponse quand Barry Saunders s'avança.

— Votre Honneur, commença-t-il, Martin Tierney parlera au nom de son petit-fils. Mais il faut, en toute justice, que quelqu'un parle pour les Tierney.

« Pour paraphraser Mlle Dash, cette affaire n'est pas une histoire de viol, ou d'inceste, ou de parents brutaux et indifférents. Ce n'est pas l'histoire d'horreurs invisibles, qui, à l'en croire, seraient monnaie courante.

D'un grand geste de la main, il désigna les Tierney.

— C'est l'histoire de parents si attachés à leur fille qu'ils ont pris le risque de provoquer sa colère pour protéger son âme. Et, dans la logique pervertie de Mlle Dash, leur acte d'amour devient une raison supplémentaire de ne pas permettre à d'autres parents d'invoquer cette loi.

Sarah jeta au juge un coup d'œil plein d'appréhension : l'argument s'adressait habilement au sentiment de ses prérogatives paternelles. Avec une expression lasse, Saunders poursuivit :

— Bien sûr que Mary Ann est en colère. Bien sûr que la tension est terrible entre cette jeune fille et ses parents. Parce que, comme tous les bons parents, ils l'aiment trop pour chercher uniquement à lui plaire.

« Combien d'entre nous, parents, ont vu un fils ou une fille en colère leur claquer au nez la porte de sa chambre ? Combien d'entre nous ont entendu ces mots terribles — "Je te hais" — dans la bouche de celui ou celle à qui ils ont donné leur vie ? Combien d'entre nous vivent dans l'attente du jour où leur enfant deviendra un adulte, un parent, qui aura la sagesse de reconnaître : "Je n'avais pas compris que vous m'aimiez autant" ?

Sarah remarqua que Mary Ann évitait de regarder sa mère.

— En tant que parents, continua Saunders, nous prions pour avoir le bon sens de protéger nos enfants d'eux-mêmes, de placer leur intérêt au-dessus de la facilité d'une capitulation devant un désir passager mais dangereux. Nous demeurons fermement attachés au devoir le plus élevé d'un parent : faire de notre enfant un adulte complet et épanoui, dans son corps et dans son esprit.

« Jamais pourtant je n'ai vu de parents aussi courageux que ceux-ci. Sous le regard de millions de téléspectateurs et face à une mise en cause de leurs motivations plus cruelle que ce que leurs pires cauchemars laissaient prévoir, leur amour a tenu bon. Aujourd'hui ils l'expriment sous sa forme la plus pure : "Non".

« Ils regrettent d'avoir à dire ce mot, ils préféreraient inverser le cours du temps, redevenir ce qu'ils étaient le jour du quinzième anniversaire de Mary Ann. Mais ce n'est pas leur destin de parents. Leur destin, c'est de venir devant ce tribunal et de dire : "Aidez-nous à faire de notre fille une adulte complète et épanouie".

Saunders recula pour se placer près de Tierney.

— Cet homme et cette femme connaissent leur fille mieux que Sarah Dash ne la connaîtra jamais. S'ils assurent qu'un avortement traumatiserait davantage Mary Ann qu'un accouchement pourrait le faire, croyez-les. Ne vous servez pas d'eux, Votre Honneur, pour priver d'autres parents aimants de leurs droits.

C'est moi qu'ils mettent sur la sellette, pensa Sarah, l'avocate féministe qui s'est glissée entre les Tierney et leur fille. Mais plus inquiétant encore fut le regard qu'échangèrent Leary et Martin Tierney, regard de compassion d'un père à un autre.

Tierney tira ses lunettes de lecture de sa poche, rassembla maladroitement ses notes, gestes nerveux qui l'humanisaient, même aux yeux de Sarah. Craignant que le discours emphatique mais efficace de Saunders n'ait déjà fait vaciller le juge, elle se prépara à d'autres attaques.

— Au nom de ma fille, commença-t-il, Mlle Dash avance une proposition inquiétante : avortement en toute circonstance, pour n'importe quelle raison, si une partie quelconque de l'enfant déplaît à la mère.

La caricature était si outrée que Sarah dut réprimer une envie de protester.

— Je dis «Mlle Dash», poursuivit Tierney, la voix nouée par l'émotion, parce que je ne peux croire que c'est là l'opinion réfléchie de ma fille de quinze ans. Plus que des conséquences pour la loi, c'est d'elle avant tout que nous nous soucions. Mais, comme le problème se pose dans le contexte de la loi, je dois d'abord parler de la loi.

Avec une soudaineté que Sarah trouva déroutante — et qui, pensa-t-elle, avait toujours dû intimider Mary Ann —, le père aimant se transforma en dialecticien froid et méthodique.

— Selon Roe et autres affaires analogues, le Congrès a le droit de limiter, et même d'interdire, l'avortement d'une vie à naître viable.

L'*unique* restriction à ce droit, c'est de ne pas mettre en danger la vie ou la santé de la mère.

«La loi sur la protection de la vie ne restreint pas la législation, elle ne fait que la codifier. Elle permet d'avoir recours à l'avortement en cas de "risque important pour la vie ou la santé *physique* de la mineure". Et si ses parents ne reconnaissent pas ce risque, un tribunal peut néanmoins autoriser l'avortement sur cette base.

«Quel est l'argument de Mlle Dash? Qu'il n'est pas nécessaire que ce risque soit "important", ni même "non négligeable". Que les parents n'ont pas à se mêler de ce problème. Que *toute* loi qui stipule le contraire viole le droit d'une mineure à régler seule la question.

A chaque mention de son nom, Sarah se hérissait, consciente que Tierney voulait faire croire que c'était elle et non Mary Ann qui demandait l'annulation de la loi.

— Comme Mlle Dash l'a mis en lumière, on ne peut mesurer quantitativement notre souffrance de parents ni nos craintes pour Mary Ann. Nous connaissons mieux que Sarah Dash le douloureux problème de la stérilité. Mais invoquer un risque de stérilité de un ou deux pour cent pour justifier un avortement, cela équivaut à l'avortement à la demande : il se trouvera toujours un médecin quelque part pour dire en haussant les épaules : "Un pour cent? Oui, je crois."

«Mais cette échappatoire ne suffit pas à Mlle Dash. Pour elle, toute loi qui n'inclut pas le risque pour la "santé mentale" n'est pas seulement anticonstitutionnelle, mais aussi cruelle.

La voix de Tierney se durcit.

— Ce qui est cruel, votre honneur, c'est de permettre cette procédure barbare — cet infanticide par démembrement — chaque fois qu'un docteur déclare que devenir mère risque de nuire à l'équilibre émotionnel d'une mineure. Un risque d'après qui? Mesuré par quoi?

D'un ton radouci, il poursuivit :

— Pendant que la mère et le médecin décident de son sort, l'enfant à naître attend leur jugement, sans personne pour le protéger.

Malgré sa colère, Sarah devait reconnaître l'habileté de Tierney : en faisant d'elle la cible, en déformant ses arguments, il détournait Leary du dilemme de Mary Ann.

— J'exagère? Alors, considérons l'affaire. Tout ce que Mlle Dash peut avancer, c'est que notre petit-fils n'aura pas de cortex cérébral... et même ceci n'est pas certain. Mais rien, nulle part, ne nous autorise à assassiner un fœtus viable sous prétexte qu'il ne survivrait peut-être pas.

«Non seulement les lois de Dieu mais aussi celles de la science condamnent une telle arrogance. Chaque jour, de nouvelles techniques sauvent la vie et la santé de fœtus dont le sort était autrefois désespéré. Chaque mois, la médecine abaisse l'âge auquel un bébé prématuré peut vivre en dehors de l'utérus de sa mère. Chaque année, la marche en avant de la science confirme l'amour de Dieu pour les enfants à naître.

«En agissant pour protéger notre petit-fils, nous protégeons aussi ces enfants… et notre fille.

Il s'interrompit, secoua la tête avec tristesse.

— Si une jeune femme doit un jour se regarder dans un miroir en se demandant combien de bébés adoptables ont été sacrifiés sur l'autel de sa "santé mentale", nous ne voulons pas que ce soit Mary Ann.

«C'est notre fille, nous la connaissons mieux que quiconque. Et Mlle Dash fait surgir à notre place une armée fantôme de pères violeurs, de mères alcooliques, de frères et sœurs brutaux.

Leary haussa les sourcils et Tierney lui répondit aussitôt :

— Je ne nie pas que ces tragédies existent. Pas plus que Mlle Dash ne peut nier l'existence de nombreux parents aimants. Ne les privez pas, je vous en conjure, de leur droit à agir conformément à leur amour au moment le plus critique de la vie de leur fille.

«Toute la vie de Mary Ann jusqu'ici nous dit qu'elle détruirait son âme si elle assassinait notre petit-fils. Et Dieu lui vienne en aide si les ciseaux du médecin percent un cerveau normal.

A côté de Sarah, Mary Ann ferma les yeux. Dans le silence de la salle d'audience, Martin Tierney baissa la tête.

— Dieu lui vienne en aide, répéta-t-il sur un ton de prière. Car alors, Sarah Dash ne lui serait d'aucun secours. Et nous non plus, je le crains.

35

Kerry Kilcannon décrochait le téléphone quand sa secrétaire apparut dans l'encadrement de la porte du bureau ovale.

— Clayton vient de m'appeler, monsieur le président. Le juge annonce sa décision.

Il reposa l'appareil.

— Où sont-ils?

— Dans la petite salle de réunion.

Kerry parcourut les couloirs d'un pas pressé, suscitant à son passage l'intérêt et l'agitation — têtes levées, visages tournés vers le corridor — qui accompagnaient maintenant le moindre de ses mouvements. Dans la salle de réunion, il trouva Clayton Slade, Adam Shaw et Kit Pace devant un poste de télévision posé sur la table laquée. Sur l'écran, Patrick Leary prenait place dans son fauteuil.

— Vous pariez quoi? fit Kilcannon.

— Je parie que l'indice d'audience sera le plus élevé depuis le verdict de l'affaire O.J. Simpson, répondit l'attachée de presse. Et que la moitié du pays deviendra dingue.

— Quelle moitié?

— Les partisans du libre choix, avança Clayton. Ce juge n'est pas du genre à laisser tomber Papa-Maman.

C'est vrai, pensa Kerry. Il avait commencé comme avocat dans des affaires de violences domestiques graves et avait développé un sens infaillible pour analyser les juges et les jurys. Chez Patrick Leary, il détectait un attachement au patrimoine, une foi réflexe en la sagesse des pères.

— C'est aussi bien, estima Shaw. Pour nous, moins il y aura de controverse, mieux ce sera.

Kerry s'assit à côté de Kit et tout le monde se tut. Dans tout le pays, supposait-il, des scènes semblables se déroulaient : des groupes de gens captivés par le procès attendaient à présent son issue. Sa propre tension le surprenait.

— Cette affaire place la cour devant des choix douloureux... commença Leary.

Pour une fois, pensa Sarah, Leary semblait impressionné par son pouvoir de changer une vie. Il ne se rengorgeait pas et parlait d'une voix sèche, éraillée. Tendue, l'avocate sentit les doigts de Mary Ann se glisser entre les siens.

De l'autre côté de l'allée, Tierney fixait le magistrat avec intensité. Sarah devinait que ce moment était pour lui, si complexes que fussent ses motivations, d'une extrême simplicité : s'y décidait la vie ou la mort de son petit-fils.

— Avec la loi sur la protection de la vie, poursuivait Leary, le

Congrès s'est attelé à la tâche difficile de mettre dans un plateau de la balance notre souci de la protection des vies à naître et, dans l'autre, le droit de la mère à protéger sa propre vie et sa santé physique.

« A cette équation délicate, les parlementaires ont ajouté une préoccupation distincte mais centrale : promouvoir l'implication parentale...

Sarah eut une appréhension : la façon dont Leary définissait le cadre du problème était trop déférente pour le Congrès, trop compréhensive pour les Tierney. Il marqua une pause, sans lever les yeux du texte qu'il lisait, puis reprit :

— Après réflexion approfondie, la cour déclare :

« premièrement, que la loi sur la protection de la vie ne restreint pas le droit établi dans l'affaire Roe contre Wade ;

« deuxièmement, que le tort potentiel pour la plaignante ne comporte pas un "risque important" pour "sa vie ou sa santé physique"...

— Non, murmura Mary Ann. *Non.*

— Troisièmement, conclut le juge, que Martin et Margaret Tierney incarnent la sagesse du Congrès rendant obligatoire l'engagement parental...

— Merde, marmonna Kit.

C'était la première expression d'une position partisane d'un des quatre, nota Clayton. Kilcannon fixait le poste en silence tandis que Leary proclamait sur l'écran :

— *Ce serait le comble de l'arrogance de substituer notre jugement au leur.*

— Des phrases passe-partout, fit observer Adam Shaw. Papa, maman et tarte aux pommes.

— Peut-être, répondit Clayton. Mais Caroline sera interrogée sur chacun de ces mots, comme s'ils étaient gravés dans le marbre.

Se tournant vers Kit, il ajouta :

— Il nous en faudra, à nous aussi, des phrases passe-partout.

— « L'autorité de la loi » ? suggéra-t-elle, sardonique. Ou bien le président, comme tous les bons présidents, pense qu'il faut « laisser la justice suivre son cours » ?

— Les deux, répondit Slade.

Ils remarquèrent alors que Kerry, toujours silencieux, n'avait pas quitté le poste des yeux.

QUATRIÈME PARTIE

L'appel

1

Perdue dans ses souvenirs, la juge Caroline Masters regardait sans le voir le dossier posé devant elle.

Chad Palmer avait tenu parole : les audiences pour sa confirmation commenceraient trois jours plus tard et elle avait encore beaucoup de choses à préparer. Mais le coup de téléphone de sa sœur l'avait ramenée au moment où, vingt-sept ans plus tôt, elle avait mis son bébé nouveau-né dans les bras du mari de Betty...

«Ils sont venus ici, avait annoncé Betty dans la matinée. Le FBI.» Sa voix, amère et accusatrice, avait des accents paranoïaques. Le fil rouge de la vie de Betty, c'était la dépossession : la mort de sa mère, le mariage de leur père avec Nicole Dessaliers, l'intruse française juive, la préférence du père pour Caroline, brillante dès l'enfance, aussi brune et exotique que Betty était pâlichonne, l'incapacité de Betty à avoir des enfants. A peine devenue la mère de Brett, Betty s'était mise à craindre que sa sœur Caroline lui reprenne un jour sa fille. Que cela fût en totale contradiction avec les principes rigoureux que Caroline s'imposait révélait le paysage intérieur de Betty : sa sœur incarnait pour elle tout ce qu'elle redoutait.

«Bien sûr, avait répondu Caroline avec une pointe d'ironie. En dehors de ma nièce, tu es ma seule famille.

— Je m'y attendais un peu. Mais je n'aime pas que le gouvernement vienne mettre le nez dans notre vie privée. Sans parler des inconnus qui posent des questions en ville... Il doit encore y avoir à l'université des gens qui se rappellent le jour où Larry a ramené Brett à la maison.

— Ils ne savent rien de moi. Et c'est moi qui intéresse le FBI. Je doute que ses agents soient assez cruels pour révéler à Brett sans raison qu'elle a été adoptée. Je doute même que son adoption intéresse qui que ce soit. Pourquoi tu as choisi de le lui cacher, cela m'échappe.

— Nous voulions qu'elle se sente en sécurité», avait répliqué Betty.

Non, avait pensé Caroline avec une certaine pitié, tu voulais quelqu'un à toi.

«Qu'est-ce que papa a fait exactement pour l'acte de naissance ?

— Il en a fait établir un autre, à Martha's Vineyard.

— Indiquant toi et Larry comme parents, bien sûr.

— Oui.

— Alors, vous êtes ses parents. Désolée pour tes visiteurs, Betty, mais les audiences seront bientôt terminées et cette histoire aussi...»

Le coup de téléphone de Betty avait cependant rouvert une plaie qui n'avait pas vraiment cicatrisé et qui ne cicatriserait jamais, Caroline le savait. Elle parcourut son cabinet des yeux, s'arrêta sur les signes extérieurs de la vie réussie qu'elle s'était construite : le haut plafond voûté, les fenêtres à vitraux, la cheminée en marbre sculpté. Plus fondamentaux, les recueils reliés de ses décisions juridiques, soigneusement rédigées, mûrement pesées : ce que le cœur et la raison de Caroline avaient produit de mieux.

Elle n'avait pas songé à faire ce marché : une fille contre une existence protégée parmi les livres de droit. Mais, avec toute la rigueur d'un esprit honnête, elle estimait avoir une vie méritoire. Et si elle devenait présidente de la Cour suprême...

Caroline se replongeait dans son dossier quand le juge Blair Montgomery entra.

La façon discrète et courtoise qu'avait son mentor de frapper à la porte faisait naître en elle encore maintenant des sentiments affectueux. Elle leva la tête, lui demanda avec un sourire :

— Vous voulez bien me faire réviser ? Je n'ai jamais vraiment maîtrisé le droit de la propriété industrielle.

Blair lui rendit son sourire.

— Qui le maîtrise ? Excepté, je continue à l'espérer, au moins l'une de mes stagiaires.

De la main, elle lui indiqua un fauteuil.

— Alors, vous pouvez au moins m'offrir une brève récréation.

Elle le regarda s'asseoir lentement. Cheveux blancs et lunettes d'écaille, Blair Montgomery était un homme frêle et soigné qui, à plus de soixante-quinze ans, semblait rapetisser chaque jour. Mais, aux yeux de Caroline, sa stature était considérable : nommé par le président Ford, il avait siégé un quart de siècle dans leur Cour d'appel, se transformant en farouche défenseur des libertés individuelles, à la fois starisé et calomnié au cours du processus. Il était demeuré imperturbable, fontaine de gentillesse pour ceux qu'il aimait.

Blair avait immédiatement senti le potentiel de Caroline et avait utilisé son ancienneté pour lui gagner des amis tout en lui évitant ses propres ennemis : il lui assignait des affaires où elle avait une chance de briller, rédigeait lui-même les décisions les plus épineuses. Ce n'était qu'en privé qu'il laissait libre cours à sa profonde déception devant ce qu'il considérait comme une inexorable dérive à droite de leur tribunal et de la Cour suprême. Il ne serait pas venu la déranger aujourd'hui s'il n'était lui-même préoccupé par quelque chose.

— Votre ancienne stagiaire a de la ressource ? demanda-t-il avec une certaine hésitation.

Il n'eut pas besoin de préciser quelle stagiaire.

— Sarah ? Beaucoup de ressource, comme je crois savoir qu'elle vient d'en faire la démonstration. Pourquoi ?

— Parce que notre ami Lane Steele a piraté l'appel Tierney.

Etonnée, Caroline songea au fonctionnement de leur tribunal.

— Steele préside le collège chargé des requêtes urgentes ce mois-ci ?

— Oui, répondit Blair, baissant la voix de dégoût. Mlle Dash a demandé qu'on accélère la procédure d'appel : avec la fille Tierney enceinte de plus de six mois, elle n'avait pas le choix. Steele a généreusement accédé à sa requête puis il s'est assigné l'affaire.

— Steele aura besoin d'un allié, fit observer Caroline. Qui d'autre fait partie du collège ?

Blair eut une moue renfrognée.

— Klopfer. Et Dunnett. Le tout, c'est de savoir si Dunnett aura le cran de ne pas être d'accord.

Le vieux juge avait raison, Caroline le comprit tout de suite : ultra-conservateur en matière sociale, Carl Klopfer, ancien procureur général de l'Oregon, était surtout connu pour sa croisade contre la «littérature gay» dans les bibliothèques publiques.

— Pour Steele, Klopfer est un cran de sûreté. Il fera des pieds et des mains pour rédiger la décision.

— Aucune chance. Notre tribunal exprimera sa sagesse dans une autre jérémiade de Lane Steele, dit Blair en secouant la tête. Lui aussi est candidat à la Cour suprême. Il ne laissera pas passer l'occasion de se faire bien voir du Sénat en améliorant l'argumentation creuse et la prose plate de Pat Leary, en proclamant que la loi sur la protection de la vie est le document le plus fondamental depuis *The Federalist Papers*[1].

— Ça l'est peut-être, répondit Caroline avec un pâle sourire. Je fais tout ce que je peux pour ne pas y penser.

— Vous êtes sur la sellette, je le sais. Cette affaire est de la dynamite sur le plan politique. Vous n'avez aucune idée de ce que Mlle Dash a en tête, je présume.

— Aucune. Je n'ai même pas regardé le procès. Et vous ?

— Suffisamment. Le juge Patrick Leary dans *Papa a raison*. Et maintenant Steele... Sarah Dash a un problème de temps : sa cliente peut accoucher d'un moment à l'autre, avec tous les risques que cela comporte. Une fois que Steele l'aura descendue en flammes, Dash pourra solliciter de l'ensemble du tribunal une nouvelle audience, ce qui prendrait deux précieuses semaines de plus. Ou alors elle peut aller directement en Cour suprême. La décision n'est pas facile à prendre.

Caroline devina tout à coup l'objectif non déclaré de son ami. Aucun doute, Blair s'intéressait à ce que pensait Sarah, il soutenait Mary Ann Tierney et était furieux du chemin que prenait son appel. Mais il prévenait aussi Caroline. Sarah chercherait peut-être à persuader une majorité des vingt et un juges de lui accorder une nouvelle audience en séance plénière. Ou Blair lui-même en prendrait l'initiative. Dans un cas comme dans l'autre, Caroline devait réfléchir à la position qu'elle adopterait.

— Si j'étais Sarah, je demanderais une nouvelle audience, dit-elle. Mais il faudrait un sacré courage.

— En effet, approuva le vieux magistrat avec un petit sourire.

2

En entrant dans le bâtiment de la Cour d'appel, Sarah s'efforça de se concentrer sur son argumentation.

Les couloirs grouillaient de journalistes et de cameramen. Mary Ann était restée à l'appartement, apathique, déprimée, déformée par le fœtus qui, malgré ses handicaps probables, continuait de croître

1. Essais fédéralistes du XVIIIe siècle prônant l'adoption de la Constitution des Etats-Unis. *(N.d.T.)*

en elle. Qu'elle persistât à lutter par cet appel était l'indice de sa détermination et, tout autant, de ses peurs. Sarah l'avait cependant dissuadée de l'accompagner : l'épanouissement de sa grossesse risquait d'émouvoir les juges et Lane Steele n'aurait pas manqué de la déprimer plus encore.

Ignorant les reporters qui criaient dans sa direction, l'avocate se fraya un chemin vers la salle d'audience numéro deux. En d'autres circonstances, elle aurait savouré ce retour car elle avait toujours considéré l'édifice comme l'un des plus beaux bâtiments publics d'Amérique. Avec ses majestueuses colonnes de marbre, ses plafonds ornés d'angelots sculptés, ses mosaïques complexes, il évoquait un palais Renaissance.

Le mentor de Sarah, Caroline Masters, en avait autrefois souligné chaque trait. Pour Caroline, qui avait fait des études d'histoire et se passionnait pour l'architecture, cette grandeur exprimait l'orgueil et l'optimisme de l'Amérique à l'aube du siècle passé. Un peu trop de grandeur, avait-elle ajouté, caustique, pour vingt et un magistrats divisés et hargneux à l'orée du siècle suivant. Le neuvième circuit était en effet le siège de factions, de conflits et de rivalités, celle opposant Blair Montgomery à Lane Steele n'étant que la plus notoire, la plus enracinée dans les principes. C'était le problème de Sarah aujourd'hui.

Fleming, Saunders et Tierney se trouvaient déjà dans la salle à son arrivée, mais il n'y eut même pas d'échange de salutations pour la forme : l'opposition entre la jeune femme et ses adversaires était trop viscérale. Retiré en lui-même, Martin Tierney souffrait de la blessure la plus profonde : depuis le verdict, Mary Ann refusait de le voir.

Sarah s'assit à la table de l'appelant en n'accordant pas même un regard à la foule de journalistes entassés aux dernières rangées. La salle numéro deux était une merveille : tribune d'acajou rehaussé d'incrustations de marbre rouge, mur du fond aux boiseries enchâssant une horloge dorée tarabiscotée. Mais aujourd'hui la masse des corps présents et leur cacophonie la rendaient étouffante. Sarah jeta un coup d'œil aux fiches qu'elle avait agrafées sur une chemise : les grandes lignes de son argumentation. Une dernière fois, elle repassa dans son esprit le raisonnement soigneusement élaboré qui, espérait-elle, rivaliserait dans la tête des autres juges avec la logique rigoureuse de Steele.

— Mesdames et messieurs, veuillez vous lever, réclama le shérif adjoint.

Aussi sombres que des inquisiteurs jugeant un complot d'hérétiques, les trois magistrats entrèrent et prirent place sur la tribune, Lane Steele au centre, flanqué de Klopfer, solide et impassible, et de Joseph Dunnett, un Afro-Américain au visage rond, indéchiffrable. Quand Steele releva enfin la tête, ce fut avec dans le regard une lueur que Sarah identifia aussitôt : le plaisir d'un homme qui, trop souvent, assouvissait ses besoins émotionnels en affirmant sa supériorité intellectuelle.

— Maître, dit-il d'un ton péremptoire, vous pouvez commencer.

Nerveuse et résolue, Sarah s'avança.

Elle avait quinze minutes pour ouvrir le débat mais elle mettait encore de l'ordre dans ses notes quand la voix de Steele rompit le silence comme un claquement de fouet.

— Mademoiselle Dash, dans l'affaire Casey, la Cour suprême n'a-t-elle pas estimé que le Congrès peut interdire un avortement après viabilité ?

Déconcertée, l'avocate releva la tête. Elle s'attendait à un interrogatoire serré mais la procédure habituelle lui accordait au moins le droit d'entamer son argumentation.

— Sauf quand la vie ou la santé de la mère est menacée, répondit-elle.

— N'est-ce pas précisément ce que cette loi stipule ?

— Oui, mais...

— A vrai dire, cette loi va même plus loin, dit Steele, se penchant en avant, le regard vif, le corps tendu. Elle permet aux parents, et non uniquement aux tribunaux, d'autoriser l'avortement si un médecin déclare que la santé de leur enfant est menacée.

— Elle permet aussi aux parents de l'interdire, repartit Sarah. Au mépris de la vie ou de la santé de la mineure.

— Qui a alors le recours d'aller en justice, la contra Steele. La disposition sur l'autorisation parentale lui fournit simplement un moyen supplémentaire d'obtenir un avortement. En fait, ne pourrions-nous la supprimer et avoir encore une loi conforme au droit de *limiter* l'avortement tel qu'établi dans Roe et Casey ?

Inquiète, Sarah se demandait si Steele la laisserait présenter une seule ligne de son argumentation.

— Si l'unique recours dont dispose une adolescente, c'est un parent violent ou un tribunal lointain, rétorqua-t-elle, beaucoup de mineures mettront leur vie ou leur santé en danger.

— C'est leur choix, non ?

Steele avait pris un ton ironique et donné au mot «choix» une accentuation dédaigneuse. Sarah décida qu'elle n'avait plus d'autre solution que de cesser de se réfréner.

— Sûrement pas. Une fille de quinze ans ne «choisit» pas d'avoir une brute pour père. Une enfant de quatorze ans ne «choisit» pas d'avoir ou non le courage d'aller au tribunal. Prétendre que ce sont des adultes est inexact...

— En ce cas, coupa Steele avec une jubilation contenue, pourquoi seraient-elles aptes à décider d'avorter d'un fœtus viable?

— Parce qu'elles sont elles-mêmes soumises à un risque, déterminé par un médecin. Elles ne sont pas libres d'avorter pour n'importe quelle raison...

— Vraiment? Et selon quel critère évaluerons-nous un vague risque présumé pour la santé mentale de la mère?

Steele leva la main pour devancer la réponse de Sarah, poursuivit :

— Laissez-moi vous lire un extrait pertinent de Casey. Je cite : «Après viabilité, l'Etat peut limiter et même interdire l'avortement excepté quand il s'avère nécessaire, selon un jugement médical approprié, pour protéger la vie et la santé de la mère», fin de citation. Le texte dit bien «médical», pas psychologique.

— Les psychiatres sont médecins, Votre Honneur. De plus, santé physique et santé mentale sont souvent médicalement liées, argua Sarah, qui s'empressa de reporter son attention vers Klopfer. L'expression «jugement médical» implique aussi que c'est au médecin d'évaluer le risque, pas aux parents ni à la cour...

Le front plissé, Klopfer parut méditer l'argument.

— Les médecins peuvent nous éclairer, intervint Steele. Le juge Leary a bénéficié de conseils médicaux. Ainsi que les Tierney.

Il était maintenant évident qu'il ne laisserait Sarah convaincre personne.

— Les Tierney ont porté un jugement moral, pas médical, dit-elle. C'est pourquoi ils sont intervenus contre leur fille. En stipulant qu'il doit y avoir un «risque médical important» pour la santé physique de la mère, cette loi interdit à un docteur de protéger Mary Ann Tierney d'un risque mesurable de stérilité...

— Mais quelle est la mesure? fit Steele d'un ton méprisant. Définissez *votre* norme. Si un docteur estime le risque à un pour cent, il peut tuer un fœtus quelques instants avant la naissance? Si un docteur pense que supprimer un fœtus sain de huit mois va remonter le moral de la mère, il peut pratiquer un avortement? Si sa jeune

patiente trouve angoissante une « anormalité » possible, on peut sacrifier le bébé ?

— Non, protesta Sarah. Ce n'est pas...

— Non ? continua Steele, implacable. Votre argumentation ne se
réduit-elle pas à ceci : toute mineure peut avorter d'un fœtus viable
si sa grossesse la perturbe ?

Désespérée, Sarah regarda les autres juges, mais Klopfer observait
Steele comme s'il s'en remettait à quelqu'un de plus compétent et
Dunnett demeurait sans expression.

— Vous n'avez pas encore entendu mon argumentation. Avec
tout le respect dû à la cour, elle n'a rien à voir avec celle que vous
avez inventée...

— Tiens ? fit Steele, piqué. Je n'ai pourtant fait que la déduire de
votre dossier, mais cela indique sans doute la faiblesse de mes capacités.

D'un ton plus calme, il poursuivit :

— Vous est-il jamais venu à l'esprit, mademoiselle Dash, qu'avoir
des rapports sexuels entraîne parfois des conséquences ? Ou ce tribunal ne sert-il que de pilule du lendemain très tardive ?

Joseph Dunnett se décida enfin à intervenir :

— Dans votre réponse, suggéra-t-il à Sarah d'un ton aimable,
vous pourriez nous présenter les arguments que vous avez encore à
soumettre. Il ne vous reste que cinq minutes.

— Merci, Votre Honneur. Le cœur du problème est le suivant :
une loi qui empêche Mary Ann Tierney de s'épargner une césarienne
dangereuse en avortant d'un fœtus affligé d'une anomalie mortelle
viole le droit établi par Roe contre Wade...

Steele l'interrompit une nouvelle fois :

— Etes-vous absolument sûre que le fœtus est anormal ?

Sarah se prépara à répondre puis remarqua le hochement de tête
de Carl Klopfer qui approuvait la question de Steele. Elle sut qu'elle
avait perdu.

3

Le jour où Tierney prononça sa plaidoirie, la juge Caroline Clark
Masters comparut pour la première fois devant la commission judiciaire du Sénat.

La vieille salle de réunion, claire et surchargée d'ornements, semblait imprégnée d'histoire et de confrontations passées entre les candidats précédents et la commission. Caroline s'assit à la table des témoins, face à une seule rangée de dix-huit sénateurs qui la regardaient du haut d'un long bureau surélevé. Derrière elle s'entassaient les journalistes, l'équipe de soutien de la Maison-Blanche, quelques membres du public et — assis au premier rang pour réaffirmer l'hétérosexualité de Caroline — Jackson Watts.

D'un commun accord, Betty et Larry n'étaient pas venus, ni Brett, source à son insu de l'angoisse partagée des deux sœurs. Pour Caroline, l'absence de Betty était un soulagement, une chose de moins dont elle devait se soucier : en ce moment crucial pour sa carrière, Chad Palmer et ses collègues réclamaient toute son attention.

Vêtue d'un sévère tailleur bleu, elle parvenait à présenter son aspect habituel de calme assurance, qui masquait ce jour-là une appréhension en rien diminuée par une préparation intensive. La Maison-Blanche lui avait fourni un bref dossier sur chaque sénateur et elle connaissait bien leurs prédilections. Palmer serait neutre mais obligeant ; Vic Coletti, assis immédiatement à sa gauche, poserait des questions pour sonder ses forces. A droite de Palmer, Paul Harshman la fixait d'un regard glacé le confirmant comme son principal adversaire. Assise près de Caroline, la sénatrice de Californie, Betsy Shapiro, égrenait les derniers mots aimables de sa présentation.

Après Caroline, une kyrielle de témoins favorables, choisis par Palmer et la Maison-Blanche, souligneraient la sagacité et l'humanité de la candidate. Mais aucune de leurs déclarations n'aurait d'importance si Caroline ne survivait pas d'abord aux raisons de s'opposer à sa candidature que d'autres sénateurs s'ingénieraient à trouver pendant les trois jours de sa comparution.

L'enjeu était élevé pour Palmer aussi, elle le savait. Malgré les objections de Gage, il avait accéléré la procédure et protégé, avec le président, le secret de Caroline. Le premier péché avait irrité un bon nombre de ses collègues ; le second, s'il venait à être découvert, pourrait bien faire capoter son ambition de devenir président. Il semblait pourtant serein : avec son visage ciselé de star de cinéma, ses cheveux blonds à peine veinés de gris, il offrait une image parfaite aux caméras installées dans la salle. Et, pour préoccupantes qu'elles fussent, ces audiences — ainsi que Clayton Slade l'avait fait remarquer — lui donneraient l'occasion d'apparaître devant la presse et le public comme un président en puissance, plus diplomate qu'un Macdonald Gage partial.

Un silence tendu se fit dans la salle. Par-dessus son épaule, Caroline jeta un bref coup d'œil à Jackson. Palmer regarda les démocrates à sa gauche, les républicains comme lui à sa droite, puis sourit à Caroline.

— Avez-vous une déclaration à faire, juge Masters?

La question avait un accent ironique : sur la table devant elle, Caroline avait posé cinq pages dactylographiées, mots exprimant une confiance mêlée d'une humilité appropriée, et qu'il avait été formellement interdit de distribuer à la presse.

— Oui, répondit-elle d'une voix calme et claire.

L'audience commença.

Sa déclaration fut suivie par celle de Palmer, dissertation sur le devoir d'investigation du Sénat et les qualités attendues d'une présidente de la Cour suprême.

Cela aussi était du théâtre destiné à impressionner le public et à rassurer les autres sénateurs : Palmer n'acquiescerait pas passivement à la confirmation de Caroline. Pendant les heures qui suivirent, elle et lui exécutèrent un exercice convenu de bottes et de parades, Chad essayant de l'acculer sur ses positions, Caroline plaidant avec éloquence l'obligation pour une juriste de garder un esprit ouvert.

Le point culminant fut atteint quand il l'interrogea sur la jurisprudence des affaires d'avortement. Paul Harshman les observa en exprimant sa frustration par des grognements et des mouvements de tête que Caroline et Palmer feignirent de ne pas remarquer.

— Il semble que vous ne soyez pas encline à réfuter Roe contre Wade. Malgré les doutes que vous pourriez avoir sur le raisonnement suivi dans cette affaire.

Caroline prit le temps de choisir ses mots avec soin.

— Je crois au droit à la vie privée, sénateur Palmer. Si les juges ne veillent pas à ne pas présenter comme précédent leurs propres préjugés, la loi risque de ne plus s'appuyer sur le principe mais sur la partialité. C'est avec cette préoccupation en tête que je dois considérer les cas particuliers qui me sont soumis.

Par son air vaguement amusé, le sénateur semblait reconnaître qu'il avait beau faire tous ses efforts, la candidate jouait son rôle conformément au texte.

— Bien, dit-il, venons-en à la présence de caméras dans une salle d'audience. Pour l'affaire Carelli, vous avez autorisé la diffusion sur CNN du début à la fin. Pourtant, beaucoup estiment que la télévision a contribué au climat de cirque du procès de O.J. Simpson. Quelle est votre position, maintenant ?

— Pour, répondit-elle aussitôt. Dans les limites requises, les procès télévisés éduquent le public. Les réactions au procès Carelli ont, par exemple, conduit à admettre des abus sexuels antérieurs comme preuve d'une prédisposition de l'accusé à commettre le viol en question. Ce qui nous permet maintenant de protéger de futures victimes.

Cela aussi était prévu : la question de Palmer permettait à Caroline de manifester son souci de l'application de la loi tout en s'exprimant sur un sujet important pour de nombreuses femmes.

— Et pour l'affaire Tierney ? demanda Palmer.

— Absolument pas, répondit-elle, catégorique. La vie privée d'une mineure passe avant la télévision. La valeur éducative d'une retransmission ne compte absolument pas face à la cruauté pure et simple qui consiste à disséquer cette fille et sa famille sous nos yeux pour nous éclairer — ou nous distraire.

— Mais si vous étiez présidente de la Cour suprême, juge Masters, seriez-vous favorable à la diffusion de ses débats ?

— Là, oui. D'une manière générale, il est souhaitable que le public en sache le plus possible sur le fonctionnement de nos institutions. On connaît mal la façon dont cette cour prend ses décisions. Il est temps de faire la lumière.

— Je pense comme vous, dit Palmer d'un ton aimable. Pensez-vous comme moi qu'il est l'heure de déjeuner ?

Caroline sourit.

— Mon appétit est à la hauteur de vos suppositions, sénateur.

Une vague de rires parcourut les rangées mais Paul Harshman ne sourit pas.

On était en début d'après-midi quand il posa sa première question. D'emblée, le ton fut froid.

— Le sénateur Palmer vous a interrogée avec beaucoup de courtoisie, je dois l'avouer. Mais je ne suis pas satisfait de vos réponses concernant les droits des enfants à naître.

Harshman s'interrompit, son silence requérant un commentaire de Caroline.

— Je le regrette, dit-elle simplement. Je croyais que nous discutions du droit à la vie privée.

Les bras croisés, Harshman tendit le cou pour la regarder de la tribune.

— Croyez-vous, juge Masters, que les enfants à naître ont le droit de vivre ?

Une pensée non désirée fit intrusion dans l'esprit de Caroline : j'ai estimé que ma fille en avait le droit. L'irruption de Brett dans son champ de conscience trahissait une peur qu'elle n'avait pas réussi à vaincre. Elle réfléchit, retrouva la réponse qu'elle avait répétée avec Slade :

— Oui, selon Roe et Casey. Une fois le fœtus viable, le Congrès peut limiter — ou interdire — l'avortement. Seule exception : en cas de danger pour la vie ou la santé de la femme.

Harshman leva une main.

— Les partisans de l'avortement font dire tout ce qu'ils veulent au mot «santé». Que signifie-t-il pour vous ?

Ils approchaient dangereusement de l'affaire Tierney.

— Je n'ai pas eu à en décider. Et, sur le plan éthique, je ne peux préjuger...

— Allons, juge Masters. Selon la Constitution, le terme inclut-il «santé *mentale*» ?

Caroline crut sentir sur elle le regard de Clayton Slade, qui suivait l'audience sur C-SPAN[1]. Elle formula sa réponse avec soin :

— Dans une note en bas de page au verdict rendu dans l'affaire Doe contre Bolton, pendant de l'affaire Roe, la Cour suprême a estimé que la santé mentale d'une femme est un facteur à considérer. Mais, dans les trente années qui ont suivi, la cour n'a jamais développé ni même invoqué ce point. Ce qui, selon moi, en fait une question ouverte.

Frustré, Harshman plissa les yeux.

— Etes-vous pour un amendement constitutionnel interdisant l'avortement ?

Tu me crois assez bête pour répondre à ça ? eut-elle envie de répliquer.

— Je suis pour le droit du peuple à amender la Constitution, par l'intermédiaire de ses représentants. C'est ainsi que les femmes ont obtenu le droit de vote...

— Mais êtes-vous pour un amendement protégeant la vie ?

— C'est une question politique, pas juridique, sénateur. Mon rôle de juge, c'est de suivre la Constitution et tous les amendements qu'on peut y apporter. Exprimer un point de vue personnel sur l'avortement serait contraire à ce principe.

1. Chaîne télévisée du Congrès. (*N.d.T.*)

D'un ton irrité, Harshman insista :

— Pensez-vous que des parents ont le droit d'autoriser leur fille mineure à avorter ? Ou de le lui interdire ?

C'était une tentative sans ambiguïté pour la forcer à s'engager sur l'affaire Tierney.

— La Cour suprême le pense, répondit Caroline. Elle a constamment soutenu le droit des parents à autoriser un avortement avant viabilité. A condition qu'une mineure n'obtenant pas cette autorisation puisse avoir le droit de convaincre un tribunal qu'elle est suffisamment mûre pour décider elle-même, ou qu'un avortement est de son intérêt...

— Des failles, l'interrompit Harshman. Par lesquelles des juges accordent automatiquement le droit d'avorter sans tenir compte de ce que pensent les parents. Vous, pensez-vous que cela suffise pour protéger la vie ?

Elle posa sur lui un regard sans expression.

— Je pense que c'est la loi.

— Mais vous reconnaissez, juge Masters, que le Congrès a le droit de protéger un fœtus *après* viabilité. Le Congrès doit-il *encore* offrir ces failles à toute mineure qui désire avorter d'un fœtus viable ?

— Le monde extérieur a une façon bien à lui de faire intrusion, dit Caroline avec un sourire. Même pour ceux d'entre nous qui sont préoccupés par cette audience. Je crois savoir que, au moment même où nous parlons, trois de mes collègues siègent pour déterminer la constitutionnalité de la loi sur la protection de la vie. L'affaire Tierney pourrait bien finir devant la Cour suprême. En outre, ce serait indécent de ma part de donner à mes collègues du neuvième circuit un avis qu'ils n'ont pas sollicité.

Contrecarré, Harshman se pencha en arrière pour échanger quelques mots avec une blonde mince qui devait être son assistante, supposa Caroline. Il lui adressa un hochement de tête puis revint à la candidate.

— La question n'est pas nouvelle, juge Masters. Dans l'affaire Stenberg contre Carhart, la Cour suprême a annulé la loi d'un Etat interdisant l'avortement de fœtus viables par naissance partielle. Etes-vous d'accord avec cette décision ?

D'une voix légèrement tendue, Caroline répondit :

— Que je sois d'accord ou pas, peu importe. La Cour a déjà tranché.

Harshman se pencha en avant, poignarda la tribune de l'index.

— Mais pensez-vous que cette décision signifie qu'il faut abroger aussi la loi sur la protection de la vie ?

— Non, répondit-elle tout net. Dans l'affaire Stenberg, la loi du Nebraska ne tenait pas compte de la santé de la mère, la Cour a donc estimé qu'elle restreignait indûment le droit à l'avortement établi dans l'affaire Roe, confirmé dans l'affaire Casey, *avant* et après viabilité. De plus, la loi du Nebraska prétendait interdire uniquement *certaines* techniques d'intervention tardive mais — selon la Cour — elle les définissait si vaguement qu'un médecin pouvait ne pas savoir qu'il commettait un acte illégal.

«La loi sur la protection de la vie est une réponse à Stenberg — on peut y voir une seconde génération de ce type de loi — et s'applique à *tous* les avortements post-viabilité, et *uniquement* aux avortements post-viabilité. Aucun docteur ne peut s'y méprendre.

Elle marqua une pause puis conclut :

— L'affaire Tierney présente des questions différentes. Sur lesquelles, je le répète, je ne peux pas me prononcer.

Chad Palmer se tourna vers Harshman avec une expression signifiant : elle t'a battu, arrête de nous faire passer pour des vieux réacs.

Harshman repartit à la charge :

— Il y a dix ans, vous vous êtes présentée aux élections de juge d'un tribunal d'Etat, est-ce exact ?

Caroline devina aussitôt ses intentions et répondit calmement :

— C'est exact.

— Est-il exact également que vous ayez reçu le soutien du Club démocratique Harvey Milk, mouvement de gays et de *lesbiennes* ?

Caroline trouva l'accent mis sur le dernier mot remarquablement peu subtil.

— En effet, répondit-elle avec un bref sourire. De même que celui de la chambre de commerce et, je crois, de l'Association d'entraide de la police...

— Etes-vous favorable au mode de vie lesbien, juge Masters ?

Caroline marqua une nouvelle pause, cette fois pour contenir sa colère.

— Mon rôle de juge n'est pas de soutenir tel ou tel mode de vie, sénateur. Et «mode de vie lesbien» n'a pas plus de sens pour moi que «mode de vie policier». Mon rôle est d'être juste, c'est tout ce à quoi je me suis engagée. Le soutien de tant de groupes différents laisse penser que j'y suis parvenue.

Harshman inclina la tête sur le côté.

— Vous n'avez pas d'enfants, je crois ?

Le caractère direct de la question la désarçonna. Est-ce qu'il sait? se demanda-t-elle. Rapidement, elle chercha à tâtons une échappatoire.

— Je n'ai jamais été mariée.

Tendue, elle attendit que Harshman lui pose la question fatale ou qu'il brandisse un vieil acte de naissance. Au lieu de quoi il demanda :

— Alors comment pouvez-vous apprécier les problèmes particuliers des parents?

Caroline dut faire appel à sa volonté pour ne pas trahir son soulagement.

— Vous et moi ne sommes pas des gens de couleur, répondit-elle, mais cela m'ennuierait de penser que nous nous soucions uniquement des expériences que nous avons en commun.

Cette fois, ce fut le sénateur qui marqua un temps d'arrêt. La réponse de Caroline, attaque voilée contre l'opposition de Harshman à la discrimination positive et à l'immigration du tiers-monde, l'avait visiblement contrarié. Il vérifia ses notes puis, plus hérissé que jamais, se pencha de nouveau en avant.

— Soutenez-vous, juge Masters, le droit de tous les Américains à porter une arme?

Elle eut envie de répliquer : en tout cas, je ne soutiens pas le droit de tous les Américains à armer un porc. Refrénant son dégoût, elle répondit :

— Je crois que ce droit est garanti par le deuxième amendement...

— Mais avez-vous l'intention de respecter ce droit? Ou de le limiter?

Caroline estima le moment venu de cesser d'arrondir les angles :

— Ce pour quoi j'ai peu de respect, c'est l'extrémisme. Je suis contre les partisans d'un strict contrôle des armes qui font comme si le deuxième amendement n'existait pas. Je suis également contre ceux qui affirment qu'un amendement vieux de deux siècles, se référant à une «milice bien réglementée», veut dire que nous ne pourrons jamais venir à bout des balles tueuses de flics, des pistolets bon marché ou des armes d'assaut trop souvent utilisées pour massacrer des enfants.

Harshman se raidit.

— Le problème, ce n'est pas l'arme, c'est le meurtrier qui s'en sert. Une fois que nous aurons commencé à ébrécher le deuxième amendement, où tracerons-nous la limite?

Mais oui, pensa Caroline, ce ne sont pas les armes à feu qui tuent mais les lance-pierres. Et les lesbiennes. Elle prit garde de dissimuler son mépris, ainsi que sa stupéfaction qu'un Etat ait pu choisir cet homme hargneux et sans humour pour le représenter.

— Tracer les limites est le travail du Congrès...

— Et les reconsidérer sera le vôtre, la coupa Harshman. Si vous avez la chance d'être confirmée.

— C'est exact, acquiesça-t-elle d'un ton mesuré. Je note simplement que le droit à la vie ne s'arrête pas à la naissance. Et que — tout comme pour les fœtus viables — le Congrès a le droit de protéger «ceux qui sont nés» de psychopathes qui peuvent acheter en toute liberté des revolvers ou des armes dont les pères fondateurs n'avaient pas idée.

Une salve d'applaudissements crépita derrière elle. Tandis que le sénateur Palmer abattait son marteau, Harshman devint cramoisi, rappelant à Caroline qu'il valait mieux le laisser s'en tirer avec sa dignité intacte.

— Vous soulevez une question importante, ajouta-t-elle avec plus de déférence. Elle présente des aspects particuliers dont je ne peux préjuger. Dans le cas de toute loi, la Cour suprême se doit d'examiner avec soin ses effets sur les droits garantis par le deuxième amendement.

Harshman ne parut pas amadoué et Caroline, épuisée comme elle l'était maintenant, se sentit sur le point de faire un faux pas qui le rendrait plus furieux encore. Jetant un coup d'œil à Palmer, elle se toucha légèrement l'oreille. Le président de la commission remarqua le geste, se tourna vers Harshman.

— Excusez-moi, combien de temps encore pensez-vous consacrer au juge Masters? s'enquit-il aimablement.

Visiblement ulcéré, Harshman rétorqua :

— Vous essayez de m'interrompre, sénateur?

L'accusation ne suscita chez Palmer aucun changement de ton ni même d'expression.

— Pas du tout. Je vous demande simplement combien de temps il vous faut pour en terminer.

— Des heures, repartit Harshman. Des jours, peut-être. La juge Masters veut que nous la nommions à la tête de la plus haute cour du pays. Ses dérobades laissent cependant tant de questions sans réponse que je ne puis prédire, en toute conscience, quand j'en aurai terminé.

— En ce cas, pourquoi ne pas suspendre l'audience jusqu'à demain matin dix heures, par courtoisie envers le témoin? suggéra Palmer, imperturbable. Il est déjà plus de quatre heures et demie.

Vexé et manifestement désireux de poursuivre, Harshman lui lança un regard noir. Vic Coletti intervint avec souplesse :

— La journée a été longue pour tout le monde.

Caroline, objet de cet échange tendu, ne pouvait que l'observer en se demandant s'il ne valait pas mieux continuer, finalement : avec toute une nuit pour travailler et réfléchir, à quoi Harshman la soumettrait-il le lendemain?

— Très bien, dit-il à ses collègues avec une soudaine indifférence.

Et la première journée d'audience s'acheva.

4

A neuf heures, le lendemain matin, un coursier apporta le verdict de la cour d'appel au bureau de Sarah.

Elle feuilleta rapidement le texte jusqu'à la dernière page et, avec plus de colère que de surprise, vit «Jugement confirmé». La décision était unanime.

S'efforçant au calme, elle lut plus attentivement les arguments de Steele. Le style était froid, chirurgical, conçu pour résister aux critiques. L'avortement tardif, estimait-il, n'est pas protégé par Roe en l'absence d'un risque important pour la santé physique de la mère, ce qui implique davantage qu'un simple risque de stérilité. «Santé mentale» est un nom de code pour avortement à la demande. Et la disposition concernant l'autorisation parentale a pour effet bénéfique d'encourager la communication au sein de la famille. C'est uniquement quand ses membres ne peuvent se mettre d'accord qu'un tribunal doit déterminer si une mineure peut avorter d'un fœtus viable. Seul le ton du dernier paragraphe était dur :

«Il serait absurde d'invalider une loi du Congrès parce qu'une mineure de quinze ans qui a démontré son manque de maturité rejette les conseils de deux parents exemplaires sous prétexte que son enfant pourrait ne pas la satisfaire. Si c'était cela la norme, nous n'aurions plus de normes du tout.»

Mace Taylor goûtait le café de Macdonald Gage quand une secrétaire apporta un fax dont le premier feuillet commençait par ces mots : «Exp : Bureau du juge Lane Steele».

Gage éprouva un profond plaisir : la tournure des événements se conformait à son dessein.

— C'est la décision de Steele, dit-il. Sa carte de la Saint-Valentin à Caroline Masters.

Taylor ne sourit pas.

— C'est bon ? Saunders m'a dit que Steele avait écrabouillé l'avocate de la fille.

Concentré, Gage poursuivit sa lecture sans relever la tête. Parvenu à la dernière ligne, il murmura :

— Il faut l'envoyer tout de suite à Harshman. Il attend quelque chose pour serrer l'étau sur Masters.

A midi, Paul Harshman entama la troisième heure de son deuxième jour d'interrogatoire de Caroline Masters. Les deux premières l'avaient conduit dans une impasse et, frustré, il demanda :

— Etes-vous une activiste judiciaire, juge Masters ?

Elle retint un sourire : avouer un « activisme judiciaire » devait être aussi grave, aux yeux de Harshman, qu'embrasser un lesbianisme évangélique.

— Non, répondit-elle simplement.

L'irritation du sénateur apparut dans ses yeux plissés et le ton de sa voix : à l'évidence, il s'attendait à provoquer chez le témoin plus de nervosité.

— Non ? répéta-t-il. Alors, expliquez-nous, dans l'affaire Oregon, votre décision selon laquelle le premier amendement ne protège pas la liberté de parole.

L'expression de Chad Palmer se fit plus attentive.

— Nous avons simplement soutenu qu'Oregon respectait un équilibre adéquat entre un « droit de parole » illimité pour les riches — par exemple faire don d'un million de dollars à un parti politique — et les craintes de l'opinion publique que le donateur ne s'achète une certaine influence. Notre tribunal a suivi le précédent établi par la Cour suprême dans l'affaire Missouri...

— Qui est mal conçu et doit être annulé, répliqua Harshman.

Caroline avait conscience que le sujet implicite de leur passe d'armes était la loi proposée par Palmer pour interdire ces contributions, et à laquelle s'opposaient véhémentement ceux qui s'étaient vendus à des groupes d'intérêts — comme la NRA et Engagement chrétien — pour financer leur campagne électorale.

— Faire de l'activisme judiciaire, ce serait ne pas tenir compte des précédents établis par la Cour suprême, répondit-elle calmement. Ou chercher une promotion en s'engageant à les faire annuler.

Des rires nerveux s'élevèrent dans la salle.

— L'activiste judiciaire voit dans la loi un simple instrument de ses opinions politiques, ajouta Caroline. Je pense comme vous que les juges doivent appliquer la loi, non la réinventer.

Harshman rougit, réduit au silence par une déclaration qu'il ne pouvait pas discuter.

— Vous avez commencé votre carrière en défendant des meurtriers, des voleurs, des violeurs d'enfant, dit-il. Vous avez souvent cherché à obtenir leur acquittement sur la base de prétendues exactions policières, perquisitions illégales, etc. Mais la plupart de ces personnes étaient coupables, n'est-ce pas?

— Je l'espère de tout cœur.

Harshman se redressa, comme offensé par la désinvolture du témoin.

— Pourquoi dites-vous cela?

— Parce que la plupart d'entre elles ont été condamnées.

Les rires furent cette fois plus francs.

— Ce qui justifie la police, répliqua Harshman. Et montre que votre préjugé favorable aux criminels est sans fondement.

— La vérité, sénateur, c'est que la plupart des gens qu'un avocat défend sont coupables. Si la plupart étaient innocents, nous serions en Libye ou en Chine. Dans ces pays, les accusés n'ont aucun droit. Ce qui rend l'injustice possible.

Harshman secoua la tête d'un air dégoûté.

— Nous sommes loin de l'acquittement d'un violeur d'enfant obtenu sur la base d'un vice de forme et qui le laissera libre de s'en prendre à d'autres gosses. Vous vous rappelez cette affaire, madame la juge?

Caroline ne s'en souvenait que trop : le visage de la victime présumée, le beau-fils de l'accusé, l'avait hantée pendant des années.

— Oui, sénateur. Le juge — un ancien procureur — a estimé que la police avait tellement fait la leçon au jeune garçon qu'on ne pouvait le croire...

— Décision que vous lui aviez demandé de prendre.

Caroline se raidit : l'aspect le plus difficile de la vie d'un avocat, et le plus dur à expliquer, c'est que défendre les droits des coupables aide à empêcher la condamnation des innocents.

— Conformément à la Constitution, nous protégeons les accusés des aveux arrachés de force et des preuves fabriquées. Cela entraîne parfois que nous libérons le coupable avec l'innocent. Je voudrais que nous soyons, en tant qu'êtres humains, capables d'atteindre la perfection. Mais nous ne le sommes pas...

Harshman la coupa de nouveau :

— C'est probablement pourquoi vous soutenez ces innombrables demandes d'habeas corpus qui maintiennent des prisonniers pendant des dizaines d'années dans le quartier des condamnés à mort.

— Je suis pour la peine de mort appliquée justement, déclara Caroline. Mais, dans de nombreux cas, les tests d'ADN ont prouvé que des hommes attendant leur exécution étaient innocents. La plupart du temps des déshérités, des Noirs, souvent mal défendus. L'avocat d'un de ces malheureux était soûl pendant tout le procès. Son moment de gloire, c'est quand il s'est endormi. Son client a été innocenté trois jours avant la date prévue pour son exécution. Et tuer un innocent est un meurtre, que ce soit avec une hache ou par décision de l'Etat de l'Illinois.

Harshman haussa les sourcils.

— Votre compassion vous fait honneur mais votre attachement aux droits des détenus va au-delà des cas de peine de mort. Vous connaissez l'affaire Snipes contre Garrett ?

Bien sûr, répondit mentalement Caroline. Je l'ai revue hier, certaine que tu en parlerais.

— C'est une affaire récente examinée en banc. Notre cour a conclu qu'un prisonnier prétendant avoir été battu et sodomisé devait avoir la possibilité de prouver ses dires.

— En l'occurrence, vous avez voté avec le juge Blair Montgomery, activiste judiciaire notoire. Malgré l'opposition du juge Steele, qui a souligné à juste titre l'intention du Congrès de limiter les plaintes sans fondement des détenus.

Caroline changea de position dans son fauteuil pour soulager son dos.

— Qui connaît les prisons californiennes a de bonnes raisons de craindre que Snipes ait été effectivement violé.

— Le fait d'être un criminel donne-t-il à un homme plus de droits qu'aux autres ?

Le harcèlement obtus de Harshman commençait à lasser la patience de Caroline.

— Snipes a été condamné à vingt ans de prison mais cela ne signifie pas qu'il mérite tout ce qu'il subit là-bas, répliqua-t-elle. Vingt ans de sodomie, cela sort du cadre des verdicts rendus.

A en juger par le langage corporel de ses collègues, qui exprimait leur neutralité, Harshman ne gagnait pas de terrain. Se tournant vers lui, Palmer eut un haussement de sourcils interrogateur. Harshman parut soulagé quand son assistante s'approcha, posa une feuille devant lui et murmura quelques mots. Il l'écouta attentivement et, visiblement ragaillardi, fit de nouveau face au témoin.

— Ce matin, votre tribunal a confirmé la décision du juge Leary dans l'affaire Tierney en soutenant la loi sur la protection de la vie *et* le droit des grands-parents à protéger leur petit-fils à naître, l'informa-t-il. Apparemment, Mary Ann Tierney n'a plus d'autre recours que demander à votre tribunal une nouvelle audition en banc — comme dans l'affaire Snipes — ou aller en Cour suprême, ne pensez-vous pas ?

Caroline fut aussitôt sur ses gardes.

— Il semblerait, répondit-elle.

Un sourire sinistre apparut sur les lèvres de Harshman.

— Alors, vous pensez sans doute aussi que vous devriez vous récuser dans l'un ou l'autre cas ?

Elle chercha à deviner où il voulait en venir.

— Pour quelle raison ?

— Partialité. Plus précisément à cause de vos rapports avec l'avocate de Mary Ann Tierney.

Caroline se crispa de fureur : Harshman avait délibérément laissé dans le vague la nature de ces « rapports ».

— Vous vous référez au stage que Sarah Dash a fait avec moi il y a trois ans. Nous avons pour règle — en l'absence de circonstances inhabituelles — qu'il n'y a plus motif à récusation quand une année au moins s'est écoulée après la fin du stage.

Avec un sourire lourd de sous-entendus, Harshman demanda :

— Précisez le sens de « circonstances inhabituelles ».

Caroline repensa à son entretien avec Macdonald Gage, son allusion à Sarah.

— Simplement « inhabituelles ». Des liens familiaux, par exemple, ou des relations économiques…

— Ou une liaison amoureuse entre la juge et l'avocate ? suggéra Harshman, comme si l'idée venait de le traverser.

Caroline se força à sourire.

— Ce serait un motif suffisant.

— Et *l'apparence* de rapports que d'autres estimeraient trop proches ?

Que voulait-il dire par « apparence », et dans quel sens essaierait-il de tordre les faits ? se demanda-t-elle. D'une voix plus tendue qu'elle ne l'aurait voulu, elle répondit :

— Les relations d'un juge sont très souvent liées à sa vie professionnelle : camarades de faculté, associés d'un cabinet, collègues de travail. Y compris les anciens stagiaires.

Voyant Harshman hausser les sourcils, elle ajouta d'un ton plus ferme :

— Mais je suis juge et mon rôle est d'être impartiale. Si j'étais assez sentimentale et faible pour me laisser influencer par une sympathie envers un ancien stagiaire, je ne serais pas digne de ma tâche. Je n'ai pas d'opinion sur l'affaire Tierney. Je n'ai pas suivi le procès à la télévision, je n'en ai discuté avec personne. C'est ce que l'on attend d'un juge.

— Vous affirmez donc qu'aucun facteur personnel ne vous empêcherait de juger en toute équité ? persista Harshman. Ni dans votre tribunal ni comme présidente de la Cour suprême ?

Avec une soudaineté atterrante, Caroline vit le piège dans lequel elle était tombée. Si elle faisait machine arrière, elle admettait la «proximité» de ses rapports avec Sarah et donc, selon Harshman, sa sympathie pour la cause de l'avocate. Mais si elle répondait «oui», elle se mettait en situation d'être impliquée dans une audition en banc ou de détenir le vote décisif à la Cour suprême... ce qui pouvait dans un cas comme dans l'autre compromettre ses chances d'être confirmée. L'attention des autres sénateurs, notamment Palmer, révélait qu'ils percevaient eux aussi le problème.

— Pas à ma connaissance, répondit-elle prudemment.

D'un ton incrédule, Harshman demanda :

— Auriez-vous connaissance d'une autre raison qu'un esprit équitable pourrait considérer comme un motif de partialité ?

Caroline carra les épaules.

— J'ai connaissance des faits, riposta-t-elle. Je sais que je n'ai aucun préjugé. Si préjugé il y a, il faut le chercher chez d'autres.

Le sourire de Harshman se fit énigmatique mais ses yeux brillaient de plaisir.

— Ce sera tout, juge Masters, dit-il. Pour le moment.

5

Sarah pesait un choix difficile quand le président de Kenyon & Walker entra dans son bureau. Sans préambule, John Nolan annonça :

— J'ai lu la décision de Steele.

Elle fut étonnée : il devait l'avoir reçue par coursier, lui aussi.

— Pas terrible, marmonna-t-elle.

Nolan s'assit avec l'air placide d'un homme qui a l'intention de rester.

— Steele a réussi à faire ressortir tout ce qu'il y a de déplaisant dans le désir de Mary Ann d'avorter de cet enfant. Et qu'un bon nombre de mes associés soulignent régulièrement, dit-il, sans chercher à feindre la compassion.

Sarah attendit la suite en silence.

— Vous pensez avoir bien servi votre cause ? demanda-t-il.

La question était non seulement condescendante mais chargée de sous-entendus. Fatiguée, elle s'efforça de contrôler ses émotions.

— Ce n'est pas ma cause, c'est celle de Mary Ann.

— Et la vôtre. Ou vous n'auriez pas autant insisté pour que nous vous laissions la défendre. A ce stade, il convient de mûrement considérer le résultat obtenu.

Piquée, l'avocate rétorqua :

— Quand il y aura un résultat, je le considérerai.

— Les meilleurs avocats étudient les fins de partie avant d'y parvenir. Je ne fais pas allusion aux associés que vous vous êtes mis à dos mais aux conséquences pour le mouvement du libre choix. Ce matin, le neuvième circuit a confirmé la validité de la loi sur la protection de la vie ; elle s'applique maintenant aux vingt pour cent du pays correspondant à peu près à sa juridiction. Si vous perdez en Cour suprême, elle s'appliquera à toutes les mineures d'Amérique, asséna Nolan, parlant avec l'autorité que ses pairs trouvaient si impressionnante. Vous avez choisi un cas difficile, Sarah : une adolescente ayant deux parents respectés, et une allégation de «risque physique» trop mince pour être retenue. Et vous avez perdu. Si vous obligez la Cour suprême à confirmer cette loi, une autre adolescente présentant un dossier plus solide n'aura aucune chance de gagner. La décision sur l'affaire Tierney aura force de loi pour tous.

Sarah reconnut intérieurement que cela la préoccupait beaucoup. A Nolan, elle répondit :

— Je ne représente pas le mouvement pour le libre choix. Si je renonce maintenant, ma cliente devra mener sa grossesse à terme...

— Un sacrifice qui évitera un précédent contraignant, au moins dans la quarantaine d'Etats extérieurs à la juridiction du neuvième circuit. Un peu de prudence, voyons. Allez-vous vraiment laisser une fille de quinze ans inciter la Cour suprême à rendre un verdict mauvais pour tout le pays ?

Quoi qu'on pût lui reprocher par ailleurs, Nolan était habile et pragmatique. L'écouter jusqu'au bout l'aiderait peut-être à prendre une décision, pensa Sarah.

— Pourquoi croyez-vous que je perdrai, John ?

Nolan eut une expression ahurie devant son manque de perspicacité.

— Caroline Masters n'est pas encore confirmée. Sans elle, la Cour se divisera à quatre contre quatre sur l'affaire Tierney. Au mieux. Non seulement Macdonald Gage le sait, mais il craint que Masters vote dans votre sens une fois là-bas. C'est pourquoi il retarde sa confirmation jusqu'à ce que la Haute Cour ait statué sur votre requête urgente. Telle qu'elle est composée pour le moment, la Cour suprême refusera de se prononcer. Ou alors, si les juges pro-vie ont la majorité, ils accepteront l'affaire et vous rouleront dans la farine.

— En ce cas, je dois demander au neuvième circuit une nouvelle audition en séance plénière.

Le visage de Nolan refléta l'amusement blasé d'un homme qui a une longueur d'avance.

— Pouvez-vous m'expliquer les avantages de cette solution ?

— Les vingt et un juges se prononceront sur la requête de Mary Ann. Un grand nombre — une majorité peut-être — ne partagent pas les opinions de Steele, et certains ne l'apprécient pas non plus personnellement. Si, sur vingt et un juges, onze votent pour une nouvelle audition, onze seront tirés au sort pour juger l'affaire. Si le tirage est bon, j'ai une chance d'en convaincre six. C'est tout ce dont nous avons besoin.

— Caroline est comprise dans vos vingt et un juges ? demanda Nolan avec un sourire.

Dans les heures qui avaient suivi la réception du verdict de Steele, Sarah n'avait pas vraiment réfléchi à ce point.

— A moins qu'elle ne soit confirmée, répondit-elle.

— Elle ne le sera pas. Et ne répondez plus au téléphone, dit Nolan, qui ne souriait plus. Je viens de suivre une partie de l'audience de confirmation : vous jouez avec le feu, Sarah.

— Comment ça ?

— Votre nom a été prononcé. Plus précisément, le sénateur Harshman a demandé à Caroline si elle se récuserait sur la base de ses « rapports » avec vous.

— Parce que j'ai été sa stagiaire ? fit Sarah, abasourdie.

— Harshman est resté dans le vague. Quand il s'agit des nominations à la Cour suprême, le Sénat peut se montrer très dur. Harshman a forcé Caroline à nier l'existence d'une raison quelconque pour laquelle elle ne pourrait pas siéger sur l'affaire Tierney. Demandez une nouvelle audition et Caroline n'aura d'autre choix — récusation mise à part — que de voter contre vous. Si elle est choisie et qu'elle vote pour vous, même Kilcannon ne pourra la sauver, ou ne le voudra.

Nolan marqua une pause et ajouta :

— Ce n'est un secret pour personne que Caroline et moi n'étions pas précisément en excellents termes. Mais ce serait une bonne chose que la nouvelle présidente de la Cour suprême soit une ancienne associée de Kenyon & Walker. Et vraiment dommage si nous l'empêchions d'y parvenir.

Sarah absorba le choc en silence : son choix pourrait compromettre les chances de Caroline ou, par voie de conséquence, réduire celles de Mary Ann.

— Il faut que je réfléchisse, dit-elle. Mais je crois être dans la même situation que Caroline. Quoi qu'elle décide, elle ne peut se dérober à son devoir. Et moi non plus.

— Réfléchissez, Sarah. Soigneusement. Vous êtes devenue un rouage d'une mécanique subtile que Harshman et probablement Gage ont mise en place pour vous et Caroline. Selon ce que vous ferez, ils augmentent leurs chances d'influencer l'issue de l'affaire Tierney ou de barrer l'accès de la Cour à Caroline. En termes politiques, les deux hypothèses leur conviennent parfaitement.

Les larmes aux yeux, Mary Ann était recroquevillée sur le canapé de Sarah. Les feuilles de la décision du tribunal lui glissèrent des doigts et s'éparpillèrent sur le tapis.

— Je croyais qu'il m'aimait, murmura-t-elle.

— Ton père ?

— Tony, répondit-elle, secouant la tête. Mes parents, le bébé, ce que ce juge dit de moi. Tout ça parce que j'ai couché avec lui.

Inutile de lui faire partager mes soucis, pensa Sarah. Son fardeau est déjà assez lourd sans y ajouter le problème de Caroline, la complexité de mon propre rôle.

— Ne te fais pas de reproche, dit-elle. Quelles qu'aient été tes erreurs, tu ne mérites pas ce qui t'est arrivé.

Mary Ann se massa le ventre comme pour sentir le bébé à l'intérieur.

— Alors personne ne le mérite, dit-elle à voix basse.

Le silence se fit dans la pièce. Quand le téléphone sonna, l'avocate n'alla pas décrocher.

— Il te reste deux mois et demi, reprit-elle enfin. Moins, si tu accouches avant terme. Nous devons prendre une décision.

Les yeux baissés, Mary Ann fut lente à réagir.

— Il me reste quels choix?

— Trois seulement. Demander une nouvelle audition. Aller en Cour suprême. Ou accoucher par césarienne.

L'adolescente resta un moment silencieuse et Sarah laissa son esprit dériver vers le monde qui les entourait : les messages téléphoniques auxquels elle ne répondait pas, les journalistes assiégeant la porte de l'immeuble, les manifestants avec leurs pancartes et leurs slogans.

Mary Ann finit par lever la tête.

— Je veux que vous continuiez à m'aider.

C'était donc décidé : Sarah demeurait son avocate.

— Alors reste seulement le choix d'aller en Cour suprême. Ou celui d'essayer d'abord d'obtenir une nouvelle audition en appel.

— Qu'est-ce que vous en pensez?

La réponse était maintenant claire pour Sarah. Sans Caroline à la Cour suprême, leurs chances de gagner semblaient minces. Une nouvelle audition en appel offrait un peu plus d'espoir et — si le bébé ne venait pas avant terme — le délai suffirait peut-être pour que la confirmation de Caroline inter vienne entre-temps. Les conséquences politiques d'une nouvelle audition ne devaient pas préoccuper Mary Ann.

— Nous devons adresser une nouvelle requête au neuvième circuit, répondit Sarah. Vite.

6

Huit jours plus tard, Caroline Masters regardait C-SPAN dans son cabinet.

Sur l'écran la salle d'audience paraissait moins impressionnante que dans son souvenir, mais la tension de l'interrogatoire demeurait vive dans son cœur et dans son esprit. En apparence, les jours écoulés depuis s'étaient déroulés sans incident. Caroline le devait à Chad

Palmer : en privé, Palmer avait repoussé une proposition de Paul Harshman de faire comparaître Sarah Dash en arguant que cela aurait l'air d'une manœuvre méprisable et gratuite. Fait plus inquiétant, le FBI avait découvert ce qu'il appelait une «rumeur» : dans les années 1970, une jeune femme ressemblant à Caroline Masters avait mis au monde une petite fille.

Caroline avait connu plusieurs nuits de sommeil agité mais la «rumeur» demeura une simple note sur un bout de papier dont deux membres seulement de la commission eurent connaissance : Chad Palmer et Vic Coletti. Son président avait usé de ses prérogatives pour empêcher tous les autres sénateurs d'avoir accès aux faits bruts recueillis par le FBI et il avait en outre dissuadé ses agents de pousser plus loin l'enquête.

La plus belle victoire de Palmer avait été de résister aux pressions de Gage et Harshman pour prolonger les audiences. Sur l'écran du poste, il regarda tranquillement les républicains, à sa droite, puis les démocrates, à sa gauche. Avec une impassibilité trompeuse, il demanda au greffier d'appeler les membres de la commission.

— *Tous ceux qui sont pour transmettre la candidature au Sénat avec recommandation favorable, répondez par oui. Tous ceux qui sont contre, répondez par non.*

Treize pour, avait prédit Palmer à Kilcannon. Caroline compta à mesure que le greffier appelait les noms : à la droite de Palmer, quatre républicains sur neuf acquiescèrent, auxquels s'ajoutèrent les huit démocrates assis à sa gauche.

Harshman prononça un «non» énergique, repris par quatre de ses camarades de parti. Comme Palmer l'avait prédit, les dix républicains se divisèrent en deux groupes égaux avant qu'il n'ajoute lui-même son «oui». Du même ton neutre, il annonça :

— Par treize voix contre cinq, la commission transmet la candidature de la juge Caroline Masters avec avis favorable.

Alors seulement Caroline poussa un soupir de soulagement. Elle avait passé le cap de la commission. En sa qualité de chef de la majorité, Macdonald Gage devait maintenant fixer la date du vote en séance plénière. Quand sa ligne privée sonna, Caroline décrocha elle-même.

— Félicitations, dit Clayton Slade sans préambule et, sembla-t-il à Caroline, sans jubilation particulière.

J'ai raté quelque chose? eut-elle envie de demander. Au lieu de quoi, elle répondit :

— Merci. A vous et au président. Transmettez aussi toute ma gratitude au sénateur Palmer.

— Il a bien eu pour lui la moitié des voix républicaines de sa commission. Ça n'a pas été si facile. S'ils se divisent de la même façon pour le vote final — ce qu'on peut maintenant raisonnablement espérer —, vous serez confirmée par soixante-quinze voix environ contre vingt-cinq. Ce n'est pas terrible mais plutôt bon.

— Qu'est-ce qui pourrait améliorer le score ?

— Rien. La question est de savoir ce qui pourrait l'aggraver. Alors si vous voyez se profiler une controverse et que vous pouvez l'éviter, faites-le.

Slade était trop prudent pour lui recommander de se récuser dans une affaire particulière ou de voter d'une certaine façon. Mais le message était clair : n'aidez pas Mary Ann Tierney si vous voulez devenir présidente de la Cour suprême ou simplement éviter qu'on se remette à fouiller dans votre vie privée.

— Le président joue gros sur votre nomination, ajouta-t-il après un silence. Comme beaucoup d'autres.

Y compris Brett, pensa Caroline. Quand elle raccrocha, le soulagement éprouvé à l'annonce du vote de la commission avait disparu.

— Félicitations, dit Blair Montgomery avec entrain.

Mais son sourire était de pure forme et, s'il leva son verre de vin pour porter un toast, il semblait préoccupé.

Ils étaient attablés dans un coin de *L'Ovation*, un restaurant au décor de club édouardien, aux tables suffisamment espacées pour faciliter les conversations intimes. C'était Blair qui avait suggéré qu'ils y dînent. Faisant tinter son verre contre celui de son mentor, Caroline risqua :

— Le pire est peut-être passé.

C'était en fait une question et Blair le prit comme tel.

— Le collège de Steele a rejeté la demande de nouvelle audition de Mary Ann Tierney, bien sûr, répondit-il enfin. Ce qui laisse ouverte la question d'une demande de nouvelle audition en banc.

Caroline reposa son verre, fixa les couverts en argent, effleura son menton des extrémités jointes de ses doigts.

— Quand le vote aura-t-il lieu ?

— Très bientôt. Etant donné l'état de la jeune fille, il y a urgence.

Montgomery but une gorgée de bordeaux, ajouta d'un ton mordant :

— Un peu comme pour un condamné à mort deux jours avant la

date de son exécution. Quoique, dans le cas de Mary Ann, il soit difficile de dire qui serait la victime.

Caroline était certaine que Blair ferait tout pour obtenir à l'adolescente une nouvelle audition. Elle était sûre également que ce n'était pas le motif de leur rencontre.

— Vous pensez donc que nous voterons sur sa requête avant que le Sénat se prononce sur ma candidature.

— Je le *sais*, affirma le vieux magistrat, qui fit tourner le liquide rouge dans son grand verre en forme de poire. Si j'avais tendance à croire aux complots, je verrais dans la hâte de Steele à rendre son verdict une tentative pour vous coincer. A moins qu'elle n'indique une sensibilité peu commune au dilemme de la jeune Tierney.

— J'ai toujours pensé que c'était lui le père du bébé, répondit Caroline avec un sourire.

— Voilà qui est bien vu, dit Montgomery, dont le sourire adressé en réponse disparut aussitôt. Plutôt qu'attaquer Steele, ceux qui soutiennent Mlle Tierney feraient mieux d'arguer que sa requête revêt une importance nationale sur laquelle une majorité de notre tribunal doit s'exprimer. C'est leur meilleure chance de faire obtenir à Mary Ann une nouvelle audition. Mais, de toute façon, le vote sera serré.

C'est la journée des recommandations tacites, se dit Caroline. La mise en garde déclarée de Blair en cachait deux autres : le vote de Caroline pouvait être décisif et elle devait donc choisir entre son propre intérêt et sa sympathie — si tant est qu'elle en eût — pour la cause de Mary Ann Tierney. A cela Caroline ajouta une autre considération : le vote de chaque juge sur la requête de Mary Ann ne serait pas public. Ce n'était que si une nouvelle audition était accordée et si Caroline était tirée au sort qu'elle se retrouverait prise dans la controverse de l'affaire Tierney.

Elle soupçonnait cependant Blair d'être lui-même face à un choix complexe. Bien qu'en d'autres circonstances il eût sollicité le vote de Caroline en faveur d'une nouvelle audition, il ne voulait pas compromettre la confirmation de la candidate. Mais si elle penchait pour rejeter la requête de Mary Ann, il préférait de loin qu'elle se récuse avant.

— A vrai dire, je ne sais pas comment je voterais, avoua-t-elle. Je n'ai pas suivi le procès, je n'ai pas étudié le dossier. Je n'ai lu que le verdict de Steele.

— Qu'en pensez-vous ?

— Typique du personnage. Ce qui ne veut pas dire qu'il ait tort, en l'occurrence.

— C'est juste, convint Blair avec un sourire plus que pâle. Mais songez aux enjeux.

Elle finit son verre sans répondre : la conversation était allée aussi loin qu'elle le souhaitait. Percevant sa réticence, il changea de sujet et attendit le dessert pour plonger une main dans son porte-documents en disant d'un ton détaché :

— Je suis tombé sur quelque chose, hier. Pierce contre Delamater : la dialectique juridique dans sa plus belle expression. Du moins en 1847.

— Sur quel sujet?

— Savoir si un certain juge Bronson, après avoir été promu en Cour d'appel, pouvait réviser son propre verdict.

Caroline haussa les sourcils : une fois de plus, le pas de deux de leur conversation les rapprochait de l'affaire Tierney.

— Et comment ça s'est terminé?

Montgomery chaussa ses lunettes, se mit à lire avec une solennité affectée :

— «Rien ne s'oppose à ce qu'un juge révise son jugement. S'il est ce qu'un juge doit être : assez sage pour savoir qu'il est faillible, assez fort et honnête pour faire abstraction de tout amour propre et suivre la vérité où qu'elle puisse mener, assez courageux pour reconnaître ses erreurs...»

Il s'interrompit puis reprit :

— Et voici la chute : «... il est donc l'homme le plus indiqué pour réviser son jugement. S'il avait raison au départ, il sera confirmé dans son opinion; s'il avait tort, il sera aussi apte que quiconque à s'en apercevoir...»

— Mâle attitude, ironisa Caroline. Qui a rédigé les conclusions de la cour?

Le sourire de Blair étincela.

— Le juge Greene Bronson, qui confirma ensuite son premier verdict en ne laissant aucun doute sur son bien-fondé, répondit-il, le regard pétillant devant cet échantillon de sottise judiciaire. Le pauvre plaignant, M. Pierce, renonça à aller en Cour suprême. Il devait craindre que Bronson n'en devienne président.

Caroline s'esclaffa.

— Honnête comme il l'était, le *président* Bronson aurait pu réviser son jugement.

— Sans aucun doute. Heureusement, je crois que la loi n'est plus la même aujourd'hui. Mais j'ai pensé que vous trouveriez cette petite bizarrerie amusante.

Et utile, songea Caroline, pour sa suggestion implicite d'une autre échappatoire : arguer qu'elle devait se récuser de toute affaire qu'elle pourrait avoir à juger ultérieurement comme présidente de la Cour suprême.

7

— Blair Montgomery pousse pour une nouvelle audition en banc, révéla Steele. Ce qui met Masters sur la sellette.

Pour Macdonald Gage, la voix de Steele semblait hésitante : bien qu'il eût assuré au juge qu'il n'y avait personne d'autre dans la pièce, l'amplificateur du téléphone le rendait manifestement nerveux.

— Cela me convient parfaitement, répondit le sénateur. Comment peut-on être bête à ce point ?

— Elle n'est pas bête. Mais le vote sur la requête n'est pas public. Et il ne faut pas sous-estimer son arrogance et son amour-propre.

Ni les tiens, pensa Gage.

— Oh ! je les ai perçus. Elle ne figurera pas sur la liste des cartes de Noël de Harshman cette année. Bon, quelle chance y a-t-il que cette requête soit accordée ?

Dans le silence, il sentit de nouveau les hésitations de Steele : entraîné, par l'idéologie et l'ambition, dans les desseins de Gage, le juge abandonnait à contrecœur son personnage de juriste isolé du monde.

— Selon mes estimations, nous sommes à égalité, finit-il par répondre. A une ou deux voix près. Mais même si Masters participe au vote, et même si la requête est satisfaite, seuls onze juges sur vingt et un seront tirés au sort pour entendre l'affaire.

Gage jeta un coup d'œil à la note posée sur son bureau, qui résumait les recherches de son directeur de cabinet.

— Rafraîchissez-moi la mémoire, dit-il avec un détachement apparent. Cela fait des années que je ne pratique plus le droit, et c'était dans le Kentucky. Il me semble vous avoir entendu dire que le règlement de votre circuit permet une nouvelle audition avec *tous* les juges ?

— C'est extrêmement rare, répondit Steele, qui s'interrompit aussitôt, comme si la portée de la question venait de le frapper. Je ne me souviens que de trois ou quatre exemples. En outre, une nouvelle audition par les vingt et un juges ne pourrait avoir lieu *qu'après* décision des onze juges tirés au sort.

— Ne peut-on sauter par-dessus l'audition à onze pour aller directement à une audition à vingt et un? suggéra Gage avec circonspection.

Steele réfléchit.

— On pourrait arguer que le temps manque pour deux auditions et que l'importance du sujet réclame la présence de tous les juges. Bien sûr, il faudrait que l'un d'eux réclame cette procédure exceptionnelle...

Bien sûr, pensa Gage.

— Supposons que l'un d'eux le fasse, dit-il d'un ton songeur, Masters saurait alors que, si la procédure était accordée, elle serait contrainte d'entendre l'affaire Tierney. A moins qu'elle ne décide de se récuser.

Steele ne répondant pas, le sénateur consulta de nouveau la note.

— Suivez-moi dans mon hypothèse, continua-t-il comme s'il en découvrait à mesure les implications. Il semble que, pour éviter les ennuis, Masters soit *obligée* de se récuser ou de voter contre. Ce qui augmente les chances que *votre* verdict soit confirmé. Je me trompe?

— Non.

— Si elle ne se récuse pas et que toute la cour siège, Masters est coincée. Elle doit soutenir par son vote la confirmation de votre décision — ce qui est parfait — ou déclarer la loi sur la protection de la vie anticonstitutionnelle. Ce qui, je peux vous l'assurer, change tout pour elle là-bas.

Se renversant dans son fauteuil, le sénateur crut entendre Steele réfléchir, partagé entre ambition et droiture. C'était un conflit auquel Gage avait souvent assisté au Sénat.

— Tout cela est vrai, reconnut enfin le juge.

Gage consulta sa montre : il était près de midi à Washington, neuf heures du matin à San Francisco. Steele aurait toute la journée pour se décider.

Peu avant qu'Air Force One n'atterrisse à Newark, Kerry Kilcannon regarda par le hublot.

Les à-côtés de la fonction l'amusaient encore. Sénateur, il avait fait la navette de Newark à Washington en classe économique, choix naturel d'un fils d'immigrés irlandais qui n'avait pas oublié ses racines. Mais s'il savourait aujourd'hui son retour à Vailsburg, le quartier de son enfance, sa façon d'y arriver lui paraissait étrange. Tout le trafic aérien avait cessé. En bas, la piste avait été dégagée pour le cortège habituel du pouvoir : le Secret Service, la presse, les notables locaux se disputant son attention, la caravane de limousines noires à l'épreuve des balles, l'escorte policière. C'était à la fois grisant et déroutant. Kerry se demanda négligemment quelle impression cela lui ferait quand tout cela — et son pouvoir lui-même — disparaîtrait subitement.

Assis à côté de lui dans un fauteuil trop rembourré, Clayton Slade lui demanda :

— Tu te rappelles l'autre fois où je t'ai accompagné dans un voyage présidentiel?

— Bien sûr. Dans le Michigan.

— Je suis sorti le premier de l'avion et j'ai vu tous ces gens qui attendaient. Ça m'est tellement monté à la tête que j'ai failli les saluer de la main. Au dernier moment, je me suis souvenu que ce n'était pas moi qu'ils attendaient.

Kerry regarda longuement son ami : ils se connaissaient si bien et depuis si longtemps que Clayton avait le don de deviner son humeur.

— Oh! bon, considère-toi comme la deuxième personnalité la plus aimée de Newark, dit le président.

— La première aux yeux de Carlie, j'espère, répondit Slade. Même si elle a toujours eu un faible pour toi, curieusement. Vu les ravages que tu causes.

Kerry sourit. Il se faisait rarement accompagner de son secrétaire général et si Clayton était cette fois du voyage, c'était parce que Carlie, sa femme de vingt-cinq ans, n'avait pas encore trouvé de résidence permanente à Washington. Leur séparation temporaire était l'un des nombreux sacrifices que les ambitions de Kerry avaient exigés des Slade. Une chance, pensa Kerry, que Carlie eût pour lui une affection aussi profonde.

— J'ai toujours eu un faible pour elle, répondit-il d'un ton badin. Mais, comme elle était déjà prise, je l'ai remplacée par la carrière présidentielle.

Comme un interrupteur qu'on abaisse, ces derniers mots ramenèrent Clayton à la raison plus sérieuse pour laquelle il avait tiré Kerry de ses pensées. Il jeta un coup d'œil au représentant et au sénateur du New Jersey assis à proximité, les vit tout occupés d'eux-mêmes.

— Je suis un peu inquiet pour Masters.

Aussitôt l'esprit de Kerry devint vigilant, débarrassé de toute sentimentalité.

— Pourquoi ?

— J'ai livré le message hier, aussi clairement que je pouvais le faire sans laisser d'empreintes sur la balance de la Justice.

Clayton regarda à nouveau autour de lui avant de poursuivre :

— Ce n'est pas qu'elle ne l'ait pas reçu. Mais sa réponse a été... réservée, dirons-nous.

— Tu ne l'aurais pas été, toi ? Si je la comprends bien, Caroline montre un certain attachement à l'idée qu'elle est juge.

— Pas un attachement stupide, j'espère. Pourquoi risquer sa crédibilité, et un quart de siècle à la présidence de la Cour suprême, pour une fille de quinze ans ?

Aussi abruptement formulée, la question était moins rhétorique qu'exploratoire : Clayton s'inquiétait des sympathies que Kerry pourrait avoir dans l'affaire Tierney et rappelait à son ami — si besoin était — qu'il devait les réfréner.

— Elle ne le fera pas, répondit froidement le président. D'abord parce qu'elle a une dette envers moi, et à cause de la raison de cette dette. Elle ne peut pas commettre d'imprudence.

— Je le connais depuis toujours, dit Clayton à sa femme ce soir-là. J'essaie de lui expliquer que je me fais du souci pour lui, et il m'arrête net !

Ils étaient étendus dans le noir, entourés du confort spacieux de leur maison de South Orange, si intimement liée à leur histoire — les rires des jumelles, la mort accidentelle de leur seul fils — qu'ils avaient décidé quelques heures plus tôt de ne pas s'en séparer.

— Comment ? demanda Carlie.

— L'expression qu'il avait quand il a répondu. Il apprécie Masters pour son intégrité et il n'apprécie probablement pas la loi sur la protection de la vie, bien qu'il n'en dise rien. Mais son regard était d'une froideur... Il a analysé les raisons pour lesquelles Caroline ne prendra pas de risques dans l'affaire Tierney : elle a peur pour sa fille. Et lui, ça lui convient parfaitement.

— Cela t'étonne ? fit Carlie, elle-même étonnée. La plupart du temps, j'ai envie de prendre Kerry dans mes bras et de le serrer contre moi. Parfois j'arrive encore à voir en lui le petit garçon solitaire qui aimait sa mère, qui était terrorisé par son père et vivait dans l'ombre de son frère. Mais il m'arrive d'avoir un peu peur de lui.

La tête sur l'oreiller, Clayton garda le silence, une façon d'exprimer son assentiment.

— Mais nous sommes quand même avec lui, finit-il par dire.

— Parce que nous l'aimons malgré tout. Et parce que tu veux toi aussi siéger à la Cour suprême, ajouta Carlie avec le rire d'une épouse autorisée à dire la vérité.

Le lendemain matin, Blair Montgomery entra dans le cabinet de Caroline. D'un geste plein de raideur — le dégoût conjugué au grand âge —, il jeta quelques feuilles de papier sur le bureau.

— Qu'est-ce que c'est? demanda-t-elle.

— Une autre perle de dialectique judiciaire, moins amusante que la première. La requête de Lane Steele pour une audition devant les vingt et un juges. Immédiatement.

Après un silence, Caroline répondit :

— Je n'ai jamais vu ça.

— Je siège dans cette cour depuis 1975, nous avons toujours eu d'abord une séance en banc de onze, dit Montgomery en se laissant tomber dans un fauteuil. Steele invoque comme moi l'importance du sujet. Mais, pour lui, cette importance est telle que si nouvelle audition il y a, les vingt et un juges doivent y participer, pas seulement onze juges tirés au sort.

— Bizarre, fit lentement Caroline. On se serait attendu à ce qu'il s'oppose simplement à vous.

— N'est-ce pas? Mais, en ce cas, vous n'auriez pas été contrainte soit de vous récuser soit de participer à l'audition. Je l'aurais cru plus intègre.

— Avant notre dîner, Slade m'a appelée pour me recommander la prudence, avec le ton d'un flic qui donne connaissance de ses droits à un suspect. Il a aussi mentionné que Gage retardait le vote sur ma confirmation.

— Alors, inutile de vous faire un dessin, je suppose.

— Inutile, acquiesça-t-elle sans regarder Blair. Quel sera le vote probable sur la requête de Tierney?

— Pour une audition à vingt et un? Dix contre dix, je pense. Comme sur celle de Steele.

— Sans me compter?

— Oui. Steele complique un peu les choses. Maintenant, nous aurons deux votes, demain : sur ma proposition et sur la sienne.

— Si nos collègues favorables à une nouvelle audition en viennent aux mêmes conclusions que moi sur l'explication de la conduite de

Steele, ils voteront pour un banc de onze, pas pour une séance plénière. Mais c'est difficile d'accuser un juge de se mêler aux manœuvres entourant une candidature à la Cour suprême. Et, quand il s'agit de Steele, même mes plus fervents admirateurs doutent parfois de mon objectivité.

Caroline leva enfin les yeux vers son ami et murmura :

— Je ne doute pas de votre perspicacité, Blair. Et je n'ai jamais douté de votre sagesse.

— C'est votre seul défaut, Caroline, répondit-il. Je ne vous en connais pas d'autre.

Elle sentit à cet instant la profondeur de l'affection de son mentor, invite à baisser sa garde, à oublier la nécessité de cacher sa vulnérabilité et ses peurs. Sauf celles qui concernaient Brett et que Blair Montgomery ignorait.

— En tant que juge, que feriez-vous ? lui demanda-t-elle avec un désespoir réel.

Il parut lui aussi accablé, fixa un moment le sol en silence puis regarda Caroline.

— En tant que juge de cette cour, je veux que vous votiez en faveur de Mary Ann Tierney. En tant qu'homme préoccupé de l'avenir de notre plus haute instance, je veux que vous deveniez présidente de la Cour suprême.

Donnant plus de douceur à son ton, il ajouta :

— En tant qu'ami — ce qui, à mes yeux, compte plus que le reste —, je veux que vous choisissiez la solution que vous jugerez la meilleure pour vous. Et qui vous laissera le moins de remords.

Caroline sentit sa gorge se serrer.

— Il faut au moins que je lise les textes, je suppose. J'ai la nuit pour prendre une décision.

8

Peu après dix heures, ce soir-là, Caroline finit sa dernière tasse de café noir.

Assise dans sa cuisine, devant les feuilles étalées sur le bar en marbre, elle avait peine à empêcher son esprit de faire la navette entre les données de l'affaire Tierney et la vision, tout aussi tangible et tentante, de l'avenir qui s'offrait à elle.

Elle pourrait faire tant de bien. Pendant des années, elle s'était imaginée à la Cour suprême et, maintenant, le rêve était presque devenu réalité. La «Cour Masters», diraient plus tard les chercheurs : pendant un quart de siècle, Caroline contribuerait à façonner les lois pour les générations futures.

Qui d'autre serait plus qualifié? pensa-t-elle sans fausse modestie. Elle pourrait mettre à profit sa profonde connaissance du droit, son expérience de la vie. Si beaucoup voyaient en elle une patricienne, elle avait commencé sa carrière avec des affaires sordides, en défendant ceux qu'accablaient la pauvreté et la violence; elle avait vécu une vie bien plus complexe qu'ils ne l'imaginaient. Elle connaissait trop l'impact de la loi sur les gens ordinaires pour voir dans la Cour suprême une sorte de temple, ou dans la justice un simple exercice de l'intellect. Un juge devait être attaché à la loi mais aussi à l'équité, car ceux qu'elle touchait n'étaient pas de simples pions sur un échiquier.

C'était bien le problème.

Des phrases bien tournées qu'elle avait sous les yeux avait émergé le portrait d'une adolescente de quinze ans qui, à cause du caractère général de la loi, représenterait toutes les autres mineures. Mary Ann Tierney était cependant devenue un élément accessoire, le jouet de forces qui la dépassaient — le président, Macdonald Gage, les groupes d'intérêts antagonistes qu'ils représentaient — qui se souciaient avant tout de la candidature du juge Masters à la Cour suprême. Et le seul espoir de cette fille se trouvait peut-être maintenant dans les mains de Caroline.

Pouvait-elle juger en toute justice? C'était une affaire délicate et, malgré elle, Caroline en voulait à Sarah Dash de l'y avoir mêlée. Sarah n'était pas obtuse, elle ne comprenait probablement que trop bien les conséquences pour Caroline. Si les risques que son ancienne stagiaire avait pris pour elle-même — hostilité au sein du cabinet Kenyon & Walker, ennemis acharnés au-dehors — étaient considérables, ceux qu'elle réclamait de Caroline étaient énormes, immédiats.

Pourtant Sarah n'avait rien fait que Caroline n'eût fait elle-même si Mary Ann Tierney s'était adressée à elle. Sarah avait joué son rôle d'avocate et demandait maintenant à Caroline de jouer le sien, en tant que juge. Quatre ans plus tôt, Caroline Masters avait prêté serment de rendre la justice du mieux qu'elle pourrait à la Cour d'appel du neuvième circuit. Le ressentiment qu'elle éprouvait envers Sarah visait en fait les obligations qu'elle avait elle-même contractées et, à l'inverse, son désir d'y échapper. Et c'était ce dilemme qui l'incitait à mettre en cause son objectivité de juge.

Au fond, elle n'avait pas d'autres raisons de se récuser pour l'affaire Tierney. Elle pouvait prétendre que les questions de Harshman engendraient en elles-mêmes une «apparence» de partialité qu'elle se devait d'éviter. Mais, à la vérité, Caroline n'aurait absolument pas avantagé Sarah Dash. Et, si elle pouvait arguer qu'elle aurait peut-être à entendre plus tard l'affaire comme présidente de la Cour suprême, la procédure d'appel avançait beaucoup plus vite que celle de sa confirmation et elle ne serait sans doute pas encore membre de la plus haute instance quand le problème se poserait. Ces arguments pouvaient servir d'excuses mais ils n'étaient que cela : des excuses.

Ce qui finit par faire resurgir Brett Allen, souci constant, à la surface des pensées de sa mère.

Caroline ne savait pas exactement quels dangers l'affaire Tierney pouvait faire courir à Brett. Si elle se rangeait du côté de Mary Ann, les ennemis que ses ambitions lui avaient valus — et que le président et Chad Palmer avaient jusqu'ici tenus en échec — ne manqueraient pas de se déchaîner ; ses amis ne seraient peut-être plus disposés à la protéger, et à protéger Brett. Etant donné tout ce que Kilcannon et Palmer avaient fait pour elle, Caroline ne pouvait le leur reprocher. Mais cela plaçait l'avenir de Brett entre ses mains. Caroline craignait l'effet que la vérité aurait sur sa fille. Sa décision de ne pas avorter puis d'abandonner son enfant avait abouti à toute une vie de tromperies qu'elle ne se sentait pas en droit de démêler maintenant. Qu'aurait-elle fait, se demanda-t-elle, si elle avait prévu tout cela avant la naissance de Brett ?

Elle avait à peine vingt-deux ans, elle était seule. Et ce souvenir la ramena à Mary Ann Tierney.

Mary Ann était beaucoup plus jeune, son dilemme très différent. Mais, exception faite de Sarah, elle aussi était seule, et cela touchait la conscience de Caroline.

Harshman avait raison, à sa manière : aucun juge ne se prononce sans préjugé, que ce soit Caroline ou Lane Steele. Caroline avait essayé de tromper son adversaire sur ce point, et elle-même aussi, dans une certaine mesure. Cette affaire le démontrait crûment : son ambition la tirait dans un sens, sa vie dans un autre.

Quant à l'affaire elle-même, le chemin de la justice n'était pas aussi clair pour elle qu'il semblait l'être pour Blair Montgomery. Sur le plan moral, il y avait beaucoup à dire en faveur de l'un ou l'autre camp. Si elle ne l'érigeait pas en règle pour toutes les femmes, sa décision de garder Brett s'était transformée en un amour silencieux qui, rétrospectivement, rendait un avortement impensable. D'un point de vue plus général, Caroline se demandait sincèrement si l'avortement — suppression d'une vie à ses yeux, sans l'ombre d'un doute — ne contribuait pas à un endurcissement de la conscience, qui, avec le temps, diminuerait la valeur de toute vie. Aucune de ces considérations ne pouvait cependant obscurcir le point sur lequel Blair avait indéniablement raison : l'affaire était importante. Elle était en fait au cœur de la définition des valeurs d'une société, et les conclusions de Lane Steele, quoique élégamment rédigées, n'étaient pas à la hauteur des questions soulevées. Le neuvième circuit méritait mieux.

Caroline se dit soudain qu'elle se laissait embourber dans un mélodrame inutile. Cette affaire n'était pas la *sienne* ; avec de la chance, la requête de Steele d'une audition en séance plénière serait rejetée. Et Caroline était loin d'être décidée à voter avec Blair Montgomery si, par malchance, elle était tirée au sort. Dans l'autre hypothèse, se prononcer pour la proposition de Blair — une nouvelle audition par la moitié de la cour — ne serait peut-être rien de plus qu'un vote de conscience sans frais, préservant à la fois la bonne opinion qu'elle avait d'elle-même et son glorieux avenir dans la jurisprudence de la Cour suprême.

Mais pourquoi prendre ce risque quand tant d'intérêts — le sien, celui du président, celui de Chad Palmer et, surtout, celui de Brett — étaient en jeu ? Uniquement parce qu'elle était ce qu'elle était, répondit-elle à sa propre question. Une juge.

Incapable de dormir, tourmentée par ses souvenirs, Caroline ne prit cependant sa décision que le lendemain matin, dans le silence de son cabinet.

A quatre heures de l'après-midi, Caroline reçut un coup de téléphone du coordinateur des séances en banc, dont la tâche consistait précisément à informer les juges d'une telle procédure.

— Nous avons ce que vous pourriez appeler des résultats partagés, lui annonça John Davis. La proposition de Lane Steele en faveur d'une audition par tous les juges a été repoussée par douze voix contre neuf.

Je suis presque libérée de ça, pensa Caroline, qui supposa que Blair avait voté comme elle pour écarter la suggestion de Steele.

— Et celle du juge Montgomery ?

Davis hésita. Observateur de la cour, il mesurait certainement l'importance de ce vote.

— Mlle Tierney obtient sa nouvelle audition, madame la juge. Par onze voix contre dix.

Caroline ferma les yeux, parvint à marmonner un remerciement au coordinateur.

Pendant l'heure qui suivit, elle s'interrogea sans relâche en songeant à ses obligations envers Kilcannon, Palmer et Brett. Mais il était trop tard pour se récuser : son vote favorable avait été déterminant pour la requête de Mary Ann Tierney. Il lui restait maintenant pour seul espoir de ne pas être tirée au sort pour l'audition en banc. Peu après cinq heures, John Davis téléphona de nouveau afin de lui communiquer le programme de la nouvelle audition. Parmi les dix juges qui siégeraient avec elle figureraient Blair Montgomery et Lane Steele.

— Vous avez sûrement voté contre la proposition de Steele, dit Caroline. Pour essayer de me tenir à l'écart de cette affaire.

Assis dans le bureau de Caroline, Blair Montgomery paraissait vieux et fatigué.

— Je n'étais pas sûr que vous voteriez, répondit-il. Mais, vous connaissant, j'ai pensé que c'était possible. Je vous devais au moins ça et je n'étais pas du tout convaincu qu'une audition en séance plénière se déroulerait comme je le souhaitais.

Caroline jugea que ce mélange de compassion et de sens pratique ne soulignait pas suffisamment les ambiguïtés de son propre rôle.

— J'aurais voulu rester en dehors, Blair, mais une récusation me semblait lâche.

Son mentor eut un bref sourire.

— Ce qui vous semble lâche n'est que banal pour beaucoup d'autres. Votre conduite a été admirable.

Même ce compliment la déprimait.

— Non, c'était stupide. Je viens de perdre à la loterie. Ou pire, j'ai rendu le gros lot.

Blair se redressa et prit un ton plus ferme :

— Pas encore. Je ne suis pas coutumier de ce genre de choses, mais laissez-moi vous dire ce que vos obligations ne comprennent *pas*. D'abord, ouvrir la bouche pendant l'audition. La salle grouillera de journalistes et j'aurai assez de questions pour occuper Martin Tierney.

Malgré son abattement, Caroline sourit mais Montgomery garda son sérieux, réclamant toute son attention.

— A la réunion, quand viendra votre tour de parler, dites que vous réfléchissez encore, que vous préférez écouter d'abord les avis éclairés de vos collègues. Et ne laissez pas Steele vous appâter. Après le tour de table, vous saurez dans quel sens les votes penchent. Si la jeune Tierney perd quoi qu'il arrive, votez contre elle : à ce stade, votre seule obligation est de devenir présidente de la Cour suprême.

Un vote en faveur de la loi sur la protection de la vie laisserait Gage et ses alliés quasiment sans munitions.

— Et si les voix se partagent également, que me conseillez-vous?

— Vous serez alors peut-être convaincue que cette loi est acceptable, répondit Blair en baissant les yeux.

Elle devina qu'il lui disait qu'il ne la jugerait jamais. Personne ne saurait si elle avait agi par conviction ou dans son intérêt personnel. De plus, si elle n'avait pas voté pour une nouvelle audition, la requête de Mary Ann Tierney aurait déjà été rejetée; si Caroline décidait ensuite de voter pour elle-même, non pour Mary Ann, ce n'était pas pire que l'aurait été une récusation.

— Même si vous considérez cette loi mal faite en ce qui concerne cette fille, vous pouvez remettre à plus tard de juger si elle est mal faite pour *toutes* les mineures. Une décision étroite, s'appliquant uniquement à Mary Ann Tierney, prêterait moins le flanc à une annulation.

— Ce qui ne laisse que mon vote, exprimé clairement, pour tout bazarder, fit observer sèchement Caroline.

Blair choisit de ne pas répondre, de ne pas la regarder. Au bout d'un moment, il reprit :

— Je ne peux pas vous dire quel est le choix le plus opportun ou le plus sage. Je note simplement que, jusqu'au moment où vous livrerez votre vote final, le Sénat n'aura rien contre vous. Le vote de ce matin n'est pas public.

Malgré son désespoir — pour elle-même et peut-être pour Brett —, Caroline éprouvait une affection profonde pour Blair. Une grande partie de cette conversation allait contre la conception qu'il avait du rôle d'un juge. Il se l'était pourtant imposée, dans l'intérêt de sa protégée. Du ton le plus léger qu'elle put prendre, elle répondit :

— Avant d'en arriver là, je dois expliquer la situation à Slade. Et, par extension, au président. Vous pourriez peut-être me suggérer la façon la plus agréable de le faire.

9

Kerry Kilcannon parut étonné puis se mit à rire, avec une expression tour à tour dépitée et — ce qui étonna Clayton — amusée de son erreur de calcul.

— Je l'ai bien cherché, dit le président à son secrétaire général.

C'est précisément ce qui m'a plu en elle : cette idée bizarre que Caroline Masters ne se résume pas à ses ambitions. Ni même à ses craintes, semble-t-il.

— Nous pouvons toujours prier pour qu'elle décide de voter contre la fille. Ça, ça lui assurerait une confirmation par cent à zéro.

L'expression amusée de Kerry disparut. Il était neuf heures du soir. Dans la lumière tamisée du bureau, il avait l'air aussi épuisé qu'à la fin de sa campagne.

— Non, dit-il. Elle ne le sait peut-être pas encore elle-même, mais moi, je le sais. Du moins si la cour est partagée. Elle ne s'est pas privée d'une récusation uniquement pour gagner des voix républicaines ou nous sortir du pétrin. Non, c'est l'idée que Caroline se fait d'elle-même. C'est ce qui l'a incitée à révéler à Ellen Penn l'existence de sa fille et à m'envoyer balader — poliment, je le reconnais — quand j'ai cherché à la faire s'engager sur la réforme du financement des campagnes. Si elle vote pour l'annulation de la loi sur la protection de la vie, elle proposera de retirer sa candidature. Cela aurait été tellement plus facile de la prendre au mot avant.

— Avant que tu passes un accord avec Palmer ? Avant que tu contractes une dette envers lui et que tu le mettes en difficulté avec Gage, peut-être pour rien ? Ou simplement avant le vote que d'après toi elle choisira, exacerbant les passions sur la question de l'avortement et te faisant peut-être payer plus cher que tu ne peux te le permettre ?

Cette allusion voilée révélait la colère de Clayton contre Masters et ses craintes que l'avortement de Lara Costello, s'il venait à être découvert, ne brise la carrière de Kerry. Kilcannon lui opposa ce silence opaque derrière lequel ses pensées les plus profondes disparaissaient souvent.

— Et Gage ? finit-il par demander.

— Il a acculé Masters à s'autodétruire. Il a chargé Harshman de la coincer sur la récusation et sur Sarah Dash. Maintenant, il retarde la confirmation jusqu'à ce qu'elle vote.

Kilcannon eut un haussement d'épaules.

— Il joue dur, il fallait s'y attendre. C'est probablement ce qu'Engagement chrétien lui demande de faire.

— D'accord. Mais regarde un peu le reste : d'abord ce juge Lane Steele s'attribue l'affaire puis il réclame une nouvelle audition en séance plénière. Comme si Gage tirait les ficelles.

Kerry considéra l'hypothèse et son expression devint glaciale.

— La vie est longue, dit-il avec douceur. Si nous parvenons à prouver que Gage manipule Steele, elle lui paraîtra une éternité.

A dix heures, pendant un débat sur les télécommunications, qui semblait devoir se prolonger après minuit, Macdonald Gage entraîna Chad Palmer hors du Sénat.

— Il faut qu'on parle, annonça Gage d'un ton brusque. Ça ne peut pas attendre.

Pour Chad, il n'y avait qu'une seule affaire justifiant une telle urgence : Caroline Masters. Il attendit des explications en se demandant si le FBI n'avait pas divulgué la «rumeur» concernant la naissance d'une fille, mais Gage ne prononça pas un mot avant qu'ils parviennent dans le passage souterrain reliant le Sénat au Russell Building.

— Allons dans votre bureau, proposa-t-il. Nous risquerons moins d'être vus par les journalistes.

Bien que la presse couvrît largement le débat en cours, le tunnel traversant les entrailles du Congrès était désert quand les deux hommes montèrent dans la voiture découverte.

— Un problème ? s'enquit Chad. Paul Harshman a découvert que Masters est enregistrée comme républicaine sur les listes électorales ?

Comme d'habitude, Gage fronça les sourcils devant la légèreté de son collègue.

— La Cour d'appel vient d'accorder une nouvelle audition dans l'affaire Tierney. Masters fera partie du collège.

Ce n'est peut-être pas la fille, pensa Chad, soulagé.

— Ils ont décidé ça quand ? Je ne suis pas au courant.

— La décision n'a pas encore été rendue publique, répondit Gage.

Alors, comment tu le sais ? eut envie de rétorquer Palmer, mais il garda son masque de candeur.

— Masters a laissé faire ça ?

— Peut-être parce qu'elle croit vraiment aux idées libérales, fit Gage d'un ton plus dur par-dessus le bruit de la voiture remontant le couloir gris lugubre. C'est le genre de femme qui veut tenir les parents à l'écart de la vie de leurs enfants.

— A moins qu'elle ne vote maintenant avec nous, objecta Chad.

— Le seul moyen pour elle d'obtenir une confirmation. La loi sur la protection de la vie est fondamentale pour notre base politique.

Et pour ta base financière, pensa Palmer. Dans quatre ans, tu auras besoin du soutien financier d'Engagement chrétien pour me battre d'abord aux primaires puis pour arracher la Maison-Blanche à Kilcannon. Et tu voudrais que je collabore à ma propre destruction en torpillant Masters ?

— Il est quelquefois difficile de faire la différence entre «base» et «boulet».

Gage eut une moue : la remarque laissait entendre que les positions extrêmes d'Engagement chrétien feraient perdre leur parti face à Kilcannon.

— Les parents chrétiens ont le droit d'empêcher leurs enfants de supprimer une vie à naître.

Chad pensa que, décidément, Gage avait l'âme d'un apparatchik russe dissimulant ses manœuvres sous un rideau de pieuses platitudes. Redoublant d'amabilité, il demanda :

— Que me conseillez-vous ?

— Arrêtez de la protéger, rétorqua Gage. Si elle vote mal, vous devrez m'aider à la mettre hors circuit. Dans votre intérêt comme dans celui du parti.

La réponse était si abrupte que Chad se demanda de nouveau ce que Gage pouvait bien savoir. Il temporisa :

— Je n'arrive pas à croire qu'elle le fera. Caroline Masters a sa fierté mais elle est trop intelligente pour nous jouer ce tour.

Gage plissa les yeux derrière ses lunettes.

— Nous verrons, Chad. Nous verrons.

Ce ne fut que le lendemain matin que Sarah Dash apprit que sa requête avait été satisfaite. En milieu d'après-midi, elle passa prendre Mary Ann au lycée. Assise dans la voiture, l'adolescente écouta son avocate avec une expression oscillant entre espoir et inquiétude.

— Il se passe quoi, maintenant ?

— Dans trois jours, nouvelle audition. Ensuite, la cour prendra sa décision aussi rapidement qu'elle le pourra.

Sarah posa doucement une main sur le poignet de Mary Ann et ajouta :

— Le Dr Flom pense que tu devrais rester tranquillement au lit. Il ne faudrait pas qu'il t'arrive quelque chose en attendant la décision.

Elle regarda la jeune fille assimiler en silence un paradoxe détestable : le risque d'un accouchement avant terme sans autorisation d'avorter ; la nécessité de se reposer pour pouvoir supprimer la vie de son enfant. Jamais victoire «juridique» n'avait semblé si douloureuse et ambiguë.

En pénétrant dans le palais de justice, Sarah sentit l'affaire Tierney passer dans l'histoire.

Le bâtiment était assiégé par des cameramen et des manifestants — certains en fauteuil roulant — brandissant des pancartes en faveur des Tierney ou de leur fille. Dans le grand hall conduisant à la salle d'audience numéro un se pressaient d'autres équipes de télévision dont les questions lancées à l'avocate résonnaient sous le haut plafond voûté, comme deux semaines plus tôt. Mais à présent le procès en appel qui déciderait du sort de Mary Ann Tierney et de son enfant à naître déterminerait peut-être aussi l'avenir de Caroline Masters. Deviendrait-elle la personnalité juridique la plus importante de son temps ou une triste note en bas de page : la femme qui avait gâché ses chances de devenir présidente de la Cour suprême des Etats-Unis ?

Quant à Sarah elle-même, sa cause semblait mal engagée mais pas condamnée. Parmi les onze juges, il y en avait plusieurs, y compris Caroline, dont les tendances étaient incertaines. Pour les convaincre, elle devait utiliser avec détermination et intelligence le temps qui lui était accordé, en gardant Mary Ann Tierney constamment à l'esprit.

— Sarah, qu'est-ce que vous espérez ? lui demanda un reporter.

Faire de mon mieux, pensa-t-elle. Sans répondre, elle entra dans la salle.

Au vestiaire, Caroline Masters décrocha sa robe noire de juge du portemanteau en bois sculpté.

Elle était la dernière à le faire. Sous les lampes cannelées, ses collègues attendaient en silence, sans échanger les plaisanteries ni les remarques à voix basse qui précédaient même les audiences les plus disputées. Cette atmosphère monastique tenait moins à la foule exceptionnelle qui entourait le bâtiment qu'à la tension de la salle, elle le savait : ses collègues avaient pleinement conscience de l'importance extrême de l'affaire et du rôle que Caroline y jouait. Assis à la table, Lane Steele fixait le plateau de noyer comme pour rassembler son énergie et ses capacités intellectuelles. Seul Blair Montgomery, qui adressa un petit sourire à Caroline en entrouvrant la porte pour écouter, semblait avoir son comportement habituel.

Elle leva les yeux vers la pendule. La grande aiguille, terminant son tour de cadran, indiqua dix heures. Le président Sam Harker, aimable sexagénaire de l'Arizona, regarda les autres juges.

— Prêt ? demanda-t-il.

Personne n'objectant, il fit un signe de tête à Montgomery. La porte s'ouvrit lentement, les onze magistrats entrèrent un par un dans la salle.

— La cour, clama le shérif adjoint.

Septième par ordre d'ancienneté, Caroline s'assit à l'extrémité gauche du banc inférieur. Debout près de la table qui lui était réservée, Sarah Dash regardait droit devant elle. Caroline savait par expérience ce que la jeune femme voyait. Elle se rappelait encore la seule audition en banc à laquelle elle avait pris part en tant qu'avocate, au début de sa carrière, à l'instar de Sarah. Comme alors, les avocats faisaient face à deux rangées de juges silencieux, un premier banc de huit, un banc supérieur de trois seulement : le président flanqué des deux magistrats les plus anciens, dont Blair Montgomery faisait partie en l'occurrence.

La salle elle-même impressionnait par son extravagance : profusion de mosaïques, de colonnes corinthiennes, d'angelots et de fleurs en plâtre, de vitraux laissant passer une lumière dorée qui accentuait le climat de crainte respectueuse. Des guirlandes de fruits sculptées dans le marbre autour des piliers et des encadrements de porte représentaient l'abondance californienne, et le panneau situé derrière les deux bancs était orné d'un dessin complexe exprimant l'art amérindien. Le banc supérieur portait la trace d'un moment d'histoire insolite : l'entaille d'une balle tirée par un prévenu qui, en 1917, avait assassiné un témoin hostile. Mais il y avait aussi l'histoire en train de se faire, comme l'attestaient les deux caméras qui filmeraient l'audience à la demande du juge Lane Steele. Avec un plaisir non dissimulé, il avait cité les propres réponses de Caroline à Chad Palmer sur les avantages d'une retransmission des débats.

Séparé d'elle par trois autres juges, Steele regarda ses notes puis les avocats. Les adversaires de Sarah présentaient chacun un aspect différent : Thomas Fleming avait l'air gris et réservé d'un diplomate qui cherche à attirer le moins possible l'attention ; Barry Saunders personnifiait la révérence glacée de l'avocat s'efforçant de montrer son respect ; Martin Tierney semblait las, spectral et, d'une certaine manière, martyr de lui-même. Quand Caroline jeta un coup d'œil à Sarah, leurs regards se croisèrent brièvement puis la jeune femme détourna les yeux. Caroline résolut de ne plus la regarder avant qu'elle ne se lève pour sa plaidoirie.

Comme Sarah sans doute, supposait-elle, elle ignorait ce qui allait se passer. Tandis que les diverses parties s'asseyaient, Caroline se rendit compte qu'elle serrerait fortement ses mains l'une contre l'autre sous le banc.

— Mademoiselle Dash, dit le président, et l'audience commença.

Plus tard, encore sous l'effet de la poussée d'adrénaline qui avait donné à la scène l'apparence fragmentaire d'un rêve, Sarah mit de l'ordre dans ses impressions les plus fortes. La voix et le visage de Steele s'étaient imprimés dans son esprit. Pendant les dix premières minutes, il l'avait interrompue en posant question sur question : «Avec le progrès de la médecine, mademoiselle Dash, une césarienne ne deviendra-t-elle pas bientôt aussi banale qu'une ablation des amygdales?», «Vous nous demandez de sacrifier une vie sur l'autel de la santé mentale d'une mère?», «Une anomalie du fœtus conduit-elle automatiquement à la détresse émotionnelle de la mère?», «Si vous n'avez rien de plus tangible comme argument qu'une allégation d'angoisse invérifiable, ne demandez-vous pas à la cour d'approuver l'eugénisme?».

«Nous ne défendons pas l'eugénisme, avait répondu Sarah. Nous essayons de protéger les capacités procréatrices d'une mineure.

— Tout au moins un pour cent de ces capacités, avait coupé Steele d'un ton caustique. Que nous diriez-vous si, après avortement, vous constatiez que l'enfant est normal? Normal mais mort?

— Pardonnez-moi de vous interrompre, était intervenu le juge Blair Montgomery, parlant derrière Steele. Puis-je rappeler à mon collègue que nous connaissons tous les dix le contenu de ses conclusions écrites. C'est la raison pour laquelle nous sommes ici. Pour ma part, j'aimerais avoir une perspective nouvelle. Peut-être même celle de Mlle Dash.»

Après cette pointe abrupte et directe, Steele avait vainement cherché une réponse moins venimeuse que le regard qu'il avait lancé à Montgomery. Avec un sourire d'encouragement, celui-ci avait ajouté à l'intention de Sarah : «Je suis sûr que vous pourrez glisser dans le corps de votre plaidoirie une réponse que la cour, et le pays, demeurent impatients d'entendre.»

L'allusion aux caméras avait réduit son adversaire au silence. Sarah avait enfin pu commencer et développer une plaidoirie ponctuée de questions posées sur un ton plus courtois. Mais Caroline Masters n'avait rien demandé.

Ce serait surtout de Blair Montgomery que Martin Tierney se souviendrait, supposa Sarah.

A la différence de Steele, Montgomery prit son temps. Sa première question, posée quelques minutes après que Tierney eut commencé, fut inattendue :

— Diriez-vous, professeur, que la perte éventuelle d'un bras constitue un «risque important» pour la santé physique d'une mère ?

Manifestement surpris, Tierney hésita.

— Selon la loi sur la protection de la vie, un parent — ou un tribunal — pourrait l'estimer, dit-il.

— Pensez-vous que certaines femmes, au moins, aimeraient mieux perdre un bras que leur capacité à avoir des enfants ?

Là encore, Tierney marqua une pause, et Sarah se demanda s'il songeait à sa femme, si Montgomery avait posé la question dans ce but.

— C'est possible, convint Tierney. Mais la peur est une chose, la réalité une autre. Quand une mineure tombe enceinte, un parent ou un tribunal peut déterminer si le risque de stérilité est élevé ou négligeable...

— Alors, permettez-moi de vous poser une question du monde réel : appartient-il à une femme battue de déterminer si une mineure doit porter l'enfant de son propre père ? Ou le facteur aggravant de l'inceste incite-t-il à penser que la fille et son médecin doivent jouer un rôle plus important ?

Interpellé, Tierney répliqua :

— Ces horreurs se produisent sûrement, quoique de façon marginale. Mais la loi prévoit que, dans ce type de cas, la mineure peut aller en justice.

— Aller en justice ? répéta Montgomery d'un ton incrédule. La fille de treize ans d'une famille violente et incestueuse ? Franchement, professeur, je me demande si la vie se conforme souvent aux modèles propres et nets que vous construisez pour nous : des parents aimants, des juges bienveillants, des adolescentes trop peu mûres pour avorter mais ayant assez de ressource pour engager un avocat et aller devant un tribunal fédéral. Qui, pour certaines mineures de ce district, peut se trouver à trois cents kilomètres de chez elles.

— Votre Honneur, répondit Tierney, toute règle qui empêche des tragedies peut, dans des cas rares et par inadvertance, en rendre d'autres possibles. Je soutiens que la protection d'un bébé viable proche du terme est bien moins tragique que les exceptions pouvant en découler.

Se renversant en arrière, Montgomery fit observer :

— Ces « exceptions » sont des jeunes filles que vous ne rencontrerez jamais et qui ne feront pas l'objet de votre compassion. Mais poursuivez, je vous en prie.

Sarah jeta un coup d'œil à Caroline pour voir comment elle réagissait à cette mise en pièces de Tierney. Mais, bien que très attentive, la juge Masters demeurait sans expression. Silencieuse, elle regarda ses confrères interroger Tierney puis — pendant la réfutation — Sarah.

Soudain, ce fut terminé ; Caroline et les autres s'étaient levés et se dirigeaient en file vers la salle de réunion.

Le public s'anima, échangeant commentaires et spéculations. Dans le brouhaha, Sarah tenta d'imaginer les délibérations qui allaient s'ouvrir, les estocades des juges. Tous, à l'exception de Caroline Masters, avaient au moins posé une question. Si Sarah comprenait les raisons de cette attitude, elle ne pouvait s'empêcher de se sentir trahie.

Dans le bureau ovale, Clayton détourna les yeux de l'écran du poste.

— Piètre performance pour notre candidate à la présidence de la Cour suprême, fit-il remarquer. Mais au moins elle a appris les vertus du silence.

Haussant les épaules, le président eut recours au langage sténographique que les deux hommes utilisaient souvent quand ils étaient seuls :

— La télé...

— Si son intention était de ne rien donner à Gage, elle a brillamment réussi. Ils trancheront dans quel sens, à ton avis ?

Kilcannon se leva.

— Je vois deux votes pour Montgomery, hasarda-t-il, et trois pour Steele, je pense. Les autres ne m'ont pas révélé grand-chose.

— Tu devrais espérer que Steele les a dans sa poche, Kerry. C'est ce qui peut nous arriver de mieux.

Le président ne répondit pas. S'approchant de la fenêtre d'un pas nonchalant, il regarda la pelouse éclairée par un pâle soleil d'hiver.

Au bout d'un moment, Clayton, la seule personne qui, Lara exceptée, pût se permettre la question, lui demanda à quoi il pensait. Kilcannon resta un moment silencieux puis répondit à voix basse :

— Je me rappelle pourquoi j'ai des sentiments aussi partagés sur cette affaire. Et je m'interroge sur ceux de Caroline.

11

La salle de réunion datait des années 1930 et avait un déconcertant aspect imposant, souligné par les aigles en plâtre doré au mur et — Caroline ne cessait de s'en étonner — par les sortes de svastikas perdus dans les motifs labyrinthiques du plafond. Le climat était austère : dans la lumière crue des spots, les onze juges étaient assis autour d'un long ovale de noyer et faisaient penser, abstraction faite des deux femmes, à une assemblée de moines. Leur expression était grave. Tous devaient deviner, comme Caroline, que la cour était partagée et que chaque vote serait potentiellement fatal.

La procédure était fixée par une longue tradition. Les juges prenaient la parole par ordre inverse d'ancienneté, le président se prononçant en dernier. Ces premiers échanges débouchaient sur un vote préliminaire qui, s'il était maintenu, permettait au juge le plus ancien de la majorité de rédiger un projet de conclusions ou de confier cette tâche à un collègue de même opinion. L'auteur du texte soumettait ensuite ce projet et, s'il était encore soutenu par une majorité, la cour l'adoptait tel quel ou après modifications. Le nom de son auteur figurait sous le titre. Comme la plupart des juges, Caroline tirait une grande fierté de la force argumentative de ses écrits.

Habituée à la patience par nécessité, elle en était venue à apprécier cette procédure, de l'affrontement vif de l'argumentation au rythme plus lent de la conciliation et de l'affinement. Ce jour-là, c'était différent. L'affaire était urgente, rendue telle par l'état avancé de la grossesse de Mary Ann, élément qui échauffait les esprits et concentrait l'attention de tout le pays sur cette salle et sur le vote de Caroline. Quarante-huit heures plus tard, la cour rendrait son verdict dans une explosion de manchettes, une cacophonie de gros titres ; le sort du fœtus et celui de la candidature de Caroline seraient peut-être scellés.

— Bon, nous y sommes, commença Sam Harker, qui se tourna vers le membre de la cour ayant le moins d'ancienneté. Mary ?

Mary Wells — blonde, soignée, nommée par un gouvernement démocrate — était connue pour la brièveté de ses interventions et, n'étant là que depuis un an, pour sa déférence.

— C'est une affaire difficile, dit-elle. Mais elle illustre le problème créé quand on définit des règles étroites restreignant les décisions médicales et qu'on place ensuite ces décisions hors de la sphère de compétence des médecins.

«Parce que l'exception de santé physique est trop étroite, les problèmes qu'elle engendre sont trop vastes. Le fait que nous nous querellions pour savoir si le risque de stérilité est d'un ou de cinq pour cent en témoigne. Quelle doit être la limite? Dix pour cent? Vingt pour cent? Et qui décide?

Wells s'interrompit, consulta ses notes, moins pour revoir sa conclusion que pour trouver le courage de l'énoncer.

— Cette loi grève indûment le droit à l'avortement exprimé dans Roe et Casey. Pour moi, elle est anticonstitutionnelle en ce qui concerne Mary Ann Tierney *et* en général.

Si l'opinion de Mary ne surprenait pas Caroline, son caractère incisif l'étonnait : rejeter totalement la loi sur la protection de la vie était la décision la plus audacieuse possible. Mary avait façonné le cadre pour la discussion qui suivrait en fournissant un point de repère aux autres.

— José? fit Sam Harker.

Voisin de Mary Wells, José Suarez se redressa. Quatre ans plus tôt, Caroline avait été préférée à cet avocat de Phoenix et la courtoisie qu'il lui témoignait habituellement ne cachait pas tout à fait sa rancœur. Sur cette affaire, la façon dont il voterait était une énigme : favorable aux droits des femmes, c'était aussi un fervent catholique et son ambivalence était patente.

— Je ne prendrai pas une décision d'une portée aussi générale que Mary, dit-il avec circonspection. Je me soucie du bien-être de Mlle Tierney mais aussi de l'annulation d'une loi du Congrès qui a pour objectif salutaire de protéger un fœtus viable.

Se tournant vers Mary Wells, il poursuivit :

— Je suis ouvert à la discussion mais je pense que la meilleure façon de procéder, c'est de maintenir la loi sur la protection de la vie puis d'interpréter l'exception de «santé physique» pour y inclure le risque de stérilité. Ce qui permettrait à Mary Ann Tierney d'avorter.

Exact, pensa Caroline. Mais, sur le plan juridique, ce serait la confusion totale : en essayant de rendre la décision la plus étroite possible — limitée à Mary Ann —, Suarez étendait la loi dans un sens que le Congrès n'avait manifestement pas voulu. Lane Steele, qui le comprenait lui aussi, eut un sourire grimaçant de l'autre côté de la table, comme pour dire qu'il n'attendait pas autre chose du juge Suarez. Les deux premiers votes pour Mary Ann Tierney manquaient d'un dénominateur commun. Si Sarah Dash avait été présente, elle aurait trouvé inquiétante la disparité de leurs motivations.

— Juge Bernstein?

L'utilisation du titre officiel du magistrat suivant indiquait que Marc Bernstein était l'unique juge présent que Sam Harker détestait vraiment. Il n'était pas le seul. Bernstein estimait que son esprit en lame de rasoir lui donnait le droit d'être acerbe : à l'exception de Lane Steele, ses critiques avaient tourné en dérision l'intellect de tous les conservateurs assis dans la salle, ainsi que de la plupart des autres personnes présentes.

— Le Congrès ne sait peut-être pas ce qu'il fait, asséna-t-il à José Suarez. Mais son intention était clairement de contraindre Mary Ann Tierney à avoir ce bébé si ses parents le veulent.

«C'est une loi contre l'avortement, affublée de banalités trompeuses comme "resserrer les liens familiaux". Alors traitons-la comme ce qu'elle est au lieu de la réécrire afin de pouvoir prétendre qu'elle est autre chose.

Il marqua un temps d'arrêt puis s'adressa directement à Caroline, comme pour la mettre au défi :

— Le Congrès fait de la médecine. Mal. Et tous ces propos extasiés sur «la famille» ne tiennent aucun compte de la réalité. Cette loi est anticonstitutionnelle, elle doit disparaître.

C'était une condamnation relativement fondée — quoique partiale — de la politique sociale qui sous-tendait la loi. Mais elle était pauvre en arguments juridiques, riche en ego : de fait, Marc Bernstein demandait à Caroline, qu'il reconnaissait comme son égale sur le plan de l'intelligence, de faire preuve d'autant de clarté et de courage que lui. Que cela pût condamner sa candidature à la Cour suprême expliquait sans aucun doute le sourire crispé de Bernstein.

— Caroline? dit Sam Harker d'une voix hésitante. A vous.

Elle sentit sur elle le regard de ses collègues : ce n'était pas tous les jours, supposait-elle, qu'ils pouvaient observer une candidate à la Cour suprême vacillant au bord du précipice. D'une voix tendue qui l'embarrassa, elle répondit :

— Je m'abstiens pour le moment, Sam. J'aimerais en entendre davantage.

346

Aussitôt, Lane Steele releva la tête, les yeux brillants, les lèvres esquissant un sourire sceptique.

— Vous abstenir ? Caroline, vous pouvez sûrement nous faire la faveur de quelques réflexions.

— Oh ! je n'en manque pas, Lane. Ce que je peux vous dire pour le moment, c'est que l'intervention de José m'a beaucoup intéressée.

Au bout de la table, Suarez parut étonné puis ravi de ce compliment implicite. Steele, plus rusé, la considéra avec un franc scepticisme, comme s'il essayait de deviner sa stratégie. Mais il n'eut pas le loisir de s'interroger longtemps : par ordre d'ancienneté, le tour des conservateurs de s'exprimer était arrivé.

Cela reflétait l'un des aspects ironiques de la vie d'un juge fédéral. Les onze magistrats réunis dans la salle étaient en principe impartiaux et apolitiques. Mais ils avaient été nommés par un président avec l'accord de son parti et des groupes d'intérêts qui le soutenaient. A quelques exceptions près, les collègues de Caroline représentaient, par couches géologiques d'ancienneté, la couleur politique, républicaine ou démocrate, du gouvernement qui les avait désignés.

D'une manière quasi générale, les hommes politiques démocrates étaient partisans du droit à l'avortement; à une écrasante majorité, leurs homologues républicains défendaient les droits des enfants à naître. Ce clivage se retrouvait dans les tribunaux et déciderait du sort de Mary Ann Tierney selon une loi destinée à rassembler les républicains au Congrès et — parce qu'un bon nombre des partisans du libre choix voyaient l'autorisation parentale d'un œil favorable et rejetaient l'avortement tardif — à diviser leurs adversaires démocrates. La parole était maintenant à quatre juges désignés par les républicains : le plus ancien, leur leader, était Lane Steele, conscient de l'écho que leur décision aurait au Sénat, qui avait adopté la loi sur la protection de la vie et qui devait se prononcer sur la candidature de Caroline Masters.

— A vous, Carl, dit le président au juge Klopfer.

Cessant de fixer Caroline, Carl Klopfer répondit carrément :

— J'étais d'accord avec la décision originelle de Lane. Je le suis toujours.

Harker prit note sur son bloc. Trois contre un, pensa Caroline, bien que Suarez fût un peu hésitant. Les deux républicains suivants — Mills Roberts et Joe Polanski — exprimèrent leur soutien à Steele. Trois contre trois.

— Lane ? dit Harker

Steele plaça ses notes devant lui, les grandes lignes de son argumentation, mais il sautait aux yeux qu'il n'en avait pas besoin.

— Cette loi est constitutionnelle, affirma-t-il, et en l'annulant nous franchirions les limites qui nous sont imparties.

«Roe est une décision juridique mal ficelée étendant un vague "droit à la vie privée" qu'on ne trouve nulle part dans le *Bill of Rights* [1]. Mais, même selon Roe, le Congrès peut limiter l'avortement d'un fœtus viable. Ce qu'il a fait. C'est ainsi que fonctionne la démocratie. Si le peuple n'aime pas la loi, il peut, par voie de pétition, demander au Congrès de la changer.

Durcissant le ton, Steele répéta :

— Au *Congrès*, pas aux juges, s'attribuant eux-mêmes le rôle de rois philosophes. "Malavisée" — si c'est ce que vous pensez de cette loi — ne signifie pas "anticonstitutionnelle".

«Sa "constitutionnalité" ne fait même pas problème : cette loi prévoit des exceptions liées aux risques pour la vie et la santé physique de la mère, alors que le terme "santé mentale" est si vague qu'il revient en fait à un avortement à la demande. Ce que même Roe et Casey estiment inopportun une fois le fœtus devenu viable, comme c'est le cas pour Mary Ann Tierney.

Caroline écoutait avec respect : au mieux de sa forme, comme maintenant, Steele était impressionnant, persuasif. Mais, au bout de la table, Blair Montgomery fixait le mur et cachait son dégoût sous un masque d'indifférence.

— Quant à qualifier cette loi de «malavisée», continua Steele, c'est une affaire de politique sociale, pas de droit. Je pense personnellement que c'est une politique salutaire, comme l'illustre la famille Tierney. Une fille pour qui l'histoire sociale s'arrête à l'inauguration du dernier centre commercial ne doit pas nous contraindre à approuver la suppression d'une vie, acte qui, s'il était commis dans un camp et non dans l'intimité d'une clinique, serait perçu pour ce qu'il est : un holocauste. Si c'est cela le droit à la vie privée, nous n'en voulons pas.

Steele se tut brusquement. Deux de ses collègues hochèrent la tête. Au bout d'un moment, le président nota son vote. Quatre à trois contre Mary Ann Tierney et en faveur de la loi.

— Franklin, dit Sam Harker au juge Webb, vous vous sentez de rester dans le sillage?

La touche d'humour était sans doute destinée à alléger un climat

---

1. Amendements de 1791 à la Constitution de 1787. *(N.d.T.)*

348

de division croissant mais pouvait aussi, compliment tacite à Steele, être interprétée comme un indice des penchants du président. En ce cas, Mary Ann est à une voix de la défaite, conclut Caroline.

Franklin Webb, Afro-Américain grisonnant nommé par les démocrates, rendit son sourire à Harker.

— En fait, je pensais plutôt aller à la pêche, dit-il. Au saumon. Ou à la truite arc-en-ciel.

La plaisanterie suscita des rires nerveux et de pure forme auxquels ni Caroline ni Steele ne se joignirent.

— Dès que nous aurons terminé, vous pourrez partir, dit Harker. Mais d'abord vous devez voter.

— Ah, oui, le vote, fit Webb, plissant le front. Franchement, je suis partagé. J'ai de la sympathie pour la position de Mlle Tierney, mais aussi pour l'argument de Lane selon lequel nous ne sommes ni le pouvoir législatif… ni Dieu.

«José nous a indiqué une issue. Une autre consisterait à juger la loi anticonstitutionnelle en ce qui concerne Mary Ann Tierney — parce qu'elle ne tient pas compte d'un risque avéré de stérilité pour *cette* jeune fille — mais sans la rejeter pour *toute* jeune fille en toute circonstance. Ainsi, on ne toucherait pas à la loi et le Congrès serait libre de s'atteler à la question de la stérilité s'il le souhaite.

Webb lança un coup d'œil à Caroline, sourit de nouveau et ajouta :

— Je pense que nos petits copains les Suprêmes apprécieront notre modération. Ils sont aussi divisés que nous.

— C'est votre position? s'enquit Sam Harker.

— Ouais. Du moins, pour le moment.

Quoique insuffisante sur le plan de l'analyse, la proposition reflétait l'une des nombreuses qualités de Franklin Webb aux yeux de Caroline : le pragmatisme. Mais cette approche au coup par coup laissait le droit, et ceux qu'il concernait, en pleine confusion.

Mary Ann avait cependant gagné une voix et le compte s'établissait maintenant à quatre contre quatre. Mais les voix contre étaient fermes, alors que deux des voix en sa faveur étaient chancelantes et trop incohérentes dans leur raisonnement pour servir de base à un consensus. Restait trois juges : Montgomery, Harker et Caroline elle-même.

— Blair? murmura le président.

Se penchant en avant, le vieux magistrat s'adressa à Webb :

— Je comprends tes préoccupations, Franklin. Mais ta position ne ferait pas la clarté sur certains principes fondamentaux. J'en rappelle quelques-uns.

Bien qu'affectée par l'âge, la voix de Montgomery était ferme.

— Je commencerai par le droit à la vie privée. Sur ce point, poursuivit-il en jetant un coup d'œil à Steele, je suis en désaccord avec Lane. Il y a bel et bien un droit à la vie privée, et s'arrêter au fait que le *Bill of Rights* ne contient pas ces mots précis fait oublier une évidence. Il y a certains domaines où les autorités n'ont pas leur place. Parce que si un tribunal peut ordonner à une mineure, quel que soit le risque pour elle, de garder un fœtus présentant une infirmité grave, il peut aussi lui ordonner d'avorter. Ce dont aucun de nous ne veut.

«Lane nous dira qu'il y a une différence, que les autorités peuvent protéger la vie, pas la supprimer. Mais à quel prix? Le *Bill of Rights* ne dit pas que le gouvernement n'a pas le droit de stériliser des mineures et nous savons pourtant qu'il n'en a pas le droit. Alors, pourquoi, dans un domaine aussi privé que les capacités procréatrices de cette fille, le gouvernement pourrait-il mettre en danger ces capacités contre la volonté de l'intéressée?

Malgré son appréhension, Caroline eut envie de sourire : qu'on fût ou non d'accord avec Blair, son pouvoir de faire jaillir des réflexions nouvelles demeurait intact. Elle sentit que les hésitants l'écoutaient avec attention.

— Le gouvernement ne doit pas le faire, continua Montgomery. Et une loi allant dans ce sens empiétera sur de nombreuses autres décisions qu'on ferait mieux de laisser aux mineures et à leurs médecins.

«J'ajoute : pas à leurs parents. Les familles saines présentent beaucoup d'avantages mais le Congrès n'a pas le pouvoir de les créer. Encore moins de transformer des parents violents en mère poule et papa gâteau.

Avec un sourire ironique, Montgomery se tourna vers Lane Steele.

— Quant aux qualités manifestes du professeur Tierney, elles appartiennent au domaine du débat moral. Or, les passions morales peuvent rendre le meilleur des hommes aveugle à l'injustice, même dans son propre foyer. Le fait qu'un père *différent* puisse le percevoir montre à quel point cette loi est arbitraire. Et pourquoi on ne peut la garder.

Caroline vit les mâchoires de Steele se contracter. Cinq à quatre en faveur de Mary Ann, et c'était maintenant au président de se prononcer.

— C'est une affaire délicate, et je suis devenu trop vieux pour apprécier ce genre de complexité. D'autant que ce sont mes erreurs que je me rappelle le mieux, dit-il avec une humilité sincère. Mais je me vois contraint d'approuver Lane, ajouta-t-il à contrecœur. Nous ne pouvons fonctionner comme une assemblée législative. S'il y a des anomalies, c'est au Congrès de les corriger. Telle est ma position, pour l'essentiel.

Et voilà, pensa Caroline. Sam Harker était un homme qui avait de bonnes intentions, mais personne ne l'avait jamais qualifié d'esprit profond.

C'était maintenant à elle de parler. Elle sentit son cœur battre plus vite. Après avoir bu une gorgée d'eau, elle se tourna vers Suarez.

— Où en êtes-vous maintenant, José ? Etes-vous parvenu à une position tranchée ou ménagez-vous toujours la chèvre et le chou ?

Avec un sourire compassé, il répondit :

— Je suis Don Quichotte, en quête d'un honnête compromis.

Elle hocha la tête, demanda à Webb :

— Et vous, Franklin ?

— Toujours entre deux chaises. J'espère que je ne vais pas me casser la figure.

Pas d'aide à attendre de ce côté-là. Finalement, c'est d'elle que tout dépendrait. Comme elle l'avait toujours pensé. Elle prit sa respiration puis dit à Webb et à Suarez :

— Le problème est le suivant. Du moins, tel que je le vois. Vous tentez tous les deux de sauver la loi sur la protection de la vie sur une base très étroite, en «clarifiant» ou en rejetant une condition spécifique que ses rédacteurs voulaient plus rigoureuse : le «risque important pour la santé physique». Mais cela ne peut faire l'objet d'un consensus au sein de cette cour. Nous avons cinq juges qui soutiennent la loi telle qu'elle est écrite, trois qui estiment, pour des raisons différentes, qu'il n'y a pas moyen de l'appliquer. Et même Franklin pense qu'il n'y a pas moyen de l'appliquer dans le cas de Mary Ann.

Webb approuva d'un hochement de tête mais Suarez la regarda d'un air dubitatif et demanda :

— Alors ?

— Alors, si nous voulons obtenir une majorité, l'un de vous, ou les deux, devra choisir quelle position le mécontente le moins : celle de Blair Montgomery ou celle de Lane Steele. Sinon, nous aurons un de ces pataquès pour lesquels l'actuelle Cour suprême est devenue célèbre : une opinion plurielle, englobant tant de voix contradictoires que, victoire ou défaite pour Mary Ann Tierney, personne d'autre ne saura ensuite ce que nous avons vraiment dit. Et donc quelle est la loi.

Franklin Webb se pencha en avant, les yeux brillants de curiosité.

— Exact, dit-il. Mais si vous, vous votez pour Lane, nos deux misérables petites voix ne compteront pas. Il y aura six votes en faveur de la loi, contre Mlle Tierney, et je pourrai vraiment aller à la pêche.

Faisant face à Webb, Caroline parvint à une imitation convaincante de sourire.

— Je crois avoir oublié de le préciser : je vote pour Mary Ann Tierney.

12

Deux heures plus tard, après qu'une discussion intense et souvent vive se fut terminée par un vote de six voix contre cinq, Caroline avait présumé que le juge le plus ancien de la majorité se confierait le soin de rédiger un projet de conclusions. Elle fut donc surprise quand Blair Montgomery annonça que, étant donné la complexité de l'affaire et la divergence initiale d'opinions, il souhaitait réfléchir à l'attribution de la tâche. Après avoir elle-même réfléchi, elle ne fut pas étonnée lorsque son vieil ami apparut sur le seuil de la porte de son bureau. Malgré la gravité de son regard, il parvint à sourire.

— S'il n'y avait autant de choses en jeu, je vous remercierais pour le moment le plus amusant de mon quart de siècle de Cour d'appel. La tête de Lane Steele !

Caroline sourit elle aussi. Mais la réalité de son acte, tenue un moment à l'écart par l'excitation du débat, l'accablait à présent.

— Il se console sûrement en pensant que je ne bougerai pas d'ici et qu'il pourra nous narguer pendant des années.

— Je n'ai pas des années devant moi, soupira Blair en s'asseyant. Je n'achète même plus de bananes vertes. Jamais il n'a été aussi évident que vous auriez fait une grande présidente de la Cour suprême.

— Pourquoi parler au passé ? Je suis déjà morte ? plaisanta-t-elle.

Renonçant à tout effort de désinvolture, elle changea de ton :

— Rétrospectivement, je n'ai jamais vraiment eu le choix. C'est à coup sûr de la vanité, mais je m'accroche à mon idée de ce qu'un juge est censé être. Le juge que j'ai toujours imaginé n'aurait pas mis la vie de cette fille en danger pour servir ses propres intérêts.

— Certains de nous le pensent, répondit Montgomery avec une égale gravité. Mais le prix à payer sera lourd au Sénat. La seule question, c'est de savoir ce que vous pouvez y faire.

— Je vais proposer de retirer ma candidature et j'espère que le président me prendra au mot. A quelques semaines de son entrée en fonctions, il n'a pas besoin d'une controverse. Encore moins d'un incendie dévastateur.

— Peut-être. Mais j'aimerais faire ce que je peux pour vous sauver.

— C'est un peu tard, fit-elle, souriant de l'entêtement de Blair. Vous voudriez que je change mon vote ?

— Non, je voudrais que vous rédigiez les conclusions. Si vous devez être condamnée, que ce soit pour vos mots, pas pour les miens. *Vos* mots, je me plais à le penser, conduiront peut-être quelques sénateurs impartiaux à voir d'un œil neuf cette affaire. Et vous-même.

— Une sorte de plaidoyer, vous voulez dire ?

— En partie. Mais c'est aussi dans l'intérêt de cette cour. Bien que vous ayez eu la bonté de ne pas le mentionner, je fais partie du problème que vous avez pointé du doigt : je détiens probablement le record des désaccords hardis et des conclusions trop générales qui ne font que masquer des divergences.

«Vous, vous savez bâtir un consensus. C'est pour cela que vous avez réussi à entraîner Webb et Suarez derrière vous. Mais, si vous ne rédigez pas les conclusions, il ne restera de vous qu'un vote ne reflétant en rien les qualités qui ont persuadé ces deux hommes de se joindre à vous.

Touchée, Caroline eut peine à trouver ses mots.

— J'ai toujours pensé que vous étiez un véritable «activiste judiciaire», finit-elle par répondre avec humour.

Il sourit, elle redevint grave :

— Je vous suis profondément reconnaissante. Pour tant de choses. Y compris cette offre.

Après le départ de Blair, elle se renversa dans son fauteuil et ferma les yeux. Un instant seulement car elle avait beaucoup à faire.

D'abord appeler Clayton Slade pour le prévenir, et proposer au président le retrait de sa candidature. Ensuite, elle chasserait tout le reste de son esprit : de longues heures de réflexion et de rédaction l'attendaient cette nuit.

13

Un peu avant huit heures du soir, Caroline mit de côté toute autre préoccupation — ses craintes pour Brett, le retrait de sa candidature — et écrivit les premiers paragraphes de ses conclusions :

Savoir si le Congrès peut interdire tout avortement post-viabilité à une mineure en l'absence de «risque important» pour sa vie ou sa santé physique est un point de droit sans précédent. De même que savoir si cette décision cruciale peut être prise par un parent ou un tribunal plutôt que par la mineure ou son médecin.

S'interrompant un moment, elle songea à une autre jeune femme qui avait porté un enfant contre la volonté de son père, à la femme pleine de vie que cette enfant était devenue. Mais la mère, se rappela-t-elle avec sévérité, était maintenant juge.

Nous commencerons par affirmer deux principes fondamentaux : premièrement, en l'absence de craintes pour la vie ou la santé de la mère, le Congrès a le droit d'interdire tout avortement après viabilité du fœtus, pour les mineures comme pour les adultes ; deuxièmement, selon les précédents établis par la Cour suprême, le Congrès peut dans la plupart des circonstances exiger l'autorisation d'un des parents pour qu'une enfant mineure puisse avorter, si la loi propose à cette mineure un recours judiciaire sûr et accessible...

Le plus difficile restait à venir.

Trente-deux heures plus tard, la voix de Lane Steele tremblait d'indignation dans l'amplificateur du téléphone de Macdonald Gage. Le sénateur but une gorgée de café en jetant un coup d'œil à Mace Taylor.
— Elle commence par demander si la condition d'un «risque important pour la santé physique» n'est pas en contradiction avec Roe contre Wade, disait le juge. Ecoutez ça :

En règle générale, un juge doit s'en remettre au Congrès ; il doit à coup sûr s'abstenir d'imposer ses propres convictions. De son côté, le Congrès ne doit limiter certains droits fondamentaux que s'il a une raison impérative de le faire.

Ces droits comprennent non seulement ceux qui sont expressément énumérés dans le Bill of Rights *mais aussi d'autres droits essentiels à leur exercice. Notamment le droit à la vie privée. Qui n'est nulle part plus important que dans le domaine de la procréation...*

— Toujours la même rengaine, coupa Gage. L'infanticide est l'affaire des femmes, pas la nôtre.

— Précisément, approuva Steele. Mais elle use de toute son habileté pour renverser les choses. Par exemple :

Le droit à la vie privée va au-delà du droit à la contraception : le droit d'une femme de choisir le moment d'avoir un enfant ou de décider de ne pas en avoir du tout. Il doit aussi englober le droit à protéger sa capacité d'avoir des enfants si elle le souhaite.

Aucune définition humaine de la santé physique ne peut exclure la capacité procréatrice. Et, quand un médecin déclare qu'une femme est confrontée à un risque mesurable de stérilité, c'est à cette femme et à son docteur — pas au Congrès — de déterminer si ce risque est acceptable pour elle...

— N'importe quel pourcentage de n'importe quel risque fera l'affaire, je suppose, marmonna Gage.

Assis en face de lui, Taylor — dont Steele ignorait la présence — hocha la tête avec un sourire tendu.

— Elle nous jette un os par-ci par-là, dit le juge. Je continue :

L'avortement à la demande d'un fœtus viable n'est pas protégé par Roe. *Et, compte tenu de notre intérêt sociétal à préserver la vie, il ne doit pas l'être. Mais le Congrès ne doit pas forcer Mary Ann Tierney, ou toute autre mineure, à courir ce risque. Ni les autres risques inhérents à une césarienne.*

C'est manifestement ce que le Congrès a fait dans cette affaire. Selon les textes législatifs, un «risque médical important» limite l'avortement aux interventions «nécessaires pour prévenir la mort de la mineure enceinte ou une infirmité grave et irréversible probable». Cette clause de «probabilité» semble exclure un avortement pour Mary Ann Tierney et pour toute autre mineure pour qui le risque de devenir stérile existe mais n'est pas «probable»...

Steele interrompit brusquement sa lecture pour commenter :
— Sans normes juridiques, sans supervision d'un tribunal, une

mineure trouvera toujours un docteur quelconque pour déterminer un niveau quelconque de risque.

L'idée traversa l'esprit de Gage qu'il devait être quatre heures du matin en Californie. Il imagina Steele en pyjama, grand-père bougon contraint, pour endormir son petit-fils, de lire une histoire particulièrement mauvaise. Gage aussi était révolté par ce texte, mais il contenait la clef de ses ambitions : battre Caroline Masters, ternir ainsi l'image de Kilcannon et faire un pas de plus vers la présidence.

— Comment arrive-t-elle à rejeter cette loi pour toute fille qui tombe enceinte ? demanda-t-il.

— En faisant appel à ses capacités d'invention. Cet extrait vous en fournit un échantillon :

Reconnaissons-le, c'est une affaire délicate, mais elle montre combien il est difficile de définir des règles dans le domaine de jugements médicaux et personnels complexes. Car on imagine sans peine d'autres cas beaucoup plus compliqués et douloureux.

Dans cette affaire, le pronostic pour le fœtus est sombre mais pas désespéré, la perte des capacités procréatrices peu probable mais possible. On peut concevoir un cas plus tragique encore, où le fœtus semble normal. Ou un cas plus déplaisant, où la mère prend prétexte d'un risque relativement faible de stérilité pour se débarrasser d'un bébé dont le sexe ne correspond pas à son souhait.

Nous pouvons aussi imaginer un cas où il n'y a aucun espoir pour le fœtus, où le risque de stérilité n'est pas de cinq mais de vingt pour cent. Et les progrès de la médecine nous amènent inévitablement à ceci : une mineure enceinte qui risque de devenir stérile mais qui, espérant que la chirurgie fœtale pourra corriger les anomalies de son fœtus, sera forcée par cette loi à avorter avant viabilité. Pourquoi ? Parce que, une fois le fœtus viable, elle ne pourra plus assurer sa propre protection, même s'il devient clair que le fœtus mourra à la naissance et que les risques de stérilité sont plus grands qu'ils n'apparaissaient au départ.

Une loi qui contraint à de tels choix — préserver la vie du fœtus, si compromise soit-elle, ou privilégier la santé de la mineure — ne peut être maintenue.

Steele cessa de lire, lâcha d'un ton acerbe :
— Merveilleuse imagination littéraire. Mais rien à voir avec le droit.
— Un fatras à l'eau de rose, voilà ce que c'est, grommela Gage.

Pourquoi ne pas proposer la candidature d'Oprah Winfrey[1], tant qu'on y est?

Il jeta un coup d'œil à Taylor puis demanda :

— Vous pouvez me faxer le texte, Lane?

Silence en Californie.

— Il n'a pas encore été rendu public, répondit Steele au bout d'un moment. Il ne le sera pas avant neuf heures du matin.

— Je le comprends parfaitement, assura le sénateur. C'est uniquement pour mon usage personnel. J'ai besoin de réfléchir à notre stratégie avant que le téléphone se mette à sonner.

Steele eut une dernière hésitation : la vertu affichée par un pianiste de bordel, pensa Gage.

— Très bien, je peux vous l'envoyer de chez moi, capitula finalement le juge.

Gage tourna vers Taylor un sourire sinistre.

— Vous êtes un vrai patriote, Lane. Je ne l'oublierai pas.

— Inutile de me remercier, sénateur. C'est une affaire de conscience.

Gage mit fin rapidement à la conversation.

— Palmer, dit aussitôt Taylor.

— Oui, acquiesça Gage en reposant son café. Il faut le joindre avant que la presse ne le fasse.

Dans le bureau ovale, Kerry et Clayton parcouraient la copie des conclusions que Caroline leur avait envoyée par fax.

— C'est le moins qu'elle pouvait faire, murmura Slade. Nous sommes dans la merde.

Kilcannon haussa les épaules : cela allait sans dire.

— Qu'est-ce qu'elle a écrit sur les parents? s'enquit-il.

Clayton feuilleta les pages, s'arrêta. Le président se mit à lire :

Commençons par noter que la loi sur la protection de la vie crée deux catégories de mineures : celles dont les parents consentent à l'avortement, celles dont les parents s'y opposent. Les premières sont confiées aux soins d'un médecin; les secondes sont dirigées vers un tribunal fédéral.

A l'évidence, celles qu'on oriente vers une action en justice doivent affronter des obstacles qui les placent face à des risques plus grands. Si l'autorisation est refusée, la mineure doit — défiant l'autorité parentale — engager un avocat et se rendre à un tribunal souvent situé loin de chez

---

1. Présentatrice vedette de la télévision américaine. (N.d.T.)

elle. Il est donc probable qu'un grand nombre de ces jeunes filles mettront leur santé, voire leur vie, en danger parce que la démarche exigée d'elles est trop intimidante.

Pour certaines, elle semblera impossible. Et cela concernera surtout les plus pauvres, les moins instruites, les plus éloignées géographiquement...

— Exact, approuva Kerry. D'un bout à l'autre.

— Peut-être, grogna Clayton. Mais elle a déjà admis que la Cour suprême a maintenu les lois sur l'autorisation parentale.

Kerry parcourut rapidement le texte, posa l'index sur un passage et lut :

Si certains de ces inconvénients se retrouvent dans les lois de divers Etats sur l'autorisation parentale confirmées par la Cour suprême, il y a une différence fondamentale. Ces lois s'appliquent aux avortements pré-viabilité et demandent seulement qu'une mineure montre qu'elle est suffisamment mûre pour prendre la décision d'avorter ou que l'avortement est de son intérêt.

Cette loi-ci détermine une urgence médicale dans laquelle la santé d'une mineure est en jeu. Compte tenu de cette distinction, l'exigence d'une autorisation parentale — qui, de fait, prive certaines mineures d'une possibilité égale d'agir pour assurer leur propre protection — doit être justifiée par des arguments extrêmement convaincants.

On avance par exemple que cette loi resserre les liens familiaux. Mais, dans la pratique, si des rapports de confiance et de soutien n'ont pas déjà été établis entre parents et enfant, il est peu probable que le Congrès puisse créer en un moment de crise ce que la famille n'a pas réussi à instaurer pendant toute la vie de l'enfant. Et les Tierney n'apportent certes pas la preuve du contraire. A vrai dire, leur rupture publique avec Mary Ann illustre l'inverse : en dressant les parents contre l'enfant, cette loi a creusé entre eux un fossé qui ne sera peut-être jamais comblé...

Kerry s'interrompit et se demanda dans quelle mesure la juge avait été façonnée par la femme : la brouille entre Caroline et son père ne s'était jamais achevée et avait eu des conséquences terribles pour toutes les personnes concernées. Mais c'était ce qu'il avait demandé : un juge dont la vision du droit serait éclairée par sa compassion, par sa vie. Il reprit sa lecture :

Autre justification offerte : cette loi protège les mineures. Selon les experts qui ont témoigné pour Mary Ann Tierney, c'est le contraire. L'autorisa-

tion parentale demandée pèse le plus durement sur les adolescentes victimes d'inceste, de viol et autres tragédies familiales. Quant aux filles de familles unies, la plupart d'entre elles n'ont pas besoin d'une loi du Congrès pour chercher conseil auprès d'un parent...

Ces mots rappelèrent à Kerry son enfance malheureuse, puis sa première affaire de violence conjugale, où le père avait tué la mère sous les yeux de l'enfant. Son index tapota de nouveau le paragraphe.

— Elle met le doigt dessus. Je suis bien placé pour le savoir.

— Très bien, répondit Clayton avec froideur. C'est une femme admirable. Mais admirable ne veut pas dire «confirmable». Dans moins de quatre heures, cette ville sera transformée en zone de combat. Il faut dire adieu à Caroline Masters.

Gage lança les feuillets sur le bureau de Palmer et déclara d'un ton brusque :

— Votre amie Masters vous a frappé sous la ceinture.

Chad remarqua que, derrière son masque outragé, Gage l'observait attentivement, en se demandant sans doute si Kilcannon l'avait prévenu. Mais Gage ne posa pas la question, ce qui était aussi bien : le président avait appelé Chad dès qu'il avait reçu le texte.

— C'est pour ça que je porte une coquille, répondit Palmer. Il y a quoi, là-dedans ?

— Du boniment libéral, rétorqua Gage qui, malgré son ton péremptoire, continuait à guetter la réaction de Chad. Je crois que sa position sur l'autorisation parentale devrait vous intéresser particulièrement.

Avec une lenteur et un calme démentant sa colère affectée, Gage feuilleta le texte.

— Tenez, j'ai souligné quelques passages pour vous.

Et en rouge, s'il vous plaît, pensa Chad, au cas où leur importance m'échapperait. Il se mit à lire :

Les juges dissidents affirment que les Tierney sont des parents attentifs et aimants. Cela ne fait aucun doute. Mais, dans son argumentation, le juge Steele cherche à trop prouver : si une loi compromet indûment les droits d'une mineure dont les parents sont pleins de bonnes intentions, elle suscitera inévitablement des tragédies dans les familles foyers de pathologie. L'horreur qui consiste à forcer une mineure à demander à son père la permission d'avorter du fruit de l'acte incestueux qu'il a commis — cause fréquente d'anomalies fœtales — ne peut être justifiée au nom de Martin Tierney…

— Elle retourne tout, commenta Gage. Parce que certains parents peuvent être mauvais, les bons parents n'ont aucun droit. Ce texte va provoquer un raz-de-marée, je vous le garantis.

Exact, pensa Chad avec appréhension. A moi d'éviter les courants sous-marins. Calmement, il continua à lire :

Les Tierney, s'ils l'avaient voulu, n'auraient pas pu contraindre légalement leur fille à avorter de cet enfant. Mais peuvent-ils la forcer à le garder parce qu'ils pensent que c'est ce qu'il y a de mieux pour elle ? Le témoignage de Mary Ann prouve amplement qu'elle comprend le dilemme auquel elle est confrontée, à la fois sur le plan médical et moral, et qu'elle est capable de le résoudre.

Paradoxe fondamental de cette affaire, Mary Ann Tierney a le droit, sans autorisation parentale, de protéger sa santé dans presque toutes les autres situations. Elle peut par exemple décider elle-même de suivre une cure de désintoxication, alcool ou drogue, de se faire assister après une agression sexuelle ou à cause de difficultés psychologiques ; elle peut obtenir toutes sortes de soins médicaux liés à sa grossesse, y compris — quelle ironie — une césarienne. L'opposition de ses parents à l'avortement ne doit pas l'empêcher de faire ce choix plus difficile mais justifié médicalement.

— Vous avez défendu l'autorisation parentale avec vigueur, rappela Gage d'une voix douce. Vous savez pourquoi nous ne pouvons pas permettre cela.

Palmer prit le texte, alla directement à sa conclusion. Mais il ne lisait plus vraiment ; il songeait à une chose qu'il ne pourrait jamais dire à Macdonald Gage et dont il espérait qu'il ne l'apprendrait jamais. Le bref plaisir que Chad avait pris à la présidence de la commission, son alliance calculée avec Kerry Kilcannon venaient de tomber en poussière.

— Il n'y a plus le choix, maintenant, lui dit Gage. Ou Kilcannon la laisse choir ou nous devrons la faire tomber.

Sarah, qui lisait les conclusions avec une joie étonnée, s'arrêta brièvement sur une note en bas de page intitulée «Santé mentale» :

Parce que nous déclarons cette loi inconstitutionnelle pour d'autres motifs, nous n'avons pas besoin de résoudre la question épineuse de savoir si des préoccupations pour la santé mentale peuvent justifier un avortement post-viabilité. Nous partageons la crainte que cela pourrait mener à l'avortement à la demande : de tels avortements, s'ils étaient permis, devraient se fonder sur un traumatisme psychologique sévère et démontrable.

Nous notons cependant que des tribunaux évaluent très fréquemment des états mentaux dans d'autres contextes tels que la culpabilité criminelle. Et qu'aucun précédent n'empêche les auteurs de futures lois de prendre sérieusement ce problème en considération. Voir Doe contre Bolton, 510 U.S. 179 (1973) pp. 191-192.

Même là, Caroline avait montré plus de courage que nécessaire, pensa Sarah, assise sur le canapé à côté de Mary Ann.

— Qu'est-ce qu'elle dit d'autre? demanda la jeune fille.

La voix lourde d'émotion, Sarah se mit à lire à haute voix.

Le professeur Tierney prétend que l'avortement de ce fœtus — son petit-fils potentiel — ouvrirait la voie à l'eugénisme. Il brandit la perspective d'un avortement motivé par la couleur des yeux, l'absence de talent musical ou une prédisposition à l'homosexualité décelée par des tests génétiques. Lorsque ces problèmes se présenteront, comme ils ne manqueront pas de le faire, nous espérons que la loi et, surtout, notre sens de l'éthique seront à la hauteur du défi. Mais nous ne devons pas prévenir un mal futur en créant un mal aujourd'hui.

Lorsque nous discutons de ces questions, nous devons nous rappeler que cette affaire concerne une personne réelle, une adolescente de quinze ans. Elle ne prône pas l'eugénisme. Elle ne souhaite pas l'avortement à la demande. Elle ne réclame même pas d'avorter de ce fœtus à cause de ses infirmités. Elle cherche simplement à s'assurer que, plus tard, dans sa vie adulte, elle pourra mettre au monde un autre enfant ayant une meilleure chance de vivre.

Sarah prit sa respiration, entama la dernière phrase :

Mary Ann Tierney a-t-elle ce droit? Oui, selon la Constitution. De même que toute mineure placée devant une décision aussi capitale.

Tournant la tête, Sarah vit que Mary Ann, le visage ruisselant de larmes, pressait une main sur son ventre.

Caroline avait été impeccable jusqu'au bout, bien qu'il fallût un moment à Sarah pour l'expliquer à Mary Ann.

Du fait de la gravité du problème et de la perspective de suppression d'une vie fœtale, avait-elle écrit, *nous décidons que Mary Ann Tierney devra surseoir à ce jugement pendant soixante-douze heures. Pendant ce délai, le gouvernement ou les Tierney pourront solliciter de la Cour suprême un autre sursis en attendant l'examen d'une requête pour plus ample information.*

— Alors, ce n'est pas fini, bredouilla Mary Ann.
— Pas s'ils s'adressent à la Cour suprême. Mais Caroline Masters a rédigé des conclusions brillantes et la Cour pourrait refuser une audition à vos parents. Leur position juridique est maintenant difficile. Un seul juge peut leur obtenir un sursis d'urgence en attendant l'examen de leur requête. Mais c'est l'affaire de quelques jours, grand maximum. Ensuite, la Cour dans sa totalité pourra leur accorder un sursis supplémentaire... mais uniquement si elle décide d'entendre l'affaire.
— Mes parents ne renonceront jamais. Ils feront durer la procédure jusqu'à ce que l'enfant soit né.
— Ils ne peuvent pas : ils disposent d'une semaine, deux tout au plus, et ensuite la Cour devra se prononcer.
Sarah hésita, résolut d'expliquer le reste :
— Pour le moment, la Cour ne compte que huit membres, elle n'a pas de président. Quatre suffisent pour décider d'entendre une affaire, mais il en faut *cinq* pour obtenir un nouveau sursis t'empêchant d'avorter. Sans ces cinq voix, les conclusions de Caroline prévalent. Tes parents n'y peuvent rien.
Mary Ann eut l'air interloquée.
— Vous voulez dire que la Cour peut décider d'entendre l'affaire mais que je pourrai quand même avorter avant qu'elle ne se prononce contre moi ?
— Oui. En ce cas, nous aurons gagné, quoi qu'il arrive.
Sarah en resta là : elle sentait que Mary Ann commençait déjà à imaginer l'opprobre général dont elle serait peut-être frappée. Mais c'était cette éventualité même — une Cour suprême divisée — qui rendait la situation de Caroline Masters plus difficile encore. Si Sarah était de tout cœur avec Mary Ann, une partie de sa sympathie allait aussi à Caroline.
Le pays était au bord de l'explosion.

CINQUIÈME PARTIE

Le vote

1

Une heure après que les conclusions de la cour d'appel eurent été rendues publiques, la Maison-Blanche fut inondée de fax et d'e-mails, le standard téléphonique saturé d'appels. Les dirigeants pro-vie exigeaient que Kerry Kilcannon retire la candidature de Masters et Engagement chrétien avait prévu un rassemblement devant le bâti-ment. En réponse, plusieurs femmes porte-parole du libre choix avaient volé au secours de Caroline, qualifiant sa décision de «cou-rageuse» et demandant au président de confirmer son choix. Mais un sondage instantané réalisé sur MSNBC indiquait que l'opinion était aux deux tiers hostile au verdict de la Cour d'appel, et plusieurs sénateurs démocrates importants, réservés en public, avaient exprimé leurs craintes à Clayton Slade.

— Tant qu'elle restera en lice, voilà ce qui vous attend, dit le secrétaire général à Kerry Kilcannon.

Réunis dans le bureau ovale, le président, Clayton Slade et Ellen Penn attendaient le chef de la minorité au Sénat, Chuck Hampton.

— Où est Chuck? demanda Ellen.

— Dans le bureau de Gage, répondit Kilcannon. Je présume que Mac a un message pour nous.

C'était un moment où le pouvoir était en balance, éprouvant les nerfs du président comme ceux du chef de la majorité, pensait Mac-donald Gage. Mais beaucoup dépendait d'un troisième homme, Charles Hampton, le chef de la minorité, qui avait ses propres inté-rêts.

Gage et Hampton avaient en commun quatre années de guerre, de compromis et de ressentiment pendant lesquelles le républicain avait détenu la majorité et donc l'avantage, distribuant les présidences de commission, contrôlant le calendrier du Sénat, récompensant ses électeurs tout en serrant les cordons de la bourse pour ceux de Hampton et des démocrates. Chuck Hampton voulait cette majorité — et les cinq sièges nécessaires pour l'obtenir — avec la passion d'un adversaire qui avait appris que jusqu'à cette victoire chaque défaite aurait un goût de bile. Mac Gage le savait parfaitement.

Hampton était assis en face de lui, mince et tendu, rempli de méfiance et d'appréhension. Il ne voulait pas d'un affrontement sur la candidature de Masters, Gage en était sûr, et devait craindre, si le président s'obstinait, que les démocrates ne le paient cher.

— Chuck, dit Gage d'un ton fraternel, vous devriez rappeler à votre ancien collègue le gouffre qui sépare difficile d'impossible. Il a peut-être oublié ceux qu'il a laissés derrière lui.

Allusion au fait que l'élection de Kilcannon n'avait rien changé pour les démocrates du Sénat : l'avantage des républicains, cinquante-cinq contre quarante-cinq, demeurait le même qu'avant novembre.

— Certains d'entre nous estimaient impossible que Kerry devienne président, répondit Hampton. Ça, il ne l'a pas oublié.

Malgré sa nervosité, Gage eut un rire appréciateur. Aux primaires démocrates, Hampton avait soutenu l'adversaire de Kilcannon et devait maintenant travailler avec un président qui n'avait pas la mémoire courte.

— Cela ne veut pas dire qu'il ne lui reste rien à apprendre, repartit Gage. Vous pouvez lui épargner d'en faire l'expérience à ses dépens.

— A cause de vous?

Gage décida d'en venir aux faits.

— Je n'ai pas eu le temps de compter, Chuck. Mais je réunirai les votes pour la battre...

— Y compris celui de Palmer? demanda Hampton en une pointe sournoise.

— Chad sera là, affirma Gage.

Hampton remarqua qu'il n'avait pas garanti un engagement ferme de Palmer.

— J'admire votre confiance.

Gage demeura impassible.

— Chad a des ambitions. Aucun républicain ambitieux ne se risque à soutenir le manque de respect envers les parents et le

366

démembrement des bébés. Aucun démocrate sensé non plus, d'ailleurs. Conclusion : vous ne pouvez pas réunir cinquante voix pour Masters. Pourquoi faire exploser le Sénat en essayant ?

— Et c'est ce que vous voulez que je dise au président.

Gage ouvrit grands les bras.

— Pourquoi provoquer des rancœurs et gaspiller de l'énergie pour une cause perdue, qui ne fera qu'attiser la discorde dans cette chambre ? Cette affaire ne peut rien apporter à Kilcannon... ni à vous. Vous finirez par perdre, couvert de cicatrices que Kilcannon sera trop faible pour effacer par de grandes réussites. Tout ça pour une femme qui a préféré l'excitation de voter pour l'infanticide à une confirmation à la présidence de la Cour suprême. Si Kilcannon n'a pas perdu son sens politique, il ne vous demandera pas d'aller au casse-pipe pour une juge qui n'en a aucun.

Hampton gagna du temps en essuyant ses lunettes.

— Vous connaissez le président. Vous savez qu'il a des principes...

— Des principes ? fit Gage, sardonique. Laissez-moi rire. Je le connais et je vous connais. Si Kilcannon peut vous donner des arguments positifs, vous ferez le tour du pays en clamant que vous avez besoin d'argent et de votes pour que votre noble président puisse battre ce vieux Mac Gage et tous ces troglodytes de droite qui font la retape pour les fous de la gâchette, les pollueurs et les adeptes du revival sous chapiteau. Ça pourrait peut-être même marcher, ajouta-t-il, baissant la voix. Ça pourrait même vous donner la majorité. Mais pas si vous faites copain-copain avec Masters. C'est le bébé de Rosemary, Chuck. Le président doit lui enfoncer un pieu dans le cœur. Dites-lui ça.

Hampton remit ses lunettes, plaça une main sur sa poitrine.

— Je suis profondément touché, Mac. Vous vous faites du souci pour moi.

— Je me fais du souci pour nous deux, répondit Gage. Nous avons une tâche à remplir et Caroline Masters nous en empêche. C'est votre boulot de contribuer à nous débarrasser d'elle.

— Il n'est pas encore sûr du vote de Palmer, annonça Hampton au président. C'est peut-être pour ça qu'il veut éliminer Masters sans avoir à se battre.

Kerry examina le chef de la minorité en laissant le silence se prolonger suffisamment pour le mettre mal à l'aise.

— Et je suis censé lui donner un coup de main.

Hampton jeta un coup d'œil à Clayton et à la vice-présidente.

— Où en est Palmer? demanda Ellen.

— Je ne sais pas encore. Mais je le saurai, répondit le président d'un ton suggérant que la responsabilité de Palmer lui incombait, à lui et à personne d'autre.

— Si vous envisagez de retirer la candidature de Masters, peu importe Palmer, non? risqua Hampton avec prudence.

La question était plus que rhétorique, Kerry le savait. Hampton se doutait que le président et son rival potentiel avaient conclu un arrangement et il voulait en connaître la nature. Au lieu de lui répondre, Kilcannon demanda :

— Comment était Gage?

— Au mieux de sa forme : confiant, détendu, expansif. Ce qui veut dire qu'il est inquiet, lui aussi.

— Il prendra ouvertement position contre elle, prédit Kerry. Aujourd'hui même. Comme ça, si je la mets sur la touche, il pourra s'en attribuer le mérite parmi ses troupes mais n'apparaîtra pas trop misogyne aux yeux de l'opinion. C'est la tactique préférée de Gage : amener les autres à se foutre en l'air eux-mêmes...

— Pas la peine, Masters l'a déjà fait, lâcha Clayton.

Ce franc-parler, dont seul Clayton usait avec le président, plongea les autres dans le silence.

— Vous admirez son courage, continua Slade. Et ses conclusions — en tant que modèle d'habileté juridique — confirment que vous ne vous mettiez pas le doigt dans l'œil sur ce point. Mais Gage a raison cette bagarre n'a d'intérêt pour personne. Surtout pas pour nous.

«Vous avez un vaste programme, monsieur le président, et vous êtes passé de justesse en novembre. La plupart des Américains pensent comme Gage que l'autorité parentale est sacrée et qu'un avortement tardif équivaut à un meurtre. Je suis impatient de nous voir argumenter là-dessus. Ce sera quoi, notre slogan : "Tant qu'il n'est pas né, ce n'est pas un bébé"?

— A moins que papa et maman le disent, murmura Kerry, comme pour lui-même. Ce qui devient particulièrement touchant quand papa est le père du bébé.

— La «défense par l'inceste», répliqua Clayton avec une exaspération contenue. Il ne s'agit ni de moralité ni du bien-fondé d'une cause. Ce qu'il faut faire, sur le plan pratique — et moral —, c'est préserver votre capital politique pour des problèmes comme la santé publique, la limitation des armes à feu, la réforme du financement des campagnes. Vous êtes ici pour ça, pas pour l'avortement tardif.

Il poursuivit en se levant :

— C'est de la foutaise de dire que si nous cédons là-dessus, nous cédons sur tout. Et où les partisans du libre choix pourraient-ils aller ? Dans les bras de Mac Gage ? Non, même eux comprendront le problème...

— Qu'est-ce qu'ils sont censés comprendre au juste ? intervint Ellen Penn. Que Caroline Masters a appliqué Roe et suivi la loi ? Que si Gage et la droite nous font reculer, Roe ne sera plus la loi ? Que nous sommes ici uniquement parce que les femmes défendant le libre choix ont voté pour nous ?

L'éclat de ses yeux sombres et la rapidité de son débit soulignaient l'intensité de son émotion. Assise au bord du canapé, elle se pencha vers Kilcannon et poursuivit :

— Masters s'est battue pour nous, me disent-elles, et vous devez vous battre pour elle.

— Il ne s'agit pas d'elle, objecta Clayton. Il s'agit du président. Elle est à sa disposition, pas l'inverse.

Kerry se tourna en silence vers Ellen : Clayton venait de soulever un point essentiel, il fallait qu'elle le comprenne.

— D'accord, reconnut-elle. Mais les mouvements pour le libre choix sont prêts à se mettre en quatre pour vous. Ils feront le siège des sénateurs, ils organiseront des manifs, ils passeront des annonces dans la presse si vous le souhaitez...

— Autant d'armes à double tranchant, dit Clayton à Kerry. Beaucoup de gens les détestent et ils ne vous obtiendront pas les votes dont vous avez besoin. Il n'y a que vous qui puissiez le faire.

Avec un coup d'œil à Hampton, Slade ajouta :

— Sans vouloir vous offenser, Chuck, même les votes de nos sénateurs auront un prix : un barrage inutile, des subventions aux récoltes, un plumitif dont ils veulent faire un juge, ou un ambassadeur en Nouvelle-Guinée. Et même ça, ça ne suffira pas. Pour garder tous les démocrates en rang, vous devrez mobiliser les mouvements pour les droits civiques, les associations d'avocats, l'AFL-CIO, énuméra-t-il en se mettant à marcher de long en large. Ces chieurs d'avocats réclameront le droit de poursuivre n'importe qui pour n'importe quoi. Et je suis impatient d'entendre la réponse de Sweeney quand vous appellerez l'AFL-CIO.

En dépit, ou peut-être à cause de la véhémence du ton de Slade, Kilcannon se surprit à sourire.

— Moi aussi. Alors dis-moi ce qu'il répondra.

— Quelque chose comme : «Si vous vous imaginez que mes syndiqués s'intéressent à ces conneries, vous êtes barge. Pourquoi je devrais gaspiller tout ce qu'on a gagné l'automne dernier par notre soutien à un taré de sénateur, en lui demandant maintenant un vote aussi débile ? »

— Oh, je crois qu'il se montrera plus respectueux, répondit calmement Kilcannon. Le dernier risque qu'il a pris, c'était pour se prononcer contre moi aux primaires.

A la satisfaction du président, Hampton gigota sur son siège.

— Sweeney vous a soutenu aux élections générales, contra Clayton. Pour qu'il vous soutienne sur la candidature de Masters — si c'est ce que vous voulez lui demander —, il faudra qu'il puisse présenter à ses gars un gros cadeau. Comme celui que vous lui avez fait sur le libre-échange.

Slade s'immobilisa pour conclure :

— Et là, je parle de vos *amis*.

— Ce qui nous amène à Palmer, je suppose.

— Exactement. Il vous faut cinquante et une voix, monsieur le président. Même si vous et Chuck parveniez à vous assurer de celles de tous les sénateurs démocrates, cela ne ferait que quarante-cinq. Six républicains au moins devront défier Macdonald Gage et, là, le prix sera très élevé : des compromis sur de nombreux points de votre programme, des armements inutiles construits dans leurs Etats, jusqu'à ce qu'on ait des sous-marins à trois milliards de dollars évoluant dans le Grand Lac Salé. Vous n'arrêterez jamais de payer. Et chaque faveur faite à vos ennemis — même à Palmer — vous aliénera vos partisans. Uniquement pour la juge qui a causé cette pagaille.

Clayton se tut, les autres gardèrent le silence. Kerry déchiffra leurs visages. Les craintes de Slade donnaient à réfléchir, comme la tâche qui les attendait : déterminer le sort d'une candidature à la Cour suprême et, par voie de conséquence, le caractère du nouveau gouvernement.

Kerry se tourna vers Clayton et lui parla comme s'ils étaient seuls :

— Tu me dis : laisse-la se retirer. Vite et bien, avec une déclaration exprimant de légers regrets et une profonde reconnaissance pour une décision qui épargne au pays un tel séisme.

— C'est la meilleure solution, répondit Slade, imperturbable. Deux jours et terminé. Le seul autre choix consiste à la laisser se présenter, et à perdre.

Kerry sourit, mais uniquement avec les yeux.

— On ne la retire pas, décida-t-il. Fais passer le mot : nous ne jouons pas pour gagner et nos amis peuvent voter selon leur intérêt. De cette façon, nous ne contractons aucune dette mais nous n'aurons pas l'air lâches en public. Et nous pourrons dire que c'est Gage, pas nous, qui a fait tomber une femme compétente et courageuse.

— Au moins, il a des motifs de le faire. Essayer de sauver cette candidature ne repose sur rien.

— Sur rien ?

— Comme le Vietnam. Une guerre sanglante, menée par des troupes sans expérience, un combat sans issue. Jusqu'à ce qu'on ait perdu toute perspective. Nous l'avons tous vu arriver : des types si occupés à remporter les présidentielles qu'ils ont oublié où le pouvoir s'arrête et où commence l'arrogance. Je ne veux pas que ce soit notre histoire.

Kilcannon ne répondit pas. Parce que d'autres étaient présents, Clayton n'avait pas mentionné le pire : non pas le secret de Caroline mais celui du président. Pourtant, Kerry lisait dans ses pensées.

— Ne faites pas ça, lui dit Clayton. Ça ne peut pas bien finir.

2

Par la fenêtre de son penthouse, Caroline Masters contemplait le profil déchiqueté des toits de San Francisco.

Le soleil de fin de matinée perçait la brume et les tours de la ville semblaient lointaines : un mirage. Dans l'appartement silencieux, elle était seule. Unique signe qu'elle se trouvait au centre de l'agitation nationale, la voix monocorde d'un reporter d'une chaîne câblée.

« *A cette heure, les manifestants ont déjà commencé à se rassembler devant la Maison-Blanche. L'attachée de presse Kit Pace nous a déclaré que Caroline Masters gardait la confiance du président mais qu'il ne ferait pas d'autres commentaires avant d'avoir étudié les conclusions de la juge.* »

Ce qui signifiait qu'elle était suspendue à un fil. Peut-être convenait-il qu'elle se retire avec dignité, en demandant avec force, plutôt qu'en proposant, le retrait de sa candidature. Kerry Kilcannon lui en serait reconnaissant.

Le téléphone sonna.

Les médias, pensa aussi Caroline. Puis elle se rendit compte que c'était peut-être Clayton Slade, ou même le président. Elle alla à la cuisine, décrocha.

— Allô, fit-elle avec sécheresse.

— Tante Caroline? C'est moi.

Elle mit un moment à retrouver ses marques, dit avec soulagement :

— Je croyais que c'était un journaliste. Je suis contente d'avoir décidé de répondre.

— Moi aussi. Je voulais savoir comment tu te sens.

«Seule, eut-elle envie de répondre. Cramponnée à un espoir insensé, incapable de renoncer.» Puis elle prit conscience qu'elle vacillait au bord de révélations et qu'elle n'était pas certaine de pouvoir s'arrêter si elle mettait le doigt dans l'engrenage.

— Plutôt vivante, pour un cadavre, dit-elle d'un ton sarcastique. Quand Jackson m'a appelée pour me féliciter de mon courage, j'ai eu l'impression d'assister à mon enterrement.

Elle s'interrompit, s'efforça de mettre un sourire dans sa voix.

— C'est dur d'empêcher toute cette attention de vous monter à la tête.

Brett ne rit pas.

— Tu essaies de faire comme si ça ne te contrariait pas. Mais je sais que cette histoire t'affecte.

Il y avait de la compassion dans la voix de Brett, un peu de déception aussi, comme si elle regrettait de ne pas réussir à percer la réserve de sa tante.

— Elle m'affecte, finit par avouer Caroline. Mais je ne peux rien y faire.

— Je peux y faire quelque chose, moi?

Viens me voir, pensa Caroline. Mais Brett n'était pas sa fille et ne l'avait jamais été. Elle avait sa vie.

— Tu l'as déjà fait, assura Caroline. Tu pourrais m'envoyer une autre nouvelle. La dernière était magnifique.

— A commencer par les révélations sur sa fille, elle s'est conduite avec une parfaite intégrité, fit valoir Ellen Penn à Kilcannon. En particulier quand elle a rédigé ses conclusions. Alors, laissez-moi vous poser une question : vous pensez qu'elle a tort?

Comme Slade commençait à intervenir, Kilcannon leva une main, les yeux fixés sur la vice-présidente.

— Non, reconnut-il.

— Elle s'est donc battue pour ce que vous et elle considérez comme l'esprit de la Constitution. En récompense, nous nous proposons de la laisser tomber. Parce que ce serait la chose intelligente à faire. Personnellement, je ne trouve pas ça intelligent, et ce n'est pas comme ça que vous êtes arrivé ici.

Elle jeta un coup d'œil à Hampton, poursuivit :

— Chuck me dira si je me trompe mais Reagan n'a pas pâti d'avoir soutenu Robert Bork. Et je suppose que les sénateurs de notre parti attendent de voir quelle sorte de président vous êtes. Ils peuvent s'accommoder d'un vote de conscience de temps à autre, pourvu que vous en preniez l'initiative.

— Un vote de conscience, c'est une chose, mais là, on va droit dans le mur, prédit Clayton. Comme avec l'acceptation des homosexuels dans l'armée. Un flop total, sur le plan politique. Même si nous sommes d'accord sur le principe.

— Cela n'a rien à voir, répliqua Ellen. Si nous présentons bien *ce* principe — soutenir une femme intègre —, nous aurons avec nous les femmes et les électeurs indépendants[1]. Laissons choir Caroline maintenant et nous décevons nos amis, nous nous attirons le mépris de nos ennemis, nous disons aux uns et aux autres que nous sommes des pleutres.

Elle se tourna de nouveau vers Kilcannon.

— Même si elle perd, nous aurons marqué un point. Voyons un peu si Gage a vraiment envie de transformer cette affaire en djihad ou d'avoir l'air du genre de salaud paternaliste que les femmes sont contentes de ne pas avoir épousé. Ou, pire, qu'elles *ont* épousé.

— On ne joue pas au premier qui se dégonfle, répondit Kerry. Si le seul «côté positif», c'est perdre, je passe.

— Je pense que vous pouvez gagner, affirma Ellen, qui eut un mouvement de menton vers Slade. Je comprends l'argument de Clayton sur l'AFL-CIO. Mais la dernière chose que les syndicats souhaitent, c'est une mainmise de Gage sur le Sénat. Si vous le battez sur cette affaire, c'est eux qui gagneront.

— C'est juste. Et cela nous ramène à Palmer. L'AFL-CIO ne l'impressionne pas beaucoup.

Pour la première fois, Hampton intervint :

— Je ne meurs pas d'envie d'en découdre, monsieur le président. Mais Chad sait que les élections se gagnent au centre et il voudrait s'asseoir dans votre fauteuil. Je ne crois pas qu'il pense y parvenir en suivant aveuglément Gage et je suis certain qu'il n'en a aucune

1. Qui ne sont enregistrés ni comme républicains ni comme démocrates. *(N.d.T.)*

envie. Si vous pouvez vous assurer de la neutralité de Palmer et d'un certain soutien, nous avons peut-être encore une chance d'envoyer Masters à la Cour suprême.

« Si vous divisez Palmer et Gage, ce sera plus facile pour nous de rassembler les votes dont nous avons besoin, les républicains des Etats à alternance. Ils ont peut-être peur de Gage, mais ce sont les électeurs qui les maintiennent au Sénat. Ils suivent Chad, ils espéreront peut-être qu'il les protégera.

Kerry cacha sa surprise : il s'était attendu à ce que Hampton lui conseille de capituler. Il se demandait maintenant si le chef de la minorité essayait de montrer sa bravoure... ou de sonder la complexité des rapports du président avec Palmer.

— Pour que Chad prenne ce risque, dit Kilcannon, il faudrait que nous réussissions un exploit dont il ne nous croit pas capables : retourner l'opinion sur la question de l'avortement tardif.

— Nous pouvons suivre l'exemple de Sarah Dash, suggéra aussitôt Ellen. Donner au problème un visage humain. Nous incitons des femmes à témoigner, à déclarer qu'un avortement tardif leur a permis d'avoir plus tard trois gosses ou qu'il a épargné aux enfants qu'elles avaient déjà de devenir orphelins. Cela veut dire jouer le jeu à fond, sans honte, les faire venir à la Maison-Blanche, participer à des débats télévisés et utiliser leurs maris, aussi. On pourrait même leur ouvrir un site sur le Web.

« C'est une chose de parler de démembrer des bébés, c'en est une autre si deux parents aimants regardent l'Amérique dans les yeux en disant : "Nous savons que c'est terriblement dur, nous sommes passés par là." Avec ce genre de plate-forme, nous pouvons toucher le haut de gamme des médias : les pages "Idées", les magazines comme *Nightline* et *20/20*.

Emportée par son élan, la vice-présidente ajouta :

— C'est là que Lara serait parfaite.

Kerry sentit sur lui le regard d'avertissement de Slade et répondit d'une voix calme :

— A elle d'en décider.

Ellen attendit qu'il développe. Comme rien ne venait, elle reprit :

— Parlez-lui-en. Parce que nous avons besoin d'elle. Nous pourrions aussi avoir quelques dirigeants religieux affirmant que protéger la vie, la santé et la fécondité d'une mère, c'est moral, cela contribue à maintenir les familles unies. Ça attaquerait Gage sur son terrain. Et ça empêcherait peut-être Palmer de se prononcer contre Caroline.

374

« N'oubliez pas : vous devez plaider cette cause devant un public de deux cent soixante-dix millions de personnes avant d'en toucher une : Chad Palmer.

Ellen regarda autour d'elle pour impliquer les autres dans son argumentation.

— L'un de ses charmes est qu'il est ouvert à la discussion... surtout quand elle sert ses intérêts. Quant à nos intérêts, considérez ce que vous gagnez en cas de victoire.

— Quoi, exactement ? demanda Kilcannon avec un sourire. Vous avez évoqué tant de perspectives éblouissantes que je ne m'en souviens plus.

Elle le fixa sans sourire.

— Vous gagnez Caroline, répondit-elle. Et c'est vous, pas Gage, qui dirigerez le pays.

— Tu te rappelles le conseil que tu m'as donné sur les jurés ? demanda le président à Clayton. Quand j'étais un avocat débutant ?

La réunion était terminée, les deux hommes se retrouvaient seuls. Habitué au silence, Slade avait attendu que son ami se mette à penser à voix haute.

— Je t'ai dit beaucoup de choses, répondit-il. La moitié du temps, tu m'écoutais.

— Je t'ai *toujours* écouté. Tu m'as dit : « N'essaie pas d'être quelqu'un que tu n'es pas. » Et tu avais raison. La pire journée de ma campagne, c'est quand je me suis défilé pour le vote de la loi sur la protection de la vie. J'avais l'air d'un gosse pris à mentir.

Slade haussa les épaules.

— C'était nécessaire.

— D'accord. Mais ça a été aussi un moment où Gage m'a parfaitement compris. Parce que j'agissais comme il l'aurait fait à ma place, dit Kerry, se renversant en arrière. Et si je laisse tomber Caroline Masters, il comprendra aussi. Parce que c'est la décision qui rapporte.

« Ce n'est pas pour ça que les gens m'ont envoyé ici. Ils attendent de moi que je respecte mes engagements et que j'agisse selon mes convictions. Là, je fais peur à Macdonald Gage. Parce qu'il se demande ce qui me motive et l'impact que cela aura sur lui. Il ne veut peut-être pas d'une guerre totale avec un type aussi incompréhensible.

— Et s'il la veut ?

— Je le battrai peut-être. Sinon, je lui ferai payer le prix de sa victoire en laissant le pays le regarder de près.

— Le pays regardera tout le monde de près, prévint Clayton. Une candidature compromise est un aimant pour tous les chasseurs de scalps des médias. Ils fouilleront les poubelles, guetteront une fuite de la commission ou du FBI, répandront sur Internet les ordures dénichées par des enquêteurs privés, chercheront *n'importe quoi* dans le passé de Caroline…

— Ce qui mettra sa fille en danger, acheva Kerry pour lui. Et Palmer.

— Bien sûr. Il a déjà bloqué la «rumeur» selon laquelle Caroline a une fille. Ta «guerre totale» augmenterait terriblement le risque que Harshman parvienne à briser l'embargo de Palmer sur les dossiers ou qu'un mouvement de droite ne déterre lui-même cette histoire.

— Peut-être. Mais c'est le problème de Caroline. Et de Chad.

Slade le regarda avec surprise.

— Tu ne t'en soucies pas ?

— Pas tout à fait autant qu'eux. J'ai promis de la protéger et je l'ai fait. Mais Caroline a pris une «décision qui l'engage pour la vie», comme se plaît à dire Gage. Si elle m'y avait autorisé, je l'aurais rendue publique moi-même.

— C'était avant les audiences, rétorqua Clayton. Tu te rappelles la question de Harshman : «Que pouvez-vous comprendre aux familles si vous n'avez pas d'enfant ?» Ils diront qu'elle lui a menti.

— Qu'ils le disent, répondit Kilcannon avec un haussement d'épaules. Qu'ils reprennent les audiences. Tu l'as vue témoigner. Si un vieux bonze blanc comme Harshman lui cogne dessus pour ça, ce sera lui le perdant. Et l'entendre expliquer pourquoi elle n'a pas avorté d'une jeune femme talentueuse au cortex cérébral en parfait état constituerait un changement de sujet bienvenu.

Le regard de Clayton devint fixe.

— Et s'ils sautent tous, Gage aussi.

Kerry confirma d'un hochement de tête.

— C'est un peu comme jouer avec des allumettes. L'homme intelligent se tient à distance.

— Ça vaut aussi pour toi, répliqua Clayton. Dis-moi que tu ne feras pas ça.

— Je ne sais pas encore. Mais je le saurai demain. C'est le délai dont je dispose.

Slade secoua lentement la tête.

— Ton instinct a toujours été bon, Kerry, d'une façon qui m'étonne encore. Mais là, je m'inquiète. Pour *toi*. C'est vraiment jouer au premier qui se dégonfle, et c'est risqué pour un président. Surtout un président qui vient d'être élu.

— Ce président veut être président, répondit Kerry d'un ton calme. Macdonald Gage ou pas, j'ai choisi Masters comme présidente de la Cour suprême.

— Tu peux revenir sur ton choix, s'obstina Clayton. Comme tous les présidents avant toi. Qu'est-ce que je peux dire pour te dissuader ?

Kilcannon sentit soudain le poids de sa décision, la chaleur de la loyauté de Clayton.

— Tu as déjà tout dit, assura-t-il à son ami. Ne crois pas que je n'y réfléchirai pas.

Après un silence, Clayton répondit :

— En réfléchissant, pense à Lara.

3

— Il n'y a que vous qui puissiez arrêter ça, dit Sarah.

Dans l'espace exigu du bureau de Tierney, elle faisait face au professeur et à sa femme. Bien que le campus de l'université de San Francisco fût vaste et bordé d'arbres, cette pièce lui apparaissait comme une prison ne laissant aucune issue à la tension qui existait entre eux.

— En ne faisant pas appel ? fit Tierney à voix basse.

— Oui. Dans trente-six heures, la suspension expirera, répondit Sarah, baissant le ton elle aussi. Vous avez été fidèle à vos convictions, Martin. Mais cela n'a pas suffi.

Derrière sa table de travail en bois brut, Tierney joignit l'extrémité de ses doigts. Assise à côté de Sarah, Margaret Tierney fixait le sol dallé. Cette proximité embarrassait la jeune femme mais tous les autres lieux possibles — la maison des Tierney, l'appartement de Sarah, les bureaux de Kenyon & Walker — étaient assiégés par les médias et les manifestants d'Engagement chrétien. Le verdict de Caroline semblait avoir déclenché des forces qui les dépassaient tous.

— Ce n'est pas si simple, dit Tierney. Même si nous nous retirons, le ministère de la Justice voudra porter l'affaire devant la Cour suprême. Il s'agit d'une loi votée par le Congrès, et le gouvernement a le devoir de la défendre, quelles que soient les intentions du président.

Sarah se tourna vers Margaret Tierney, qui observait maintenant son mari.

— Il y a une autre solution, avança l'avocate. Si pénible soit-elle.

— Consentir à un avortement ? fit Tierney, posant sur elle son regard de spectre.

— Oui. L'affaire deviendrait alors de pure forme : le gouvernement n'aurait plus rien à empêcher.

S'adressant à Margaret Tierney, Sarah poursuivit :

— Cette histoire a déjà marqué votre fille pour la vie. Elle se retrouve maintenant prise dans les enjeux d'une candidature à la Cour suprême. Ou Caroline Masters se retirera à cause d'elle, ou le président décidera de se battre, et ce sera une pagaille monstre...

— Le sort du président ou de la juge Masters ne nous concerne pas, coupa sèchement Tierney.

Margaret continuait à le fixer avec dans le regard ce que Sarah espérait être une prière.

— Celui de Mary Ann, si, répliqua Sarah. Si vous ne les arrêtez pas, votre fille ne retrouvera jamais une vie tranquille. Elle sera une sorte de Patty Hearst puissance dix : dans vingt ans, un torchon publiera sa photo en première page avec une légende du genre : "La fille qui a changé l'histoire de la Cour suprême. Que fait-elle, maintenant ?"

« Ce qu'elle fait ? Elle attend. Que je rentre chez moi, où elle vit à présent. Elle attend que vous lui disiez que vous l'aimez, que vous lui pardonnez et que vous espérez son pardon. Que vous la laisserez se protéger comme elle l'entend.

Margaret Tierney fit alors passer son regard de son mari à l'avocate et demanda d'une voix tremblante :

— Comment est-elle ?

Sarah chercha la réponse la plus honnête.

— Elle a peur. Elle est traumatisée. Elle espère contre tout espoir que vous changerez d'avis. Une partie d'elle-même pense encore à ce que vous formiez tous les trois avant qu'elle ne tombe enceinte et voudrait retourner en arrière. Parfois, en s'éveillant, elle croit être redevenue cette fille et puis elle se rappelle qu'elle ne pourra jamais revenir en arrière. Je sais que vous l'aimez, mais vous n'imaginez pas comme vous l'avez fait souffrir.

— Si, un peu, répondit tristement Margaret. Nous sommes les

parents qui lui ont refusé la contraception et je suis la mère qui ne lui a jamais parlé de sexualité. Ce qui, malheureusement, n'est pas vrai...

Etonnée, Sarah ravala une question.

— Je ne me suis pas contentée de lui recommander de dire simplement non aux garçons, loin de là, poursuivit Margaret. Je suppose qu'elle préfère l'oublier, cela se comprend. Et qui croirait une mère prête à léguer à sa fille la malédiction de sa stérilité ?

Elle ferma brièvement les yeux, comme pour en chasser des larmes, continua :

— Nous sommes les adultes, elle est l'enfant. Une enfant que j'aime et pour qui je souffre plus que vous, ou la juge Masters, ne le saurez jamais.

La mort dans l'âme, Sarah entrevoyait la désintégration possible d'une famille, et peut-être d'un couple.

— Si vous l'aimez, ne laissez pas vos convictions prendre le pas sur cet amour, je vous en conjure. Il suffit que l'un de vous consente et que l'autre pardonne.

Les lèvres de Margaret s'entrouvrirent.

— Il est dur de suivre ses convictions, dit-elle. Les trahir est encore plus douloureux. Je ne veux pas de cette souffrance pour Mary Ann.

La sonnerie du téléphone fit sursauter Sarah, brisa son lien silencieux avec Margaret. Martin Tierney fixa l'appareil d'un regard indécis, finit par décrocher.

— Oui ?

Il écouta un moment, parut s'effondrer sur son siège.

— Je suis désolé, je ne peux pas vous parler maintenant. Nous sommes en train de discuter avec Mlle Dash.

Sarah entendit une voix inquiète s'élever à l'autre bout du fil, métallique et indéchiffrable. Le combiné collé à l'oreille, Tierney écouta un moment son interlocuteur avec une détresse visible puis l'interrompit :

— Barry, je vous rappelle plus tard... Oui. Bientôt.

Sans attendre de réponse, il raccrocha.

Le front plissé de tension, Margaret Tierney le regardait.

— Ils ne vous laisseront jamais en paix, leur prédit Sarah. Ils vous harcèleront jusqu'à ce que votre famille soit détruite. Ou que l'un de vous mette fin à cette souffrance.

— Mette fin à la vie de notre petit-fils, vous voulez dire, répondit Tierney. De tous les acteurs de ce malheureux drame, nous sommes les seuls à essayer de les sauver tous les deux, elle et lui.

Il secoua la tête comme pour la vider de ses pensées.

— Nous avons besoin d'être seuls, Sarah, conclut-il.

L'avocate se tourna vers Margaret pour une supplique muette. Un instant, la douleur gravée dans le visage fané donna quelque espoir à Sarah, puis la mère de Mary Ann détourna les yeux.

— S'il vous plaît, murmura-t-elle.

Sarah partit sans un mot.

4

Allongé sur le lit, Kerry entendait l'eau couler dans la salle de bains. Lara qui se douchait. Sur l'écran du poste de télévision, Caroline Masters lui renvoyait son regard.

Engagement chrétien avait choisi des photos prises à l'audience et en avait accentué le grain, en noir et blanc, pour donner à la juge un air autoritaire et distant. Le texte du spot de trente secondes était abrupt : «Quatre-vingt-dix pour cent des Américains sont contre la technique barbare appelée "avortement par naissance partielle", disait la voix féminine. Cette femme est pour. Téléphonez au président Kilcannon pour lui dire qu'une juge qui soutient l'infanticide n'est pas digne de présider notre plus haute cour.»

Kerry se rendit compte qu'Engagement chrétien avait dû monter ce clip avant que le verdict ne soit communiqué à la presse, sans doute grâce à une fuite provenant du tribunal même. Le mouvement voulait maintenant s'assurer que le président abandonnerait Caroline Masters : selon Clayton, le spot passait toutes les heures sur NBC — l'employeur de Lara — et les trois principales chaînes câblées d'information.

Contrarié, Kerry empoigna le téléphone de sa table de chevet, appuya sur le bouton «Bis». Après trois sonneries, la voix d'Allie Palmer récita le message qu'il avait fini par apprendre par cœur ce soir : «Vous êtes bien en communication avec la résidence des Palmer...»

Quand le message s'acheva, il déclara simplement :

— Chad, c'est encore Kerry. Vous connaissez le numéro, rappelez-moi à n'importe quelle heure.

Lorsqu'il raccrocha, l'image sur l'écran du poste avait changé. Un reportage en direct de CNN montrait une manifestation aux chandelles devant le Lincoln Memorial. La caméra se braqua sur le slogan d'une pancarte écrit à la main : «Lincoln a libéré les esclaves, libérons les enfants à naître.» Composant un tableau quasi religieux, les manifestants se pressaient tels des communiants devant le monument : assis derrière des piliers blancs, un Lincoln grave et massif, auquel les flammes des bougies donnaient des reflets bronze.

Kerry savait que ses ennemis ne laisseraient rien au hasard et qu'ils utiliseraient toutes les armes qu'ils découvriraient. Il n'avait pas choisi cette bataille : c'était le dernier terrain — et le pire, selon Clayton — sur lequel jouer sa présidence. Cette considération avait été au centre des réunions tendues et parfois houleuses de la journée. Et pourtant il pensait maintenant à ces autres personnes dont il avait parlé comme de simples pièces d'échecs : Caroline Masters, qui avait décidé de faire face à un problème qui pouvait ruiner ses ambitions. Sa fille, dont la vie risquait par voie de conséquence de connaître de cruels changements. Chad Palmer, qui, par sens de l'honneur et par intérêt, avait manœuvré pour leur éviter ce sort et qui risquait maintenant de se mettre à dos ceux qui étaient déterminés à abattre Kerry. Et Lara, qu'il craignait de perdre plus qu'il ne craignait la défaite.

Il y en avait d'autres : Mary Ann Tierney, que Caroline Masters avait sauvée pour le moment, et toutes ces jeunes filles anonymes perdues, maltraitées, violées. Enfant, il avait été traumatisé en voyant le nez cassé et sanglant de sa mère, en l'entendant pleurer dans la chambre. Il savait que cette scène avait été déterminante pour l'homme qu'il était devenu : il ne serait jamais comme Macdonald Gage, qui pensait que sa réussite était le reflet de mérites dont les autres pouvaient s'inspirer s'ils le souhaitaient

Caroline Masters ne le serait jamais non plus.

Elle l'avait prouvé par ses décisions en faveur du détenu brutalisé, et maintenant de Mary Ann Tierney. Kerry voulait laisser derrière lui une Cour suprême qui saurait que la loi sans compassion mène à l'injustice. Pour cela, il n'aurait pu mieux choisir que Caroline. S'il décidait finalement de se battre, ce serait pour cette raison.

Il se connaissait : il pouvait être aussi impitoyable que Gage. Mais il avait besoin d'une cause dépassant le pouvoir, de croire qu'il améliorait l'avenir de ceux qui comptaient sur lui, d'un pays qu'il aimait passionnément et dont les idéaux avaient contribué à forger le fils d'immigrants qu'il était.

Devant lui, les flammes des bougies vacillaient autour du monument, image électronique d'une réalité distante de moins de quinze cents mètres. S'il allait à la fenêtre, il pourrait presque la voir. Au lieu de quoi, il fixait l'écran en s'interrogeant sur son avenir.

Demain matin, il saurait, et le pays saurait aussi.

La porte de la salle de bains s'ouvrit. L'ombre d'une femme traversa la pièce, s'arrêta devant le poste dont la lueur éclaira un corps nu.

Lara enregistra l'image puis se tourna vers Kerry.

— J'éteins ou je laisse? s'enquit-elle d'un ton léger.

Il sourit dans l'obscurité.

— Tu éteins.

Elle s'approcha du lit, souleva le drap frais, se glissa contre Kerry, effleura sa poitrine de la pointe de ses seins. Il ferma les yeux. Jusqu'au soir où ils étaient devenus amants — événement si étonnant et qui semblait pourtant inéluctable à présent —, il avait oublié qu'il était possible d'aimer autant. Doucement, elle lui embrassa le cou, promena son haleine chaude sur sa peau.

— Qu'est-ce que tu vas faire? lui demanda-t-elle.

— Maintenant? Je vais simplement être avec toi.

— Jusqu'à ce que Chad rappelle.

— Tout est affaire de timing.

De son bras libre, il repoussa les couvertures, pressa sa bouche contre celle de Lara, écarta les lèvres, entama une lente descente vers sa gorge, ses seins, son ventre...

— Désolé, Chad, l'entendit-il murmurer. Il est occupé.

Après l'amour, ils restèrent étendus sur le lit, le corps de Lara en travers du sien. Chauds et moites, ils ne dirent rien pendant plusieurs minutes puis elle reposa sa question :

— Qu'est-ce que tu vas faire?

— Je ne sais pas encore, répondit-il en regardant le plafond d'un œil pensif. Cela dépendra beaucoup de Chad.

— Et de moi?

C'était cette conversation, pourtant nécessaire, que Kerry appréhendait. Le fait que leur secret pouvait détruire la carrière de Kerry la remplissait d'inquiétude et de ressentiment, mélange explosif qui risquait de mettre fin à leur couple. Silencieux, il songeait à la complexité de l'amour, dans lequel l'abnégation est inséparable de l'égoïsme. Il avait peur pour Lara et il avait peur de la perdre.

— La dernière fois que nous en avons discuté, nous marchions vers le monument de Lincoln, répondit-il. Si je me souviens bien, ça ne s'est pas très bien passé.

— Tu veux dire que je me suis conduite comme une garce, fit-elle avec une pointe d'humour.

— Ce n'est pas le souvenir que j'en ai gardé. Je crois me rappeler que tu m'as dit d'oublier tout ça, pour de bon. Et, au sujet de Masters, de faire comme je voudrais.

Gardant un ton ironique, elle repartit :

— Et ça n'était pas suffisamment clair ?

Contemplant toujours le plafond, il eut une longue expiration.

— Depuis, Caroline a changé les données du problème. Maintenant, elle joue son ascension ou sa chute sur la question de l'avortement...

— Alors, ce soir, tu as une vision : je passe au *Today Show* et je parle de ma robe de mariée. Jalouse de ma jeunesse et de ma beauté, Katie Couric me demande si j'ai avorté d'un enfant du président quand il était sénateur et marié et que je travaillais pour le *Times*. Et le mieux que je puisse répondre — du moins sincèrement —, c'est : « Kerry ne voulait pas que je le fasse. »

— Si ce n'est pas Katie, un autre journaliste, dit-il. Ils sont passés tout près pendant la campagne. Et Gage et Engagement chrétien jouent pour gagner.

— D'une pierre trois coups. Ils font tomber Masters, toi et les « médias libéraux ». A travers moi.

— Oui, acquiesça Kerry de mauvaise grâce. Quelque chose comme ça.

— A défaut de cette catastrophe, reprit Lara, tu auras les pro-vie organisant des manifestations et des conférences de presse, squattant les débats des émissions de radio et de télévision. Tu auras un déferlement de propagande anti-Masters, une vague de protestation sur Internet, des déclarations de tous les évêques et archevêques dénonçant le verdict des juges dans l'affaire Tierney et t'accusant, implicitement, d'être un mauvais catholique. Et le prochain spot sur la « naissance partielle » sera encore plus sanguinolent. Sans compter que Gage pourrait découvrir que Caroline a une fille...

Lara se tut, reprit d'un ton plus calme :

— Bien sûr, Clayton t'a déjà dit tout ça. Et toi, comme je te connais, tu as répondu que tu étais prêt à l'endurer. La seule chose qui te retient, c'est Chad. Et *moi*.

Le résumé était si mordant que Kerry eut un rire sans joie.

— Tu veux mon avis, je présume, acheva-t-elle. Que j'aie envie de le donner ou pas.

Il resta silencieux : inutile de répondre.

— La première fois que nous avons parlé de Caroline Masters, je t'ai dit qu'elle me faisait l'impression d'être une wasp arrogante, rappela Lara. En fait, je t'accusais d'être attiré par Caroline parce qu'elle avait eu son bébé, elle. Je ne la connaissais absolument pas, bien sûr, mais pourquoi me gêner pour si peu ? Et je me suis effectivement conduite comme une garce. Alors, maintenant, je m'excuse.

— Pourquoi ?

— Parce que Caroline est vraiment quelqu'un de bien. Parce qu'elle a posé sa tête sur le billot pour sauver une adolescente. Que crois-tu que j'éprouverai, Kerry, si tu l'abandonnes à cause de moi ? Et que deviendra notre couple ?

Elle appuya son front contre celui de Kerry, poursuivit :

— Je t'aime plus que je ne saurais le dire. Mais je ne peux pas vivre avec le poids de cette responsabilité. Si tu décides que tu ne peux pas la soutenir, que ce soit à cause des risques que cela te ferait courir à *toi*. Pas à moi.

Il plia les doigts, lui caressa la joue.

— Et nous ?

— La perspective de devenir la première dame du pays m'a inquiétée, peut-être trop. J'ai dit l'année dernière quelque chose que j'ai besoin de te répéter maintenant, fit-elle, pressant la main de Kerry contre son visage. Si le pire arrive, je saurai garder la tête droite, si tu le peux aussi. C'était mon choix, après tout.

Il n'y avait rien qu'il pût dire, ou faire, excepté la serrer contre lui.

— Tu devrais rappeler Chad, dit-elle enfin. Il se fait tard.

5

Etendu près d'Allie, Chad Palmer refusait de répondre aux injonctions du téléphone.

— Je ne veux parler à personne, décréta-t-il. A moins que ce ne soit Kerry, pour m'annoncer qu'il a poussé Masters du haut d'un pont.

La lampe de chevet d'Allie était allumée : ni lui ni elle n'arrivait à dormir.

— C'est vraiment si mauvais ?

Il acquiesça de la tête.

— Sauf si Kerry capitule. Gage veut que je rouvre les audiences, que je les transforme en pièce édifiante sur l'avortement par naissance partielle, avec Masters dans le rôle de la tueuse de bébés.

Appuyée sur un coude, Allie le regardait de ses yeux pailletés de vert exprimant l'angoisse d'une épouse et d'une mère confrontée à des forces qui la dépassaient.

— Alors, il y aura d'autres audiences ?

— Pas si je peux l'empêcher. Ce serait un cauchemar. J'ai déjà pris beaucoup de risques la dernière fois en interdisant l'accès à nos dossiers aux enquêteurs trop zélés qui voulaient fouiner dans la vie de Masters.

Le ton de Chad devint sardonique quand il ajouta :

— Au moins, ce secret-là aurait révélé des rapports sexuels avec un homme. La dernière trouvaille de Harshman, c'est que Masters et Sarah Dash couchent ensemble, et que le verdict en faveur de Mary Ann relève du crime passionnel. Imagine le genre d'interrogatoire auquel ça peut donner lieu sur les chaînes nationales.

Allie plissa les lèvres de dégoût.

— Mais tu es le président de la commission. Tu ne peux pas l'empêcher de poser ces questions ? Ou tout au moins d'enquêter sur Masters ?

— Pas avec Gage pour l'y inciter. J'ai dit à Vic Coletti que le président devrait retirer la candidature de Masters. Pas seulement pour éviter une défaite, mais aussi pour leur épargner une humiliation, à lui et à elle.

— Vic est d'accord ?

— Je l'espère. En tout cas, il voit certainement pourquoi moi, je ne veux pas d'autres audiences. Si nous recommençons, nous devrons renvoyer Masters devant tous les sénateurs avec avis positif ou négatif, ou pas d'avis du tout. A moins que je n'essaie de faire capoter la candidature en commission, sans même la soumettre à l'ensemble du Sénat. C'est peut-être ce que Gage attend de moi, finalement. De cette façon, c'est moi qui aurai du sang sur les mains, pas lui.

«Les mouvements favorables au libre choix l'ont compris et veulent que je m'y oppose. Toute la journée, ils m'ont seriné la même rengaine, on aurait dit un message enregistré : Gage est un larbin de droite, moi pas, alors je dois le contraindre à révéler lui-même son antiféminisme. Certaines républicaines pour le libre choix ont même laissé entendre qu'elles soutiendraient ma candidature à la présidence. Comme si faire de moi leur porte-drapeau n'était pas exactement ce que cherche Gage.

— Et les pro-vie ?

— Encore pire, dit-il. Eux, ils veulent savoir pourquoi j'ai soutenu une activiste judiciaire ennemie de la famille, et ils veulent *me faire savoir* que je ne serai jamais président si elle accède à la Cour suprême. Au cas où je n'aurais pas bien saisi, Barry Saunders m'a envoyé des lis noirs. La seule question que je me pose, c'est à quelle mort il pensait : celle du bébé de Mary Ann Tierney ou la mienne.

Allie lui prit la main.

— Ces types m'ont toujours donné la chair de poule, Chad. Maintenant, ils me terrorisent.

Il baissa les yeux vers leurs mains jointes et sentit la complexité de ce qui les unissait, cette peur jamais avouée.

— A juste titre, murmura-t-il. Ils utiliseront tout ce qu'ils trouveront, sur tous ceux qui se mettent en travers de leur route. Ils ne peuvent pas se permettre de perdre.

«Les médias le sentent aussi. Bob Novak m'a demandé si c'était vrai que j'essayais de doubler Gage et que je me dégonflais sur le droit à la vie. C'est Mac qui lui a soufflé sa question, sans aucun doute. Tony Lewis m'a appelé pour savoir si j'avais l'intention de combattre Engagement chrétien de front.

Allie lui pressa plus fortement la main.

— Ceux-là, je peux m'en occuper, la rassura-t-il. Ce sont les remueurs de boue qui peuvent nous faire du mal.

Involontairement, Allie jeta un coup d'œil à la photo de Kyle.

— Tes amis voient une solution ?

— Ils se concentrent uniquement sur les aspects politiques, bien sûr. Tom Ballinger pense que la droite chrétienne perd du terrain et que, de toute façon, rien de ce que je pourrais faire ne la satisferait. Mais Kate Jarman affirme que je ne serai jamais candidat si je n'aide pas Engagement à descendre Masters. Elle m'a posé une question acerbe : qu'est-ce que je deviens si la jeune Tierney avorte et que le fœtus a un cortex cérébral ?

Allie parut sidérée.

— Ils parviendraient à le savoir ?

— Engagement essaierait, en tout cas. Je vois déjà le spot qu'il lancerait contre moi aux primaires : un beau bébé avec un grand X en travers du visage.

Tiraillée entre espoir et doute, Allie argua :

— Kerry ne courra pas ce risque.

Chad secoua la tête.

— N'en sois pas si sûre. Suppose que le fœtus soit monstrueux, au contraire. Nous aurons attaqué une femme qui cherchait à protéger une adolescente, et Kerry nous tombera dessus sans une once de pitié.

«Je le connais : il a déjà envisagé cette hypothèse. La situation n'est pas brillante pour Masters en ce moment, mais Kerry a de la ressource, le saligaud. Personne sur la scène politique américaine n'est capable de déchaîner les Furies comme lui. Et il ne sait pas ce que cela entraînerait pour toi et moi.

Apeurée, Allie demanda :

— Tu peux empêcher ça?

— Le meilleur moyen serait de m'opposer à Masters puis de convaincre Gage de faire voter directement tout le Sénat plutôt que de renvoyer la candidature à la commission. Cela enterrerait peut-être l'affaire avant qu'il n'y ait trop de dégâts. Mac pourrait voir l'avantage d'une exécution sommaire : s'il fait traîner les choses trop longtemps, il risque de se retrouver avec un bébé sans cerveau au lieu d'un Matthew Brown.

Allie lui lança un regard aigu.

— Je sais, fit-il d'un ton conciliant. Nous espérons tous les deux, pour le bien de cette fille, que son bébé est vraiment condamné. Mais, quel que soit son état, ce ne sera pas uniquement la tragédie personnelle de Mary Ann, ce sera l'explosion d'une mine qui projettera des éclats dans tous les coins. Tout ce que je peux faire, c'est tenter de nous mettre à l'abri.

L'expression d'Allie se radoucit.

— Excuse-moi, Chad, dit-elle en lui touchant le visage. Tu savais que cela pourrait te retomber dessus un jour et tu as quand même fait passer notre fille avant.

Le moment restait gravé dans la mémoire de Palmer : le garçon nu qui traversait en trébuchant la pelouse obscure; Kyle, nue elle aussi, tremblante de peur et de rage, l'haleine empestant le vin.

— Sale con, lança-t-elle à son père d'une voix pâteuse. Je l'aime.

— Kyle, tu es ivre. Habille-toi.

Entendant un bruit derrière lui, Chad se retourna. Sa femme les regardait du seuil de la porte d'entrée.

— Je les ai surpris sur le tapis, Eric et elle... parvint-il à expliquer.

— Tu m'as humiliée! hurla Kyle. Salaud!

— Tais-toi, lui ordonna-t-il, perdant son sang-froid sous l'effet de la colère. Je t'ai trouvée en train de baiser dans notre séjour comme une pute dans une ruelle, complètement soûle. C'est toi qui nous as humiliés. Ce garçon est une ordure…

Hystérique, Kyle saisit un vase sur la table basse. Au moment où elle ramenait le bras en arrière pour le jeter sur son père, Allie s'interposa.

— Arrêtez, exigea-t-elle. Tous les deux.

— Eric m'aime, glapit Kyle. C'est le seul qui m'aime.

— Il aime tout ce qui écarte les cuisses pour lui, rétorqua Chad. Et tu as été assez lamentable pour le faire.

Allie se tourna vers lui.

— Arrête, Chad, fit-elle d'une voix étranglée. Je te demande d'arrêter.

Il vit dans le regard de sa femme du désespoir, mais aussi la détermination instinctive d'une mère : elle réussirait à tout arranger si seulement elle parvenait à les arrêter maintenant. Les épaules de Chad s'affaissèrent.

— Monte et habille-toi, dit-elle à sa fille. Je viendrai te parler.

Kyle fixait ses parents, indécise, partagée entre la honte et la fureur.

— Monte, répéta Allie.

Lentement, la jeune fille se tourna, gravit les premières marches de l'escalier en s'agrippant à la rampe. Après quelques pas, elle s'immobilisa et cracha en direction de son père :

— Tu as tout gâché.

Allie saisit le bras de Chad ; Kyle continua à monter.

Allie alluma une lampe, découvrit les vêtements d'Eric sur le tapis.

— Tu l'as jeté dehors complètement nu, fit-elle d'un ton incrédule.

— Je ne crois pas que ses parents téléphoneront pour se plaindre, répliqua-t-il.

— Et Kyle ?

— Quoi, Kyle ?

Il ressentit de nouveau toutes les souffrances que sa fille leur avait causées — les mensonges, la drogue, l'égocentrisme — et fut traversé du désir viscéral qu'elle n'ait jamais vu le jour.

— Regarde ce qu'elle a fait. Ce qu'elle nous fait. Elle est devenue une bouche d'égout et nous entraîne tous les deux dans son cloaque.

Allie l'empoigna par les épaules.

— *Arrête*, lui assena-t-elle durement. Ne dis plus rien.

Au bout d'un moment, elle reprit d'un ton plus calme :

— C'est notre fille. C'est notre fille et nous devons trouver une solution.

Chad regarda le visage hagard de sa femme, se sentit envahi par une terrible fatigue.

— Quelle solution ? Un nouveau psy ? Ou toujours cette patience incessante, impuissante ? Nous sommes des assistantes sociales, pas des parents, et Kyle n'est responsable de rien.

— Je ne sais pas, répondit Allie, s'efforçant de maîtriser sa voix. Tout ce que je sais, c'est que je m'absente trois heures et que, à mon retour, je trouve une situation plus catastrophique que si tu n'avais pas été là. Qu'est-ce que tu fais ici, d'ailleurs ? Je te croyais à Washington.

— Je voulais te faire une surprise.

— C'est réussi, Chad, dit-elle en fermant les yeux. Maintenant tu peux repartir.

Il tressaillit : c'était trop injuste. Depuis qu'il était revenu de captivité, il se sentait coupé de sa famille, il avait l'impression d'être superflu.

— Si c'est notre fille, je suis son père, argua-t-il. Tu ne peux pas me renvoyer comme ça. C'est ce que tu veux ?

— Non, ce n'est pas ce que je veux, répondit-elle en rouvrant les yeux. Je veux simplement du temps pour arranger les choses, avant que vous ne vous fassiez plus de mal encore, tous les deux. S'il te plaît.

Chad était parti le lendemain matin. Quand il avait revu sa fille, elle était enceinte.

Kyle était assise à la table de la cuisine. Il se pencha pour l'embrasser sur le front ; elle ne releva pas la tête, ne dit pas un mot. Il se tourna vers Allie, qui indiqua la véranda d'un mouvement du menton. Il la suivit.

Après avoir fermé les portes en verre, ils s'installèrent sur le sofa. La matinée de printemps resplendissait. A travers la baie vitrée, Chad vit deux écureuils sautiller sur la branche d'un chêne. Une corde effilochée pendait encore à l'endroit où se trouvait autrefois la balançoire de Kyle. Il se rappela ses cris de plaisir enfantin lorsqu'il la poussait.

— Et maintenant ? murmura-t-il. Qu'est-ce qu'on fait ?

— Nous la faisons avorter, répondit Allie. Pour commencer.

— Je ne suis pas favorable à l'avortement...

— Ça, c'est de la politique. Il s'agit de Kyle.

— Ce n'est pas seulement de la politique. Je crois qu'un fœtus est une vie, même si le père représente un cul-de-sac du point de vue de l'évolution. Où il est passé, à propos, ce brave Eric ? Il a trouvé des vêtements ? Il a trouvé le courage de se montrer ? Ou il la laisse se débrouiller seule ?

— Il l'a laissée tomber, comme tu l'avais prédit. Kyle est effondrée.

— Elle me rend responsable de tout, je suppose.

Allie le regarda sans répondre.

— Quoi qu'elle pense de moi, il ne s'agit pas de se faire enlever une verrue, poursuivit-il. S'il y a une chose que j'ai apprise en prison, c'est que la vie est précieuse et que nous devons réfléchir longuement avant de nous accorder le droit de la supprimer.

« Je souffre autant que toi pour Kyle. Mais le problème est de savoir quelle valeur nous donnons à la vie et de quelle façon nous assumons la responsabilité de nos actes. La solution n'est pas dans ce que je considère comme le meurtre d'une victime innocente de l'erreur de Kyle. Elle aussi a été un fœtus, je te le rappelle.

— Elle était aussi désirée, répondit Allie.

Son ton, légèrement accusateur, la dispensa d'ajouter : du moins, à ce moment-là.

— Je ne cherche pas à la punir, crois-moi, dit-il en lui prenant la main. Mais soit nous nous occupons de cet enfant, soit nous trouvons quelqu'un qui le fera. Dieu sait qu'il ne manque pas de couples désespérés qui essaient vainement depuis des années de faire ce qu'Eric et elle ont réussi en quelques minutes. S'il doit sortir un peu de bien de tout ce gâchis, ce sera à travers l'adoption. Un avortement ne serait qu'un acte irresponsable de plus dont nous serions complices. Ce ne serait bien pour aucun de nous, je crois.

Allie se mordit la lèvre.

— Non, Chad. Quoi que tu ressentes, ce serait la meilleure solution pour notre fille. Si je la croyais capable de supporter une grossesse et un accouchement, nous pourrions envisager l'adoption. Mais elle est déjà au bord de l'abîme...

— Elle passe avant toute autre considération ?

— Pour moi, oui. Je l'aime, Chad. Elle est venue à cette décision après avoir discuté des heures avec moi... et avec le Dr Blevins. Blevins craint que la forcer à avoir cet enfant creuse entre nous un fossé que nous ne parviendrons jamais à combler. Je ne veux pas courir ce risque. Ni pour elle, ni pour nous.

— Blevins pense peut-être que traiter un fœtus comme une verrue est bon pour le développement moral de Kyle, et de l'humanité en général. Je ne suis pas de cet avis.

— Je le sais, répliqua Allie, carrant les épaules. Mais nous sommes une famille, pas les participants à une réunion d'Engagement chrétien, et personne ne soutient qu'avorter est aussi simple que se faire enlever une verrue. Si c'est ce qu'elle veut et ce dont elle a besoin, si en tant que mère je pense que c'est la meilleure solution...

— Une fois de plus, je suis de trop. Mon noble rôle de père consiste à rester à l'écart.

— Ce n'est pas ce que je dis.

— Allie, n'ergotons pas, venons-en à ce que tu as l'intention de faire.

— Il y a une loi sur l'autorisation parentale. J'ai l'intention de soutenir notre fille et de te protéger. De signer le formulaire...

— Sans tenir compte de ce que je pense.

— Il suffit d'un parent. Le Dr Jacobs était mon amie au lycée, elle comprend parfaitement la situation. Tout restera confidentiel.

— Tu crois que c'est ça qui me préoccupe ?

— Non. Mais ce ne serait pas juste que tu paies pour une décision que je prends seule. J'accepte que tu sois d'un avis différent...

— Trop aimable, rétorqua Chad. Si cela venait à se savoir, d'autres se montreraient moins enclins à m'absoudre. Mais, je te le répète, c'est le dernier de mes soucis.

Allie se leva en posant les mains sur les bras de son mari.

— Pas pour moi. Je sais que tu souffres, je sais qu'elle souffre. Je veux vous épargner toute souffrance, à toi comme à elle.

Il secoua la tête.

— Ton amie aura beau cacher le formulaire dans ses fichiers, ça n'empêchera pas Eric de parler. Comme je le connais, il est probablement fier de son acte. D'autant qu'il n'en portera absolument pas la responsabilité.

Allie baissa la tête.

— Tu as raison, je suis désolée. Rien n'est sûr. Rien ne garantit que l'avortement est la meilleure solution pour Kyle. Tout ce que je peux faire, c'est l'écouter, me forger une opinion du mieux que je peux, et prier pour que ce soit ce qu'il faut faire.

Il sentit le fardeau qui accablait sa femme et murmura :

— Je suis désolé, moi aussi.

— Alors, fais quelque chose pour moi. Dis à Kyle que tu l'aimes encore. Je t'en prie. Tu ne le crois peut-être pas, mais ce serait pour elle plus important que tout ce que je peux dire. Ou faire.

Il la regarda longuement.

— Il y a quelque chose que je veux de toi, dit-il enfin. C'est lié à toute cette histoire. Au fait que je suis devenu une sorte d'intrus et que je ne sais pas comment me conduire avec elle.

— Qu'est-ce que c'est?

— Je veux que vous veniez vivre à Washington. Toutes les deux.

Elle ne cacha pas sa surprise.

— Pourquoi?

— Ce serait un nouveau départ pour Kyle... et pour nous. Tu dis que nous sommes une famille mais je suis un père de week-end. J'ai la responsabilité d'une famille mais je n'en fais pas partie. Et l'argument selon lequel il vaut mieux rester ici pour elle ne tient plus.

— C'est tout à fait nouveau pour moi, Chad...

— Pas pour moi. C'est ce que j'aurais dû faire après ma libération. Au lieu de quoi, j'ai recommencé comme avant, même si je ne voulais plus de la vie d'un mari itinérant. J'en ai assez de contribuer à ma propre inutilité.

Il lui toucha le visage, poursuivit :

— J'unirai mes efforts aux tiens, Allie. C'est ce que je veux. Mais tu devras m'accepter comme père, et pas seulement de nom.

Elle appuya le front contre la poitrine de Chad, prit une longue inspiration. Quand elle releva la tête, il y avait des larmes dans ses yeux.

— Alors, va la voir. Je t'en prie.

Il le fit.

Cela ne fut pas facile, cela ne le devint jamais.

Après l'avortement, Kyle eut de bons jours, d'autres où sa dépression semblait la ramener au bord du suicide. Allie la suivait de près : un nouveau thérapeute, une nouvelle école privée et, peu à peu, une ou deux amitiés qu'Allie entretenait avec soin. Lentement, l'humeur de Kyle s'éclaircit, sa présence dans la maison ressembla moins à une bombe à retardement.

Chad en éprouva un immense soulagement.

Kyle ne serait jamais aussi proche de lui qu'elle l'était d'Allie, mais ils étaient parvenus à une sorte de paix dans laquelle Chad, apprenant la patience, offrait à la famille une présence régulière. Ses efforts avaient dû être payants, pensait-il avec le recul. Allie continuait à s'angoisser à chaque sortie de Kyle et craignait que la malchance ne la replonge dans le désespoir, ou même ne lui coûte la vie. Mais s'ils survenaient encore, les accès d'ivrognerie de la jeune fille devinrent rares et la drogue disparut totalement de sa vie. Pour une raison ou une autre, le déménagement à Washington avait été utile.

Ils ne tenaient cependant rien pour acquis : bien que poussé à participer aux présidentielles, Chad avait refusé. Il estimait qu'il était encore trop tôt pour se séparer de nouveau de sa famille ou pour placer Kyle sous les projecteurs de l'actualité.

« Elle a compris ta décision, lui avait dit Allie. Maintenant elle sait que tu l'aimes. Avant, elle n'en était pas sûre. »

Dans sa propre vie aussi, Chad avait changé. Il restait pro-vie, conviction trop profondément enracinée en lui et trop nécessaire à sa survie d'homme politique républicain pour qu'il l'abandonne ; il l'exprimait toutefois moins : par sollicitude envers Kyle, par souci de son propre intérêt et aussi, dans une certaine mesure, à cause des questions que l'expérience de sa fille avait fait naître dans son esprit. Si bien qu'Engagement chrétien, à défaut de pouvoir lui reprocher ses votes, avait commencé à mettre en doute son zèle.

La surveillance exercée sur lui renforça une autre conviction à laquelle il avait toujours été attaché : la vie privée d'une personnalité publique ne regarde qu'elle. C'était cela, plus que les flatteries de Kerry Kilcannon, qui l'avait conduit à promettre de protéger Caroline Masters. Et le fait que Caroline avait agi comme il aurait voulu que Kyle le fasse, en gardant l'enfant, ne lui laissait pas vraiment le choix.

« Les choses qui comptent le plus transcendent la politique », avait-il fait remarquer à Allie.

Mais Masters se trouvait maintenant au centre d'un maelström et il devait l'en sortir.

— Notre fille s'est fait avorter, cela fait de moi un parfait hypocrite, dit-il à Allie. Pour les militants pour le libre choix parce que je continue à défendre la vie ; pour les pro-vie parce que j'ai consenti ; pour tout le monde parce que j'ai gardé le silence sur ce que j'ai pu apprendre. Dieu nous aide si Macdonald Gage le découvre. Je ne veux pas que Kyle soit la prochaine Mary Ann Tierney. Elle est trop fragile.

Allie lui pressa le poignet.

— Les dossiers sont confidentiels. Comment pourrait-il l'apprendre ?

— On peut les voler, on peut en révéler le contenu.

Voyant l'inquiétude de sa femme, il hésita à ajouter :

— Eric est toujours là. S'il juge le moment venu de raconter son histoire, nous ne pourrons rien faire.

— Et si tu démissionnais de la présidence de la commission ?

— Maintenant ? Ne pas me présenter aux présidentielles, c'était une chose, mais démissionner amènerait toute la meute à notre porte. Tout ce que je peux faire, c'est suivre docilement la position de mes collègues et espérer que nous serons bientôt débarrassés de Caroline Masters.

La main sur le poignet de Chad, Allie resta silencieuse.

— C'est vraiment dommage, pensa-t-il à voix haute. Je ne suis pas d'accord avec Masters mais j'ai beaucoup d'estime pour elle. Pour Kerry aussi. J'ai de plus en plus tendance à apprécier les gens qui ne sont pas du même avis que moi. Engagement chrétien m'a fait réfléchir : certains de ces fanatiques ne comprennent pas que la vie peut être complexe. Pour eux, on est bon ou mauvais.

Allie parvint à sourire.

— Tu es bon, Chad. Parce que tu es complexe.

Scrutant le visage de sa femme, il sentit la réalité les cerner.

— Plus sage, voilà ce que je suis. Tu cours en gardant les yeux fixés sur la carotte et puis quelque chose te force à voir l'égoïste et le paranoïaque que la politique a fait de toi. Hier, j'étais le tout-puissant président de la commission judiciaire du Sénat, au sommet de son art. Et maintenant...

Il laissa la phrase en suspens.

Sur la table de chevet, le téléphone sonna de nouveau.

6

— Je vous croyais mort, dit Kerry Kilcannon avec une pointe d'humour. Vous ne vous cachez pas si longtemps, d'habitude.

— J'étais occupé à répondre aux coups de fil des nouveaux admirateurs de Caroline Masters. Je présume que Coletti vous a fait part de ma position : vous devriez jeter l'éponge.

— Parce qu'elle a raison ?

— Elle n'a *pas* raison. Et, de toute façon, peu importe.

Kerry sentit la main de Lara se poser doucement sur son épaule.

— C'est important, Chad. Pour les femmes. Pour moi.

— Avec tout le respect que je vous dois, ce que vous pensez n'a plus la moindre importance. Ça va être une sale bagarre, et vous la perdrez, Masters et vous. A moins que vous ne fassiez machine arrière maintenant.

Kerry s'efforça de garder une voix calme :

— Avant le verdict sur l'affaire Tierney, Caroline était la plus qualifiée pour présider la Cour suprême. Elle l'est toujours. Vous me demandez de la laisser tomber à cause d'un simple vote...

— Un vote désastreux. Ne jouez pas au boy-scout, monsieur le président. Ne soyez pas mégalomane non plus. Il ne s'agit pas uniquement de vous et de ce que vous voulez, dit Chad d'un ton plus sec. Vous m'avez convaincu de la couvrir, mais pas de la sortir de ce bourbier.

— Vous revenez sur votre parole ? demanda Kerry.

Après un silence, Chad riposta :

— C'est vous qui me devez quelque chose, sur ce coup-là. Si vous vous obstinez, il risque d'y avoir des fuites, et ma situation sera encore plus compromise.

— Peut-être, mais je ne peux pas expliquer ça au pays... ou à Gage. Tout ce qu'ils verraient, c'est que j'ai laissé tomber la juge Masters.

— C'est le prix de l'honneur.

— L'honneur consiste à tenir ses engagements dans la tourmente. Vous préférez révéler vous-même l'existence de la fille ?

Palmer eut un rire dur, cynique.

— Vous savez bien que je ne peux pas : on se demanderait aussitôt depuis quand je suis au courant. Et je sais que cela ne vous déplairait pas trop que je m'en prenne à elle. Alors, arrêtez le pipeau, monsieur le président.

— Vous aussi, mon vieux. Votre parti perd des points chez les femmes et vous avez l'intention de vous présenter aux présidentielles. Vous ne pouvez pas devenir le symbole d'une croisade contre le libre choix. Pas si vous voulez prendre ma place.

— C'est ce que je veux, en effet. Et Gage aussi.

— Gage s'est vendu à l'extrême droite, qui est quasiment suicidaire, répondit Kilcannon avec mépris. Si vous voulez lui disputer les votes dans ce marécage, allez-y. Je serai réélu sans même faire campagne.

Il y eut un autre silence, plus court.

— Alors, qu'est-ce que vous avez l'intention de faire ? demanda Palmer, nullement impressionné.

Kerry avait conscience qu'ils se livraient une guerre des nerfs : si Chad décidait de s'opposer à Caroline avec la puissance considérable dont il disposait, il n'y aurait aucun moyen de la sauver, et peu d'intérêt à essayer.

— J'ai l'intention de maintenir sa candidature, répondit-il. Et de laisser les républicains définir leur position...

— Vous provoqueriez un séisme ? Comme ça, juste pour voir ? Je ne crois pas. Sinon vous n'auriez pas essayé de me joindre trois fois ce soir.

Kerry sentit sa poitrine se serrer. D'une voix calme, il répondit :

— Je veux gagner, Chad. Je veux Masters à la Cour suprême. Et je ferai tout ce qu'il faut pour ça.

Palmer était consterné. Si Kilcannon engageait une vraie guerre et ne se contentait pas d'un effort de pure forme, il serait impossible de limiter les dégâts.

— C'est de la folie, dit-il. Vous ne pouvez pas gagner.

— Oh, je gagnerai, assura le président. Mais la manière dépend de vous. Si vous ne mettez pas tout votre poids contre Masters, elle a une chance. Si vous le faites, vous serez comme Gage : un chien de la droite religieuse qui mord les mollets d'une femme compétente et courageuse.

Palmer tenta d'évaluer rapidement tout ce qu'il savait de Kilcannon mais la personnalité du président ne lui offrait aucune certitude. Kilcannon était un homme qui prenait des risques, qui ne craignait pas la controverse, et ses intuitions le plaçaient souvent à contre-courant. Il estimait peut-être nécessaire pour lui d'affronter directement Gage.

— Quel rôle je suis censé jouer exactement dans cette élucubration ? s'enquit Chad d'un ton dégagé.

— Celui de l'opposition loyale et modérée. Je ne vous demande pas de soutenir Masters. Mais, si vous vous opposez à elle, faites-le sans tapage, sans racoler les votes...

— Gage veut de nouvelles audiences, coupa-t-il.

— Très bien, fit Kilcannon avec une sérénité surprenante. Cela vous donne l'occasion de poser à l'homme d'Etat : le président d'une commission ne doit pas prendre la tête d'une meute de lyncheurs. Et Caroline aura la possibilité de se défendre...

— Ne dites pas de bêtises. Cela laisserait du temps aux fouineurs de toutes sortes et augmenterait le risque que l'existence de la fille soit découverte, ainsi que notre petit accord, répliqua Palmer, haussant le ton. Si c'est ce que vous voulez, je liquiderai Masters avant.

Kilcannon avait le front moite.

— De nouvelles audiences comporteraient un risque, admit-il, mais elles vous fourniraient une couverture et elles me donneraient du temps pour lancer une campagne de soutien en faveur de Caroline. Je ne suis pas sûr que ces audiences ne se retourneraient pas contre Gage.

— Réveillez-vous, rétorqua Chad. Gage pourrait me forcer à la démolir en commission. Sans qu'elle se présente devant l'ensemble du Sénat.

— Alors, que proposez-vous ?

— Laissez-la tomber.

— A part ça ?

Dans le silence qui suivit, Kerry sentit le caractère viscéral de leur affrontement.

— Vous me demandez de cacher l'existence de la fille, dit enfin Palmer. Vous me demandez de ne pas prendre la tête de l'opposition. Vous demandez beaucoup, franchement.

Kilcannon plissa les yeux, attendit la suite, mais Chad avait terminé.

— Et vous, qu'est-ce que vous voulez ?

A l'autre bout du fil, Palmer eut une longue expiration.

— Dites à vos troupes, en particulier au Sénat, de s'opposer à de nouvelles audiences. Puis mettez Gage au défi de régler la question par un vote, rapidement.

Kerry feignit de considérer la proposition.

— J'ai besoin de temps pour une campagne de soutien. Sinon, Caroline perdra et...

— Sinon je ferai tout pour vous battre et mériter les applaudissements de mon parti, l'interrompit Chad. C'est le prix à payer, monsieur le président. Pas de nouvelles audiences, un vote rapide. Ensuite, vous réglerez ça, Gage et vous.

Kilcannon hésita assez longtemps pour avoir l'air réticent puis acquiesça :

— D'accord.

Il roula sur le dos, poussa un soupir.

— Il t'a cru ? demanda Lara.

— Oui. S'il n'avait pas marché, j'aurais retiré la candidature de Caroline. Mais il n'a pas vu clair dans mon jeu. Attendons maintenant le résultat.

7

— Vous vous rappelez quand vous avez soutenu Dick Mason aux primaires ? demanda Kilcannon à Carl Barth.

A l'autre bout de la ligne, le responsable de la page «Idées» du *New York Times* resta un instant silencieux.

— Bien sûr, monsieur le président. J'ai écrit cet éditorial moi-même.

— Vous trouviez alors que je ne défendais pas le libre choix avec assez de vigueur. Maintenant que je défends Caroline Masters, j'aimerais avoir votre aide.

Barth hésita de nouveau, répondit :

— En fait, nous projetons un article sur la question.

— Il paraîtra quand ?

— Nous ne savons pas encore. Peut-être après-demain.

— Demain, ce serait beaucoup mieux. Si vous ne ripostez pas rapidement, Masters risque de perdre pied, argua Kerry en jetant un coup d'œil à ses notes. Dans une heure, Katherine Jones vous enverra un article réfutant les arguments d'Engagement chrétien selon lesquels l'avortement tardif est utilisé comme moyen contraceptif.

— Je m'occupe de le faire publier, promit Barth. Vous semblez prendre un intérêt actif à cette affaire, monsieur le président.

— Je n'ai pas l'intention de perdre, répondit Kilcannon avant de raccrocher.

Il regarda par la fenêtre à double cintre de sa salle de séjour privée : de l'autre côté de la vitre, la structure baroque du vieux bâtiment du bureau exécutif, éclairé par un soleil hivernal, ressemblait à un bloc de pain d'épice aux proportions monstrueuses. Il parcourut ensuite la liste de noms posée devant lui.

Elle comportait plusieurs colonnes : «Médias», avec en tête le *Times*, le *Washington Post* et CNN ; «Sénat», avec des membres de la commission de Chad et des républicains modérés qu'il devait dissuader de prendre le parti de Gage ; et «Groupes d'intérêts». Jetant un coup d'œil à son poste de télévision silencieux, il vit sur MSNBC le clip exécutant Caroline Masters. Rapidement, il chercha un nom dans la colonne «Groupes d'intérêts», posa le doigt sous le numéro de téléphone correspondant.

A Los Angeles, il n'était pas encore sept heures du matin. Après plusieurs sonneries, une voix répondit sur le ton pompeux —

quoique ensommeillé — d'un homme pour qui l'importance était une notion qui commençait et finissait avec lui-même.

— Bonjour, Robert, fit Kilcannon d'un ton enjoué. Trop tôt pour être en train de faire un procès à quelqu'un ?

Dans le silence qui suivit, il se représenta Robert Lenihan — avec sa tignasse blonde en désordre et son ventre de pigeon — prenant conscience que la voix qui venait de le tirer du sommeil était celle du président des Etats-Unis. Mais Kerry savait que ce moment de surprise ne durerait pas : Lenihan conclurait bientôt que cet appel n'était qu'une reconnaissance de plus de son statut incomparable parmi les avocats d'Amérique.

— Monsieur le président ?

— Lui-même. Je vous téléphone pour vous demander d'user de votre influence en faveur d'une juste cause. Voilà : il faudrait que, dans l'heure qui suit, vous rassembliez deux millions de dollars pour la réalisation d'une campagne de clips de soutien à Caroline Masters. Pour vous, Robert, il suffit d'un ou deux coups de fil. A moins que vous ne décidiez de signer le chèque vous-même.

— Deux millions ?

Sous l'étonnement, Kerry perçut le plaisir anticipé de Lenihan de compter le président parmi ses obligés.

— C'est beaucoup, objecta l'avocat.

— Pour des hommes de moindre envergure. Mais vous venez de gagner un demi-milliard en poursuivant les industriels du tabac, et vous espérez maintenant soutirer d'autres milliards aux fabricants d'armes. Villela-McNally monte en ce moment les clips à New York, il faut qu'ils soient diffusés à partir de demain matin.

— Cela ne laisse pas beaucoup de temps…

— Je n'ai pas beaucoup de temps. Engagement chrétien en est déjà à son deuxième jour de diffusion de spots et mon institut de sondage me dit qu'ils sont efficaces.

Il y eut un silence, dû, supposa Kerry, au fait qu'il n'avait pas suffisamment flatté l'ego de Lenihan. Mais le temps manquait, et s'adresser à cet homme en quémandeur était déjà désagréable en soi.

— Il faut que je réfléchisse, monsieur le président. Avant de présenter la candidature de Masters, vous ne m'avez pas consulté. Si vous l'aviez fait, j'aurais exprimé des réserves sur une femme qui a passé une grande partie de sa carrière d'avocate à défendre de grosses compagnies. Franchement, vous m'avez causé une vive inquiétude.

— Peu importe, répondit Kerry avec irritation. Vous voulez faire un procès aux fabricants d'armes, obtenir des indemnités. Mac Gage veut faire adopter une loi qui vous en empêchera et il détient la majorité au Sénat.

— Vous pouvez opposer votre veto, monsieur le président.

— Oui, c'est ce que prévoit la Constitution. Alors, sans une Cour suprême favorable, le seul rempart entre Gage et vous, c'est moi. Si j'estime qu'un veto servirait l'intérêt général...

— Vous êtes aussi opposé aux armes à feu que moi, protesta Lenihan.

— Davantage, même. Mais certains pensent qu'une action en justice n'est pas la réponse appropriée. Vous m'avez soutenu aux élections parce que vous ne pouviez pas faire autrement. Mais vous aviez collecté des fonds pour Dick Mason, aux primaires. Alors, je ne me fais aucune illusion : je ne m'adresse pas à un fidèle. Mais c'est l'occasion de changer ça, Robert, conclut Kerry avec plus de douceur.

— Demain, c'est tôt, temporisa l'avocat.

— Pas pour nous. Nous avons l'agence, le scénario, le calendrier. Il vous suffit de créer le «Mouvement des avocats pour l'Amérique», capital deux millions de dollars, et Caroline Masters est à l'antenne. Ensuite, nous pourrons tous les deux reléguer Dick Mason dans les poubelles de l'histoire.

— D'accord, répondit lentement Robert Lenihan. Nous voulons votre amitié, monsieur le président.

En reposant le téléphone, Kerry Kilcannon songea à ce que lui coûterait cet appel. Avec ou sans l'aide de Lenihan, il avait l'intention d'opposer son veto à la loi de Gage. Plus fondamentalement, il détestait le rôle corrupteur de l'argent en politique, la malhonnêteté du clip de trente secondes. Mais il réglerait ce problème plus tard : Engagement chrétien ne lui laissait pas le choix en dépensant sans compter pour sa campagne contre Masters. Obtenir sa confirmation était pour Kerry la tâche prioritaire, l'épreuve de force dont beaucoup dépendait.

Un coup d'œil à sa montre lui apprit qu'il était dix heures.

Dans la salle est, Ellen Penn présidait une conférence de presse préparée par les conseillers médiatiques de Kerry. Elle rassemblait des catholiques pro-vie qui estimaient que Mary Ann Tierney se trouvait dans une situation exceptionnelle du point de vue médical; des femmes qui seraient mortes sans un avortement tardif; et une mère de l'Ohio — témoin dans l'affaire Tierney — dont la fille s'était vidée de son sang après un avortement clandestin. Mais, pour garantir à ces témoignages le plus de retentissement possible, la présence du président était essentielle.

Il donna deux autres coups de téléphone — au chef de la minorité, Chuck Hampton, et au sénateur Vic Coletti — puis se rendit à la salle est.

C'était une salle élégante et peu meublée, dont le parquet de chêne et les lustres en cristal de Bohème faisaient un lieu idéal pour les bals et les réceptions. Ce jour-là elle accueillait une reprise du procès de Mary Ann Tierney : tandis qu'Ellen Penn se tenait, protectrice, près du podium, une adolescente s'adressait à un auditoire de reporters assis sur des chaises pliantes ou debout au fond de la salle.

Kerry rejoignit Ellen, sans que la jeune fille le remarque, apparemment.

— Mon père m'a violée, commença-t-elle quasiment dans un murmure.

Kerry comprit que ses collaborateurs l'avaient retrouvée, cette gamine de quinze ans victime de viol et d'inceste que le Dr Flom avait mentionnée au procès. Elle était frêle et pâle, avec des cernes sous les yeux et des jambes maigres comme des baguettes. Sa jeunesse s'était évanouie. Ellen posa une main sur l'épaule de l'adolescente, ses lèvres formant des mots inaudibles pour Kerry.

Les yeux baissés, la jeune fille poursuivit d'une voix basse et haletante :

— Il m'a fait jurer de ne rien dire. Il a menacé de me tuer... Quand il s'est pendu, je me suis sauvée... C'était trop tard, a dit le docteur. Parce que j'étais en bonne santé, et mon bébé aussi, il croyait.

Silencieux, fascinés, les journalistes la regardaient, trop professionnels pour détourner les yeux. Qu'est-ce qu'est devenue la politique ? se demanda Kilcannon, qui regardait lui aussi.

— Mon bébé, il est arriéré. Arriéré et aveugle...

Elle secoua la tête, incapable de poursuivre, et comme elle détournait les yeux, honteuse et accablée, elle découvrit la présence du président. Elle hésita puis se dirigea vers lui.

Je suis désolé, eut-il envie de dire. Nous n'aurions pas dû te demander de faire ça. Mais, avant même d'entendre le bourdonnement des caméras et le remue-ménage des photographes, il sut que cette image ouvrirait tous les bulletins d'informations télévisés et serait à la une de tous les journaux. C'était peut-être ce qu'il avait voulu.

— Je suis désolé, murmura-t-il. Je ne vous abandonnerai pas.

Une journaliste qui s'était approchée écrivit la phrase sur son calepin.

8

Sur CNN, l'adolescente ferma les yeux, blottit son visage contre l'épaule de Kerry Kilcannon.

— Il y a des jours où je me demande comment les gens peuvent encore croire à ces fadaises, marmonna Macdonald Gage.

Mace Taylor regarda l'écran.

— C'est sa tactique préférée : la politique de la victime, diagnostiqua-t-il. Une sorte de thérapie de groupe où on ressent tous la souffrance de l'autre. Ça sera oublié d'ici les élections.

— Peut-être. Mais il le fait bien.

Dégoûté, Gage détourna les yeux du poste pour faire face à son ancien collègue, assis sur le canapé, un verre de thé glacé à la main.

— S'il continue ses efforts en direction des femmes, nous pourrions avoir un problème d'image. A mon avis, il vaudrait mieux laisser Paul Harshman traîner Masters dans la boue.

— Nos clips feront le boulot, assura Taylor, les yeux toujours sur l'écran. On a reçu assez de fric d'Engagement chrétien et du lobby des armes à feu pour les diffuser jusqu'au Jugement dernier.

— Kilcannon aura aussi ses clips, prédit Gage. Il se débrouillera pour trouver l'argent, peut-être auprès de ces sangsues qui veulent poursuivre les fabricants d'armes et ont besoin de notre président bien-aimé pour les aider. Maintenant qu'il s'est engagé, il essaiera de nous prendre à la gorge.

«Les gens qui le détestent, nous pouvons compter sur eux. Mais il y a une tapée d'électeurs qui ne s'intéressent qu'à l'épate. Sans compter que trente ans de permissivité sexuelle nous ont affaiblis.

Il tendit le doigt vers l'écran : l'adolescente et le président, front contre front ou presque, les lèvres de Kilcannon murmurant des mots de réconfort.

— Il finirait par leur faire oublier comment la fille Tierney est tombée enceinte, grommela-t-il.

Taylor but une gorgée de thé et conclut :

— Vous avez besoin de Palmer.

— Ce dont nous avons besoin, c'est d'élargir le problème au-delà de l'avortement, de donner aux électeurs d'autres raisons de penser que Masters n'est pas digne de la Cour suprême. Nous pourrions nous servir de Sarah Dash pour transformer l'affaire Tierney en un problème éthique : Masters n'aurait jamais dû entendre l'affaire en appel parce qu'elle a reçu cette femme chez elle. Qui sait ce qu'elles ont fait? s'interrogea Gage avec une expression de dégoût. Elles ont discuté de l'affaire sur l'oreiller? Comme on ne le saura jamais, cela devient un problème moral. Et nous ne voulons pas qu'une juge amorale — amorale et lesbienne, peut-être — succède à Roger Bannon.

Les yeux plissés de Taylor exprimaient une impatience contenue.

— Vous avez besoin de Palmer, répéta-t-il.

Gage considéra brièvement ce que l'homme des lobbies voulait exprimer. Il dit :

— Palmer pense que nous devrions imposer un vote. Eliminer Masters avant que Kilcannon ne gagne l'opinion à sa cause, ou que la fille Tierney accouche prématurément d'un bébé sans cerveau. Pour le moment, les sondages nous sont favorables.

— Et vous l'approuvez?

— Non. Un vote rapide donnerait l'impression d'un jugement précipité, d'une décision arbitraire. Je l'ai dit à Chad. Et je ne dispose pas encore de cinquante et une voix sûres.

— Vous en avez quarante et une, non? grogna Taylor.

Gage sentit que c'était moins une suggestion qu'un test destiné à le mettre en face de la pauvreté de ses choix. Mais Taylor ne raisonnait qu'en termes d'argent et de résultats. Pour Gage, qui voulait devenir président, la poursuite de ses objectifs requérait une certaine élégance.

— Une obstruction parlementaire, fit Gage d'un ton froid. Bonne idée : utiliser quarante et un sénateurs sur cent pour refuser à la juge Caroline Masters la faveur d'un vote. Cela ferait de moi un manipulateur réduisant une question de principe à une astuce procédurière. Pour dégommer une femme. Aux prochaines élections, Kilcannon m'accrocherait cette casserole dans le dos. Personne ne peut exiger ça de moi.

Les lèvres de Taylor esquissèrent un sourire qui ne monta pas jusqu'à ses yeux.

— Alors, il vous faut de nouvelles audiences. Il vous faut enquêter à fond sur la vie de cette femme en prenant pour prétexte Sarah Dash et la morale. Harshman ne demande que ça : la drogue, la baise en fac, les amies gouines. Pour lui, Masters est une tueuse de bébés qui a détourné la procédure juridique parce qu'elle bavarde sur l'oreiller avec sa copine.

«Vous, vous restez à distance, Mac. Et puis si Harshman arrive à fourguer ce scénario — ou une partie — vous entrez en scène et vous sauvez le pays de Kilcannon. Mais d'abord... vous avez besoin de Palmer.

La rengaine commençait à agacer Gage, qui répéta :

— Palmer ne veut pas de nouvelles audiences.

Taylor haussa les épaules.

— C'est quoi, le nom de ce film. *Dead Man Walking*[1] ? C'est ce que je vois chaque fois que notre héros prend la pose : un mort. Il est mort et il ne le sait pas.

— Je ne veux pas me servir de ça, déclara carrément Gage en regardant Taylor. Quoi que je pense de lui. Et ça pourrait nous retomber dessus.

Taylor soutint son regard avec des yeux vides d'expression.

— Alors arrangez-vous d'une façon ou d'une autre pour qu'il fasse les quatre volontés de Harshman. Ça le fera vivre un peu plus longtemps.

— Je n'apprécie pas son verdict mais je ne veux pas fouiner dans sa vie privée, dit Chad Palmer.

Par-dessus son bureau, il tendit à Macdonald Gage la sortie imprimée d'un article circulant sur Internet, œuvre d'un journaliste douteux nommé Charlie Trask.

— Vous avez vu ça, Mac ? Sans l'affirmer, il insinue que Masters et Dash couchent ensemble.

Sans prendre le texte ni quitter Palmer des yeux, Gage répondit :

— C'est peut-être vrai.

— Ça ne l'est probablement pas.

— Cela vous serait égal que la présidente de notre Cour suprême soit lesbienne ?

Palmer pesa sa réponse avec soin.

— Il y a eu trop de ces attaques personnelles. Des gens bien en ont souffert et la politique est devenue une fosse aux serpents pour nous tous. L'opinion n'aime pas ça.

Désignant l'article, il ajouta :

— A propos, vous avez une idée d'où il vient ?

L'accusation voilée ne provoqua pas d'autre réaction chez Gage qu'un regard sans expression.

— Non, répondit-il. Mais maintenant qu'il circule, nos électeurs s'attendent à ce que votre commission enquête. Vous ne trouvez pas étrange que Dash se soit rendue seule chez Masters ?

---

1. Littéralement : «le mort qui marche». Titre français : *La Dernière Marche. (N.d.T.)*

La rumeur porte les empreintes de Mace Taylor, pensa Chad avec dégoût, mais il y voyait aussi un avertissement : les intrusions dans la vie privée de Masters étaient destinées à inciter sa commission à se montrer plus curieuse et, s'il s'y opposait, sa propre vie privée pourrait aussi être passée au crible.

— Nous sommes seuls dans cette pièce, vous et moi, repartit-il. La porte est fermée. Vous croyez que les gens diront que nous couchons ensemble ?

Une lueur s'alluma dans l'œil de Gage.

— Ce serait salir votre famille, Chad. Masters n'a pas de famille.

— Elle n'est pas homosexuelle pour autant, répliqua Palmer, inquiet pour Kyle, inquiet pour Brett Allen.

— Supposons qu'elle l'ait été à l'université. Cela placerait son « amitié » avec Sarah Dash sous un autre jour. La présidence de la Cour suprême n'est pas uniquement une fonction juridique, c'est aussi une position morale. Nos électeurs attendent d'un juge — ou d'un sénateur — qu'il incarne ces valeurs qui...

— En menant une chasse aux sorcières.

— Ce n'est pas une chasse aux sorcières, répondit Gage, haussant le ton. C'est une enquête sur une question d'éthique. Même si nous ne pouvons pas prouver qu'elles couchent ensemble, Dash a été la stagiaire de Masters.

— C'était il y a plus de trois ans, argua Palmer, qui se demandait comment échapper à de nouvelles auditions.

— Cela fait partie d'un ensemble. Stagiaire, amie, peut-être plus. Et vous voudriez que nous nous voilions la face.

Palmer contint sa colère.

— Cinq juges ont voté comme elle. Ils ne font pas tous partie d'une cabale homo, quand même. Ils sont simplement dans l'erreur. Le voilà, notre argument : ce verdict est une erreur qui parle d'elle-même. Laissons le Sénat voter, sans nouvelles audiences, sans insinuations. Nous pouvons la battre sur le terrain des idées.

Je te préviens, pensa Gage avec une rage montante, arrête de te mettre en travers de mon chemin.

— Chad, dit-il avec une amabilité exagérée, vous êtes un homme fier. Vous avez votre idée de l'intégrité et je vous admire pour ça. Mais ne faites pas le con.

Pour la première fois, Palmer hésita.

— Mon vote vous est acquis, assura-t-il, et j'interviendrai contre elle. Personne ne pourra me faire de reproches.

— On vous en fera, Chad. Et à moi aussi. Les mouvements pro-vie détestent Masters à cause de l'avortement, les groupes qui nous soutiennent financièrement la détestent à cause du projet de réforme du financement des campagnes électorales, et les gens qui s'inquiètent du déclin moral du pays se demandent qui elle est et ce qu'elle est. Ce que nous déciderons sera déterminant pour eux, sur ce point et sur de nombreux autres. Même si nous mettons de côté la question de la Cour suprême, il en reste une à laquelle nous devons répondre : c'est Kilcannon qui dirige le Sénat ou c'est nous ?

« J'ai fait le compte des voix, Chad. Si vous vous rangez du côté des démocrates, vous m'empêcherez peut-être d'avoir les cinquante et un votes nécessaires pour renvoyer Masters devant votre commission pour de nouvelles audiences. Mais je vous forcerai à le faire au grand jour, et nos partisans ne vous le pardonneront pas. Ce qui pourrait marquer la fin de vos ambitions présidentielles.

La franchise de la menace amena une expression étonnée et songeuse sur le visage de Palmer.

— Peut-être aussi des vôtres. Si nous ne trouvons rien contre elle, nous en faisons une Jeanne d'Arc.

— Pas si vous traitez cette affaire comme il faut. Vous ne présidez pas un tribunal irrégulier, vous menez une enquête sur la moralité d'une juge...

— *Sérieusement ?* Paul Harshman est prêt à réclamer le bûcher et nous sommes probablement à quelques jours d'un avortement. Qu'est-ce qu'il dira si le fœtus n'a pas de cerveau, comme la plupart des médecins le pensent ? Qu'est-ce que diront les Américains ? Et qu'est-ce que Kilcannon dira de nous ?

Palmer s'interrompit, se pencha en avant.

— Cela pourrait nous retomber dessus, Mac, reprit-il. Et sur tous les sénateurs que vous auriez convaincus de voter pour un renvoi en commission. Dans l'intérêt de tout le monde, oubliez cette histoire de lesbienne.

Gage s'efforça de masquer ses doutes et de montrer à Palmer une calme détermination.

— Et si je ne le fais pas ? Vous seriez prêt à vous opposer à moi ?

Le regard de Chad se voila. Gage était fasciné par le sentiment de se trouver devant un homme qui mettait en danger sans le savoir sa carrière et l'avenir de sa famille. Puis Palmer le regarda avec sa franchise habituelle.

— Oui, si vous êtes prêt à prendre le risque de perdre, Mac. Je propose que nous nous accordions tous deux une journée de réflexion…

Le téléphone bourdonna. Palmer lança à l'appareil un coup d'œil irrité, décrocha.

— Je suis avec Mac Gage, maugréa-t-il.

Le chef de la majorité vit le visage de son adversaire devenir pensif.

— Combien de jours ? demanda Palmer.

Il écouta puis raccrocha, l'air grave.

— Le juge Kelly a pris une ordonnance de surseoir dans l'affaire Tierney, interdisant un avortement jusqu'à ce que le tribunal décide en séance plénière d'entendre ou non la requête de Martin Tierney.

— Cela fera durer les choses un peu plus longtemps, non ? fit Gage avec satisfaction.

— Cela nous donne aussi notre journée de réflexion.

— Notre sursis à nous ? fit-il avec un sourire sinistre. D'accord, Chad. Nous en reparlerons demain.

Clayton Slade entra précipitamment dans le bureau ovale.

— Si c'est à propos du juge Kelly, je suis au courant, dit-il au président.

Kilcannon secoua la tête.

— Chad Palmer vient d'appeler. Il se fait du souci. Il pense que Gage demandera un vote pour le renvoi en commission et qu'il pourrait gagner. Ce qui signifierait de nouvelles audiences sans limitation de durée.

Slade n'eut pas l'air étonné.

— C'est quoi, le prétexte ? Un séminaire sur les horreurs de l'avortement tardif, avec photos en couleurs du résultat final ?

— En partie, répondit Kerry avec une grimace. Mais nos amis ont trouvé un autre angle d'attaque : la moralité de Caroline. Pour être plus précis, ses relations avec Sarah Dash.

Clayton eut un grognement écœuré.

— Ça, j'aurais pu le dire à Caroline. J'ai essayé, en fait.

— Mais tu lui as dit qu'elle était lesbienne ?

— C'est ça, leur angle d'attaque ?

— Oh ! ils commenceront par une simple « amitié ». Mais ils essaieront de faire croire à une histoire de lesbiennes.

Slade se laissa tomber lourdement dans un fauteuil et lâcha :

— Là, on pourrait avoir un problème.

9

— Monsieur le président, il y a une question délicate dont nous aimerions vous entretenir, annonça Frank Lenzner le lendemain au téléphone. Personne ici ne veut vous prendre par surprise.

A en juger par le ton de sa voix, le rédacteur en chef du *New York Times* était aussi mal à l'aise que ses propos semblaient l'indiquer. Kerry garda le silence : depuis l'avortement de Lara, une partie de lui-même attendait inconsciemment ce coup de téléphone.

— De quoi s'agit-il ?

— De la juge Masters...

Dans le silence qui suivit, il se sentit à la fois soulagé et plein d'appréhension.

— Le reportage a été en grande partie mené par Julia Adams, poursuivit Lenzner. Elle peut participer à notre conversation ?

Kerry se demanda s'il s'agissait des rumeurs sur l'homosexualité de Caroline. Dans les deux jours qui avaient suivi l'article diffusé sur Internet, elles s'étaient répandues sous la surface du journalisme traditionnel.

— Bien sûr, répondit-il.

Il entendit un déclic quand Adams se joignit à eux sur une autre ligne.

— Bonjour, monsieur le président, fit-elle. Merci d'accepter de me parler.

— J'en suis ravi. Enfin, je crois.

Adams ne releva pas. Avec une trace de nervosité, elle reprit :

— Nous croyons, et nous nous apprêtons à publier, que Caroline Masters a une fille.

Dans la tête de Kerry, la surprise fut suivie d'une rapide spéculation.

— Sur quelle base ?

— Une source confidentielle. Cette personne nous a informés que le FBI avait découvert une «rumeur» selon laquelle Masters, pendant ses études, aurait mis un enfant au monde à Martha's Vineyard.

Adams manœuvrait : la façon dont elle avait ouvert la partie indiquait qu'elle présumait qu'il ne serait pas surpris.

— Vous ne publiez pas de rumeurs, Julia.

— Nous avons trouvé l'infirmière en une heure, répondit-elle. Une heure plus tard, nous avons trouvé un dossier confirmant que Masters avait été admise à l'hôpital de Martha's Vineyard. La date coïncide avec la naissance de la fille présumée de sa sœur, Brett Allen. Selon notre source, celle-ci serait en fait la fille de Masters.

Cette affirmation ne figurait pas dans la note du FBI que Palmer avait cachée aux autres sénateurs, Kerry le savait.

— Pourquoi le *Times* estime-t-il que cette histoire — vraie ou fausse — mérite d'être publiée?

— Pour un certain nombre de raisons, répondit Adams, dont le ton était maintenant en harmonie avec la personnalité, énergique et accrocheuse. On peut soutenir que la juge Masters a induit le Congrès en erreur. Et vous-même.

Kerry se leva. Il avait peu de temps pour faire un choix, mais une longue expérience de la politique et ses penchants personnels lui soufflaient de ne pas dissimuler.

— Bon, ce que je vais vous dire maintenant, vous ne pouvez pas le publier, vous ne pouvez pas vous en servir avant que je ne vous y autorise. D'accord?

Adams n'hésita qu'une fraction de seconde.

— D'accord.

Il se mit à faire les cent pas. Le soleil matinal qui inondait la pelouse de la Maison-Blanche semblait d'une douceur trompeuse.

— J'étais au courant, avoua-t-il. Caroline Masters m'en avait informé avant que je ne présente sa candidature. Lorsque j'ai décidé de passer outre, elle m'a demandé de protéger Brett Allen. Elle a agi avec une totale intégrité. Et j'ai estimé que c'était une affaire personnelle, sans aucun rapport avec ses compétences de juge. Je continue à le penser. Alors, si vous cherchez à lui nuire — ou à nuire à sa fille — parce qu'elle m'a induit en erreur, il faut vous trouver une autre raison.

— Il y a aussi le sénateur Palmer, monsieur le président.

L'écheveau se démêle, pensa-t-il.

— Quoi, Palmer?

— Selon les collaborateurs de la commission, il leur a interdit l'accès aux dossiers. Personne n'a vu cette note.

Ce qui impliquait que la source ne faisait pas partie de ces collaborateurs, pensa Kilcannon. Auquel cas, le FBI figurait parmi les hypothèses possibles.

— Qu'est-ce que cela change?

— Beaucoup de choses. Cela laisse penser que Palmer était au courant, lui aussi. Peut-être avant le FBI. Peut-être parce que vous lui en aviez parlé.

Kilcannon sentit croître son désarroi : il ne voulait pas entraîner Chad dans cette histoire.

— Vous voulez prouver quoi, Julia ? Que Palmer est un type bien ? Ce n'est pas une grande nouvelle.

— Non. Mais c'est une nouvelle intéressante quand un président démocrate et un candidat républicain potentiel s'entendent pour cacher à la commission judiciaire une information que beaucoup de sénateurs trouveraient pertinente. A tout le moins.

— Je ne peux pas parler pour Palmer, même officieusement. Qu'est-ce qu'il dit, lui ?

— Nous... nous n'avons pas encore cherché à le joindre.

— Alors, permettez-moi de vous suggérer une autre façon de voir. Vous insinuez que Chad Palmer aurait comploté avec moi pour dissimuler quelque chose, ce qui fait de ce « quelque chose » matière à article. Mais qu'est-ce qui compte pour vous : ce que nous sommes censés avoir dissimulé ou la personne qui sera atteinte si vous le publiez ? Il est devenu bien trop facile pour les médias de trouver une raison d'exposer au grand jour la vie privée d'une personnalité.

— Monsieur le président, êtes-vous en train de me dire que cette affaire ne sert pas vos intérêts ?

Les premières graines du doute commencèrent à germer dans l'esprit de Kilcannon.

— Si je souhaitais une fuite, pourquoi vous demanderais-je de ne pas le publier ?

Adams s'esclaffa.

— Peut-être parce que vous savez déjà que nous le ferons.

— Merde, lâcha Palmer dans le téléphone.

— C'est le FBI, sûrement, lui dit Kerry. Qui d'autre aurait pu leur filer le tuyau ?

— Qui d'autre ? répliqua Chad, caustique. Tous ceux qui étaient au courant.

Une fois de plus, Kerry se sentit désarçonné.

— En tout cas, ce n'est pas moi.

— Alors, débarrassez-vous de Masters, bon sang. C'est le seul moyen d'enterrer cette histoire.

Kerry regarda par la fenêtre.

— Il est déjà trop tard pour l'enterrer. Et, en retirant sa candidature, j'aurais l'air de céder aux forces de la réaction.

— Oh, surtout pas de ça, ironisa Palmer. Il vaut mieux me prendre comme bouc émissaire : le sénateur pro-vie qui a conspiré avec l'Antéchrist. Cela pourrait aussi servir vos intérêts à long terme.

Partagé entre la défensive et les regrets, Kerry hésita.

— Je ne vous ai pas laissé tomber. Le *Times* ne sait même pas que nous en avons parlé.

— Non ? Vous n'avez pas l'impression qu'ils sont drôlement bien renseignés ? Je ne leur mentirai pas. Ce serait stupide d'essayer.

Kilcannon réfléchit. Palmer était un homme résistant, à la fois confiant et fataliste, mais il semblait las, au téléphone.

— Personne dans votre parti ne clouera Masters au pilori pour ça.

— Non. C'est moi qu'ils cloueront au pilori si Mac Gage a le dessus, répliqua Chad. Ils diront que j'ai trahi les miens pour une tueuse de bébés libidineuse. A propos, elle est prête à affronter ça, elle ?

— Nous essayons de la joindre chez elle. Personne ne répond.

— Je me demande pourquoi. Bon, il faut que je me prépare à affronter le peloton d'exécution, dit Palmer, à la fois résolu et résigné. Mais vous vous rendriez service en préparant un peloton pour *elle*. Parce que le seul moyen pour moi de racheter mes péchés, c'est d'aider Gage à vous battre.

C'était ce que Kerry redoutait.

— Je comprends, dit-il. Mais nous verrons comment les choses tourneront quand la nouvelle éclatera.

— Je sais déjà comment elles tourneront, dit Palmer avec amertume. Ce que je ne sais pas encore, c'est d'où vient la fuite.

Avant que Kerry pût répondre, Clayton Slade entra dans le bureau et articula silencieusement : «Masters, sur la Deux.»

— Elle est sur l'autre ligne, annonça Kilcannon à Chad. Il faut que je vous laisse.

— Oui, ça ne m'étonne pas qu'elle vous appelle, murmura le sénateur avant de raccrocher.

Kerry appuya sur le bouton qui clignotait.

— Caroline ?

— Excusez-moi, monsieur le président, fit-elle d'une voix tendue. Je vous rappellerai plus tard. Je suis en train de parler à ma fille.

10

Caroline avait imaginé ce moment un millier de fois — avec frayeur, avec espoir, avec désespoir — mais ce qu'elle n'avait pas mesuré, c'était la profondeur de son impréparation.

— Tu es ma mère ? demanda Brett, qui semblait abasourdie.

— Oui, murmura Caroline.

— J'ai compris tout de suite que ça devait être vrai. Cela explique tant de choses sur vous deux. Mais je ne savais même pas qui appeler : toi ou Betty.

Sa voix se fit amère quand elle ajouta :

— Tu vois qui je veux dire, tante Caroline. La femme connue autrefois sous le nom de «maman».

A l'autre bout de la ligne, Caroline ferma les yeux.

— Je suis désolée...

— *Désolée*, lui renvoya Brett d'une voix tremblante. Je viens de découvrir que toute ma vie repose sur un mensonge, que mon père n'est pas mon père...

— Il était mort. Avant même ta naissance.

— Que ma mère est ma tante, que ma tante est ma mère. Que vous avez concocté ensemble ce cauchemar, et que vous m'avez menti, menti, menti...

Brett s'interrompit, sans doute pour refouler ses larmes, supposa Caroline.

— Il a fallu que j'apprenne la vérité par un journaliste, reprit-elle. Vous ne me respectiez donc pas assez pour me la dire vous-mêmes ?

Dans son chagrin et sa honte, Caroline éprouva une violente colère contre la personne inconnue qui avait informé le *New York Times*.

— Quelquefois, j'ai eu envie de...

— Quelquefois ? Je ne t'ai même pas vue pendant vingt ans.

— Tu avais déjà une mère. Et un père. T'abandonner a été la chose la plus difficile que j'aie jamais faite. Je n'étais pas sûre d'avoir la force de ne pas tout t'avouer si je te voyais. Je n'ai jamais imaginé que le *Times* le ferait pour moi.

L'amertume contre laquelle elle luttait se retourna contre elle-même et elle poursuivit :

— J'ai été égoïste. Je n'aurais jamais dû essayer de devenir présidente de la Cour suprême en sachant ce qui risquait d'arriver.

— Mais tu as essayé quand même, lui lança sa fille avec une rage froide. C'est pour cette raison qu'on m'a fait ça, n'est-ce pas ?

— Oui.

— Qu'est-ce que tu comptes faire, maintenant que notre «arbre généalogique» est tombé dans le domaine public ?

Caroline tenta de voir clair dans le maelström de ses émotions. Son rêve de devenir présidente de la Cour suprême était si fort que même cet événement cruel ne l'avait pas totalement tué. Mais elle ne voulait pas mêler plus longtemps sa fille à cette bataille.

— Je suppose que je dois retirer ma...

— Pourquoi? répliqua Brett. Pour moi? Tu ne m'as pas suffi-samment «protégée»?

— Pas seulement à cause de toi. Il y a des tas de raisons. On m'ac-cusera de malhonnêteté...

— Alors, c'est ton problème, coupa Brett. Mais il est un peu tard pour te soucier de mes sentiments, tu ne crois pas? Tu l'as voulu, Caroline. Quoi que tu puisses être pour moi, quoi que tu aies pu faire par ailleurs, tu m'as aussi voulue. Je ne sais pas si j'arriverai un jour à voir clair dans ce que je ressens, mais je refuse, catégorique-ment, d'être la raison pour laquelle ceux qui te haïssent te forcent à renoncer. Cela ne m'aiderait en rien.

Caroline sentit vingt-sept ans d'émotion refoulée déferler en elle, aussi palpables que son besoin de pleurer seule.

— Je t'aime, réussit-elle à déclarer à sa fille. Je t'ai toujours aimée. Mais tu devrais appeler ta mère...

— Assieds-toi, dit le président avec froideur.

L'air sur ses gardes, son plus vieil ami s'assit en face de lui sans rien dire.

— Tu vas essayer de me faire croire que c'est le FBI qui a informé le *Times*? demanda Kilcannon.

Le regard de Clayton Slade ne vacilla pas.

— Ce n'est pas une question que vous devriez poser, monsieur le président. On pourrait vous accuser de connaître la réponse.

Kilcannon comprit alors le scepticisme de la journaliste, son allu-sion au jeu cynique qu'il jouait. Sa colère, son sentiment d'avoir été trahi l'empêchaient de s'exprimer calmement.

— Tu ne vois pas ce qu'on a fait à ces gens? A tous ces gens? explosa-t-il.

— On s'en fout, répondit Slade d'une voix neutre, malgré la dureté de ses mots. Il ne s'agit ni de Caroline Masters ni de Chad Palmer. Il s'agit de savoir si tu as réussi.

Kerry sentit la compréhension percer à travers son indignation.

— Alors je suis comme le roi Henry quand il demande dans *Bec-ket* : «Il n'y aura donc personne pour me débarrasser de cet impor-tun de prêtre?» C'est ça, ton excuse?

Clayton ne broncha toujours pas.

— Pas tout à fait.

— Il vaudrait mieux. Quand est-ce que tu m'as réinventé en com-ploteur de palais, incitant ses spadassins à agir par des allusions et des clins d'œil ? Si j'avais voulu trahir Palmer, Masters et la fille, je l'aurais exprimé clairement. Ou je te dirais maintenant de trouver le responsable de la fuite et de lui trancher la gorge.

Slade baissa les yeux puis regarda de nouveau le président.

— Tu veux considérer les avantages de la situation ?

— Les avantages ? répéta Kerry. Quels avantages il pourrait y avoir ?

— Pour commencer, cette fille que tu cachais est ton meilleur atout. Avec la révélation de l'existence de Brett Allen, Masters cesse d'être une lesbienne secrète pour devenir un objet de sympathie, une femme qui a choisi d'avoir son bébé plutôt qu'avorter et qui l'a ensuite confié à une famille aimante. Si Gage s'attaque à elle pour ça, il piétine sa propre propagande. Et les pro-vie professionnels ne sauront pas quoi dire.

Après une pause, Slade ajouta :

— Il y a peut-être aussi d'autres raisons, mais il te serait encore plus dur d'en parler.

Kerry appuya son menton au creux de sa main.

— Je t'écoute.

— La droite a sa ration de boue, maintenant : la fille cachée. Ça l'occupe et il y a moins de risques maintenant qu'elle découvre la vérité sur Lara.

— Alors Caroline est devenue mon bouclier pare-merde, fit Kilcannon avec dégoût.

— Pas seulement un bouclier, une arme, argua Clayton d'un ton froid. Maintenant que Masters ne fait plus une lesbienne plausible, Gage en est réduit à arguer qu'elle a menti et que cela la rend indigne de la Cour suprême. Mais elle a menti pour protéger son enfant — deux fois —, ce qui en termes de charité chrétienne n'est plus aussi condamnable. Et qui devient la véritable incarnation des idéaux chrétiens ? Le défenseur de la compassion, de l'adoption et des valeurs familiales dans le vrai sens du mot ? Toi, fit Slade avec ironie. Tu la protèges de la vindicte de la droite. Tu traces la limite entre vie publique et vie privée. Tu appelles l'opinion américaine à fustiger ceux qui utilisent un péché de jeunesse pour abattre une femme honorable.

Il s'interrompit pour lancer à son ami un regard appuyé, reprit son argumentation :

— En même temps, tu te vaccines contre une attaque au sujet de Lara. Les Américains pardonnent plus volontiers qu'un Mace Taylor

414

ou un Macdonald Gage. Après ça, ils en auront marre des scandales et des remueurs de fange.

Soutenant son regard, Kilcannon répondit :

— Et tout le monde pensera que Gage et consorts sont à l'origine de la fuite. Pendant que moi, je resterai à l'écart, à savourer la blague. Aux dépens non seulement de Mac mais de Palmer.

— Je sais que tu ne ferais jamais ça. Mais telle que la situation se présente, Palmer sera forcé de reconnaître avec toi que la vie privée doit être privée : il s'est engagé en acceptant de ne pas révéler le secret de Masters. Maintenant qu'elles sont devenues, elle et sa fille, les victimes de la cruauté réactionnaire, tu as encore une chance de la faire admettre à la Cour suprême.

« Il faudra jouer fin, bien sûr : le *Times* pourrait révéler sa source si tu suggères que c'est un coup des adversaires de Masters. Mais si la responsabilité de la fuite te retombe dessus — et cela pourrait t'arriver si tu poses trop de questions —, tu perds face à Macdonald Gage. Et tu perds peut-être tout.

L'analyse était froide, rigoureuse, absolument juste. Slade avait emprisonné Kerry dans une stratégie aussi amorale qu'habile et, pour cette raison, leur amitié ne serait plus jamais la même. Clayton parut le sentir.

— Je te connais, Kerry, dit-il avec fatalisme. Si tu le décides, tu peux retourner totalement la situation à ton avantage. Mais, si tu cherches un responsable, je donnerai ma démission. Ce risque fait partie du boulot.

Un mélange complexe de sentiments — peine, colère, consternation devant les présomptions de son ami — submergea le président.

— Parce que tu penses que je ne suis pas capable de me débrouiller seul, c'est ça ? Je ne suis pas tout à fait à la hauteur si tu n'es pas là pour vendre mon âme à ma place ?

Il fit le tour de son bureau, toisa son secrétaire général resté assis.

— Pour qui tu te prends ? Pour qui tu *me* prends ? poursuivit-il. Si je pense que ma présidence nécessite un marché avec le diable, je prendrai la décision moi-même. C'est moi qui ai gagné ce droit, bon Dieu. C'est moi qui ai gagné la Maison-Blanche, pas toi, quoi que tu imagines.

D'une voix glaciale, il conclut :

— Tu démissionneras quand cela servira mes intérêts. Pour le moment, cela attirerait trop l'attention et j'ai des problèmes plus sérieux à régler. Je suis le président, comme tu l'as rappelé, et tu joueras au petit soldat loyal jusqu'à ce que je te dise de t'en aller.

Clayton, toujours assis, leva les yeux vers lui. Une expression de ressentiment blessé traversa son regard mais il ne protesta pas.

— Tu lui feras part de tes soupçons? murmura-t-il.

— Non, répondit Kilcannon. Ça ne servirait pas à grand-chose. Après tout, j'ai une candidature à sauver.

— Comment ça s'est passé? demanda le président.

Assise à sa table de cuisine, Caroline chercha ses mots, finit par répondre :

— C'était dur. Indiciblement dur.

— Elle s'en remettra?

Il y eut un silence.

— Je suis désolé, dit le président. Mais j'espère que vous resterez à mes côtés. Cette révélation ne vous disqualifie pas plus maintenant qu'avant. Je veux que vous présidiez la Cour suprême et il est temps de tirer un trait.

Caroline songea aux derniers mots de Brett.

— Je perdrai probablement, mais c'est tout ce qu'ils peuvent me faire, n'est-ce pas? J'ai rendu mon verdict, ils ont révélé l'existence de ma fille. Il n'y a plus rien à craindre.

Le président demeura à nouveau silencieux puis reprit :

— Il faudra que vous fassiez une déclaration. Brève et digne. Je vais vous passer Clayton.

11

«Masters reconnaît sa fille cachée», titra le *Times* le lendemain. Mais la situation évoluait si rapidement qu'en milieu de matinée deux chaînes d'information câblées procédaient à un sondage instantané, que le bureau de Macdonald Gage croulait sous les fax et les e-mails, et que Gage lui-même avait peine à rédiger une déclaration entre les appels incessants de sénateurs, de reporters et de partisans de tout le pays. S'estimant en état de légitime défense, il finit par laisser le téléphone sonner.

— La nouvelle a fait sauter le dôme du Capitole, se plaignit-il à Mace Taylor. Mes troupes ont du mal à retrouver la terre ferme, et ce salaud de Palmer qui savait depuis le début...

Taylor baissa les yeux vers le brouillon de Gage, criblé de corrections manuscrites.

— Alors c'est le moment, estima l'homme des lobbies.

Au lieu de répondre, le sénateur demanda :

— D'où cela peut venir ?

Il vit une lueur calculatrice s'allumer dans les yeux de Taylor : la connaissance, c'était le pouvoir et, même avec Gage, Taylor ne tenait pas à divulguer l'ampleur des manœuvres de ses clients ni, à l'inverse, à révéler que leurs machinations avaient leurs limites.

— Pas de chez nous, je pense, dit-il enfin. Pas de la commission de Palmer non plus. Notre ami a utilisé la tactique de la serre : il nous laisse tous dans l'obscurité et il nous refile des salades. Lui et Kilcannon : un beau petit complot.

Le démenti de Taylor était assez teinté d'amertume pour avoir l'accent de la vérité.

— Non, ce ne peut pas être Palmer, approuva Gage. Maintenant que la nouvelle a éclaté, certains de nos sénateurs ont envie de lui couper les couilles. Sans parler de nos militants.

Le téléphone sonna de nouveau. Pensif, Taylor regarda en plissant les yeux la photo favorite du chef de la majorité : un Gage beaucoup plus jeune, l'air intimidé par la présence de Ronald Reagan.

— Et Kilcannon ? hasarda-t-il. Un de ses gars refile le tuyau au *Times*, qui doit garder l'anonymat de ses sources. Ensuite, Kilcannon s'en prend aux «forces de l'intolérance».

Gage eut un sourire à la fois amusé et acerbe.

— Ce serait l'acte d'un vrai pro. Organiser la fuite puis nous en accuser par insinuation. Personne ne pourrait jamais rien prouver.

— C'est pour ça que c'est parfait, fit Taylor. Il a réservé du temps d'antenne sur les quatre chaînes, ce soir à neuf heures.

Désignant la pile de fax et d'e-mails posés sur le bureau, il demanda :

— Vous avez des échos ?

— De tout le pays. Certains voient en Masters l'aboutissement des années 60 : permissivité, laxisme moral. D'autres pensent qu'elle a fait ce que les mères célibataires sont censées faire. Deux ou trois me rappellent qu'elle a pris la même décision que ma mère biologique, Dieu ait son âme. Naturellement, c'était avant l'affaire Roe contre Wade, elle ne pouvait pas aller dans une clinique pour me faire «aspirer».

— Ou vous découper en morceaux si vous étiez déjà trop gros pour le tuyau de l'aspirateur. Je tiens de source sûre qu'Engagement chrétien n'est pas perturbé et les autres mouvements pro-vie ne se laisseront pas gagner non plus par la confusion. Même chose pour la NRA et tous ceux qui ne veulent pas de Masters à cause de sa position sur la réforme du financement des campagnes élec...

— Je sais tout ça, coupa Gage avec impatience. Voilà ce que nous allons déclarer : Masters a pris une décision honorable après être tombée enceinte. Nous le reconnaissons, bien sûr. Mais la grossesse hors mariage est à l'opposé du message que nous voulons envoyer à nos jeunes. Nous ne pouvons pas la *récompenser* en en faisant la présidente de la Cour suprême.

Il prit son projet de texte, le brandit comme une arme.

— Il faut trouver le moyen d'aller plus loin, poursuivit-il. C'est une femme à secrets, qui a préféré sa carrière à son enfant, et qui a ensuite menti. Elle a *menti*. Nous accuserons Kilcannon de l'avoir couverte, et Palmer aussi, s'il continue à nous mettre des bâtons dans les roues. Il ne s'agit pas de fragilité humaine, ni de vie privée, mais d'intégrité judiciaire.

— C'est bien beau, mais il vous faudra de nouvelles audiences, du temps pour préparer le dossier, souligna Taylor. Vous devez faire défiler des professeurs de droit déclarant qu'elle s'est parjurée. Comme ça, nous n'aurons pas l'air de simples moralistes de droite. Nous obtenons des éditos pour influencer l'opinion et nous continuons à enquêter sur elle. Le fait qu'elle soit tombée enceinte il y a trente ans ne signifie pas qu'elle ne préfère pas les filles aux garçons. Enfin, pourquoi des femmes comme elle et Dash vont à San Francisco ? Pour le climat ?

— Vous avez raison, pour les audiences, approuva Gage. C'est le moment de reprendre ma petite conversation avec le sénateur Palmer.

— C'est le moment de lui lâcher sa fille dans les pattes.

Aussitôt, l'expression de Gage se fit circonspecte.

— C'est un matériau radioactif, prévint-il. Je ne veux pas y toucher.

— Vous n'aurez pas à le faire, répondit Taylor sans la moindre trace d'émotion. Suffit que vous soyez prêt. La révélation de l'avortement de sa fille transformera le défenseur de la vie privée en parfait hypocrite. Toutes ses déclarations en faveur de la vie apparaîtront comme vides de sens.

«Il serait foutu, Mac : fini pour les présidentielles, et aussi impuissant qu'un eunuque à la commission. Il ne pourra absolument plus vous faire obstacle. Un oeuf vide, réduit à supplier les braves gens de l'Ohio de lui garder son emploi.

Silencieux, Gage fixait un point au-delà de Taylor. Il détestait Chad Palmer mais la délectation que semblait éprouver le lobbyiste était inquiétante : une fois lancé le cycle de la destruction, on ne l'arrêtait pas facilement. La voix de Taylor le tira de ses pensées :

— Regardez-le. Non, mais regardez-le.

Tournant la tête, Gage vit Palmer sur CNN, faisant face à un groupe de journalistes dans la rotonde du Capitole. Taylor monta le volume du poste.

Les yeux bleus de Palmer exprimaient la franchise et la sincérité quand il commença :

— *Toute la matinée, on m'a posé une seule question : «Etiez-vous au courant?»*

Les journalistes firent silence ; Palmer regarda la caméra.

— *Oui,* répondit-il simplement. *J'étais au courant.*

«Il y a vingt-sept ans, Caroline Masters a pris une décision relevant de sa vie privée : accoucher d'un enfant. Bien avant les audiences, elle l'a reconnu confidentiellement. J'ai admiré cette honnêteté, et la décision elle-même, engagement envers la vie. Engagement de protéger une fille qui a grandi en toute sécurité entre deux parents sans connaître les circonstances de sa naissance.

«A la place de la juge Masters, j'aurais peut-être pris une autre décision. Mais elle a été avec moi d'une franchise absolue. Et ce qu'elle a écrit sur le formulaire de candidature n'était pas seulement destiné à épargner à sa fille une souffrance inutile, c'était littéralement vrai : aux yeux de la loi, cette jeune femme est sa nièce...

— J'aimerais le voir, leur arbre généalogique, intervint Taylor d'un ton caustique. Il doit se mordre la queue...

— *Il y a de bonnes raisons de s'opposer à la juge Masters,* poursuivit Palmer. *Sur la base du verdict rendu en appel dans l'affaire Tierney, je m'oppose à elle. Mais à tous ceux qui pensent qu'elle aurait dû prendre le risque de faire du mal à sa fille, je dis : ne l'accusez pas, accusez-moi.*

— J'en ai ma claque de son numéro d'héroïsme, soupira Taylor. Sa franchise bidon me donne envie de vomir. Il vous a caché des informations et maintenant la presse va l'encenser, comme toujours : le dernier honnête homme de l'Amérique. On sait que c'est de la frime. On a le formulaire, on a le petit copain camé de la fille. Il faut appuyer sur la détente maintenant.

Gage se sentit tenté en imaginant la fin abrupte de toutes ces comparaisons peu flatteuses pour lui : Mac Gage, le pragmatique sans âme; Chad Palmer, le héros d'une trempe sans égale. Mais il éprouva en même temps un sentiment de malaise en se rappelant le matin où il avait appris à son réveil que le précédent chef de la majorité disparaissait de la vie politique, lui laissant le champ libre. Il avait su aussitôt, bien que Taylor ne l'eût jamais ouvertement reconnu, que c'était à lui qu'il devait la chute de son rival.

— Mace, je m'occuperai de Palmer à ma manière et au moment que je choisirai, dit-il. Il peut faire son numéro autant qu'il veut sur CNN mais il ne peut plus s'opposer à de nouvelles audiences, maintenant.

Frustré, Taylor pointa un doigt vers le poste.

— Regardez-le, bon Dieu, il se pavane…

— Laissez-le faire. Vous pourrez toujours l'avoir plus tard. Pour le moment, il nous sert de paravent.

Au moment où le soir tombait, Sarah Dash leva les yeux des fragments de conclusions antérieures éparpillés devant elle sur le canapé de sa salle de séjour, qu'elle rassemblait en un seul texte pour la Cour suprême.

Même à l'aune de ce qu'elle vivait depuis quelque temps, les dernières quarante-huit heures avaient été dévastatrices, à commencer par l'ordonnance de surseoir à l'avortement prise par le juge Kelly. Depuis, nerveusement épuisée, Mary Ann était restée dans sa chambre obscure, allongée pour éviter un accouchement avant terme provoqué par le stress. Un journaliste nommé Charlie Trask avait ensuite répandu sur Internet la rumeur que Sarah et Caroline avaient une liaison. Malade de dégoût, Sarah s'était réfugiée dans son appartement, où elle avait appris avec stupeur que la nièce de Caroline — la jeune femme basanée de la photo — était en fait sa fille. C'est dans ce chaos qu'elle devait rédiger son opposition à la requête de Martin Tierney demandant une révision du verdict de Caroline par la Cour suprême.

Sarah avait eu peu de temps pour réfléchir au mystère de Caroline Masters, une femme qu'elle s'était autrefois flattée de connaître, ou pour s'indigner d'avoir été utilisée pour la salir. Elle doutait qu'elles puissent redevenir amies.

Une chose était claire dans son esprit : son aversion pour ce que la vie publique était devenue. Le combat de Masters offrait pourtant un spectacle fascinant, mêlant la sauvagerie de la politique moderne — en un temps où les médias se disputaient la moindre information croustillante — à l'érosion inéluctable de la vie privée. Vingt-quatre heures plus tôt, supposait-elle, un manipulateur de droite avait décidé d'anéantir la juge Masters. En un mouvement rapide, les projecteurs impitoyables étaient passés de Caroline à Palmer, à Macdonald Gage — qui venait de déclarer Masters indigne de présider la Cour suprême — et au président Kilcannon, qui devait maintenant répondre.

Sarah tendit le bras vers la télécommande pour augmenter le volume du poste.

Quelques minutes plus tard, la porte de la chambre d'amis s'ouvrit.

— Il se passe quelque chose? demanda Mary Ann Tierney, pâle, le ventre distendu, les yeux brillants et un peu fiévreux.

Sarah avait du mal à accepter que, moins de deux mois plus tôt, c'était cette fille qui avait tout déclenché en se présentant à la clinique.

— Le président va intervenir, répondit-elle au moment où Kerry Kilcannon apparaissait sur l'écran.

12

Avant de commencer, Kilcannon regarda longuement l'objectif de la caméra.

Il n'aimait pas ce sentiment d'isolement; il donnait toujours le meilleur de lui-même quand il voyait des visages et se nourrissait des réactions d'une foule. S'adresser à un morceau de verre dans le bureau ovale lui paraissait artificiel.

Lui aussi semblait artificiel à ses yeux. Son ardeur à défendre Caroline Masters était émoussée parce qu'il savait que la fuite émanait de la Maison-Blanche et qu'il laissait cyniquement la responsabilité retomber sur d'autres. Mais l'érosion de son sentiment d'identité avait une cause plus profonde encore. Pendant dix-sept ans, il avait considéré comme allant de soi la loyauté absolue de Clayton. Au milieu des manœuvres de la politique, des alliances intéressées et hasardeuses, elle avait été une constante, le critère avec lequel il avait toujours défini l'amitié. Car s'il attirait les gens à lui, le vrai Kerry Kilcannon était un homme solitaire : il accordait rarement son amour et sa confiance. C'était pour cela qu'il avait mal.

Il se souvint que, quelques semaines plus tôt, Lara lui avait demandé s'il ressentait la solitude du pouvoir. Il s'en était alors tiré par une boutade. Aujourd'hui, la candidature de Masters — les enjeux, les risques, les doutes sur lui-même, la brouille avec Clayton — aurait rendu sa réponse bien différente.

Le moment n'était cependant pas à l'introspection. Il avait voulu ce boulot et des millions de personnes comptaient maintenant sur lui pour le faire. Qu'il eût raison — sur Caroline Masters, sur l'affaire Tierney, sur la politique du scandale —, il en était profondément persuadé. Il était également convaincu que c'était lui, non Macdonald Gage, qui s'adressait à ce que ses compatriotes avaient de meilleur. Et tandis que les secondes passaient, il fit appel au procédé dont il usait toujours quand il ne pouvait pas voir son public : se représenter un visage, ou des visages, à qui — ou pour qui — il parlait.

Ce soir-là, ce furent des femmes qui lui apparurent : la jeune fille meurtrie de la conférence de presse, Mary Ann Tierney, Caroline Masters. Et surtout sa fille, Brett.

A cet instant, Caroline regrettait que ses deux amis les plus proches soient magistrats. Jackson Watts jugeait une affaire de meurtre dans le New Hampshire et Blair Montgomery présidait un tribunal à Seattle. Tous deux l'avaient appelée plusieurs fois mais elle était seule pour regarder Kilcannon.

Une fois de plus, elle le trouva étonnamment jeune pour un président. Cependant sa voix était calme, posée, et la caméra parvenait à capter l'intensité de sa présence.

— *La question est claire. Le Sénat rejettera-t-il Caroline Masters pour deux actes d'un immense courage, l'un accompli comme juge, l'autre vingt-sept ans plus tôt...*

Etait-ce du courage ? s'interrogea Caroline. La profondeur de son amour — pour David, pour l'enfant qu'il avait laissé en elle — était telle que souffler cette vie aurait été comme la mort de son âme.

— *En tant que juge, ses compétences sont remarquables,* poursuivit Kilcannon. *Il y a deux semaines, à une écrasante majorité, la commission judiciaire a recommandé au Sénat de la confirmer comme présidente de la Cour suprême, la première femme à ce poste.*

« *Que s'est-il passé ? Il y a trois jours, avec cinq de ses collègues, la juge Masters a conclu que la loi sur la protection de la vie violait la Constitution des Etats-Unis.*

« *C'était la seule chose que Caroline Masters pouvait faire pour compro-*

mettre sa nomination. *Elle savait que ce verdict provoquerait une contro-*
verse. Elle savait que ses adversaires s'en serviraient contre elle. Elle savait
que les questions de l'avortement tardif et de l'autorisation parentale sont
généralement mal comprises. Elle savait que l'affaire Mary Ann Tierney
avait déchaîné les passions dans toute l'Amérique.

« *Pourtant elle a estimé que ses obligations de juge — rendre justice à*
une adolescente de quinze ans — passaient avant ses ambitions. C'est pour
cela *que les forces de l'extrême droite, dont le cynisme ne connaît pas de*
limite et qui sont étrangères à la compassion, ont résolu de l'abattre par
tous les moyens.

« *Ces forces savent que, étant juge, Caroline Masters ne peut se défendre.*
Elles espèrent que le silence de Caroline leur permettra de la détruire en la
salissant, en déformant la vérité. Voilà pourquoi je parle pour elle...

Caroline se laissa aller contre le dossier de son fauteuil. Quoi qu'il
pût arriver d'autre, Kerry Kilcannon n'avait pas l'intention de faire
d'elle une victime expiatoire. Ils tomberaient ensemble.

— Il y va, murmura Gage. Il y va, ce petit salaud.

— Ce petit *démagogue*, corrigea Paul Harshman. Chaque fois que
j'entends sa version de la vérité, c'est le mot « orwellien » qui me vient
à l'esprit. Et les gens avalent ça.

— Pas cette fois, prédit Gage.

Les autres personnes rassemblées dans son bureau avaient suivi
distraitement l'échange. Chad Palmer brillait par son absence mais
Gage avait invité une autre sénatrice vacillante, Kate Jarman, dans
l'espoir de s'assurer sa loyauté. Elle regardait l'écran fixement.

— *Les avortement tardifs ne représentent qu'un cas sur mille*, déclara
Kilcannon. *Ils ne menacent pas les fœtus sains de mère en bonne santé :*
un tel avortement tardif est interdit dans la totalité des cinquante Etats.
Le problème se pose uniquement pour les cas médicaux graves, et, sur toutes
les femmes qui doivent affronter cette situation tragique, on trouve une très
faible proportion de jeune filles comme Mary Ann Tierney : des mineures
vivant chez leurs parents. C'est pour elles que cette loi a été écrite. Je ne
doute pas des bonnes intentions de ceux qui ont contribué à la faire
adopter...

— Oh, non, ironisa Gage. Nous sommes seulement les complo-
teurs cyniques et sans cœur de la droite, la cinquième colonne d'une
meute de violeurs d'enfants au regard vide et au front fuyant.

— C'est ce que vous appelez au Kentucky l'« électorat flottant »,
non ? dit Kate Jarman en lui adressant un sourire.

Paul Harshman garda les yeux sur l'écran.

— *Mais l'affaire Tierney nous met face à des problèmes complexes,* continua Kilcannon.

«*Les bonnes familles — c'est la majorité des cas — communiquent-elles parce que le Congrès leur dit de le faire ?*

«*Une mineure doit-elle être forcée à garder un enfant — condamné ou gravement infirme — au risque de ne plus jamais pouvoir en porter d'autres ?*

«*Doit-on forcer la victime d'un viol et d'un inceste à porter l'enfant mal formé de son père, ajoutant un autre traumatisme à celui du viol ? Et ceux qui salissent Caroline Masters, que diraient-ils à la jeune fille de quinze ans que j'ai tenue dans mes bras, ici à la Maison-Blanche, après qu'elle eut bravé l'humiliation de raconter qu'on l'avait contrainte d'accoucher d'un enfant aveugle et retardé ? Parce qu'il était aussi son frère...*

Kate Jarman ne souriait plus.

— Ça ne vous plaît peut-être pas, Mac, mais c'est efficace.

— *La vérité est dure mais elle est indispensable pour juger Caroline Masters. C'est pourquoi ses adversaires ne veulent pas que vous l'entendiez.*

«*Il y a deux jours, à la Maison-Blanche, j'ai réuni des femmes qui avaient vécu la vérité de l'avortement tardif, des jeunes filles qui avaient subi les conséquences non voulues des lois sur l'autorisation parentale.*

«*Toutes ces femmes désiraient des enfants. Aucun de leurs enfants n'aurait survécu. Et plusieurs d'entre elles non plus, peut-être. Deux mères se demandaient qui s'occuperait des enfants qu'elles avaient déjà. Une jeune fille — celle que j'ai mentionnée — avait été victime de la plus horrible trahison qu'un père puisse infliger à un enfant. Une autre mère avait perdu sa fille mineure, morte des suites d'un avortement clandestin, parce que cette fille avait eu peur de la décevoir...*

— Un vrai Téléthon à la Jerry Lewis, laissa tomber Harshman avec mépris. Il ne connaît aucune personne normale ? C'est à croire que le pays compte deux cent soixante-dix millions de victimes.

Kate Jarman feignit de ne pas l'avoir entendu et continua à regarder attentivement Kilcannon, signe, s'il en fallait un à Gage, qu'il y aurait peut-être encore des problèmes au Sénat.

— *Une autre jeune fille n'avait pas pu venir. Et sa mère n'avait pas pu témoigner pour elle. Elle s'appelait Dawn Collins. A treize ans, son père l'avait violée. Par honte, elle n'en avait parlé à personne, mais la grossesse était un secret qu'elle ne pouvait garder. Elle demanda donc à sa mère l'autorisation d'avorter, comme le stipule la loi dans l'Idaho. Et sa mère l'interrogea jusqu'à lui arracher la vérité.*

«*La mère affronta le père tandis que Dawn se cachait dans la chambre.*

424

Il était soûl. Dans un accès de rage, il a tiré sur sa femme, la touchant mortellement. Puis il a tué Dawn, comme il avait menacé de le faire si elle le dénonçait.

« Lorsque j'ai eu connaissance de ce drame, je me suis juré de ne jamais détourner les yeux et me contenter de signer une loi au lieu de voir la vérité en face.

« C'est fondamentalement le choix que Caroline Masters a fait. Vous n'approuvez peut-être pas sa décision : je ne vous le demande pas. Mais je vous demande : est-il juste que le Sénat prive le pays des services d'une telle femme à cause d'un acte de courage ?

« Et ceci encore, ajouta le président, durcissant le ton. *Comment en sommes-nous arrivés à poser cette question ? La réponse, j'en ai peur, est que nous en sommes arrivés là le jour où l'avortement a cessé d'être une question morale pour devenir un problème politique. Le jour où des mouvements comme Engagement chrétien ont cessé d'être les défenseurs d'une cause pour devenir les bailleurs de fonds de dirigeants politiques de droite...*

— Wouah, fit Kate Jarman à mi-voix.

A côté d'elle, Paul Harshman devint cramoisi de colère.

— *Avides d'argent et de pouvoir, les adversaires de la juge Masters ont mis la moralité sens dessus dessous. On peut discuter de la moralité de recourir à l'avortement comme moyen de contraception dans les trois premiers mois de grossesse. Mais c'est un droit que la loi accorde aux femmes et que, quelles que soient les réserves personnelles, la plupart des Américains soutiennent.*

« Pour abattre la juge Masters, l'extrême droite perpétue le mensonge de fœtus bien portants assassinés par des docteurs insensibles et des mères égoïstes quelques jours avant l'accouchement.

Kilcannon ralentit son rythme pour donner plus de force à la suite :

— *C'est un mensonge aux conséquences terribles : dans aucune autre branche de la médecine la loi ne fait d'un médecin un criminel parce qu'il a secouru une mineure. Parce que, encore aujourd'hui, notre société demeure indifférente au sort des femmes...*

— Nous sommes machos, maintenant, grommela Harshman.

Gage remarqua que, cette fois encore, Kate Jarman ne réagit pas.

— *En 1954, la Cour suprême a estimé, dans l'affaire Brown contre le Conseil de secteur scolaire, que la ségrégation légalisée violait notre Constitution. Aujourd'hui, si un juge ne tenait pas compte de ce jugement, l'indignation serait générale. Et, que nous soyons ou non d'accord avec le jugement dans l'affaire Roe, il a, comme le jugement Brown, force de loi dans ce pays.*

« *Ceux qui s'opposent à Caroline Masters n'en tiennent pas compte ; ils ne tiennent pas compte des tragédies qu'elle a affrontées par devoir, ni des qualités exceptionnelles qu'elle mettrait au service de la Cour. Il est temps de nous demander pourquoi une telle injustice — envers cette femme et toutes les femmes — est encore acceptable. Pour moi, elle ne l'est pas.*

— Il ne nous traite pas carrément de sexistes mais la soirée ne fait que commencer, dit Gage à Harshman.

— *J'ai lu avec attention les conclusions de la juge Masters et j'y ai réfléchi longuement. Elles m'ont éclairé. Je ne peux plus accepter que le rôle d'un gouvernement consiste à dire à une mineure — si dure que soit sa situation — qu'elle ne compte absolument pas...*

Kilcannon leva la tête en un geste conjuguant une détermination calme à une pointe de défi.

— *Pour toutes ces raisons, j'ai donné aujourd'hui pour instruction au vice-ministre de la Justice de ne pas s'opposer à Mary Ann Tierney devant la Cour suprême des Etats-Unis...*

— Nous l'avons adoptée, cette loi, protesta Harshman. C'est son devoir de la faire appliquer.

Kate Jarman sortit alors de son silence.

— Ça alors, murmura-t-elle. Il aurait pu s'en tenir à « qu'elle ait tort ou qu'elle ait raison, ne la punissez pas pour une seule décision ».

Gage était lui aussi abasourdi : le président avait placé nettement son autorité morale derrière Masters, prenant ainsi tous les risques.

— Personne n'a jamais prétendu que ce petit salaud manquait de cran, grommela-t-il à ses collègues.

— C'est formidable, dit Sarah d'une voix émue. Le président vient de donner tort à ton père.

La pression des doigts de Mary Ann se resserra sur la main de l'avocate.

— Ça peut nous aider ?

— Psychologiquement, oui. Même les juges de la Cour suprême sont des êtres humains.

— *J'ai quelque chose à ajouter,* disait Kilcannon sur l'écran. *Aujourd'hui, le* New York Times *a révélé que Caroline Masters avait une fille. Quelques heures plus tard, le chef de la majorité au Sénat, Macdonald Gage, l'a déclarée « moralement indigne » de présider la Cour suprême. Il ne lui a pas demandé de s'expliquer. Il ne m'a pas demandé si j'en savais plus. Il n'a pas pris le temps de se demander si c'était juste. Il a simplement prononcé la condamnation de cette femme sur la base d'un moment de sa vie.*

« *Je crois que nous pouvons faire mieux. Imaginez Caroline Masters non comme l'éminente juge qu'elle est aujourd'hui mais comme une jeune femme de vingt-deux ans.*

« *Il aurait été simple de mettre fin à sa grossesse. Mais elle s'y est refusée parce que cette décision concernait une autre vie que la sienne. Elle n'avait pas grand-chose d'autre à offrir à son bébé que cette conviction. Il y avait cependant quelque chose qu'elle pouvait donner : une sœur et un beau-frère qui voulaient désespérément des enfants.*

« *Quelques semaines avant la naissance de sa fille, ils proposèrent de l'adopter. Ils offraient au bébé deux parents et un foyer aimant. Tout ce qu'ils voulaient en échange, c'était élever cet enfant comme le leur. Ce n'était pas ce que Caroline avait envisagé mais elle considéra les faits avec cette honnêteté généreuse qui l'avait conduite à avoir cet enfant, et elle conclut qu'il valait mieux apporter la sécurité à sa fille. Trois jours après la naissance, le beau-frère vint prendre le bébé.*

— Ça explique beaucoup de choses, dit Sarah, moins à Mary Ann qu'à elle-même.

— *Caroline Masters entama une nouvelle vie. Elle ne pourrait jamais parler de ce qui s'était passé, elle avait promis le secret à sa sœur. Elle ne connaîtrait pas son enfant. Mais elle savait que la petite fille allait bien et que ses parents l'aimaient. Cette certitude justifiait son sacrifice, et son silence…*

Gage tourna la tête pour observer Kate Jarman, qui fixait l'écran comme si sa carrière politique en dépendait.

— *Pendant vingt-sept ans, elle a tenu parole,* poursuivait le président. *Elle a protégé sa fille et la famille d'adoption.*

« *Lorsque j'ai envisagé sa candidature à la Cour suprême, elle m'a clairement répondu que si le prix de cette candidature était de faire souffrir sa fille et cette famille, elle n'était pas prête à le payer. Je ne pouvais qu'être d'accord. Comme je ne peux qu'être d'accord avec les choix faits par Caroline Masters et les parents adoptifs de son enfant.*

« *J'ai rencontré cette fille. C'est une jeune femme de vingt-sept ans intelligente et accomplie…*

Kilcannon durcit le ton pour ajouter :

— *Un argument convaincant des mérites de l'adoption, que les principaux adversaires de Caroline Masters vantent souvent mais qu'elle a elle-même incarnés…*

— La voilà pro-vie, maintenant, fit Gage. Sidérant.

— Une honte, s'indigna Harshman. Il va maintenant exhiber la fille, nouveau porte-drapeau de l'adoption…

— *Et maintenant, quelques heures après cette douloureuse révélation, le sénateur Gage affirme que l'existence même de cette fille discrédite la juge Masters. Je ne peux que supposer qu'il ne se réfère pas au courage qu'elle a montré en préservant la vie de son enfant et en la faisant ensuite adopter puisque, comme le sénateur ne manque jamais une occasion de le rappeler, il est lui-même un enfant adopté...*

— Kerry, murmura Gage, tu connais vraiment les coups qui font mal...

— *Peut-être pense-t-il qu'elle est discréditée parce qu'elle a commis, il y a vingt-sept ans, la même erreur que beaucoup de jeunes gens...*

Le président marqua une pause, donna à son ton une nuance ironique :

— *Au sénateur Gage et à ses alliés, je dis ceci : une vie sans aucune erreur n'est pas la condition indispensable pour accéder à des responsabilités publiques. Si les adversaires de Masters l'affirment, ils placent le Sénat devant un choix : d'un côté la noblesse et la dignité de cette femme, de l'autre leur hypocrisie moralisatrice...*

Kate Jarman détacha ses yeux de l'écran pour lancer à Gage :

— A votre avis, Mac ? Ça se joue à pile ou face ?

— *Il y a ceux qui accusent Caroline Masters de les avoir trompés. Pourquoi ? Parce que, prétendent-ils, même après avoir littéralement dit la vérité, elle leur devait de violer sa promesse et de faire souffrir sa fille en révélant publiquement les détails privés de la vie de cette jeune femme.*

« *C'est à moi qu'elle les a révélés. J'en ai conclu qu'elle avait des obligations envers sa famille et envers personne d'autre. Je reprendrai donc les propos du sénateur Palmer : s'il y a quelqu'un à blâmer, c'est moi...*

— Bien sûr, éructa Harshman. Sers-toi de ton copain Chad pour te couvrir. Il adore ça.

— *Pour ma part, je suis fier de cette candidature, de la personne qui a protégé sa fille dès sa conception, de la juge qui a protégé une autre jeune fille au risque de ruiner ses propres ambitions. Son attitude dans l'affaire Tierney reflète les plus hautes traditions du droit et les valeurs les plus profondes de sa vie. Aucun président ne saurait exiger davantage.*

« *Ni vous, je crois. Vous êtes meilleurs, je le sais, que ces individus qui, préférant la calomnie et l'insinuation au débat d'idées, le dénigrement au dissentiment, prennent les voies tortueuses pour parvenir au pouvoir. C'est vous, pas eux, qui représentez un pays tolérant, généreux, compréhensif et toujours prêt à estimer une personne pour* tout *ce qu'elle est...*

Non, se dit Gage, ce ne sera pas facile. Il fallait s'attendre à des manœuvres serrées, à un combat pour chaque vote. Kilcannon comprenait les enjeux aussi bien que lui et était résolu à le briser. Gage devait affronter un homme politique aux talents exceptionnels, dont le moindre n'était pas son caractère impitoyable.

— *Je demande donc au Sénat de confirmer Caroline Masters à la présidence de la Cour suprême*, conclut Kilcannon. *Si vous joignez vos efforts aux miens, il le fera.*

— C'est ce qu'on va voir, murmura Gage.

Mais Kate Jarman ne se tourna pas vers lui.

13

Les douze heures qui suivirent furent pour Gage un rappel dégrisant du pouvoir de la présidence.

Lorsque Mace Taylor entra dans son bureau pour partager avec lui café et petits pains, un sondage réalisé par CNN-Time indiquait que sur les cinquante millions d'adultes qui avaient suivi l'allocution du président, quarante-deux pour cent étaient favorables à la confirmation de Masters, trente-trois pour cent contre, les autres — vingt-cinq pour cent, chiffre élevé — demeurant indécis. De brefs coups de fil à son *whip* [1] et à quelques sénateurs importants révélèrent que Kilcannon avait réussi à geler les votes : Gage disposait toujours au mieux de quarante et une voix et ne savait toujours pas d'où viendraient les neuf ou dix autres requises. Quant aux démocrates, si certains sénateurs des *border states* [2] et du Sud étaient enclins à la dissension, aucun d'eux n'avait publiquement rompu avec son président.

— Les quarante et un contre sont solides, dit Gage à Taylor. Mais plusieurs ne soutiendraient pas une obstruction parlementaire. Je ne peux donc pas claquer simplement la porte au nez de Masters, et réclamer un vote serait risqué.

«Kilcannon le sait. Plus cette affaire se prolonge, plus il dispose de temps pour convaincre l'opinion de soutenir Masters : manifestations de femmes, salles pleines d'enfants adoptés. Je parie que Barbara Walters est sur les rangs pour interviewer la fille : haut exercice lacrymal. En cette ère des aveux, il ne faut pas sous-estimer le goût des Américains pour le mélo. Je vois d'ici Masters et le papa de la fille, tout fier maintenant, réunis par Jerry Springer.

1. Elu chargé d'assurer la discipline au sein d'un groupe parlementaire. *(N.d.T.)*
2. Anciens Etats esclavagistes n'ayant pas fait sécession. *(N.d.T.)*

Avec une délicatesse étonnante, Taylor plissa les lèvres pour boire une gorgée de café dans la tasse en porcelaine de Gage.

— Le père, dit-il. C'est le seul détail que Kilcannon nous ait épargné. On ne sait pas du tout qui c'est.

— Ils se refusent à en parler. Affaire privée, font-ils valoir. Quelqu'un doit pourtant savoir quelque chose.

— On essaiera de trouver. Juste au cas où ce type aurait laissé tomber le LSD en même temps que Masters en apprenant qu'elle était enceinte. Tout ce qu'on sait, c'est qu'elle sortait avec Watts en fac, que personne ne l'a jamais vue prendre de drogue ou tenir la main d'une autre fille. Il y a de quoi se demander comment on a fait pour passer à côté de cette histoire de môme.

— Il y a de quoi, en effet.

Taylor reposa sa tasse, leva les yeux vers le sénateur.

— C'est pas de notre faute, Mac. Prenez-vous-en plutôt à Palmer. Vous avez été trop coulant avec lui.

Il baissa la voix pour une mise en garde implicite :

— Je sais que vous avez eu des nouvelles de gars comme Barry Saunders. Ils veulent que Masters dégage et que Kilcannon arrête de nous rouler. J'ai l'impression que c'est le moment de montrer que vous avez des tripes. Vous et Palmer.

Gage voyait ses options disparaître l'une après l'autre. Il ne pouvait pas encore réclamer un vote et le temps jouait peut-être contre lui. Il n'avait pas la tribune de Kilcannon ni son talent pour faire vaciller l'opinion. Et l'affaire Tierney s'acheminait vers sa conclusion... qui, dans le pire des cas, révélerait que le fœtus n'avait pas de cortex cérébral, ni aucune chance de survivre.

— J'ai un plan, annonça-t-il. D'une façon ou d'une autre, Palmer devra comprendre.

— Il faut de nouvelles audiences, déclara Paul Harshman à ses collègues.

Les cinquante-cinq sénateurs républicains étaient réunis dans la Vieille Chambre, amphithéâtre surchargé d'ornements adapté à leur nombre. Mais, pour Macdonald Gage, les réactions les plus intéressantes étaient celles de Chad Palmer et de Kate Jarman, chefs de file des modérés du parti.

— Nous avons là une femme dont le verdict le plus récent et le plus important prône l'avortement, poursuivit Harshman, une femme dont la vie privée est douteuse, l'éthique contestable, et qui

— cessons de tourner autour du pot — nous a menti sur toute la ligne.

«Oh, non, fit-il, imitant Masters, Sarah Dash n'est rien pour moi. Oh, n'est-ce pas qu'elle est charmante, ma nièce? Et nous avons tout avalé...

— Non, intervint Chad Palmer d'un ton aimable. C'est moi qui ai tout avalé. Vous, Paul, vous étiez moins bien disposé. Je ne peux que regretter ma sottise et me demander ce qui se serait passé si j'avais été moins stupide.

Avec Harshman, Chad est incapable de se retenir, pensa Gage. Quelques sénateurs sourirent.

— Vous trouvez peut-être la promiscuité et le mensonge amusants, répliqua Harshman avec indignation. Je peux vous assurer que ce n'est pas le cas de mes électeurs.

«Nous sommes cinquante-cinq dans cette chambre et vous découvrirez qu'une forte majorité d'entre nous veut rouvrir les audiences de votre commission, en grande partie à cause de ce que la candidate et vous avez décidé de ne pas "partager" avec nous.

Palmer haussa les épaules.

— Je vous ai exposé mes raisons. Nous savons tous que la politique est devenue un vilain jeu. Nous pouvons échanger des propos vertueux dans cette salle hermétiquement close mais il semble bien qu'une bonne partie du pays soit d'accord avec l'intervention de Kilcannon, du moins en ce qui concerne la vie privée. Si nous suivons comme des lemmings les groupes d'intérêts qui veulent la tête de Masters sur un plateau, nous finirons par écœurer tous les Américains. Vous pensez vraiment que l'opinion veut un spectacle aussi...

— Elle veut la vérité, coupa Harshman. En ces temps moralement équivoques, le parjure peut sembler anodin à certains d'entre nous, même le parjure d'une candidate à la Cour suprême. Mais, Dieu merci, le noyau dur de nos partisans garde ses repères moraux.

Palmer roula les yeux. Il ne manifeste apparemment pas le moindre repentir, se dit Gage, qui s'en inquiéta : pour quelques-uns de ses collègues, la personnalité casse-cou de Palmer avait un certain charme.

— Je crois que vous découvrirez que vous êtes tous deux d'accord sur le fond, intervint le chef de la majorité. Il faut éliminer Caroline Masters. Là-dessus, Chad se sent aussi responsable que n'importe lequel d'entre nous.

La remarque, destinée à rappeler à Palmer son faux pas, atteignit clairement sa cible : comme souvent lorsqu'il était acculé, il baissa à demi les paupières.

Gage se dirigea vers la tribune, les mains dans les poches, et déclara avec une solennité étudiée :

— Nous sommes dans un de ces rares moments où un vote a une portée constitutionnelle. Le président nous a défiés. Chacun de nous doit définir la valeur qu'il accorde aux vies à naître, à la vérité, à la Cour suprême, à son rôle de sénateur.

« Le vote sur Masters doit être un vote de conscience. Nous sommes face à un adversaire qui nous fustige avant même que nous nous soyons exprimés. Alors je ne veux pas alourdir votre fardeau en y ajoutant des pressions de ma part.

Gage s'interrompit, scruta les visages impassibles de politiciens qui, tout en feignant de croire à ces bonnes intentions, ne se faisaient aucune illusion : ils connaissaient l'enjeu pour Gage et Palmer, ils connaissaient l'éventail de moyens — d'une nomination dans une mauvaise commission à un projet de loi expirant avant même un vote — par lesquels Gage pouvait les punir sans prononcer un mot. Kate Jarman, la tête renversée en arrière, semblait sourire au plafond.

— Mais Paul a raison. Le processus est important et beaucoup de questions ont surgi et sont restées sans réponse depuis que la commission nous a recommandé de confirmer Masters. La Constitution nous fait obligation de peser soigneusement ces problèmes.

Gage se mit à marcher de long en large, accéléra son débit :

— Il y a deux mois, Kerry Kilcannon siégeait lui aussi dans cette chambre. Il a été élu président de justesse. Les électeurs n'en ont pas fait un demi-dieu devant lequel nous devrions nous prosterner. Un grand nombre d'Américains comptent sur nous pour limiter ses excès, comme c'est notre devoir.

« Renoncerons-nous à nos principes pro-vie ? Craindrons-nous de poser les questions de moralité parce que Masters est une femme ?

Se tournant vers Palmer, il enchaîna avec calme :

— Le faire serait nous rendre complices d'une tentative de dissimulation de faits, même si nous en ignorions l'existence.

La référence à peine voilée à la conduite de Palmer amena sur les lèvres de celui-ci un sourire pâle mais teinté de défi.

— Quoi que nous fassions, continua Gage, nous devons le faire dans l'unité. C'est pourquoi je vous ai convoqués : afin de voir où nous en sommes sur la question de nouvelles audiences. Parce que si la plupart d'entre nous les souhaitent mais ne parviennent pas à les obtenir du Sénat, nous aurons l'air pitoyables.

Gage pensait disposer des votes nécessaires. Palmer aussi, apparemment, à en juger par le regard sceptique qu'il posait sur le chef de la majorité.

— Sénateur, votre avis ? lui lança Gage. Après tout, c'est à vous qu'il incomberait de les présider.

— Pas si je peux l'éviter, répondit Chad, souriant de nouveau.

Il parcourut les rangées du regard et poursuivit :

— Je ne me fais pas d'illusions sur le sentiment général, ni sur les pressions que nous sentons tous. Malgré les efforts de Mac pour nous les épargner, ajouta-t-il avec ironie.

« Je ne doute pas non plus que plusieurs d'entre vous mettent en cause mon opinion concernant Caroline Masters. Je respecte leur avis et je m'en accommode. Ce dont aucun d'entre nous ne doit s'accommoder, c'est de nouvelles audiences. Paul et moi avons eu le plaisir de rencontrer Caroline Masters. Apparemment, nous avons une perception différente de cette expérience.

« J'ai vu personnellement une femme de ressource, extrêmement intelligente. Si nous l'attaquons sur sa fille ou si nous l'accusons — franchement — d'être lesbienne, elle est assez habile pour nous démolir, assez retorse pour le faire d'une manière qui plaira à l'opinion. Et *ensuite*, nous devrions essayer d'obtenir un vote contre elle au Sénat ? Autant le faire tout de suite. C'est une chose de voter contre elle, c'en est une autre d'en faire une martyre.

« Nous avons tous lu ses conclusions sur l'affaire Tierney. Nous savons tout maintenant sur sa fille et nous avons toujours su que Dash avait été sa stagiaire. Que nous faut-il de plus ? Le temps n'améliorera pas la situation, et l'issue de l'affaire Tierney, par l'irruption brutale de la réalité, pourrait au contraire l'aggraver.

Il se tourna de nouveau vers Gage.

— Vous pouvez compter sur mon vote contre elle, Mac. Rassemblez les votes qui vous sont nécessaires et soumettez sa candidature au Sénat.

Piqué, Gage sentit les autres deviner la vérité : il n'avait pas encore les votes pour battre la candidate.

— Je ne suis pas convaincu que de nouvelles audiences rendraient Masters plus sympathique, répondit-il. Et le temps qu'elles prendraient aurait ses avantages. En votant maintenant, nous aurions l'air péremptoires. Après de plus amples délibérations, nous apparaîtrions comme des hommes d'Etat.

Souriant à Kate Jarman, visiblement indécise, il ajouta :

— Et des femmes d'Etat.

A en juger par l'expression de ses collègues, l'argument avait porté. Soutenir un renvoi en commission permettait de repousser le jour du vote définitif et de mieux estimer l'humeur changeante de l'opinion tout en étayant les raisons de s'opposer à Masters.

— Votons, suggéra Paul Harshman.

— Oui, pourquoi pas? se hâta d'approuver Gage. Qui est favorable à un renvoi en commission?

Les sénateurs commencèrent à lever la main, un groupe d'abord, puis d'autres, éparpillés et moins résolus, jusqu'à ce que — comme Gage l'espérait — tous se prononcent pour, sauf quatre : Chad Palmer, Kate Jarman et deux autres.

Palmer regarda autour de lui et dit d'un air résigné :

— C'est plutôt clair, non? Quand nous voterons le renvoi, demain, il faudra paraître unanimes. Pas de divisions dans les rangs.

Satisfait, Gage balaya la salle du regard.

— Tout le monde est d'accord? Bon, alors, c'est réglé.

La réunion s'acheva. Tandis que les autres s'éloignaient, Gage prit Palmer par le coude et l'entraîna à l'écart.

— Du travail d'artiste, murmura Chad.

— Il faut qu'on parle, dit abruptement Gage.

Ils s'installèrent dans le bureau de Palmer, qui annonça d'un ton froid :

— Nous pouvons arrêter le pipeau maintenant. Vous voulez que je l'assassine en commission, c'est bien ça?

Gage parvint à masquer sa surprise. Jamais les manières désinvoltes de cet homme ne doivent faire oublier son intelligence, s'enjoignit-il.

— Vous avez une dette envers moi, dit-il. Envers nous.

— Parce que j'ai couvert la juge aux mœurs dissolues?

— Oui, répondit Gage, comme s'il énonçait une évidence. Je vous ai fait président de commission, et votre premier acte a été de me trahir pour Kilcannon. Je peux comprendre vos raisons, Chad. Mais les fidèles du parti n'en ont cure. Si vous n'intervenez pas *maintenant*, les gens qui font ou défont les candidats ne vous le pardonneront jamais

Par-dessus le bureau, Palmer le considérait avec cette équanimité que Gage trouvait si agaçante.

— La pénitence est lourde, Mac. Je suis sénateur depuis l'âge de trente-quatre ans. Jamais je n'ai vu la commission judiciaire empêcher un candidat à la Cour suprême de se présenter devant le Sénat.

Je crois que cela ne s'est jamais produit. Un avis négatif, oui. Mais dire à Masters : «Désolés, nous ne vous envoyons même pas devant le Sénat»? Sans précédent. Alors, pourquoi est-ce que cette proposition vous est venue si facilement?

Palmer prit un stylo, le fit distraitement rouler entre ses doigts en continuant à observer Gage.

— Je vous connais, Mac. Vous n'êtes pas sûr de gagner. Et si vous perdez, les "fidèles du parti" diront que vous n'avez pas l'envergure nécessaire. Alors, quelle est la solution magique? Liquider Masters sans vote au Sénat.

«Vous ne voulez pas laisser vos empreintes sur ce coup-là. Kilcannon nous démolirait : nous serions les valets de la droite écrasant la démocratie. Mais nous avons une majorité de dix contre huit à la commission. A moins que Jésus ne vienne en personne témoigner pour Masters, Harshman et sept autres voteront contre elle, quoi qu'il arrive. Reste Kate Jarman… et moi à convaincre.

— Reste vous. Neuf contre neuf, ce serait suffisant, dit Gage d'une voix calme mais ferme. C'est l'occasion de vous racheter. Vous auriez mon soutien total.

Une lueur éclaira le regard de Chad, trahissant un vague amusement, puis elle s'éteignit, et Gage eut l'impression de voir les pensées de Palmer se dérouler devant lui. Il ne voulait pas du plan de Gage, il n'aimait pas qu'on lui force la main mais il n'était pas insensible aux réalités politiques. Il avait fait alliance avec Kilcannon et connaissait maintenant de gros problèmes dans son parti, il en avait conscience.

— Je vais réfléchir, soupira-t-il. Mais je ne peux pas promettre de l'éliminer avant même que nous ayons procédé aux nouvelles audiences. Il faudra que je voie.

— Que vous voyiez quoi? Si elle recommence à avoir l'air d'une lesbienne?

La réticence réapparut dans le regard de Palmer.

— Franchement, Mac, je me fiche qu'elle le soit. Harshman m'a persuadé que se soucier de ce genre de chose rend stupide.

Gage ressentit une brève irritation puis un sentiment plus profond, plus sombre. Il était en son pouvoir de détruire cet homme et seules la compassion ainsi qu'une certaine prudence l'en avaient empêché jusqu'ici. Mais la compassion ne serait bientôt qu'un luxe inutile et le pouvoir d'épargner Palmer s'échapperait peut-être des mains de Gage.

— Nous ne sommes pas amis, Chad, dit-il, détachant soigneusement chaque mot. Nous ne l'avons jamais été. Mais je parle pour votre bien. Je me suis adressé deux fois à vous sur cette question et je suis revenu les mains vides. Dans mon propre intérêt de leader, je ne peux pas l'accepter plus longtemps. Essayez de le comprendre.

Palmer scruta attentivement le visage de Gage, façon de reconnaître qu'ils n'avaient jamais parlé de cette manière auparavant, et peut-être aussi d'admettre autre chose : la peur que Chad Palmer, conscient des forces liguées contre Masters, devait éprouver pour lui-même et pour sa famille.

— Je comprends, répondit-il.

14

A son retour à Washington, Caroline Masters fut accueillie par une presse si agressive et agitée qu'elle eut l'impression de se retrouver au sein d'une meute. Les journalistes lui lancèrent des questions sur Brett tandis qu'elle traversait l'aéroport la tête haute, sans rien dire. Lorsqu'elle passa devant un kiosque à journaux, son visage lui apparut sur les couvertures de *Time, Newsweek, People* et *US News and World Report* avec des légendes comme «Est-ce moral?» ou «Digne de la Cour suprême?». A l'instigation de la Maison-Blanche, le *Washington Post* publiait une série d'articles sur l'adoption; au *Tonight Show*, Jay Leno avait décrit la commission judiciaire comme «une femme et dix-sept types contents que les rapports extraconjugaux n'engrossent pas les hommes». Et, à la surprise de Caroline, Lara Costello avait commencé à participer à des débats télévisés et à reprendre la ligne d'attaque lancée dans l'allocution du président.

Les audiences débuteraient dans deux jours et Caroline n'avait plus une heure libre dans son agenda. Entre les séances de préparation, il y aurait une réception à la Maison-Blanche avec une pléthore de célébrités, des parlementaires, des personnalités féminines du monde politique ou sportif; une rencontre avec le chef de la minorité au Sénat, Chuck Hampton, et plusieurs sénatrices démocrates; un petit déjeuner avec un groupe de républicaines pour le libre choix qui avaient rompu avec leur parti pour la soutenir, un déjeuner avec Lara Costello et d'autres femmes des médias. La seule absente — parce que Caroline se refusait à la solliciter —, c'était Brett Allen.

La première rencontre fut la plus symbolique : une promenade avec le président dans le parc de la Maison-Blanche, dûment couverte par le service de presse présidentiel, ainsi que par les photographes et cameramen glissant leurs objectifs à travers les barreaux de la grille en fer.

— C'est en grande partie du théâtre, fit observer Kilcannon, marchant à côté de Caroline. Reagan n'est pas le seul acteur qui soit devenu président, juste le seul à avoir son nom au générique.

C'était la première fois qu'elle le revoyait depuis le verdict de l'affaire Tierney. Bien qu'il affichât un comportement détaché, le manque de sommeil cernait ses yeux et il semblait déjà légèrement plus vieux. Caroline avançait avec précaution : le temps de fin mars était doux, mais le sol demeurait humide.

— Ça ne me dérange pas de partager la vedette dans un film muet, répondit-elle, mais tomber sur le derrière avec mes hauts talons... Je vous ai causé assez d'ennuis comme ça.

Le président s'arrêta, ébaucha un sourire.

— Je ne peux pas nier que j'aie eu des ennuis. Cependant on sent une certaine liberté à dire ce que l'on croit. Et l'opposition trouve ça embêtant.

Elle secoua la tête.

— Je ne m'attendais quand même pas à lire que l'avenir de votre gouvernement repose sur moi. C'est bien plus important que ce que je suis.

Kilcannon glissa les mains dans les poches de sa veste, demanda d'un air grave :

— Plus important que ce qui vous est arrivé ?

Caroline baissa les yeux. Depuis la révélation, Brett restait cloîtrée, évitant les médias, refusant poliment de voir Caroline ou Betty avant d'avoir fait le point sur ses sentiments. L'image la plus récente que Caroline avait d'elle était une photo floue de *US Magazine,* prise au téléobjectif alors qu'elle sortait sa poubelle au petit matin.

— Peut-être pour moi. Pas pour elle.

— Je suis désolé, dit le président après un silence. Je voulais vous protéger toutes les deux.

Elle le regarda dans les yeux et il eut soudain l'air troublé.

— En tout cas, je ne peux pas dire que vous ne m'avez pas prévenue. Tout est arrivé parce que je voulais ce poste.

Kilcannon marqua une nouvelle pause, fixant le sol comme s'il se demandait s'il devait répondre. Il haussa les épaules.

— Continuons à marcher, sinon nous aurons l'air d'un couple en crise. En plus, avec vos talons, vous faites aussi grande que moi. Kit Pace est très attentive à ce genre de détail.

Souriant, Caroline se remit à avancer, prudemment, toutefois.

— Comment ça se passe, maintenant, avec Brett ? s'enquit-il.

— Pour moi ? C'est dur. Je nourris des fantasmes égoïstes... Quant à elle, j'imagine une jeune femme qui remonte dans le temps, qui relit sous un nouveau jour les chapitres de sa vie : ce que Betty disait de moi, ou ne disait pas ; ma brouille avec son grand-père ; les moments où elle sentait que quelque chose n'allait pas, sans savoir exactement quoi. Pourquoi les albums de la famille ne contenaient aucune photo de ma mère, à qui — *US Magazine* a eu l'amabilité de le révéler — Brett ressemble tellement.

« C'est une jeune femme sensible, et sage, je crois, poursuivit Caroline en jetant un coup d'œil aux photographes entourant le parc. Je pense qu'elle s'appuie sur ses amis et qu'elle essaie d'accepter cette situation avant de nous rencontrer de nouveau. Sa vie ne sera plus jamais la même, elle veut sans doute éviter de commencer par un faux pas.

Marchant à côté d'elle, le président se contenta de hocher la tête. Bien qu'elle ne le connût pas vraiment et qu'il eût relativement peu parlé, elle devinait sa sympathie et se sentait aussi à l'aise avec lui qu'à leur première rencontre.

— Inutile de vous dire, je présume, que ces nouvelles audiences seront difficiles, dit-il enfin.

Malgré les apparences, il n'avait pas changé de sujet.

— J'en ai comme l'impression, monsieur le président. J'ai noté avec regret, mais sans surprise, que le sénateur Palmer ne figure pas à mon programme.

— Chad ne peut pas vous voir. Il a des problèmes dans son parti. Ses adversaires l'accusent d'avoir conspiré avec nous. C'est à peine s'il peut me parler.

Le ton de regret de Kilcannon semblait aussi personnel que professionnel.

— Je continue à me demander d'où elle vient, dit Caroline. Cette fuite.

Il haussa de nouveau les épaules, cligna des yeux dans le soleil.

— Inutile de s'interroger. C'est fait, c'est fait.

Au bout d'un moment, elle approuva d'un signe de tête.

— Nous avons pris des risques, tous les deux. Mais le sénateur Palmer aussi, et je me sens coupable envers lui.

— Moi aussi, Caroline, croyez-moi.

Pour la première fois, elle se demanda si le président en savait — ou en devinait — plus qu'il ne le disait. Mais elle ne pouvait que s'en remettre à l'impression qu'elle avait de lui : Kerry Kilcannon ne trahirait pas une promesse, faite à Palmer ou à elle.

— Je présume, d'après vos propos, que Brett ne viendra pas ici, ajouta-t-il.

— Je ne le lui ai pas demandé et je ne le ferai pas. L'utiliser ou la mettre en danger, c'est plus que je ne peux supporter.

Caroline s'interrompit, reprit avec plus de douceur :

— Quelle que soit l'issue, je veux construire une relation avec elle. Je ne peux pas la commencer par un acte d'égoïsme.

Ils s'arrêtèrent de nouveau, cette fois devant la roseraie, et le président feignit, pour les photographes, de lui montrer les nouvelles plantations de printemps.

— Elle viendra peut-être d'elle-même, murmura-t-il.

Malgré ses résolutions, Caroline sentit en elle une bouffée d'espoir. Elle l'étouffa aussitôt avec fermeté.

— Peut-être. Mais j'espère sincèrement qu'elle ne le fera pas.

— Vraiment ? fit Kilcannon avec un sourire.

— Vraiment.

— Et si je le lui demandais ?

Elle se redressa.

— Ne le faites pas. Je vous en prie. Ce ne serait pas bien pour elle.

Il inclina la tête sur le côté.

— N'est-ce pas là le problème ? Que tout le monde décide à sa place de ce qui est bien pour elle ?

Caroline le regarda dans les yeux.

— Je ne veux pas faire de difficultés, monsieur le président, mais, concernant Brett, nos intérêts ne sont pas les mêmes. J'ai une fille que j'aime et dont j'espère qu'elle finira par m'aimer. Vous, vous songez à votre candidate, qui doit affronter des audiences indécises dont dépend votre prestige. Et vous ne pouvez pas vous empêcher de penser que ce serait tellement mieux si Brett venait dire au Sénat et au monde combien elle apprécie d'avoir reçu la vie et l'acte d'amour que j'ai fait.

« J'espère qu'elle viendra à le penser. Mais elle devra y venir seule. Si vous l'appelez, elle croira que je vous ai soufflé l'idée. Ou que nous nous adonnons tous deux au jeu de la politique.

— Peut-être pas, répondit Kilcannon en regardant les roses. Quelquefois le côté politique sert le côté personnel. C'est ce que la présidence a de merveilleux : certains contestent mes motivations mais tous prennent mes coups de téléphone. Et m'écoutent, même, à l'occasion.

— Une plaie, ce type, déclara Harshman sans préambule.

Gage leva les yeux d'une série de sondages, une étude du Comité national républicain montrant un net clivage de l'opinion sur la candidature de Masters.

— Quel type? Kilcannon ou Palmer?

— Martin Tierney. Saunders m'annonce qu'il ne témoignera pas sans assignation. Il dit que sa famille a assez souffert.

— Il dit ça maintenant? C'est un peu tard pour se refaire une virginité, non? persifla Gage.

— Tierney ne voulait pas d'un procès télévisé, alors Engagement chrétien a dû passer par-dessus lui, expliqua Harshman en s'asseyant. Saunders assure qu'il a toujours fait des difficultés; il trouve les principes du bon professeur un peu durs à analyser, mais, quels qu'ils puissent être, ils n'incluent pas de mener une guerre médiatique contre Masters, ni même de témoigner volontairement. Et ce foutu Palmer ne répond pas au téléphone.

Avec une irritation croissante, Gage songea à cette dernière dérobade. Si le chef de la majorité s'était gaussé des nouveaux partisans de Masters en les traitant de «bande de libéraux hollywoodiens classés X pour qui le mariage est une "préférence sexuelle"», il lui était difficile de contrer le rassemblement glamour de Kilcannon avec des prêtres intégristes, des musiciens chrétiens et l'ancienne vedette de cinéma vieillissante qui servait de figure de proue à la NRA.

— Chad serait prêt à appeler Tierney? Ou à lui envoyer une assignation? s'enquit-il.

— Non. Il dit que ce serait du harcèlement. Du boniment sur le respect de leur vie privée — comme s'il leur en restait une.

Gage plissa le front d'un air pensif.

— Une assignation ferait mauvais effet. Vous voulez que je téléphone à Tierney, je suppose?

Sans répondre, Harshman tira un morceau de papier de la poche de sa chemise, le fit glisser sur le bureau. Sous le nom «Martin Tierney» on avait griffonné deux numéros de téléphone, domicile et travail.

Après les avoir composés, Gage découvrit que, pour les deux, un répondeur se déclenchait dès la première sonnerie.

— Professeur Tierney, dit-il aux deux appareils, je suis le sénateur Macdonald Gage. Pourriez-vous me rappeler à votre convenance, peu importe l'heure.

Il énonça ses numéros de téléphone, chez lui et au bureau, puis raccrocha.

— C'est tout ce que je peux faire, Paul.

Harshman serra les mâchoires.

— Nous avons besoin de lui.

Jetant un coup d'œil à la télévision, Gage vit Kilcannon et Caroline Masters parlant avec animation dans la roseraie, la main du président sur l'épaule de sa candidate.

— Je le sais, murmura-t-il. Je le sais.

A onze heures du soir, Martin Tierney n'avait pas rappelé et Mac Gage était rentré chez lui. Ou du moins ce qu'il appelait chez lui. C'était un appartement de Crystal City au mobilier fonctionnel. Sa femme ne s'était jamais habituée à Washington et Gage rentrait tous les week-ends à Lexington, où ils avaient élevé leurs enfants et où vivaient maintenant leurs petits-enfants. L'un d'eux était afro-américain. Il y avait quelque ironie, même aux yeux de Gage, dans le fait que trois générations aient fait de l'adoption une tradition familiale, à commencer par l'inconnue qui avait été sa mère. Songeur, il regarda leurs photos accrochées au mur, seul ornement d'un endroit froid, à peine plus accueillant qu'une chambre de résidence universitaire. Gage n'avait jamais utilisé ses fonctions pour son profit personnel : si quelqu'un cherchait ses richesses, il les trouverait sur ce mur, pensa-t-il.

En s'étendant sur son lit, il remplaça à contrecœur les visages de ses petits-enfants par ceux de ses collègues, les fit défiler dans son esprit en dénombrant les voix et les dettes, en accolant un point d'interrogation aux sénateurs modérés ou à ceux qui se trouvaient confrontés à une élection serrée. Il en imagina une poignée se recroquevillant entre Kilcannon et lui... ou marchandant avec chacun d'eux. Il avait quarante-cinq votes sûrs à présent, et trois probables. Mais, même en comptant ces derniers, les trois votes dont il avait encore besoin étaient incertains, et Kilcannon avait empêché la ruée aux abris qui aurait condamné sa candidate. Aucun démocrate n'avait fait défection, même si, comme chez les républicains, dix sénateurs ne s'étaient pas prononcés. Et ces vingt neutres — il en était persuadé — suivraient attentivement les audiences avant d'adopter une position nette.

Les audiences seraient donc décisives. Si Palmer faisait ce qu'on lui demandait, les neutres n'auraient plus rien à attendre et Caroline Masters serait fichue.

Ce qui le ramena à Martin Tierney.

Tierney pouvait servir de paravent à Palmer et les aider tous : un père aimant et torturé pour contrebalancer les victimes d'inceste et les stars de Hollywood. Au moment même où il se faisait cette réflexion, le téléphone sonna.

Dans la vie d'un chef de la majorité, l'appel pouvait provenir de n'importe qui, mais, devinant qu'il s'agissait de Tierney, Gage rassembla toutes ses ressources de ruse et de persuasion avant de décrocher.

— Sénateur Gage ?

Il reconnut la voix pour l'avoir entendue à la télévision.

— Professeur Tierney, dit-il sur ce ton de bienvenue que sa femme qualifiait avec ironie de «réconfort sudiste». J'avais très envie de faire votre connaissance mais j'hésitais à vous appeler. Je sais combien cela a dû être dur pour vous.

— Oui. Et ça l'est encore.

Le ton appuyé annonçait une résistance à ce que Tierney supposait être l'objectif de Gage.

— Je ne sais si cela peut vous aider, répondit le sénateur, mais vous avez le soutien de millions d'Américains qui vous admirent et vous sont reconnaissants.

— Merci, dit Tierney, radouci. J'ai aussi une femme qui est effondrée et une fille qui ne nous parle quasiment plus.

— C'est un prix élevé à payer, reconnut Gage. En toute franchise, je ne sais pas si j'aurais eu votre courage.

— Avec nos convictions, nous n'avions pas le choix. Mais il y a des jours où je me demande, comme mari et comme père : aurais-je eu la force de me rendre au tribunal si j'avais prévu ce qui se passerait ? Et je me demande aussi pourquoi Dieu nous a infligé cette épreuve.

Gage envisagea de méditer à voix haute sur les impondérables de la foi, sur le mystère de Dieu, et finit par juger ce détour inutile. Tierney semblait trop las, trop méfiant. Le sénateur alla finalement droit au but :

— Je suppose que vous savez pourquoi je vous ai téléphoné.

— Oui.

Il sentit la tension monter en lui : cette réponse en un mot ne promettait rien de bon.

— Vous avez dû beaucoup souffrir. Surtout vers la fin.

— Tout le temps, corrigea Tierney. Quand je vois ma fille, ma femme...

— Je comprends. Mais ce ne sont pas elles que le pays voit maintenant, ni vous. La juge Masters et le président ont réussi à remplacer votre famille unie et aimante par une succession de pères ivrognes et incestueux, de mères indifférentes, de filles pitoyables. Et votre petit-fils est totalement oublié. Votre fille et son bébé sont menacés, mais aussi l'avenir de la Cour suprême et le mouvement pro-vie.

— C'est le mouvement qui a mis ma famille devant les caméras de télévision, rappela Tierney sans élever la voix. Il pense peut-être que cela m'a échappé ?

Désarçonné, Gage fit appel à ses réserves de calme.

— Je suis débordé, en ce moment. J'ignore ce qui vous oppose à Engagement mais, d'après mon expérience, il regroupe des personnes aussi dévouées et honorables qu'on puisse...

— Tant mieux, coupa sèchement Tierney. Vous allez me demander de faire abstraction de mes antipathies personnelles et de donner la priorité à nos principes communs. Je l'ai fait, pendant tout le procès. Je le ferai devant la Cour suprême. Mais pas question de faire souffrir ma fille au Sénat devant des caméras de télévision. Ni même d'attaquer la juge Masters.

A la véhémence du ton succéda une profonde fatigue :

— Je trouve son verdict exécrable. C'est comme si elle avait signé l'arrêt de mort de mon petit-fils. Mais je connais maintenant l'histoire de cette femme et je n'arrive plus à trouver en moi l'animosité qui me rendrait aveugle aux ravages supplémentaires que je risquerais de causer.

«La juge Masters a déjà fait tout le mal qu'elle pouvait faire. Le seul espoir pour mon petit-fils est à la Cour suprême, pas au Sénat.

Gage sentit ses tempes palpiter.

— Je comprends ce que vous éprouvez, croyez-moi. Cependant, vous l'avez souligné vous-même : il ne s'agit pas seulement de ce bébé mais de *tous* les bébés. Si Masters est confirmée, non seulement la Cour suprême basculera, mais tout le mouvement pro-vie sera affaibli.

En parlant, Gage sentit son intérêt personnel se fondre dans la vérité des arguments qu'il avançait.

— C'est un moment capital, ajouta-t-il. Songez-y, je vous en conjure.

Après un long silence, Tierney répondit à voix basse :

— Je suis désolé. Ma famille a assez fait pour le mouvement.

Gage hésita, finit par dire :

— Je n'y suis pas personnellement favorable, mais d'autres voudraient vous envoyer une assignation...

— Pour que les démocrates puissent en envoyer une aussi à Mary Ann ? répliqua Tierney. Prévenez les « autres » : s'ils m'envoient une assignation, je viendrai et j'exprimerai mes convictions comme je l'ai toujours fait. Je convoquerai aussi une conférence de presse pour répéter cette conversation et révéler aux médias que j'ai supplié votre parti de ne pas me faire témoigner. A vous et à M. Saunders de juger si cela servirait vos objectifs.

— Vous pourriez peut-être en parler à votre femme, suggéra prudemment Gage. Ou je pourrais m'en charger...

— Au revoir, sénateur, dit Tierney avant de raccrocher.

15

Deux heures avant le début des audiences, Caroline Masters prenait son petit déjeuner seule dans sa suite au *Hay-Adams*.

La journée serait longue et éprouvante, elle le savait. Comme elle avait reçu des menaces de mort, deux agents du Secret Service gardaient le couloir sur ordre du président. Une petite armée de journalistes et de cameramen attendait en bas et, sur Capitol Hill, des manifestants se rassemblaient pour défendre sa candidature ou s'y opposer.

On frappa à la porte. Etonnée, Caroline se demanda si, oubliant la gravité du moment, l'hôtel n'envoyait pas quelqu'un renouveler le stock du minibar. Elle rajusta son peignoir, entrouvrit la porte.

Le premier visage qu'elle vit était celui de Peter Lake, chargé de la protection du président. A côté de lui se trouvait Brett.

Elle posa sur Caroline un regard à la fois hésitant, réservé et avide de détails. L'idée traversa Caroline que c'était la première fois que sa fille la voyait en sachant qui elle était. Elle sentit son estomac se contracter.

— Merci, dit-elle à Lake.

Brett entra, les deux femmes se regardèrent.

— Le président ? se força à demander Caroline.

— Oui. Il m'a téléphoné, puis il a envoyé Air Force One, répondit Brett d'une voix sans inflexions.

Immobile, elle scrutait le visage de sa mère avec les yeux verts étonnants de Nicole Dessaliers.

— Je suis désolée, murmura Caroline.

Le mot s'appliquait à beaucoup de choses : désolée de l'avoir abandonnée, désolée de toute une vie de tromperie, désolée pour l'heure et les circonstances de leurs retrouvailles, un choix du président, sans doute. Si elle avait été avertie, Caroline aurait dissuadé sa fille de venir ou aurait arrangé une rencontre plus discrète. En ce moment même, CNN devait diffuser un clip de l'arrivée de Brett avec l'incrustation «Dernière nouvelle».

— Je suis désolée, répéta-t-elle. Pour tout.

Brett ne répondit pas et Caroline ne trouvait apparemment plus ses mots. Vingt-sept ans s'effacèrent, elle revécut le moment où elle avait tenu son bébé pour la dernière fois, respirant sa peau fraîche et ses cheveux soyeux avant de le confier aux bras de Larry.

— Tant de choses à dire et si peu de temps, essaya-t-elle de plaisanter. Je ne voulais pas te retrouver comme ça.

— Le président me l'a dit. Il a dit aussi que tu avais besoin de moi.

— Sur le plan personnel? Ou politique?

— Les deux.

Caroline baissa les yeux.

— Alors, tu dois savoir que cela risque de blesser ta mère : toi, à la télévision, venant me voir...

— Oui. Je lui ai expliqué du mieux que j'ai pu la demande du président.

— Comment l'a-t-elle pris?

— C'est difficile à dire. Je n'arrive pas à la faire parler : ce qu'elle a vécu, ce qu'elle a ressenti, pourquoi elle ne pouvait pas me révéler au moins que j'avais été adoptée.

— De nous deux, Brett, c'est ta mère qui a les blessures les plus profondes. Trop profondes, peut-être, pour qu'on puisse les expliquer.

Brett la fixait sans répondre, mais avec dans les yeux un tel désir de comprendre que Caroline se sentit obligée d'essayer.

— Je n'ai jamais été une sœur facile. Notre père a aimé passionnément ma mère — du moins, pendant un temps — et se revoyait en moi. J'étais traitée comme la fille intelligente, celle qui comptait, et j'ai fini par devenir aussi dédaigneuse envers Betty qu'il l'était.

«Elle avait perdu sa mère puis sa place dans la famille. Elle voulait désespérément avoir un enfant et ne pouvait pas. Celui qui a dit "La vie est injuste" devait penser à Betty.

Caroline se rendit aussitôt compte qu'elle était incapable de parler de sa sœur sans une touche de condescendance.

— Ça me reprend, dit-elle. Il te suffit de m'écouter pour sentir la blessure que je suis pour elle, encore maintenant. Mes efforts de compassion tournent toujours à la pitié un peu hautaine.

Malgré la gravité douloureuse du moment, la remarque fit naître sur les lèvres de Brett un petit sourire ironique.

— C'est sans doute pour ça que tu ne t'apitoies pas sur ton sort. Tu réserves ta pitié aux simples mortels.

Caroline fut réduite au silence par la justesse de la remarque et la solitude qu'elle suggérait.

— J'avais envie de tout te dire, murmura-t-elle enfin. Je le voulais tellement. Mais j'ai compris il y a longtemps que les gens sont ce qu'ils vivent. Betty était ta mère et tu étais sa fille. Maintenant je ne peux qu'espérer que tu me pardonneras la façon dont tout cela se termine. Publiquement, et de la pire façon concevable.

Au moment même où elle prononçait ces mots, Caroline se rappela que le temps qu'elles avaient à passer seules ensemble était compté : dans un peu plus d'une heure, elle avait rendez-vous avec le Sénat des Etats-Unis.

Brett regarda sa vraie mère dans les yeux sans condamnation ni sentimentalité.

— Mais tu le veux encore, n'est-ce pas ? Devenir présidente de la Cour suprême.

Si ma fille est capable de voir la vérité en face, moi aussi, décida Caroline.

— Oui, répondit-elle. Je le répète, les gens sont ce qu'ils vivent. Il y a vingt-sept ans, j'ai cessé d'être ta mère. Je suis devenue une avocate, une juge...

Elle s'interrompit, soutint le regard de Brett.

— Mais ce n'est pas *tout* ce que je veux, reprit-elle. Maintenant que tu sais, je veux autre chose. C'est pourquoi j'étais résolument opposée à ce que tu viennes ici.

Elle marqua une nouvelle pause et conclut calmement :

— Par-dessus tout, Brett, j'espère que tu finiras par m'aimer.

Cette déclaration, qui ressemblait si peu à Caroline parce qu'elle était l'aveu d'un besoin, amena sa fille à fermer les yeux. Avec un calme égal, Brett répondit :

— Je suis venue, non ?

Une heure plus tard, la mère et la fille, escortées par des agents du Secret Service et entourées de journalistes, firent les quelques pas séparant l'hôtel d'une limousine blindée. Une fois dans la voiture, Brett parut ne plus entendre les questions lancées par les reporters de l'autre côté de la vitre.

La limousine prit lentement la direction de Capitol Hill. Dans Pennsylvania Avenue, d'autres caméras suivirent sa progression. Les yeux rivés au Capitole encadré par le pare-brise, Brett se replia plus encore en elle-même, comme pour se préparer à leur arrivée.

La voiture s'arrêta devant le Russell Building, qui abritait la vieille salle de réunion du Sénat. Sous le soleil matinal, des équipes de télévision attendaient les deux femmes, avec la phalange d'agents chargés de leur protection. La portière s'ouvrit, elles descendirent. Caroline eut l'impression que le temps s'était arrêté. Puis elles pénétrèrent dans le bâtiment.

16

Une fois de plus, Caroline Masters affrontait la commission sénatoriale en charge des affaires judiciaires.

Certaines choses n'avaient pas changé : la rangée de dix-huit sénateurs derrière lesquels s'affairaient leurs assistants, la masse de journalistes contraints à rester debout. La différence résidait dans le niveau de tension, dans les raisons de la nouvelle comparution de Caroline. Et dans la présence vigilante de Brett Allen au premier rang, qui mettait visiblement mal à l'aise les adversaires de la candidate.

Il était un peu plus de onze heures. Pendant la première heure, Chad Palmer interrogea Caroline sur le verdict de l'affaire Tierney, laissant à d'autres Brett et Sarah Dash. Il était insistant mais juste. Avec flegme, elle résuma sa position.

— Roe et Casey permettent d'interdire un avortement post-viabilité en l'absence de circonstances exceptionnelles, expliqua-t-elle. Pour certains ce sera le viol ou l'inceste ; pour d'autres des anomalies fœtales graves. Selon nos conclusions, aucune de ces circonstances ne constitue en soi un motif suffisant. Mais ces tragédies s'accompagnent souvent d'un troisième facteur exceptionnel : un risque pour la vie ou la santé de la mère.

«Fortuitement ou délibérément, la loi sur la protection de la vie prive des jeunes femmes et leurs médecins du droit d'éviter ces risques graves, notamment la perte de leurs capacités procréatrices. Dans le cas de Mary Ann Tierney, la menace découle d'une anomalie fœtale, l'hydrocéphalie, qui rend hautement improbable la survie du fœtus.

Elle s'interrompit, considéra les membres de la commission avant de poursuivre :

— La grossesse est cet état rare où deux vies — celle de la mère et celle de l'enfant — sont inextricablement liées. Mes collègues et moi avons conclu qu'une loi empêchant Mary Ann Tierney de protéger sa santé physique dans ces circonstances limitait gravement le droit d'une mineure à l'avortement selon Roe contre Wade.

«Il y a des avis divergents ; je les respecte. J'ai trouvé cette affaire difficile. Mais, quelle que soit l'issue de ces audiences, je suis sûre que nous avons rempli nos obligations et appliqué la loi.

Un peu avant onze heures et demie, le sénateur Vic Coletti, chef de file démocrate à la commission, céda la parole à Paul Harshman.

Caroline n'avait pas besoin de se retourner pour sentir la présence de Brett et la tension accrue dans la salle. Le front moite, elle prit une profonde inspiration.

Appuyé sur les coudes, Harshman la toisa un moment de la tribune avant de laisser tomber :

— Vous avez un enfant.

— Une fille biologique. Ma nièce par adoption et selon la loi.

Brièvement — et involontairement, sembla-t-il — le regard du sénateur se porta sur Brett Allen.

— Vous n'avez jamais été mariée, c'est exact ?

— C'est exact.

— Vous avez donc eu cet enfant hors des liens du mariage.

— Cela coule de source, il me semble.

Harshman tendit le cou, signe chez lui de colère montante.

— Vous savez qui était le père ?

Coletti tourna vers son collègue un visage empreint de dégoût. Entre les deux hommes, Palmer fixait les papiers posés devant lui.

— Oui, répondit Caroline.

— Pouvez-vous nous dire qui c'était ?

— Non.

448

Palmer releva brusquement la tête.

— Pourquoi? demanda Harshman.

Elle le regarda dans les yeux.

— Je suis ici pour répondre à vos questions, sénateur. Dans cet esprit, je suis prête à aborder des sujets que je considère comme personnels. Toutefois, je ne crois pas que cette intrusion particulière dans ma vie privée — et dans celle de la jeune femme que vous voyez derrière moi — ait un quelconque rapport avec votre enquête. Cette question ne regarde que nous deux, personne d'autre.

Palmer toucha le bras de Harshman, murmura quelques mots qui parurent fortement irriter son collègue. Caroline n'eut aucune peine à deviner que le président de la commission avait prévenu qu'il n'enjoindrait pas au témoin de répondre.

Harshman mit un moment à recouvrer son sang-froid et reprit :

— Est-il exact que vous n'avez jamais reconnu cette jeune femme comme votre fille?

— Oui.

— Et que, dans le cadre de votre candidature à la Cour d'appel, vous l'avez désignée comme votre nièce sur les formulaires du FBI?

— Oui.

La voix de Harshman monta d'un cran :

— De même, postulant à la présidence de la Cour suprême — la plus haute instance du pays —, vous avez écrit que Brett Allen était votre nièce.

— Ce qu'elle était. Ce qu'elle est encore. Peu après sa naissance, Brett fut adoptée par ma sœur et son mari. Nous pensions tous que c'était la meilleure solution...

— Surtout pour vous, coupa-t-il.

Caroline dissimula sa colère par un infime haussement d'épaules.

— A certains égards, oui. A d'autres, non. J'ai estimé que l'adoption était la meilleure solution pour Brett. Vous et moi recommandons l'adoption comme politique sociale. Je ne doute pas qu'un grand nombre des mères biologiques que vous avez rencontrées vous ont expliqué comme c'est dur d'abandonner un enfant.

— Certaines ont aussi reconnu publiquement leur condition de mère biologique, contra Harshman en plissant les yeux. Vous avez choisi de ne pas le faire.

— Comme de nombreuses autres. Pour des raisons variées.

— Oui, mais elles n'ont pas menti au Sénat des Etats-Unis.

— Moi non plus.

Harshman devint écarlate, le rouge du haut de son front faisant un contraste alarmant avec ses cheveux blancs clairsemés.

— Ne jouez pas sur les mots avec moi, juge Masters. Vous vous êtes parjurée dans les formulaires soumis à cette commission.

— Non. J'ai dit la vérité. Selon la loi, et l'expérience de toute ma vie, ma nièce a pour parents Larry et Betty Allen...

— Sophisme ! s'exclama le sénateur. Si c'est la conception de la vérité que vous imposez dans nos tribunaux...

Caroline leva une main.

— Laissez-moi terminer, s'il vous plaît. C'est vrai que je n'ai pas précisé que ma nièce est aussi ma fille naturelle. Pour une bonne raison : jusqu'à ces cinq derniers jours, elle l'ignorait, et ces cinq jours ont été pour elle une cruelle épreuve.

« Vous pouvez trouver à redire à ma décision, sénateur, et vous avez le droit de poser ces questions. Mais je vous en renvoie une : qu'auriez-vous fait ? Auriez-vous exposé votre fille — ou votre nièce — au battage médiatique que vos questions provoquent ?

— Juge Masters ! tempêta Harshman.

Elle poursuivit, donnant libre cours à sa propre indignation :

— Auriez-vous exposé une personne que vous aimez à une humiliation semblable à celle que cette jeune femme est contrainte de subir ? L'auriez-vous jetée en pâture aux médias et aux politiciens ? Je n'ai aucun droit d'exiger de vous une réponse mais j'aimerais sincèrement savoir ce que vous auriez fait.

— Alors, je vais vous le dire. A votre place, je n'aurais pas laissé le président présenter ma candidature et, à *sa* place, je ne l'aurais pas présentée.

« Vous avez une fille. Si vous n'êtes pas capable de dire la vérité à ce sujet — la vérité, toute la vérité, rien que la vérité —, vous n'êtes pas digne de présider la plus haute instance d'un système judiciaire qui repose sur cet engagement.

La réponse de Harshman était excellente et Caroline regretta aussitôt de l'avoir poussé dans ses retranchements.

— J'ai dit la vérité, persista-t-elle. Pour ma part, je pense que, étant donné les circonstances, des questions familiales privées auraient dû rester privées. Si vous avez l'intention de voter contre moi pour cette raison, c'est votre droit. Mais ne comptez pas sur moi pour vous justifier.

A la télévision, l'image était fascinante : la juge sereine et digne ; la jolie jeune femme assise derrière fixant l'adversaire de sa mère.

450

— Elle a commis une erreur en lui renvoyant la question, dit Clayton au président. Mais elle a tenu bon, et la mère et la fille sur le même plan, ça vaut mille clips de trente secondes.

Les deux hommes étaient seuls dans la salle de réunion intérieure.

— Il n'y a pas de quoi se réjouir, repartit Kerry en se tournant vers lui. Elles sont là à cause de nous et elles ne le savent pas. J'espère que ça t'ennuie un peu, parce que moi, ça m'ennuie énormément.

Clayton soutint le regard de Kilcannon. Depuis leur dispute, ils s'étaient à peine parlé ; ils se retrouvaient seuls uniquement parce que les autres — Ellen Penn, Adam Shaw, Kit Pace — avaient été appelés ailleurs en urgence.

— Personnellement, je suis désolé, répondit Slade. Pour elle et pour toi. Personnellement, je pense que Masters va s'offrir la tête de Harshman. Elle ne pourrait pas le faire si elle était au courant.

— *Il y a vingt-sept ans,* disait Caroline sur l'écran, *j'ai pris une décision que je pensais juste. Cette décision, j'ai dû la prendre en secret, pour protéger la vie privée de notre famille, jusqu'à ce que, grâce à Dieu, l'enfant que nous aimions tous les trois soit devenue la jeune femme que vous voyez aujourd'hui.*

« Ce qui me ramène à elle... et à Mary Ann Tierney. On leur a volé leur vie privée, on les a utilisées comme des pions. Le verdict de notre cour dans l'affaire Tierney repose, comme Roe, sur le droit constitutionnel à la vie privée. Ce droit est bien établi. Que vous l'approuviez ou non, la retransmission du procès de Mary Ann Tierney à la télévision a été une tragédie pour cette jeune fille.

« Non seulement elle a dû faire face — elle le doit encore — à une grossesse imposée, mais on l'a contrainte à chercher publiquement justice. Parce que les forces qui prétendent agir pour la protéger ont décidé de faire d'elle le sujet d'une démonstration édifiante. Apparemment, elles ont pris la même décision pour ma nièce. Je ne sais pas ce que vous en pensez, sénateur, mais cela va à l'encontre de mon idée de la décence...

— Bingo, murmura Slade.

— Démagogie, lâcha Gage avec dégoût. Ériger le mensonge en sommet de moralité ! Si c'est la conception de la vérité qu'elle compte introduire dans notre système judiciaire, Dieu nous vienne en aide.

Mace Taylor continuait à regarder l'écran.

— Je pense que Harshman va l'attaquer au marteau piqueur, maintenant.

— Quel marteau piqueur? rétorqua Gage, agacé et de plus en plus inquiet de la tournure que prenaient les événements. Vos gars n'ont rien trouvé de nouveau sur elle. Ni sur l'origine de la fuite concernant sa fille.

Caroline faisait face à Harshman dans une atmosphère surchauffée.

— A propos de décence, fit-il avec une douceur de mauvais augure, vous connaissez une avocate nommée Sarah Dash?

Elle se cuirassa contre l'attaque prévisible et répondit :

— Oui. Elle était l'avocate de Mary Ann Tierney.

— En effet. Elle a aussi été votre stagiaire, comme vous l'avez reconnu.

— Il y a trois ans.

— Et vous vous êtes liées d'amitié.

— Oui. Je l'ai déclaré dans mon précédent témoignage.

— Une amitié *étroite*? demanda Harshman, haussant les sourcils.

Caroline soutint son regard.

— Je ne sais pas si ce qualificatif convient. Il y avait une grande différence d'âge entre nous. Mais Sarah est restée mon amie.

— Une assez bonne amie pour vous rendre visite chez vous, juge Masters?

Une fraction de seconde, elle imagina des détectives passant sa vie au peigne fin, puis un effort de volonté transforma son indignation en impassibilité.

— De temps en temps.

— Vous étiez seules toutes les deux pendant ces visites?

Caroline vit alors Chad Palmer se pencher en arrière avec une brève expression de dégoût, acte de désunion muette.

— Quelquefois, répondit-elle sèchement. J'aime faire la cuisine. Si j'ai la chance de vivre à Washington, je promets de vous faire du veau *piccata*, sénateur.

Assis à côté de Palmer, Vic Coletti se tourna vers Harshman avec un air curieux et amusé. Piqué, Harshman poursuivit :

— Quelle était la nature de ces visites, juge Masters? Vous échangiez simplement des recettes?

Le ton de Caroline se fit glacial :

— Mlle Dash ne s'intéresse pas beaucoup à la cuisine, je crois. Alors nous n'*échangions* rien.

Harshman hésita. Par-dessus les cinq mètres qui les séparaient, leurs regards s'affrontèrent. Je te mets au défi, disait silencieusement celui de Caroline. Comme elle le prévoyait, il laissa ses sous-entendus flotter dans l'air.

— Vous est-il arrivé d'échanger des réflexions sur l'affaire Tierney ?

Elle repassa rapidement dans son esprit la réponse qu'elle avait préparée.

— Depuis le début de cette affaire, je n'ai pas vu Mlle Dash et je ne lui ai pas parlé. Donc la réponse est non.

Après une pause, elle poursuivit avec une énergie nouvelle :

— Pour être tout à fait complète, je dois préciser que la dernière fois où je l'ai invitée à dîner, Mlle Dash a mentionné qu'elle avait rencontré Mary Ann Tierney. Je lui ai dit que, compte tenu du fait qu'une éventuelle action en justice pourrait finir devant mon tribunal, je ne voulais pas en entendre parler et n'en discuterais pas.

Harshman la considéra d'un œil sceptique.

— Vous soutenez que votre conversation s'est bornée à cela ?

— Pas tout à fait. J'ai ajouté que, sur la question de l'avortement, les partisans des deux camps ont la mémoire longue et qu'il valait mieux pour elle éviter cette affaire. Même si je ne m'attendais pas aux insinuations que vous avez faites.

Furieux, Harshman se pencha en avant.

— J'ai le droit de supposer un préjugé chez une juge qui a des tête-à-tête avec l'avocate de Mary Ann Tierney. Vous ne vous êtes pas récusée, n'est-ce pas ?

— Manifestement pas. Sinon, je ne serais pas ici.

Une fois de plus, Palmer se tourna vers Harshman, qui poussa son attaque :

— En fait, vous avez voté pour la séance en banc demandée par Mlle Dash.

— Demandée par Mlle Tierney, corrigea Caroline. Selon le règlement de notre cour, ce vote est secret et je suis curieuse de savoir d'où vous tenez cette information. Mais le fait est que j'ai voté pour une nouvelle audition.

— Et vous avez rédigé ensuite les conclusions invalidant la loi sur la protection de la vie.

— Oui. Je croyais que nous étions ici précisément pour cette raison…

— Et vous avez fait tout cela à la demande d'une amie qui vous rend souvent visite chez vous, seule, martela Harshman d'un ton accusateur.

Kit Pace, Adam Shaw et Ellen Penn avaient à présent rejoint les autres. Adam et Kit flanquaient le président ; Ellen, trop nerveuse pour s'asseoir, se tenait près de Slade, les mains à plat sur la table. A la télévision, Caroline avait recouvré son calme.

— *Comme je l'ai fait remarquer la dernière fois, tout juge a des amis. Je vis et j'exerce mes fonctions à San Francisco depuis plus de vingt ans et, comme c'est le cas pour de nombreux juges, la plupart de mes amis sont juristes.*

«En ce qui concerne les anciens stagiaires, la règle est de se récuser pour toute affaire qu'ils plaident pendant l'année qui suit leur stage. Comme cela arrive souvent, les tribunaux seraient paralysés si cette période était plus longue.

«Je ne connais aucun collègue qui ferait passer des relations avec un ancien stagiaire avant son devoir d'impartialité. Lors de ma précédente comparution, vous m'avez posé cette question et j'ai répondu, en toute sincérité, que cela n'affecterait pas mon jugement.

D'un ton presque professoral, elle continua :

— *Nous avons aussi pour devoir d'éviter l'*apparence *de partialité, et nous pensons qu'un délai d'un an répond à cet objectif.*

— *Même dans une affaire aussi importante ?* insista Harshman. *Avec une ancienne stagiaire qui est aussi une amie ?*

Fixant l'écran, Kilcannon murmura à Caroline :

— C'est le moment.

— *Oui,* répondit-elle. *La meilleure analogie que je puisse vous offrir vous est à coup sûr familière : le règlement du Sénat permettant à d'anciens élus de représenter un lobby un an après leur départ. Les sénateurs ont estimé qu'au bout d'un an, on ne peut les accuser d'influence indue…*

Le président entendit le rire ravi d'Ellen Penn.

— *J'ai appris par exemple que votre ancien collègue de l'Oklahoma, M. Mace Taylor, représente Engagement chrétien et presse les membres de cette chambre de rejeter ma candidature.*

«Apparemment, personne ici ne pense que la conduite de M. Taylor est scandaleuse ou que les sénateurs qui pourraient s'opposer à moi soient motivés par autre chose que leurs convictions…

— Regardez Harshman, fit Kit Pace. On dirait qu'il s'est gargarisé au vinaigre.

— *Ou que les collectes de fonds de M. Taylor pour votre parti ne constituent pas un exercice légitime de la liberté d'expression garantie par le premier amendement.*

«S'il en était autrement, sénateur, vous seriez sans nul doute le premier à réclamer le changement de règles qui permettent à l'ancien sénateur Taylor de venir ici…

Chad Palmer détourna la tête en retenant un sourire.

— Ouais, c'est marrant, Chad, marmonna Mace Taylor en direction de l'écran. C'est marrant.

Consterné et furieux, Macdonald Gage gardait le silence.

— *Vous mettez mon intégrité en doute?* fulmina Harshman.

Sans changer d'expression, Caroline répondit :

— *Au contraire. Je viens d'affirmer que j'y crois. J'ai en revanche l'impression que vous doutez de la mienne. J'espère vous faire changer d'avis. J'espère aussi que vos quatre-vingt-dix-neuf collègues auront la possibilité de se faire eux-mêmes une opinion sur ce que je suis...*

— Kilcannon nous a vus venir, dit Gage. Il lui a fait la leçon. Ils savent que nous essayons de l'éliminer en commission.

Taylor eut un grognement incrédule.

— Dites pas de conneries, Mac. C'est Palmer qui les a prévenus.

Sur l'écran, Paul Harshman hésita puis répondit avec dédain :

— *Très bien, juge Masters. Considérons le prétendu bien-fondé de votre verdict...*

17

Comme la discussion des sénateurs sur la réglementation des armes à feu se prolongeait, Chad Palmer et Kate Jarman s'éclipsèrent pour un dîner rapide à l'*Oval Room*. Ils s'installèrent dans un coin de la salle et, après avoir regardé autour d'elle, Kate demanda à voix basse :

— Qu'est-ce que vous comptez faire?

Il n'eut pas besoin de la prier de préciser le sens de sa question. Les yeux bleu clair de la sénatrice indiquaient qu'elle saisissait parfaitement le dilemme de Palmer : candidat potentiel à la présidence, il était pris entre la base de son parti et le sentiment de ce qu'il estimait devoir faire.

— Dites-moi comment ça s'est passé aujourd'hui et je le saurai peut-être.

Elle sourit.

— D'où j'étais, ça semblait mauvais pour Paul. Une chance que je n'étais pas à côté de lui, on aurait pu nous prendre pour des amis.

— A ce point-là?

Le sourire de Kate devint sceptique.

— Vous, vous étiez à côté de lui. Quel moment avez-vous apprécié le moins : quand il a demandé qui était le papa, avec la fille assise au premier rang ? Ou quand Masters lui a enfoncé Mace Taylor dans la gorge ? Voter contre elle, c'est une chose, mais j'ai entendu dire que Mac veut la liquider en commission même.

Chad ne prit pas la peine de démentir. Après une gorgée de sa vodka avec glaçons, il demanda :

— Vous avez aussi entendu dire qu'il a parlé de vous ?

Le sourire s'effaça.

— Gage n'a pas à se représenter dans le Vermont, où les homosexuels ont droit au mariage civil et où l'un des membres du Congrès est un véritable socialiste, dit-elle Je ne me ferai pas réélire en me prêtant aux exigences de l'extrême droite.

«Et puis il y a le fond, qui mérite examen. Pour la fille, je crois que Masters tient la corde. La traiter de "menteuse" ne marchera pas, surtout si l'accusation vient d'un type qui parle comme un grand inquisiteur.

Elle joua avec la paille de son gin tonic, continua :

— Pour l'affaire Tierney, je crois que Masters a probablement plus raison que tort. Mais le dire dans notre parti, c'est prendre un risque : je ne veux pas affronter une espèce de cinglé aux primaires.

La sénatrice releva la tête pour regarder Palmer dans les yeux.

— Kilcannon a tout saisi, y compris ce que Gage manigance, conclut-elle. Ça pourrait se terminer par un carnage.

Chad songea que sa propre situation devenait de plus en plus périlleuse.

— Qu'est-ce que vous êtes en train de me dire ?

— Je pourrais sans doute me résigner à voter contre elle. Mais je ne voterai pas pour l'éliminer en commission sans que vous en fassiez autant. Et, même dans ce cas, je ne suis pas sûre que cela me convaincrait.

Malgré son abattement, Palmer sourit : Jarman le prévenait pour qu'il puisse ajuster sa position.

— Vous êtes une femme honnête, Kate. Merci de votre franchise.

— Alors, qu'est-ce que vous ferez ?

— Du surplace. Je pense que les audiences permettront d'y voir plus clair. Nous aurons une idée de la réaction de l'opinion et de la détermination de Gage. Il fera peut-être machine arrière.

Kate secoua lentement la tête.

— Vous oubliez qui il a pour actionnaires. Mac n'est pas libre de ses mouvements dans cette affaire, même s'il le croit. A votre place, je surveillerais mes arrières.

Le lendemain matin, seul dans son bureau, Palmer repensait à la mise en garde de la sénatrice. Il regardait une photo de Kyle lui souriant — version retouchée de l'histoire familiale — quand le téléphone de sa ligne personnelle sonna.

— Allô, Chad? C'est Mac.

— Bonjour, Mac, répondit-il en se renversant en arrière. Vous m'appelez pour me féliciter du sondage de CNN, je suppose.

— Pas vu.

— Vous devriez y jeter un coup d'œil. Chez les personnes qui ont suivi les audiences d'hier, Masters a dix points d'avance.

— C'est à cause de ces foutus clips payés par ces foutus avocats, se plaignit Gage Cela pose un problème éthique en soi, d'ailleurs : ils s'achètent une présidente de la Cour suprême à crédit.

Ces spots étaient encore tout frais dans la mémoire de Palmer : une séduisante Caroline Masters et la voix reconnaissable de Paul Newman demandant : «N'est-ce pas elle que nous voulons pour juge?»

— La phrase est bien tournée, reconnut-il. Et l'offensive éclair de Kilcannon à la télévision n'a rien arrangé pour nous. Mais notre collègue Torquemada non plus.

«Elle n'est pas lesbienne, Mac, ou vous en auriez trouvé une preuve, maintenant. Et elle a cherché à protéger sa fille. Si vous la brûlez sur le bûcher en commission, vous en ferez une martyre.

— Chad, nous avons déjà arpenté cette voie, soupira Gage, exaspéré.

— Non. Nous le faisons maintenant et c'est un lit de braises incandescentes.

Trouvant l'image excessive, Palmer revint à plus de mesure :

— Vous savez d'où viennent les dix points d'écart du sondage de CNN? Masters a vingt pour cent d'avance chez les femmes. C'est là que Kilcannon nous a mangé la laine sur le dos il y a quatre mois. Maintenant, il a trouvé un moyen de faire pire. Les femmes ont *horreur* de ce genre de choses.

S'efforçant de prendre un ton poli et sincère, il poursuivit :

— En la protégeant, c'était nous que je protégeais. Combattez-la sur le fond, Mac. Pas sur sa vie personnelle.

Après un silence, Gage répondit :

— Il y a un moment où la base attend des actes.

— De qui? Du général Custer? rétorqua Palmer, qui sentait croître son angoisse. Il reste quatre jours d'audiences. Montrez-moi un progrès et je reverrai ma position. Mais hier, c'était un désastre.

A la fin de la conversation, Gage raccrocha lentement.

— Alors? lui demanda Taylor.

Le sénateur étudia le visage de son ancien collègue — les pommettes aplaties, les yeux plissés de vieux pionnier — et souhaita brièvement ne pas avoir à répondre.

— Nous verrons. Mais je crois qu'il est temps de travailler Kate Jarman au corps. Palmer ne marchera pas.

Quatre jours plus tard, après avoir présidé une sorte de colloque de professeurs de droit et de spécialistes de l'éthique sur la définition juridique du parjure, Chad Palmer réunit dans son bureau les membres républicains de la commission. Kate Jarman s'assit le plus loin possible de Harshman, remarqua-t-il.

Rapidement, il fit le tour des autres : Jim Lambert, de l'Alabama, onctueux et sur ses gardes ; l'aimable et rusé Cotter Ryan, de l'Indiana ; Jerry Deane, de Géorgie, le visage rouge et le souffle court, comme toujours ; Frank Fasano, de Pennsylvanie, jeune, ambitieux, totalement dépourvu d'humour ; Bill Fitzgerald, de Floride, mâchant du chewing-gum dans son éternel combat contre sa toxicomanie à la nicotine ; Dave Ruckles, de l'Oklahoma, mauvais comme un serpent, avec la voix sincère et le regard direct d'un évangéliste ou d'un agent de change ; Madison Starkweather, du Mississippi, quatre-vingt-cinq ans, qui avait abandonné la présidence de la commission pour se préparer à mourir. Tous élus du peuple, pensa Chad, une évidence qu'il s'efforcerait de se rappeler pour réfréner son impatience.

— Nous y voilà, commença-t-il. Nous votons lundi et la Cour suprême doit encore se prononcer sur l'affaire Tierney. Nous n'aurons donc plus d'éléments supplémentaires avant de prendre une décision.

— Nous en avons suffisamment, repartit Harshman. Cette femme a menti. Son passé est entaché de promiscuité et Dieu sait quoi d'autre. Les associations d'avocats l'ont achetée aux enchères, son éthique est douteuse et elle vient de reconnaître une position extrémiste en faveur de l'avortement. Elle n'a pas sa place à la Cour suprême.

Chad se sentit sourire

458

— Vous m'étonnez, Paul. Alors, que faisons-nous ?

Harshman regarda les autres, ramena les yeux sur Palmer.

— Nous votons contre sa comparution devant le Sénat. Et nous mettons fin à cette farce.

Pour une fois, Palmer ne voulait pas ouvrir le feu. D'un coup d'œil, il fit signe à Kate Jarman de le couvrir.

— Rejeter en commission une candidature à la Cour suprême serait sans précédent, argua-t-elle. A part le témoignage de Masters, nous n'avons rien de nouveau : les profs de droit se sont querellés mais aucun n'a établi le parjure de manière convaincante ; les groupes d'intérêts ont répété ce qu'ils disent toujours, et le verdict sur l'affaire Tierney est ce qu'il est.

«Nous avons eu l'occasion de discourir en public mais nous n'avons pas fait changer d'avis une seule personne, excepté celles qui nous sont devenues défavorables.

Elle s'interrompit, parcourut la salle du regard.

— Je suis sûre que Mac a parlé à chacun de nous. En tout cas, il m'a parlé. Je lui ai dit que je ne me lancerai pas dans une mission suicide.

— Mac s'est engagé à prendre la parole pour nous tous, fit valoir Harshman.

— Un immense réconfort spirituel, ironisa Kate. Ce n'est pas ça qui m'aidera dans le Vermont.

— Les autres sénateurs présents ne viennent pas d'une République populaire.

— Certes, admit Kate avec un sourire. Mais, même vous, vous laissez les femmes voter.

Chad estima que la ligne de démarcation passait là où il avait toujours craint qu'elle passerait. Six de leurs sept collègues provenaient d'Etats conservateurs ; le septième — Frank Fasano — était un pro-vie engagé dont les ambitions nationales montaient et descendaient avec le pouvoir d'Engagement chrétien. En aucun cas, ils n'étaient prêts à défier Macdonald Gage.

— Chad, dit Fasano, je compte huit voix contre Masters : tout le monde sauf Kate et vous. Neuf nous suffisent.

Gage a bien orchestré la manœuvre, pensa Palmer.

— Tout ce que vous avez besoin de faire, c'est voter avec nous, lui dit Harshman. Pour une fois.

Chad était pris au piège. De sa voix la plus douce, il répondit :

— Ce que vous suggérez, Paul, aurait été possible il y a quatre jours. Avant que vous ne vous acharniez sur Masters...

— Cette femme était arrogante, se justifia Harshman.

— Maintenant, elle est sympathique. Beaucoup plus que vous, en toute franchise. Ou que n'importe lequel d'entre nous, qui nous sommes ligués contre elle et qui avons maintenant l'intention de l'exécuter sommairement. Ce serait une aubaine pour Kerry Kilcannon. Ce serait affaiblir le prochain président républicain... si tant est que nous réussissions à en faire élire un autre un jour.

«Mais oublions, si vous le voulez, les femmes que nous offensons et souvenons-nous de Robert Bork. Les libéraux l'ont injustement traîné dans la boue, comme personne et comme juge. Ils ont failli abattre Clarence Thomas au moyen d'allégations sur sa conduite privée que personne ne pouvait confirmer ou démentir.

«Après sa défaite, Bob Bork m'a dit : "Ils ne choisiront jamais un autre juge qui a des opinions." Jusqu'où voulons-nous aller dans cette direction? Elle nuit aux juges conservateurs au moins autant qu'aux juges progressistes.

Palmer se leva et poursuivit :

— Ce n'est bon ni pour le parti ni pour le pays que les candidatures à la Cour suprême continuent à faire l'objet d'une guérilla. Si nous voulons voter contre Masters, très bien, faisons-le. Mais publiquement, en séance plénière. Pas ici, à la sauvette.

— Si la situation est aussi mauvaise, épargnons un vote à nos collègues, riposta Harshman. Un peu de cran, pour changer.

— Je crois qu'ils peuvent y faire face, répondit Palmer d'une voix égale. Ils ont été élus pour cela. Je suis prêt à prendre l'initiative d'un vote renvoyant la juge Masters devant l'ensemble du Sénat avec avis défavorable.

Comme ils en étaient convenus, Kate Jarman intervint aussitôt :

— Je suis pour.

Harshman fit aller son regard de l'un à l'autre, eut un bref sourire amer.

— Et les huit autres?

— Vous n'avez pas la majorité, Paul, dit Palmer en se rasseyant. Vous seriez huit à voter contre Masters, mais Kate et moi — plus les huit démocrates, d'après ce que m'a dit Coletti — voterions pour un avis favorable. Plutôt me joindre à eux que récolter la tempête.

Bien qu'il n'eût pas le cœur léger, il rendit son sourire à Harshman.

— Je vous offre donc à vous un marché, et à Gage une arme. Un avis défavorable par dix voix contre huit.

La rougeur habituelle apparut sur le front de Harshman.

460

— Il semblerait que nous n'ayons pas le choix, marmonna-t-il entre ses dents.

Palmer se rendit compte que ce moment de triomphe lui procurait finalement moins de plaisir que d'appréhension et répondit d'un air sombre :

— Personne ne l'a.

18

Quelques heures après que la commission judiciaire eut renvoyé la candidature de Caroline Masters devant l'ensemble du Sénat, Clayton Slade entra dans le bureau ovale.

Kilcannon leva les yeux d'un résumé des projets de loi en attente. Pour la première fois depuis leur brouille, il nota une lueur amusée dans l'œil de Clayton.

— Gage vient d'appeler, annonça le secrétaire général.

— Au sujet de Caroline?

— Oui. Il veut te voir.

Kilcannon éprouva un bref sentiment de satisfaction : peut-être se révélait-il, comme président, plus redoutable que Gage ne l'avait prévu.

— Nous avons son attention maintenant qu'il doit nous battre en séance plénière.

— Qu'est-ce que je lui réponds?

— Que je suis très occupé, entre diriger le monde et combattre les forces de la réaction... Mais que je trouve toujours un moment pour mes vieux amis du Sénat.

Les deux hommes échangèrent une poignée de main cérémonieuse puis Kilcannon ferma la porte derrière eux et indiqua à Gage un fauteuil rembourré devant la cheminée de marbre.

Chacun prit la mesure de l'autre. Moins de quatre mois plus tôt, ils étaient collègues, Kerry, jeune sénateur dans son deuxième mandat subissant la tyrannie de velours que Mac Gage exerçait sur le Sénat. Puis, par cet étonnant acte communautaire quadriennal, le vote d'un peuple libre, les électeurs avaient fait de Kerry Kilcannon l'homme le plus puissant sur terre, le détenteur d'une fonction que Gage désirait désespérément. Et si Gage demeurait «Mac», Kilcannon était passé de «petit démagogue», derrière son dos, et «Kerry», en face, à «monsieur le président».

Kerry sentait que ce changement déroutait le chef de la majorité, qui n'appréciait pas de devoir réviser si radicalement leurs rapports, et ses manières doucereuses cachaient une incertitude nouvelle. Dehors les journalistes attendaient en s'interrogeant sur les raisons pour lesquelles Macdonald Gage — Kit Pace n'avait pas manqué de les en informer — avait demandé à voir le président.

— Cela faisait un moment que nous ne nous étions pas vus, fit observer aimablement Kilcannon. Depuis la cérémonie d'investiture, en fait.

Gage hocha la tête, exprimant avec son visage d'acteur à la fois son plaisir de revoir Kerry et la tristesse de ce souvenir particulier.

— Depuis la mort de Roger Bannon, dit-il, solennel. Il s'est passé beaucoup de choses en ces quelques semaines.

N'ayant aucune raison de faire écho à l'humeur affligée de Gage, Kilcannon répondit avec enjouement :

— Beaucoup, en effet. De temps en temps, je me rends compte que cela fait longtemps que je n'ai pas vu mes vieux amis.

Ce sarcasme voilé — allusion à la guerre à distance de Gage, marquée par leur absence de contacts — amena le sénateur à poser sur son hôte un regard perspicace et estimatif.

— C'est ma faute, monsieur le président. Je ne voulais pas m'imposer. Mais nous aurions dû nous rencontrer depuis longtemps.

— Tout à fait d'accord.

Comme en réponse à ce commentaire au ton un peu plus appuyé, le sénateur se pencha en avant pour réduire l'espace qui le séparait de Kilcannon. C'était un vieux truc — Gage utilisant sa masse physique pour affirmer sa domination — qui signifiait sans recourir aux mots qu'ils étaient engagés dans une lutte pour le pouvoir.

— Depuis longtemps, répéta Gage. Et maintenant nous avons un problème.

— Lequel ? s'enquit Kilcannon avec un sourire.

Le chef de la majorité arrondit les yeux pour feindre la surprise.

— Caroline Masters, voyons, monsieur le président L'honorable Caroline Masters.

— Honorable, elle l'est sans aucun doute.

Par-dessus un infime sourire, les yeux de Gage gardaient leur combativité.

— Tout dépend du point de vue, répondit le sénateur qui, après une pause, prit un ton plus réfléchi. Cette femme est devenue de la dynamite, monsieur le président. Nous nous apprêtons à investir beaucoup de ressources et d'énergie dans une bataille incertaine sur sa candidature à la Cour suprême. Quelle qu'en soit l'issue — je n'en doute pas, pour ma part — elle laissera un héritage de rancœur qui marquera tout ce que le Sénat tentera de faire par ailleurs.

Gage se pencha plus encore, regarda Kilcannon dans les yeux, et le président sentit que, sans son nouveau statut, son ancien collègue lui aurait posé la main sur l'épaule.

— Et pour quoi, monsieur le président ? Pour quoi ?

Kerry soutint son regard sans ciller.

— Pour la candidate que je juge la meilleure.

Gage plissa le front.

— C'est votre droit, naturellement. Le privilège de votre fonction. Mais il faut qu'il y ait à tout cela un sens politique, sinon nous aurons le même résultat qu'avec la guerre du Vietnam : un carnage et de l'amertume, pour rien.

— Pas pour «rien». Pour un principe.

— Quel principe ? J'ai l'impression, monsieur le président, que vous tablez sur une indignation persistante au cas où le sort serait contraire à Caroline Masters. Avec votre instinct pour sentir le pouls de l'opinion, vous ne comptez pas uniquement sur la faible possibilité d'une victoire. Alors, j'aimerais vous exposer ma façon de voir la réalité.

— Oui, parlez-moi de *votre* réalité, repartit Kerry avec un sourire.

— Bon, fit Gage avec brusquerie. Dans *ma* réalité, nous avons un an et huit mois avant les prochaines élections au Congrès, et deux ans de plus avant d'élire un nouveau président. Les Américains sont un peuple comblé de dons, et notamment celui de l'oubli.

«C'est encore plus vrai pour les femmes que pour nous, les hommes : fusillade à l'école, un sondage indique que les mères soutiennent avec ferveur de nouvelles lois sur la réglementation des armes à feu, mais quand le problème se pose concrètement, elles ne votent pas. C'est la même chose pour l'avortement, encore que je ne sois pas convaincu que la plupart des femmes lui soient aussi favorables que vous, les libéraux, semblez le penser.

«Vous savez qui se souvient ? Ceux qui enragent. Ceux qui pensent que le pays a pris la mauvaise direction, que ce soit pour l'avortement, les lois qui leur enlèvent leurs armes ou la dégradation générale de notre culture par la musique et les films qui étalent la violence, la sexualité.

Pour donner plus de force à ses propos, Gage perfora de l'index l'espace qui les séparait.

— Eux, ils votent. Je les entends s'exprimer, par milliers. Ils refuseraient de serrer la main de Caroline Masters. De se trouver dans la même pièce qu'elle. Ils ne vous pardonneront jamais si vous essayez de la leur imposer. Et ils ne me pardonneront jamais si je n'essaie pas de vous en empêcher.

« Alors, qu'est-ce que nous avons ? Une candidate qui semble condamnée et que la plupart des gens auront oubliée quand viendront les élections. Sauf que des millions de citoyens en colère verront en vous l'Antéchrist. Littéralement.

— Pronostic sombre, commenta Kilcannon. Et très complet. Comment je peux m'épargner tous ces ennuis ?

L'ironie de la question fit soupirer Gage.

— Laissez-la se retirer. Aussi élégamment que possible. Et proposez-nous quelqu'un qui soit un peu plus raisonnable. Je ne veux pas dire quelqu'un de mon choix : c'est vous le président. Simplement quelqu'un pour qui je pourrais voter sans embarras pour moi-même ou pour le parti, compte tenu des millions d'Américains qui nous font confiance pour maintenir une sorte d'équilibre.

« C'est ce que nous avons perdu : l'esprit de coopération. Vous avez appelé Palmer avant de proposer la candidature de Masters mais vous ne m'avez pas dit un mot. Le Sénat aurait apprécié un peu de déférence de la part du nouveau président. Vous savez qui nous sommes, vous avez été sénateur. Maintenant, nous devons faire face ensemble à tout ce gâchis. Nous ne serons jamais d'accord politiquement mais nous pouvons avoir des rapports constructifs, faire avancer les choses là où c'est possible. Il suffit de déblayer l'obstacle Caroline Masters de notre chemin commun.

Kilcannon écoutait, silencieux et attentif. Gage, bien qu'il lui accordât des éclairs — parfois mortels — d'intuition politique, il le considérait encore comme un homme lunatique, sans expérience, trop jeune pour la fonction. C'était comme se réveiller d'un coma pour apprendre que Brad Pitt était devenu président.

— D'accord, dit Kerry. J'aurais dû vous appeler avant de proposer sa candidature... et plusieurs fois aussi ces dernières semaines. *Mea culpa*, Mac.

Gage leva une main.

— Les responsabilités sont partagées, je l'ai dit.

— C'est très aimable à vous, répondit Kilcannon Dans cet esprit, je ferai amende honorable en vous exposant *ma* réalité. Ces gens en colère dont vous parliez ne voteront jamais pour moi. Ils me haïssent comme ils haïssaient mon frère. En fait, beaucoup d'entre eux espèrent qu'un patriote engagé me fera sauter la cervelle, à moi aussi...

— Certainement pas. Ce sont des Américains loyaux...

— Qui me méprisent, et qui méprisent tout ce pour quoi je me bats, coupa Kerry sans élever la voix. Je me fiche de les foutre en rogne. Plus ils enragent, plus ils me sont utiles. Si vous essayez de leur donner satisfaction, je vous les accrocherai au cou comme une enclume jusqu'à ce que les gens oublieux dont vous parliez retrouvent la mémoire.

«A chaque fois qu'un gosse mourra dans une fusillade à l'école, vous m'entendrez. Tôt ou tard, vous finirez par comprendre qu'être une simple filiale de la NRA ne sert pas vos intérêts.

Gage sentit son visage se figer. Abasourdi, furieux, il se força à ne pas interrompre Kilcannon, qui poursuivait :

— Venons-en à Masters. *Ma* réalité est la suivante : vous avez tort sur l'affaire Tierney. Vous êtes hypocrite sur l'adoption. Vous avez essayé d'utiliser sa fille contre elle et de la faire passer pour lesbienne. Vous avez essayé de la salir par tous les moyens. Et vous voudriez maintenant que nous concluions un marché ?

«Pendant des années, au Sénat, j'ai siégé dans la minorité et je vous ai vu étouffer projet de loi après projet de loi : réglementation des armes à feu, réforme du financement des campagnes électorales, etc. Si vous vous demandez pourquoi je tenais tant à être élu président, regardez-vous dans un miroir.

«Vous avez tenté d'enterrer Masters en commission. Comme vous n'y êtes pas parvenu, vous voudriez que je le fasse pour vous.

Ce fut maintenant Kilcannon qui se pencha en avant, même si son ton, démentant l'intensité de son regard, demeurait détaché.

— Ce que vous avez fait à Caroline Masters est inqualifiable. Cette femme peut améliorer le sort de millions d'Américains longtemps après notre mort. Ma tâche est d'en faire la prochaine présidente de la Cour suprême. Et si j'échoue, de vous le faire payer.

Gage fut consterné et brièvement déconcerté. Malgré sa longue expérience, son habileté à juger les hommes et leurs mobiles, il n'aurait su dire s'il venait d'assister à un numéro convaincant ou si l'homme qu'il avait devant lui échappait à sa compréhension. Mais il était certain d'une chose : il n'y avait aucun espoir de dissuader Kilcannon et toute tentative dans ce sens ne ferait que l'encourager.

— Monsieur le président, c'est une grave erreur.

Le président sourit.

— Oui, mais qui la commet?

— Alors? fit Slade.

Bien que l'envie de se confier à son secrétaire général fût renforcée par la tension de la réunion qu'il venait d'avoir, Kerry hésitait encore à renouer avec lui des rapports étroits. Finalement, il répondit :

— Il se demande si je suis fou et il ne sait toujours pas. Moi non plus.

— Qu'est-ce qu'il compte faire?

Pesant la question, Kilcannon sentait en lui un étrange enchevêtrement de sentiments : fatalisme, détermination, accablement, incertitude.

— Tout ce qu'il pourra pour battre Masters. Il est allé trop loin pour faire marche arrière. Il est aussi trop mouillé avec Engagement chrétien et les autres mouvements de droite.

Clayton croisa les bras.

— J'ai parlé à Chuck. Il nous a donné une liste de démocrates indécis, des sénateurs que tu dois appeler.

— Combien, maintenant? Sept?

— Six. Il pense que nous pouvons compter sur les trente-neuf autres. Il pense aussi que Mac reste coincé à quarante-sept.

— Y compris Palmer et Jarman?

— Oui. Mais Palmer n'aidera pas vraiment Gage et, d'après Coletti, Kate ne se sent pas bien là où elle est. Nous pouvons peut-être encore la faire changer d'avis.

— Si nous sommes au courant, Gage doit le savoir, lui aussi.

Après cette remarque, Kerry devint silencieux et pensif. Il resta à son bureau, le menton dans la main, oubliant presque la présence de Slade, qui finit par hasarder :

— Tu crois qu'il pourrait essayer une obstruction?

— Oui, répondit Kerry en levant les yeux. A ma connaissance, ça n'a jamais été fait, mais essayer d'enterrer en commission une candidature à la Cour suprême non plus, et Gage a failli le faire.

«Il craint peut-être de ne pas réussir à trouver les quatre votes de plus dont il a besoin pour arriver à cinquante et un. Pour une obstruction, il lui suffit d'avoir quarante et une voix, et la volonté d'enfoncer lui-même le poignard entre les omoplates de Caroline.

Clayton glissa les mains dans les poches de son pantalon en soulignant :

— Beaucoup de choses pourraient dépendre de Palmer.

Kilcannon n'avait pas besoin de rappeler à qui il devait l'actuelle méfiance de Chad Palmer.

— Je l'appelle. Il sera tout émoustillé d'avoir de mes nouvelles, j'en suis sûr.

19

— Je tiens avant tout à vous remercier, dit le président. Vous auriez pu étouffer la candidature de Masters en commission.

— Difficilement. Le principal argument de Harshman — la fille —, je le connaissais depuis le début. Si je ne pensais pas à ce moment-là que cela la rendait indigne de la Cour, je ne pouvais décemment pas prétendre le contraire quelques semaines plus tard.

La réponse suggérait de manière implicite que Kilcannon avait organisé la fuite pour rendre la position de Chad intenable.

— Quelle que soit la raison, je comprends que vous deviez vous opposer à Masters, au moins officiellement. Mais je me demande jusqu'où vous avez l'intention d'aller.

— J'ai l'intention de voter contre elle, point. Je l'ai dit.

Palmer se tut puis lança abruptement :

— Qu'est-ce que vous voulez, monsieur le président?

— Moi, je ne veux rien. C'est Gage : il a demandé à me voir.

— Votre service de presse l'a fait clairement savoir. Et alors?

— Il est un peu inquiet, je crois, répondit Kilcannon.

Il hésita à poursuivre, opta pour la franchise :

— Je sais que vous êtes dans une situation difficile, Chad, et je crois que Gage va encore l'aggraver. J'ai tenu à vous prévenir.

— Nous avons fait notre part, déclara Barry Saunders à Gage. Nous nous sommes engagés dans l'affaire Tierney, nous avons collecté trois millions de dollars en un mois et payé la diffusion de spots contre Masters pendant près de deux semaines. En plus des deux millions versés à votre parti dans la dernière campagne présidentielle. Et qu'est-ce que nous recevons en échange?

Assis un peu à l'écart, Mace Taylor faisait aller son regard d'un homme à l'autre. L'avocat d'Engagement chrétien avait demandé une réunion et le lobbyiste s'était chargé de l'organiser. Le coup d'œil qu'il adressa à Gage contenait une mise en garde : sur la question de Caroline Masters, il fallait trouver un accord. Mais Gage traînait les pieds ; son entretien avec le président semblait avoir assombri son humeur.

— Ce que vous avez en échange, c'est Kilcannon, répondit Gage. Il se sert de vous comme repoussoir. Vous auriez dû l'entendre aujourd'hui. Croyez-moi, vous avez intérêt à prier pour que nous gagnions la fois prochaine, sinon vous connaîtrez de gros ennuis.

Il s'interrompit, reprit d'un ton plus conciliant :

— Nous vous sommes reconnaissants de votre aide, Barry. Mais si nous voulons réaliser nos objectifs — *vos* objectifs —, nous ne pouvons pas donner l'impression de réciter un texte que vous avez gravé pour nous dans le marbre. Cela nous coûterait trop de voix.

Saunders plissa les lèvres d'un air déçu, scruta le visage du sénateur.

— Vous parlez comme Palmer, Mac. Je vous assure.

Gage jugea le moment venu de lui rappeler que les choix d'Engagement étaient limités.

— Si j'étais Palmer, vous ne seriez pas ici. Au mieux, Chad a établi avec Dieu des relations diplomatiques : il Le tolère tant qu'Il reste à Sa place. Il est quelque peu moins enthousiaste quand il s'agit de vous.

Saunders eut un petit sourire de joueur de poker dans une partie à deux.

— Quand nous choisirons un candidat à la présidence, ce ne sera pas Palmer. Nous espérions plus ou moins que ce serait vous.

— Moi aussi, dit Gage. Moi aussi…

— Nous ne voulons pas de cette femme. Non seulement elle a démoli tout notre travail dans l'affaire Tierney, mais elle soutiendra manifestement la réforme du financement des campagnes qui plaît tant à Palmer et à Kilcannon. Cette réforme nous empêcherait de prendre part au jeu… et de vous aider. Les millions dont vous aurez besoin la prochaine fois…

Saunders claqua des doigts.

— Partis en fumée.

Quelque chose — l'orgueil ou la prudence — empêchait Gage de lui donner la réponse qu'il attendait. Taylor lança au chef de la majorité un regard intrigué puis dit à l'avocat d'une voix apaisante :

— Mac a un plan.

— Je pense à une obstruction, révéla Gage avec réticence. Tout ce qu'il nous faut pour empêcher Masters de soumettre sa candidature à un vote, c'est quarante et un sénateurs résolus refusant de clore le débat.

Il marqua une pause pour donner plus de poids à la suite :

— Mais c'est beaucoup plus risqué comme vote que se prononcer simplement contre elle.

— Antidémocratique, vous voulez dire, fit Saunders.

— Le *Sénat* est antidémocratique, argua Taylor. C'est ce qui fait l'intérêt de la position qu'occupe Mac. Il lui suffit de déclarer que la chambre haute «exerce sa volonté».

Bien qu'adressée à Saunders, la remarque de Taylor était destinée à aiguillonner Gage et celui-ci en avait conscience.

— A ceci près que le Sénat n'a jamais «exercé sa volonté» de cette manière sur une candidature à la Cour suprême, fit observer Gage.

Apparemment peu satisfait du plan, Saunders coula un regard à Taylor.

— Je suis certain que Paul Harshman serait prêt à se montrer à la hauteur de la situation.

— Bien sûr, répondit Gage. Et c'est précisément ce que souhaite Kilcannon. Paul a ses qualités mais il est trop facile à caricaturer. Ce n'est pas l'image que nous voulons présenter. Je suis de votre avis, Barry, il faut nous débarrasser de Masters. Mais pas n'importe comment.

— Il y a des moments où les choses doivent être faites, un point c'est tout, repartit Saunders avec une égale conviction. Vous ne pouvez pas nous traiter comme une fille que vous voyez en douce.

«Vous n'êtes pas encore sûr de vos cinquante et une voix, alors, assurez-vous d'en avoir quarante et une. C'est plus facile, dix de moins.

Baissant la voix, il ajouta :

— Ne nous faites pas perdre, Gage. Nos gens votent et ils vous donnent de l'argent. Vous ne pouvez pas gagner sans nous.

— Ni avec vous si Kilcannon parvient à ses fins, fit Gage avec douceur. Qui irez-vous trouver si ce n'est nous?

Il leva une main pour devancer une réponse.

— Nous sommes d'accord sur le fond, c'est juste une question d'angle d'attaque.

Saunders le regarda sans se laisser amadouer.

— Kilcannon trouve peut-être Paul amusant, dit Taylor à Gage, mais il rigolerait moins si Palmer montait en première ligne, non?

Comme le lobbyiste l'avait sûrement cherché, Gage sentit sa liberté d'action se rétrécir. Engagement chrétien exigeait qu'il s'engage à battre Masters par n'importe quel moyen ; Taylor voulait une ultime raison de priver Palmer de toute chance d'être candidat aux présidentielles. Bien que tout cela le rendît méfiant, les deux hommes titillaient l'ambition première de Gage : obtenir l'investiture de son parti et se présenter contre Kilcannon.

— Nous trouverons une solution, assura-t-il aux deux hommes. Mais d'abord, il faut parler à Palmer.

La rencontre avait à peine commencé que Mac Gage sentit qu'il se la remémorerait plus tard comme un tournant symbolique... mais symbolique de quoi, il ne savait pas trop.

L'après-midi s'achevait et les rideaux à demi fermés du bureau de Palmer laissaient passer de maigres rais d'un pâle soleil, qui peignaient les murs en vieil or. Palmer accueillit Gage de manière aimable quoique circonspecte. Le regard de Gage fut attiré par la photo posée sur le bureau, Chad et Kyle Palmer se souriant. Si seulement la vie était aussi simple que nous feignons de le croire, pensa Gage. Dans sa propre famille, heureuse et droite, sa petite-fille de quatorze ans tâtait de la drogue et de l'alcool. Raison de plus pour ceux qui détenaient le pouvoir — parents ou sénateurs — de fixer des limites, se convainquait-il.

Malgré l'atmosphère tendue, il prit le temps de considérer son collègue, son rival. Les années n'avaient que peu touché Palmer : il était resté l'enfant chéri de la politique, aussi jeune et chanceux que le pays qu'il servait.

— Masters ? fit Chad.

— Oui. Vous n'avez pas l'impression, quelquefois, qu'elle a toujours été là ?

Il acquiesça d'un sourire.

— Sa candidature nous a tous affectés, en quelques petites semaines. Bien sûr, c'est un peu à cause de moi.

— Beaucoup, corrigea Gage. Avec une aide considérable du président.

Palmer haussa les épaules.

— Notre entente cordiale — si c'est les termes que vous voulez employer — a expiré. Je me suis opposé à ce qu'on enterre Masters en commission parce que je trouve la méthode incorrecte, mais je voterai contre elle en séance plénière.

Cela, Gage le savait, et il supposait donc que c'était une façon pour Palmer de s'entraîner avant le combat. Il eut l'impression que sa visite ne surprenait pas Palmer, qu'il l'avait prévue.

— J'ai besoin de votre aide, Chad. Au-delà d'un vote.

Les lèvres de Palmer formèrent un sourire qui ne monta pas jusqu'à ses yeux.

— Un discours féroce?

— Oui. Contre une motion de clôture. Je veux que vous m'aidiez à rassembler les quarante et une voix nécessaires pour une obstruction.

A la surprise de Gage, Palmer éclata de rire.

— Une obstruction! Notre président est vraiment un type intelligent.

— Pourquoi? demanda Gage, sur ses gardes.

— Il m'a appelé tout à l'heure. Pour me prévenir que vous viendriez me parler de ça, précisément. Vous vous rappelez ce que je vous ai recommandé, tout au début? Ne pas le sous-estimer? Je ne me trompais pas.

Gage refoula son inquiétude.

— Plus exactement, vous avez prédit que cette ville serait jonchée de cadavres d'hommes qui l'auraient sous-estimé. Je crains de ne pas avoir pris votre mise en garde pour le conseil d'ami qu'elle était.

Il avala une toute petite gorgée du bourbon que Palmer lui avait versé : il fallait garder les idées claires.

— Qu'est-ce que Kilcannon a dit d'autre?

— Que c'était sans précédent. Que si nous rejetions la candidature de Masters avec une minorité de voix, nous apparaîtrions comme l'instrument de l'extrême droite. Qu'il affirmerait que chaque vote contre l'obstruction est un vote *pour* Masters, et que nous avons empêché une femme soutenue par une majorité de sénateurs de soumettre sa candidature au vote...

— Simple rhétorique. Nous nous en remettrons.

— Il a ajouté qu'à ce jeu on peut être deux : avec quarante-cinq démocrates au Sénat, il peut faire obstruction à tout projet de loi que nous voudrions faire adopter. Et les veto présidentiels commenceraient à tomber comme des feuilles mortes. Autrement dit, il userait de ses pouvoirs présidentiels pour vous baiser.

Se renversant contre le dossier de son fauteuil, Palmer continua :

— Sur un plan un peu plus élevé, il vous avertit que vous créeriez un précédent pour les futures candidatures républicaines à la Cour suprême. Que vous «réduiriez le Sénat à l'état de nature de Hobbes» pour reprendre ses termes.

Gage nota que Palmer s'exprimait d'un ton neutre, sans passion.

— Et vous êtes de son avis?

— En partie.

— Assez pour vous opposer à une obstruction?

Palmer posa les mains à plat sur son bureau, se pencha en avant pour regarder Gage dans les yeux.

— Mac, il y a des années, nous avons laissé des types comme les membres d'Engagement chrétien entrer dans notre tente. Nous ne nous doutions pas qu'elle finirait par leur appartenir. Ou du moins qu'ils le penseraient.

«La politique nécessite des compromis, une procédure tortueuse pour parvenir à un bien commun. Mais leur système de croyances exclut tout compromis et il a perverti notre parti.

Gage se rendit compte avec appréhension que Palmer parlait sincèrement.

— Je sais que vous me prenez pour un dévot qui s'érige lui-même en prophète, poursuivait Chad. Mais je suis réellement convaincu que ce qui est mauvais pour le pays ne peut pas être, à long terme, bon pour nous.

«Certains moments sont déterminants, Mac. La façon dont nous battrons Caroline Masters — si nous y parvenons — sera plus importante que notre victoire. Je mécontenterai peut-être la droite religieuse; elle m'empêchera peut-être de devenir président...

Il s'interrompit, eut un bref sourire.

— Ce serait dommage pour l'Amérique, mais au moins, je pourrai me regarder en face. Et vous, Mac? Vous pensez que ce genre de pacte faustien en vaut la peine? Comme vous me l'avez fait observer il y a peu, nous ne sommes pas amis. Nous poursuivons tous les deux le même objectif et nous avons des vues différentes sur la façon de l'atteindre. Mais, au fond, je vous respecte trop pour croire que vous voulez vendre votre âme à ces types. Ou que vous ne le regretteriez pas si vous le faisiez.

Gage mit un moment à répondre, retenu qu'il était par un sombre pressentiment et l'impression que la vision du monde de Palmer, quoique simpliste, contenait un noyau de vérité.

— Donc, pour clarifier votre position... se força-t-il à dire.

— Je m'opposerai à Masters. Mais je ne soutiendrai pas une obstruction. Nous la battrons à la régulière ou pas du tout.

Gage joignit les mains. Il n'avait jamais aimé Palmer, il ne l'appréciait toujours pas. Il ne faisait pas non plus le délicat devant les nécessités de la vie politique. Mais, en ce moment précis, il sentait en lui du regret et quelque chose qui ressemblait à du désespoir.

— Ne vous mettez pas en travers du chemin, Chad, murmura-t-il. Dans votre propre intérêt.

Un instant, Palmer parut désarçonné puis il se reprit.

— Vous essayez de me dire quelque chose, Mac ?

Tout aussi brièvement, Gage envisagea de lui révéler la vérité puis se rendit compte qu'il ne pourrait jamais.

— Non, répondit-il. Rien que vous ne sachiez déjà.

20

L'emploi du temps du président était chargé — des coups de téléphone à divers sénateurs, un discours devant une association d'avocats sur la candidature de Masters, une réunion avec Chuck Hampton pour définir une stratégie — et cette intrusion de dernière minute l'ennuyait presque autant que la personne qui en était la cause. Contenant son agacement, il marmonna à Katherine Jones :

— Clayton me dit que c'est au sujet de la candidature de Masters ? Et que c'est important.

Jones hocha la tête avec raideur.

— Pas seulement important. Capital.

La suffisance du ton acheva d'irriter Kilcannon. De toutes les dirigeantes de mouvements pour le libre choix, des femmes qu'il admirait d'une manière générale, Jones était la seule pour qui il eût de l'antipathie. Elle le faisait penser à un bouddha, la compassion en moins : des yeux perçants, des lèvres épaisses et un air satisfait de soi, avec une tournure d'esprit si intransigeante qu'elle nuisait au but recherché. Son mouvement, les Légions d'Antoine, avait manifesté contre Kerry aux primaires et, sans qu'il en ait la preuve, il croyait Jones personnellement responsable d'avoir répandu des rumeurs sur sa liaison avec Lara Costello. La trêve qu'il avait conclue depuis était, au mieux, tendue.

Malgré son assurance, Jones semblait nerveuse. Assise dans le bureau ovale, elle suivait de l'index les bords de l'enveloppe qu'elle tenait à la main.

— Capital ? répéta Kerry. Comment ça ?

Elle se leva, lui tendit l'enveloppe par-dessus le bureau. Avec une douceur de ton inaccoutumée indiquant une hésitation et, peut-être, une gêne, elle répondit :

— Lisez, vous comprendrez.

Bien qu'il n'eût aucune idée du contenu de l'enveloppe, Kerry attendit un instant avant de l'ouvrir et d'en tirer deux feuilles de papier. Il leva les yeux vers Jones, dont le regard demeurait sur les feuilles, puis se mit à lire.

Il saisit d'abord la nature du document puis l'identité de la personne concernée. Un long moment, il considéra la première feuille en silence.

— Où avez-vous trouvé ça? finit-il par demander à voix basse.

Jones continuait à fixer les feuilles : un truc pour ne pas affronter son regard, devina-t-il.

— Dans le courrier, répondit-elle.

— Ça vient de qui?

— Aucune idée. La deuxième feuille est une liste de noms assortis de renseignements. Une sorte de liste de témoins.

Le président passa à l'autre feuille, parcourut rapidement les adresses et les numéros de téléphone. Du travail de détective privé, il en était sûr.

— Aucune idée, répéta-t-il.

— Aucune.

— Mais eux vous connaissent, semblerait-il. Et ils pensent me connaître aussi.

Le tranchant de la voix de Kerry contraignit Jones à lever les yeux.

— Que voulez-vous dire, monsieur le président?

— Laissez-moi d'abord vous poser une question, Katherine. Qu'avez-vous l'intention de faire avec ça?

Jones paraissait avoir du mal à soutenir le regard de Kilcannon.

— C'est une information capitale. J'ai pensé que vous deviez la connaître.

Kerry sentit son antipathie se transformer en colère.

— Qu'est-ce que vous attendez de moi? demanda-t-il calmement.

Elle ne répondit pas.

— Je vois, fit-il. Un acte qui n'ose pas dire son nom. Mais c'est le mot «chantage» qui vient à l'esprit.

Les mâchoires de Jones se crispèrent.

— J'aurais pu communiquer ces documents à la presse, se défendit-elle. Je ne l'ai pas fait.

— Au lieu de quoi, vous êtes venue me trouver. Une fuite aurait simplement ruiné sa carrière. Mais s'il sait que je sais, il devient malléable. Surtout pour la candidature Masters.

— Ils ont révélé l'existence de la fille, monsieur le président. A

474

nous de riposter. Je n'ai pas demandé cette information, elle est arrivée par la poste. Ce n'est pas à moi de décider ce qu'il convient d'en faire. Mais cet homme n'a jamais été un ami pour nous, plaida-t-elle, il l'est encore moins maintenant. La candidature de Masters est cruciale. Pour nous tous.

— En effet. Assez cruciale pour que vous vous imaginiez que je pourrais utiliser cette information contre lui. Alors, avant que vous ne quittiez cette pièce, je veux que vous sachiez ce que je vais faire.

Il posa un doigt sur le document, poursuivit :

— Si cette information devient publique et si je pense que c'est à cause de vous, vous ne remettrez jamais les pieds dans ce bureau. Si c'est vous qui avez en fait déniché cette information, le ministère de la Justice s'occupera de votre organisation jusqu'à ce que vous ayez l'impression de vivre dans la salle du jury d'accusation. Et si ce que vous avez fait pour l'obtenir n'est pas un crime fédéral, nous en inventerons un.

Jones le regarda, la bouche entrouverte. Tout à coup, Kerry sentit le dégoût qu'elle lui inspirait se retourner contre lui.

Il aurait voulu avoir plus de temps, mais être président, il l'avait découvert, laissait souvent trop peu de temps pour réfléchir, encore moins pour ressentir.

Il voyait maintenant ce qui s'était passé. Palmer était coincé et il avait contribué à l'acculer. Kilcannon comprenait seulement maintenant que la réponse de Chad à ses manœuvres avait été complexe et cependant simple, au fond. Il n'y avait rien de simple en revanche dans la décision qu'il devait prendre.

Mettre Palmer au courant serait en soi une forme de chantage à cause de la peur que cela susciterait, de la dette que cela impliquerait. Le sénateur pourrait croire à une nouvelle manipulation de Kerry ou même s'imaginer que l'information avait été découverte à son instigation. Mais si Jones avait reçu ce document par la poste, d'autres pouvaient le recevoir aussi : en définitive, Kilcannon n'avait pas d'autre choix que prévenir Chad.

Délaissant la liste de sénateurs indécis, il décrocha le téléphone.

— J'espère que ce n'est pas au sujet de Masters, lui dit Palmer. Nous avons utilisé mes neuf vies.

— C'est au sujet de Masters, confirma le président d'une voix tendue. Il faut que je vous voie, le plus vite possible.

— Nous ne pouvons plus nous faire du pied sous la table...

— Venez ici quand tout le monde sera parti. Par l'entrée est des visiteurs.

La réponse fut sèche :

— Vous réveillez un souvenir pénible. La dernière fois que j'ai fait ça, je me suis fait griller.

— Je sais, dit Kerry. Mais, cette fois, votre problème est bien plus grave.

Après une hésitation, il ajouta à voix basse :

— Il s'agit de Kyle, Chad. Et d'Allie.

Chad Palmer fixa longuement le document sous le regard du président. Il faisait nuit. Dans la faible lumière du bureau personnel de Kilcannon, l'expression du sénateur avait une intensité douloureuse.

— Vous savez d'où ça vient? lui demanda Kerry avec douceur.

Palmer leva les yeux, pâle mais maître de lui.

— Non, répondit-il. Et vous?

Kilcannon éprouva une bouffée d'indignation qui se dissipa aussitôt. Palmer avait une bonne raison de le rendre responsable de la fuite concernant la fille de Caroline. Dans la galerie des glaces que la candidature de Masters était devenue, Kerry ne pouvait garantir à personne — lui compris — que le document ne provenait pas d'une source proche du président.

— Non, dit-il. Je n'en sais rien.

La méfiance se mêla au dégoût dans les yeux froids de Palmer.

— Alors qu'est-ce que vous voulez?

— Rien, dit Kerry, qui gardait difficilement son calme. Je ne l'ai montré à personne, je n'ai pas fait de photocopies. Une fois que vous serez parti, nous n'en reparlerons plus jamais. Ce document n'existera plus pour moi.

L'expression de Palmer ne changea pas. Leur rencontre était empreinte d'ambiguïté, Kerry le savait et le regrettait. Quelles que soient ses intentions, il faisait de Chad son obligé et celui-ci partirait en sachant que le président avait le moyen de le détruire. De plus, Palmer ne pouvait être sûr — et Kerry ne pouvait le lui garantir — que ce n'était pas l'intention du président et qu'il n'avait pas déterré l'information lui-même.

— Je ne vous demande pas votre aide, reprit Kerry, et je ne m'attends pas à ce que vous me l'accordiez. Avant de me rendre responsable, considérez les motifs de celui qui a envoyé ces deux feuilles.

« S'il voulait seulement votre vote, il aurait trouvé un autre moyen

476

d'utiliser cette information. Au lieu de quoi, il l'a envoyée à un mouvement qui soutient Masters et dont il savait qu'il serait tout disposé à me la transmettre. Pourquoi? C'est la question que je me pose. Peut-être parce qu'il pense que c'est moi qui ai révélé l'existence de la fille de Caroline et que je n'hésiterai pas à utiliser ça aussi.

«Il veut vous anéantir comme personne et comme candidat à la présidence. Si, en ayant recours au chantage, je vous oblige à voter pour Masters, votre position se dégrade dans votre parti. Et s'ils communiquent *ensuite* le document aux médias, vous êtes fini. Conjuguées, les deux attaques sont plus redoutables qu'une révélation immédiate.

Palmer baissa de nouveau les yeux vers le document. Kerry imaginait le choc que ce devait être pour Chad de voir — pour la première fois, peut-être — la signature d'Allie sur le formulaire autorisant leur fille à avorter. Il se surprit même à se demander si Allie avait mis Chad au courant : le couple Palmer paraissait uni mais l'échec de son propre mariage avait appris à Kerry tout ce qu'on peut cacher à un conjoint et aux autres.

Pour Chad, le président avait l'air tourmenté, mais était-ce à cause de ce qu'il venait d'apprendre ou de ce qu'il avait commis? La fuite sur l'existence de la fille de Masters, et l'utilisation habile que Kilcannon en avait faite, ne laissait aucune place à la confiance. Il entendit le président lui dire :

— Avant de conclure que le coup vient de moi, ou d'un des partisans de Caroline, considérez qui d'autre pourrait en être l'auteur.

— Par exemple?

— Demandez-vous qui, à part moi, ne veut pas de vous dans la course à la Maison-Blanche. Quelqu'un que vous avez offensé. Quelqu'un qui vous considère comme une menace et qui est assez impitoyable pour faire ça.

«Ne vous mettez pas en travers du chemin, lui avait recommandé Gage. Dans votre propre intérêt.

— Vous essayez de me dire quelque chose, Mac?

— Rien que vous ne sachiez déjà.»

Chad sentit l'obscurité envelopper ses pensées. Autrefois, si on lui avait demandé de choisir à qui, entre Kilcannon et Gage, il pouvait accorder sa confiance, il n'aurait pas hésité. A présent, il ne savait plus.

— Je peux aussi me demander qui est assez désespéré pour essayer de me dresser contre Gage.

— Si vous pensez encore que je suis capable d'utiliser ce bout de papier, j'ai perdu mon temps avec vous, déclara Kerry avec une colère froide. Je ne veux rien de vous. Protégez simplement votre famille en espérant que celui qui a envoyé l'information soit aussi charitable que moi. Quoique j'en doute.

Palmer savait que si Kilcannon disait la vérité, cette dernière remarque était sûrement juste. Ses ennemis, quels qu'ils soient, ne s'embarrassaient pas de scrupules. Il sentit tout à coup le poids de sa famille — la fragilité de Kyle, l'amour désespéré d'Allie pour sa fille — et la cruauté de sa propre solitude.

Il n'avait jamais parlé à personne de ce qui était arrivé, ni exprimé de doutes sur ses qualités de père. Avant ces deux dernières semaines, il aurait peut-être puisé un étrange réconfort dans le fait que Kerry Kilcannon était maintenant au courant : avec son curieux mélange de dureté et de sensibilité, Kerry l'aurait peut-être aidé à porter plus facilement son fardeau. A présent, Chad ne pouvait que se demander ce qu'accéder à la présidence avait fait à l'homme assis devant lui. Les présidents accordaient parfois des faveurs, mais peu d'entre elles étaient gratuites.

Il plia les deux feuilles de papier, les glissa dans sa poche et sortit.

Kerry ne pouvait lui faire de reproches.

Après l'acte cynique de Clayton, que Kerry avait exploité, il n'y avait aucune confiance à attendre. En tant que président, il ne pouvait expliquer à personne ce qui s'était passé : dans le monde impitoyable de Washington, c'eût été s'accuser lui-même et condamner Caroline.

Le pire, c'était de comprendre maintenant que Chad avait accepté de couvrir Caroline au moins en partie par empathie : elle avait agi pour protéger sa fille, comme lui. Et la conviction de Chad qu'une vie privée devait rester privée avait des racines profondément personnelles.

Comme celle de Kilcannon. S'il avait pu expliquer pourquoi, Chad aurait été obligé de le croire : le risque que Kerry aurait pris en révélant son propre secret n'aurait laissé aucun doute. Mais, pour de nombreuses raisons, à commencer par Lara, il ne le pouvait pas. Les deux hommes resteraient donc comme ils étaient, cernés par leurs secrets, chacun d'eux s'efforçant de protéger ceux qu'il aimait et lui-même.

L'enveloppe envoyée à Katherine Jones était restée dans son

bureau. Le président ouvrit le tiroir, la regarda, puis retourna à la liste de sénateurs indécis et commença à donner des coups de téléphone.

21

Deux jours plus tard, Kerry téléphonait encore de son bureau aux sénateurs hésitants mais il avait consolidé la position des démocrates : quarante et un d'entre eux avaient exprimé leur soutien à Caroline Masters. Les quatre autres, bien qu'officiellement irrésolus, avaient promis leur voix au président si cela pouvait lui apporter une victoire. Le dernier sondage national avait indiqué une majorité relative en faveur de Masters — quarante-sept contre trente-huit pour cent — avec un écart de vingt points chez les femmes. Sous la direction de Clayton, la Maison-Blanche suscitait des discours et des articles qui soulignaient le rôle d'un système judiciaire indépendant et qualifiaient l'opposition à Masters d'attaque contre l'intégrité de la justice.

Cette campagne faisait son effet sur les leaders d'opinion d'une part et, à travers eux, sur le Sénat. Dans la bataille pour convaincre les républicains modérés — suivie avec une extrême attention par les médias et couverte comme une course de chevaux —, Macdonald Gage n'avait rien ajouté à son total de quarante-sept voix, quatre de moins que la majorité requise. Il était dans une situation difficile, estimait Kilcannon : sans avoir cinquante et une voix sûres, Gage ne pouvait prendre le risque d'un vote sur la candidature, et chaque jour qui passait semblait renforcer la position de Kerry. En outre, échappant au contrôle de tous, un grand impondérable planait sur l'affaire : la décision imminente de la Cour suprême d'entendre ou non l'appel de Martin Tierney, et l'avortement qui s'ensuivrait si elle s'y refusait.

Tout cela, le président en avait conscience, augmentait les pressions de l'aile droite républicaine sur Gage pour battre la candidate par le seul autre moyen disponible : si Gage persuadait quarante de ses quarante-sept sénateurs loyalistes de favoriser une obstruction, d'empêcher un vote sur Masters, sa candidature serait enterrée. Kerry savait que ces deux derniers jours, Gage avait recherché le soutien nécessaire.

Ces deux derniers jours, Chad Palmer était resté silencieux.

D'autres républicains cherchant auprès de lui un indice sur la conduite à tenir n'en avaient trouvé aucun. Il ne prenait pas position sur l'obstruction. Il ne réitérait pas — et ne reniait pas non plus — son opposition à Caroline Masters. Il ne faisait aucune déclaration publique.

Il n'avait pas non plus repris contact avec le président. Une ou deux fois, Kerry avait imaginé le dialogue douloureux de Chad et d'Allie. Ce n'est que plus tard qu'il apprit que Chad — voulant épargner de nouvelles angoisses à sa femme et à sa fille, espérant trouver son chemin dans ce labyrinthe sans qu'elles se sentent responsables de ce qu'il avait décidé de faire — avait retardé de deux jours l'inévitable conversation.

C'était une erreur que le président n'aurait pas commise.

Ce soir-là, Kilcannon s'efforçait de chasser Chad de ses pensées.

— Donc, monsieur le président, disait Leo Weller, vous voulez ma promesse qu'en cas de besoin, je voterai contre une obstruction. Malgré les consignes de mon leader.

Kerry entendit la déclaration pour ce qu'elle était : Weller tâtait le terrain, il cherchait le plus offrant. Aimable et retors, le sénateur du Montana aurait fort à faire pour assurer sa réélection : seul un président pouvait récompenser les partisans de Weller par une nomination, signer une loi importante pour leurs intérêts ou y mettre son veto.

— Vous jouez sur les deux tableaux, répondit Kilcannon avec aisance. Vous pourrez voter contre la juge Masters quand elle soumettra sa candidature au Sénat... après avoir voté pour qu'elle puisse la soumettre. C'est la voie démocratique.

A l'autre bout du fil, Weller eut un petit rire.

— Intéressante, cette stratégie. Vous commencez par inciter quelques-uns d'entre nous qui s'opposent à Masters à l'aider à obtenir un vote en séance plénière, puis vous essayez d'amener au moins cinq républicains à voter pour elle afin de parvenir à cinquante, ensuite Ellen Penn vient présider le Sénat et fournit le vote décisif.

— Clairement résumé, approuva le président. Considérez donc votre alternative. Gage convainc quarante d'entre vous de couler Masters. Nous, nous disposons de quarante-cinq voix que j'utiliserai pour empêcher un vote sur tout ce qu'il propose : réforme de la responsabilité délictuelle, réductions d'impôts, tout ce que vous voudrez. Et je ne ferai pas non plus de l'aide à *vous* accorder une priorité. Alors, réfléchissez, Leo. Qu'est-ce que Gage vous offre à part un transat à bord du *Titanic* ?

— Beaucoup de choses, répondit Weller avec entrain. La présidence de la commission sur l'agriculture, un vote sur mes projets de loi...

— Uniquement si vous êtes encore dans la majorité et si Gage en est toujours le chef, objecta Kerry. Je ne parierais ni sur l'un ni sur l'autre. D'un point de vue politique, s'opposer à la candidature de Masters est une bêtise : vous aurez l'air de lécher les bottes de la droite chrétienne.

— Peut-être que oui, peut-être que non, fit Weller d'un ton plus vif, renonçant tout à coup à feindre la décontraction. Ce dont vous me parlez, c'est ni plus ni moins de bloquer le Sénat, monsieur le président.

— Je vous parle de persuader Gage de ne jamais recommencer ce coup-là. La seule issue pour vous, c'est de l'en empêcher, fit valoir Kerry d'un ton froid, analytique. Gage veut être président et pense qu'il a besoin de la droite chrétienne. Alors il néglige un problème plus immédiat : votre réélection. La bataille s'annonce rude pour vous l'année prochaine, vous aurez besoin de donner quelque chose à vos électeurs.

— Avec tout le respect que je vous dois, monsieur le président, mes électeurs se foutent de Caroline Masters. Ils sont trop occupés par leur vie quotidienne pour s'intéresser aux éditoriaux et aux grands discours...

— Certains s'intéressent aux droits de pâturage, coupa Kilcannon. Vous avez un projet de loi qui les étendrait aux terres communes. Les écologistes veulent que j'y oppose mon veto. Ce que je serais enclin à faire, actuellement.

Sans se laisser impressionner, Weller répondit :

— Faites-le et le jeunot que votre parti présente contre moi n'aura pas une chance.

— Si vous le dites, repartit gaiement le président. Je ne doute pas que quand il vous traitera de dinosaure et demandera ce que vous avez fait récemment pour le Montana, vos quarante pour cent d'opinions favorables actuels vous porteront vers la victoire. Avec une majorité écrasante, peut-être.

Dans le silence qui suivit, Kilcannon se représenta le visage de chérubin du sénateur quittant son expression angélique pour un air matois.

— Je ne vote pas l'obstruction, j'ai mes droits de pâturage ? demanda Weller.

— En tout cas, je serais plus facile à persuader.

Weller pesa les avantages d'un président favorable et les inconvénients de s'aliéner son adversaire, presque aussi puissant, un homme avec qui il devait composer tous les jours.

— Il y aurait aussi un poste de juge, finit-il par répondre. J'aimerais faire quelque chose pour le directeur de ma dernière campagne...

Kerry jeta un coup d'œil au bloc-notes posé devant lui.

— Un nommé Bob Quinn, pour être précis. Je crois savoir que son seul défaut, en plus d'être conservateur, c'est sa médiocrité en tant qu'avocat. Ce qui ne signifie pas pour autant qu'il ne ferait pas un remarquable juge.

Weller émit un autre petit rire.

— Vous êtes très bien informé, monsieur le président. A ceci près que Bob est tout à fait qualifié...

— Pour le tribunal fédéral de première instance, peut-être. La Cour d'appel — là où vous souhaiteriez l'envoyer, si je ne me trompe —, c'est un peu trop demander.

— Bob s'est mis la Cour d'appel en tête, insista Weller.

Kerry réfléchit, estima le rapport de forces avant de répondre :

— Dites à votre vieil ami Bob que j'ai un faible pour lui. Moi aussi, j'ai été autrefois un juriste médiocre...

— J'en doute, monsieur le président.

— Mais que ma sympathie pour lui s'arrête au tribunal fédéral, continua Kilcannon. Alors, demandez-lui s'il s'en contentera.

Weller se tut de nouveau.

— S'il le faut, soupira-t-il finalement.

— Ce qui nous ramène à l'obstruction de Mac Gage.

— Je suis prêt à m'y opposer, dit lentement le sénateur.

Le président éprouva un soulagement qu'il ne pouvait permettre à sa voix de trahir.

— Faites-le, Leo, et vous pourrez annoncer la bonne nouvelle à M. Quinn. A toutes les vaches aussi.

En reposant le téléphone, Kerry découvrit Lara dans l'encadrement de la porte.

— Impressionnant, fit-elle avec un sourire.

Elle portait des gants de cuir et un manteau, et sa peau avait gardé la rougeur du froid.

— Tu es là depuis combien de temps? demanda-t-il.

— Quelques minutes. Ton Bob Quinn a l'air du prochain Cardozo. J'espère seulement que sa circonscription compte plus de vaches que de gens.

— On ne fait pas ce qu'on veut, se lamenta Kilcannon. Tu restes un moment, j'espère ?

Elle traversa la pièce, se pencha pour l'embrasser.

— Ces temps-ci, c'est le seul moyen pour te voir. « Elle sert aussi celle qui est à l'affût. »

Il leva les yeux vers elle en disant :

— Je sais que c'est dur. Je suis désolé.

— Ne le sois pas. Je comprends. Je m'habitue à ce que tu sois président.

Kerry aurait voulu en avoir fini avec ses coups de téléphone. Plus encore, il aurait voulu avoir le temps de parler à Lara de Chad Palmer. Mais il fallait qu'il termine, et l'histoire de Chad avait de telles résonances pour eux qu'il hésitait à lui en faire part.

— Je ne serai pas long, promit-il. A moins que l'Inde ne bombarde le Pakistan, j'en ai encore pour une heure à peu près.

Lara ôta son manteau, le posa sur un fauteuil.

— Pas de problème. J'ai moi aussi quelques coups de fil à donner et j'ai laissé le nouveau Stephen King sur ta table de nuit.

— Epouse-moi, et tu pourras peut-être le finir, lui dit-il.

A huit heures, comme à son habitude, Palmer regagnait sa résidence en voiture pour un dîner tardif avec Allie. Il devrait peut-être lui parler ce soir.

Deux jours s'étaient écoulés dans un climat de silence étrange pour Chad : après tant d'années passées avec Allie, il lui était difficile de lui cacher quelque chose d'aussi essentiel.

Au sortir du parking, il s'arrêta un moment, regarda par-dessus son épaule le dôme du Capitole brillant d'un blanc de marbre dans le ciel obscur. Lorsqu'il avait débarqué à Washington, ce dôme, la nuit, lui avait semblé être un symbole, un rêve de l'Amérique. Mais ce soir, le rêve était souillé. Chad avait fait son chemin dans cette ville ; sa femme et sa fille le paieraient peut-être.

Il avait ruminé cette idée ces deux derniers jours avec une incrédulité paralysante, comme si, malgré une connaissance chèrement acquise des voies du pouvoir, il se sentait immunisé. Combien d'autres, pensait-il maintenant, avaient partagé cette illusion et s'étaient réveillés brisés, fantômes d'une autre vie ?

Au moment où il tournait dans East Capitol, son téléphone portable fit entendre sa musiquette.

Chad sursauta. Ça peut être n'importe qui, se raisonna-t-il. Il se faisait un devoir d'être accessible à tout moment, et ses collaborateurs, ses collègues connaissaient ce numéro. Ainsi qu'un bon nombre de journalistes.

— Chad?

Avec soulagement, il reconnut la voix d'Allie.

— Je suis à quelques rues de la maison. J'arrive dans deux minutes.

— J'ai essayé de te joindre, dit-elle d'une voix tendue. Quelqu'un d'*Internet Frontier*, ou je ne sais quoi, a appelé. Il dit que c'est personnel, et urgent. Qu'il veut te voir à leur siège, tout de suite.

Il sentit la tension d'Allie le gagner.

— Pourquoi tout de suite? demanda-t-il avec un calme trompeur.

La voix d'Allie se fit plus aiguë :

— Il dit… Henry Nielsen, leur rédacteur en chef, il dit qu'ils doivent boucler leur édition. Ils sortent une affaire dans trois heures, il veut te parler avant.

Chad se rendit compte qu'Allie avait deviné ce qui se passait. Il obliqua vers le trottoir, stoppa.

— Où est Kyle?

— Je ne sais pas. Je viens d'appeler à son appartement.

— Son numéro est dans l'annuaire?

— Non, répondit Allie.

— Bon. Laisse-lui un message lui recommandant de ne pas répondre au téléphone, de ne parler à personne…

— Chad, qu'est-ce qui se passe? fit-elle, luttant pour garder son calme.

— Pas sur un portable. Appelle Kyle. Je rentre dès que je peux.

22

Internet Frontier ne gaspillait pas d'argent pour le décor. Son siège, vaste espace nu égayé uniquement par des affiches de cinéma et de concerts rock, reflétait son image de média sans moyens, progressiste et iconoclaste. Mais au moins le bureau de Henry Nielsen avait des cloisons qui protégeraient Palmer et le rédacteur en chef des yeux et des oreilles de ceux qui avaient levé la tête quand Chad avait rapidement traversé la salle.

Fermant la porte derrière lui, Nielsen indiqua une chaise au sénateur. A la lumière des tubes fluorescents, les cheveux caramel et la peau pâle du journaliste lui donnaient un air blanchi à l'eau de Javel. Sans dire un mot, il mit une photocopie dans la main de Palmer, qui se retrouva de nouveau en train de fixer la signature d'Allie.

— Nous avons retrouvé le petit ami, annonça Nielsen.

Son agressivité tranquille rappela à Chad la première fois où il avait entendu parler de *Frontier* : comme la source de rumeurs sur un sénateur non nommé — en fait le prédécesseur de Gage — qui prônait les «valeurs familiales» mais profitait sexuellement de jeunes fugueuses.

Un moment encore, Chad n'arriva pas à croire que la presse à scandale, où la vie privée était du grain à moudre pour des journalistes en concurrence, avait pris sa famille au piège. Plutôt qu'opposer une ultime résistance, il demanda simplement :

— Comment ?

— Nous l'avons reçu avec une liste. Noms, adresses, numéros de téléphone.

La même liste, se dit Palmer, provenant de la même source. Ce qui n'excluait pas une ruse de la Maison-Blanche, le prévenant d'abord puis informant Nielsen. Une telle cruauté allait toutefois à l'encontre de l'idée que Chad se faisait du président jusqu'à ces derniers temps. Et il y avait d'autres possibilités : la source anonyme alléguée par Kilcannon, les ennemis de Chad au sein de son propre parti. Seule certitude : dans quelques jours, voire quelques heures, Allie et Kyle seraient exposées aux regards de tous.

— Nous croyons savoir, en fait nous savons, commença Nielsen, qu'il y a quatre ans, avec l'autorisation de votre femme, votre fille s'est fait avorter à trois mois de grossesse.

Au prix d'un énorme effort, Chad s'imposa un ton impassible.

— Vous avez parlé à Kyle ?

— Nous n'arrivons pas à la joindre.

Nielsen s'exprimait avec la froideur clinique d'un médecin décrivant un traitement.

— Nous savons qu'elle a eu des problèmes psychologiques, poursuivit-il. La drogue, l'alcool… Nous aimerions avoir votre point de vue pour notre article. En fait, nous aimerions avoir *son* point de vue : cela donnerait une autre dimension à ce qui n'est pour le moment qu'un nouvel échantillon de l'hypocrisie politique.

Dominant sa colère, Chad s'efforça de voir clair dans les mobiles de Nielsen et crut discerner les germes d'un marché : l'accès à Kyle en échange d'un meilleur traitement.

— Alors c'est votre truc, fit-il d'un ton mordant. L'hypocrisie... avec vous comme protecteur de la sainteté publique. Ma fille ne compte pas quand vous portez le premier amendement comme une aube de communiant.

Soudain, l'émotion de Chad échappa à son contrôle.

— Qu'est-ce que ça peut vous faire, ses années de souffrance, l'angoisse incessante de sa mère ? Vous avez des annonceurs à solliciter, des lecteurs à titiller, des concurrents à battre. La vermine qui vous a envoyé ce texte ne le sait que trop. Elle vous connaît, nous vous connaissons tous. Vous faites partie de ceux qui transforment la vie publique en fosse à purin, vous êtes l'instrument consentant de politiciens et de groupes d'intérêts qui cherchent à détruire tous ceux qui leur font obstacle. Dites-moi qui vous a fourni cette information !

— Je ne peux pas, sénateur. Nous devons protéger nos sources.

Chad nota que Nielsen ne prétendait pas que le document était arrivé par surprise dans le courrier du matin. D'un ton plus mesuré, il reprit :

— Vous devriez au moins vous interroger sur leurs mobiles.

— Nous le faisons.

— Vraiment ? Comme la fois où vous avez contribué à faire de Macdonald Gage le chef de la majorité.

— Ce n'était pas notre intention, répondit Nielsen d'un ton patient. Nous n'avons pas révélé le nom du sénateur compromis. Nous avons simplement publié ce que nous pensions être la vérité et le prédécesseur de Gage a subitement démissionné. Confirmant la véracité de notre article. Quant à sa pertinence, l'hypocrisie semble être un vice répandu. Le sénateur avait lui-même accusé le ministre des Transports d'avoir menti au sujet d'une liaison avec une subordonnée qui avait au moins le mérite d'être majeure.

— Alors, je suis l'équivalent moral d'un menteur ou d'un violeur, répliqua Palmer avec dégoût.

Nielsen jeta un coup d'œil à sa montre, comme pour rappeler que le temps était compté.

— Vous êtes un protagoniste essentiel dans l'affaire de la candidature à la Cour suprême la plus controversée de l'histoire. Elle repose sur deux problèmes légaux, l'avortement tardif et l'autorisation parentale. Avec un côté personnel : la décision d'une juge favorable au libre choix d'avoir un enfant hors mariage, et un côté éthique : a-t-elle menti, ou aurait-elle dû au moins en dire plus ? Appliquons maintenant cette grille à votre cas...

Comme emporté par son argumentation, Nielsen prit un ton de procureur :

— Vous avez voté la loi sur la protection de la vie. Vous vous opposez à la candidature de Masters. Vous soutenez que l'avortement est en fait un meurtre. Cependant vous — ou tout au moins votre femme — avez consenti au « meurtre » de l'enfant de votre fille. A la différence de Martin Tierney, ajouterais-je.

— Dont vous avez révélé le nom, pour sa plus grande souffrance, répliqua Palmer. C'était un hypocrite, lui aussi ?

— Pas du tout. C'était un ardent militant pro-vie contre qui sa fille se rebellait, donc un sujet d'article. Mais, en ce qui concerne votre fille, vous avez dit une chose en public et vous avez fait le contraire en privé. A moins que vous n'ayez pas été au courant ? suggéra Nielsen, conciliant mais sceptique.

Chad se sentit pris au piège. Il ne mentirait pas pour se protéger, il ne demanderait pas à Allie ou à Kyle de mentir pour lui. Pour les protéger, elles, il n'y avait qu'un moyen, la franchise, un seul espoir, gagner du temps. D'une voix maîtrisée, il répondit :

— Ce que je vais vous dire doit rester confidentiel.

— D'accord, promit le journaliste en se renversant en arrière.

— Vous avez raison, pour Kyle, monsieur Nielsen. Elle avait effectivement un problème de drogue. Mais ce n'était que le symptôme d'autre chose. Depuis l'enfance, elle alternait les moments d'exaltation et les journées de dépression profonde, avec un manque de confiance en soi écrasant. Nous avons cru un moment qu'elle était cyclothymique et nous découvrirons peut-être qu'elle l'est. En tout cas, elle avait besoin d'amour et d'affirmation de soi.

Chad s'interrompit, dut réprimer le mépris que lui inspirait son auditeur pour pouvoir poursuivre ses aveux douloureux.

— C'est indéniablement en partie de ma faute. Jusqu'à cette histoire, j'avais été un père absent. Entre autres substituts, Kyle avait trouvé un garçon qui abusait de la drogue, de l'alcool... et d'elle. Elle avait à peine seize ans, elle était en pleine confusion. Dès qu'il a appris qu'elle était enceinte, il l'a laissée tomber.

« L'autorisation parentale signifie seulement ce que ces mots impliquent : un parent peut autoriser un avortement. Ma femme pensait que Kyle ne supporterait pas d'avoir un enfant et que l'IVG était le seul moyen de la sauver. Je ne pouvais pas l'en empêcher, je n'ai pas essayé. Voilà, c'est tout.

Nielsen le considéra avec une sympathie mesurée.

— Alors, vous auriez pu raconter cette histoire, sénateur. Au lieu de continuer à voter et à parler comme si de rien n'était.

— Monsieur Nielsen, mes convictions n'ont jamais changé, soupira Palmer. Mais je les ai exprimées avec beaucoup plus de discrétion...

— Pour vous protéger?

— Dans une certaine mesure. Mais surtout pour protéger Kyle. Après l'avortement de ma fille, si je parlais de «supprimer une vie», je devenais un père lointain et désapprobateur. Je l'avais déjà été suffisamment comme ça.

Sous le regard de Nielsen, Chad éprouvait une sensation désagréable : bien que très différent de la cellule obscure où il avait passé deux ans de sa vie, ce lieu aux murs blancs et à la lumière fluorescente lui donnait l'impression d'être pris au piège, écrasé.

— Votre témoignage introduit au moins une nuance, dit Nielsen. Je vous engage instamment à le rendre public, et à convaincre votre femme et votre fille d'en faire autant. Sinon, les faits apparaîtront sous leur jour le plus cru.

Palmer fut de nouveau envahi par un dégoût viscéral : à la fois juge, bourreau et confesseur, Henry Nielsen — sorti peut-être de l'école de journalisme depuis une petite dizaine d'années — proposait l'humiliation publique de la famille de Chad comme baume sur sa faillite politique.

— Publiez cette histoire et vous ferez beaucoup plus de mal à ma fille qu'à Allie ou à moi. Kyle a fait des progrès, monsieur Nielsen. Pouvez-vous comprendre ce que cela signifie pour nous? Elle m'aime, maintenant, et je l'aime. Vous feriez revenir à la surface des moments terribles qu'elle a commencé à laisser derrière elle. Vous la rendriez responsable de ma chute politique.

Plantant son regard dans celui du journaliste, Palmer déclara :

— En toute sincérité, j'ignore les conséquences que ce sentiment de culpabilité, cette honte auraient sur elle. Et vous aussi.

Nielsen croisa les bras.

— Alors, que proposez-vous?

— Que vous réfléchissiez sur ceux qui vous ont fourni cette information et sur leurs mobiles. Demandez-vous si leur désir de se servir d'elle contre moi est une raison pour punir une jeune femme fragile à cause de ce qui lui est arrivé quand elle avait seize ans.

Nielsen pressa ses doigts repliés contre ses lèvres, secoua lentement la tête.

— Leurs mobiles sont peut-être intéressants mais cela ne change rien aux faits. Tout ce que je peux vous offrir, sénateur, c'est la possibilité pour vous et votre famille de participer à la mise en forme du contenu de notre article. Mais si nous ne publions pas l'information, notre source la communiquera à quelqu'un d'autre. Il vous reste peu de temps...

— Plus du tout, vous voulez dire. Comme vous, nous avons essayé de joindre Kyle, nous n'avons pas réussi.

— Comment je peux savoir que vous n'essayez pas de la cacher? Chad se pencha en avant, fixa Nielsen dans les yeux:

— Parce que je vous le dis, bon Dieu.

Le journaliste demeura un moment sans bouger puis regarda de nouveau sa montre.

— Vous pourrez parler quand à votre famille?

— A ma femme, immédiatement. A Kyle, dès que nous l'aurons trouvée.

— Vous leur demanderez de nous rencontrer?

— Je leur demanderai d'y réfléchir. Si vous me promettez de les écouter jusqu'au bout et de reconsidérer ensuite la publication de votre article.

Nielsen tambourina des doigts sur le bureau.

— Vous avez vingt-quatre heures.

— Nous ne contrôlons absolument pas la situation, dit Palmer d'une voix blanche.

Assis avec Allie dans la salle de séjour de leur maison de Capitol Hill, il entendait résonner dans sa tête une autre conversation, qu'ils avaient eue quatre ans plus tôt. Allie avait alors parlé avec la férocité tranquille d'une mère protégeant sa fille. Maintenant, elle avait l'air effrayée pour Kyle, angoissée pour Chad, désespérément résolue à faire front. Comme tant d'autres fois dans sa vie de femme et de mère, elle penserait à elle plus tard — si elle y pensait. Avec entêtement, avec une répugnance instinctive à accepter quelque chose d'aussi peu naturel pour elle que mettre Kyle en danger, elle répondit:

— Nous devons vraiment lui faire subir ça? Je ne peux pas supporter l'idée de la voir en couverture d'un magazine.

Chad contint son impatience: c'était de sa faute, après tout, si Allie n'était pas préparée à ce choc.

— Quelqu'un d'autre pourrait révéler la vérité, argua-t-il. Quelque chose d'autre pourrait provoquer une fuite. Je ne sais pas d'où vient le coup, je ne sais pas à qui je dois essayer de plaire, ni même si je peux y arriver.

Il fit un effort pour garder un ton raisonnable.

— Je ne veux pas que Kyle tombe dans un traquenard ou qu'on la fasse passer pour une fille irresponsable, incapable de supporter le moindre désagrément. La meilleure façon de la protéger, c'est raconter ce qui lui est arrivé — une seule fois — et espérer ensuite que ce sera rapidement oublié. Tout ce que nous pouvons faire, c'est essayer d'orienter la *façon* dont la vérité sera révélée. C'est l'unique moyen d'aider Kyle à continuer à vivre.

Chad entendait le désespoir qui se glissait dans sa voix malgré ses efforts. Allie baissa les yeux vers la table basse puis le regarda de nouveau.

— Tu m'en veux, Chad?

— Non. Tu as fait ce qui te semblait juste. Et qu'il fallait probablement faire dans l'intérêt de Kyle.

— Mais pas dans le tien.

— Comme candidat à la présidence? fit Chad, avec une pointe d'amertume.

Son rêve d'avenir, autrefois si vivant, appartenait soudain au passé.

— Non, dit-il. Mais c'est à cause de ça que nous en sommes là. Parce que j'ai voulu être président. Je suis aussi un père, Allie. Nous sommes une famille. Alors nous devons affronter ensemble ce qui arrive. J'ai connu bien pire, chérie. Je tiendrai le coup.

Voyant les yeux d'Allie s'emplir de larmes, Chad imagina qu'elle revoyait les grands moments de leur vie commune : le rêve du début, quand ils étaient tombés amoureux, avec plus d'optimisme que de perspicacité ; le réveil de la jeune épouse, prenant conscience de l'égoïsme et de l'infidélité de son mari ; l'incertitude après la disparition de Chad ; la nécessité pour elle d'apprendre à être mère seule ; le retour de Chad, changé par ses souffrances, auprès d'une femme qui avait changé elle aussi et d'une fille qu'il ne connaissait pas ; la découverte des problèmes de Kyle ; la lutte désespérée d'Allie pour sauver la santé mentale de sa fille et même sa vie ; son consentement à l'IVG ; la lente renaissance d'une famille et les ambitions présidentielles retrouvées de Chad.

— Je ne te le dis pas assez, fit-elle d'une voix étouffée. J'y pense toujours et je le dis si rarement.

— Quoi?

490

— Combien je t'aime. Combien tu es généreux, répondit-elle avec un sourire tremblant. Je dois le savoir depuis le début.

Touché, il répondit :

— Cela ferait de toi une femme exceptionnelle. Ce que tu es.

Ils gardèrent le silence, protégés un instant par un cocon de la réalité qui s'apprêtait à les submerger. Puis, comme si elle s'éveillait d'un rêve, Allie alla à la cuisine appeler de nouveau Kyle.

Chad attendit, les nerfs tendus. Allie revint, secoua la tête.

— Nous n'avons pas beaucoup de temps, rappela-t-il. Ou nous amenons Kyle à leur siège ou ils sortent l'histoire demain après-midi avec ce qu'ils ont.

— Je le sais, lui renvoya-t-elle, sur la défensive.

Au ton de sa voix, il comprit qu'elle lui cachait quelque chose. Il posa sur elle un regard interrogateur, légèrement désapprobateur.

— Kyle a un nouveau copain, finit par révéler Allie. Elle est peut-être chez lui.

Il se sentit de nouveau dans la peau d'un intrus, étranger à l'intimité unissant la mère et la fille. Si la situation n'avait été aussi grave, il aurait pris le temps de se demander qui était ce garçon, si cette relation était bénéfique pour Kyle, et pourquoi il n'était pas au courant, mais il dit simplement :

— Tu as son numéro ?

— Non. Bien sûr que non, répondit Allie d'une voix lasse. Kyle est une femme, maintenant. Ou du moins elle essaie d'en être une.

Une autre image surgit de la mémoire de Chad : Allie attendant à la maison le retour de Kyle, heure après heure, dans l'angoisse, pendant une de ces disparitions causées par la drogue ou l'alcool dont ils craignaient tous deux qu'elles ne finissent par la mort de leur fille. Sentant l'inquiétude de Chad, elle le rassura :

— Elle va bien maintenant. Vraiment.

— Je l'espère, murmura-t-il.

23

A neuf heures le lendemain matin, après une nuit sans sommeil au cours de laquelle Kyle n'avait pas appelé, Palmer répondit au téléphone.

— Chad ?

Reconnaissant la voix du directeur de cabinet, le sénateur s'assit lourdement à la table de la cuisine.

— Bonjour, Brian, dit-il dans une pâle imitation de son enjouement coutumier. Quoi de neuf?

— La Cour suprême vient de rendre son verdict dans l'affaire Tierney. Je vous faxe ses conclusions.

Palmer crut déceler une nervosité sous-jacente dans le ton normalement flegmatique de son collaborateur.

— Qu'est-ce qu'elles racontent?

— C'est assez inhabituel, répondit Brian. En fait, je n'ai jamais rien vu de semblable.

Clayton Slade posa les conclusions de la Cour suprême sur le bureau de Kilcannon en annonçant :

— Egalité. Quatre juges ont voté pour accorder un sursis à exécution et pour entendre l'affaire; quatre autres s'y sont opposés.

— Où en sommes-nous, alors? demanda Kerry.

Clayton tourna une feuille.

— Le juge Fini se donne un mal fou pour nous l'expliquer. Un mal *fou*, vraiment : Adam Shaw me dit qu'il n'a jamais vu un juge commenter une décision d'entendre ou de ne pas entendre une affaire.

Fini, le président le savait, était le juge le plus proche de Roger Bannon, un conservateur déclaré et un partisan du mouvement pro-vie. Il lut rapidement la suite.

Selon la « règle de quatre », avait écrit Fini, *il suffit de quatre voix pour accorder une ordonnance de* certiorari[1], *en l'occurrence pour entendre l'appel du professeur Tierney au nom du fœtus. Toutefois, cinq voix sont requises pour prolonger le sursis à exécuter accordé par le juge Kelly et empêcher un avortement jusqu'à ce que l'appel soit entendu...*

— Pas de sursis, murmura Kerry.

— Continue.

Les quatre juges favorables à une audition sont donc dans l'incapacité de préserver la vie du petit-fils à naître de l'intervenant.

La Cour suprême est actuellement réduite à huit membres, le siège du

---

1. Enjoignant à un tribunal de soumettre le dossier d'une affaire à une instance supérieure. *(N.d.T.)*

président étant vacant. Nous n'exprimons pas d'opinion sur le bien-fondé de la participation de la juge Masters à la nouvelle audition en banc. Nous estimons toutefois que cette participation lui interdit clairement d'entendre l'appel, même si sa candidature est confirmée...

Kerry leva les yeux.

— Très joli, apprécia-t-il. Fini fait croire que c'est à cause d'elle qu'ils ne peuvent pas entendre l'affaire.

Comme son secrétaire général ne répondait que par un mince sourire, il reprit sa lecture :

Ceux d'entre nous qui souhaitent une audience regrettent que nous ne puissions pas considérer les importantes questions posées, notamment la valeur que notre société attribue à la vie et le rôle des parents pour aider une mineure face à un choix moral aussi essentiel et définitif. Mais telle est la dure réalité de la procédure.

Sans une prolongation de sursis, l'avortement sera pratiqué et l'affaire deviendra sans objet. Aucun de nos collègues opposés à une audition sur le fond ne votera ce sursis. Pour dire les choses abruptement, nous avons les quatre voix nécessaires pour décider qu'une vie doit être épargnée mais pas les cinq voix requises pour l'épargner jusqu'à ce que nous prenions une décision.

Avec de fortes réticences, nous sommes contraints de reconnaître qu'accéder à la requête du professeur Tierney serait inutile...

Le président regarda Slade et conclut à voix basse :

— Alors, tout est de la faute de Caroline.

Clayton confirma d'un hochement de tête.

— La position de Fini est clairement politique. Lis la réponse de Rothbard : on voit presque le sang dans la marge.

Miriam Rothbard, la seule femme de la Cour suprême, était de son propre aveu pour le libre choix. Kilcannon passa à la feuille suivante :

Je regrette la déclaration singulière de mes collègues partisans d'une ordonnance de certiorari, *avait écrit Rothbard.*

Le fait est sans précédent : c'est un document politique, non juridique, qui vise à révéler au Sénat et à l'opinion que nous sommes dans une impasse concernant les problèmes présentés, y compris la constitutionnalité de la loi sur la protection de la vie. Cela ne peut avoir pour effet que notre immixtion dans les délibérations du Sénat sur la candidature de la juge Masters à la présidence de la Cour suprême.

Il vaut mieux reporter à plus tard les questions posées par cet appel...

— Si ça change quoi que ce soit, c'est en mal, marmonna Slade.

Kilcannon réfléchit à cette remarque en se demandant quel rôle sa décision de retirer le soutien du gouvernement à la loi sur la protection de la vie avait joué.

— Pour nous, peut-être, dit-il. Pas pour Mary Ann Tierney.

Un peu après six heures du matin, à San Francisco, Sarah emporta la dernière feuille du fax dans sa chambre.

C'était fini : la loi sur la protection de la vie, en tout cas, peut-être pas les conséquences pour Mary Ann, Caroline Masters et elle-même. Malgré le caractère stupéfiant de ce que Sarah venait de lire, l'affaire Tierney appartenait désormais à l'histoire. Elle avait fait tout ce qu'une avocate peut faire. Elle avait gagné.

Au bout d'un moment, elle alla à la cuisine boire un café et tenter d'assimiler ce qui s'était passé. Elle se revit deux mois plus tôt sous un crachin brumeux, regardant une adolescente inconnue traverser un groupe de manifestants et déclencher un processus qui avait maintenant transformé leurs vies à toutes deux.

C'était énorme. Ensemble, elles avaient fait invalider une loi du Congrès et défini la législation pour toutes les mineures qui suivraient Mary Ann, du moins dans le neuvième circuit. Sarah n'exultait cependant pas. Sa récompense serait peut-être une profonde satisfaction, dans quelques années, si Mary Ann Tierney se remettait de cette épreuve.

Après avoir fini son café, elle alla réveiller la jeune fille en songeant à ce qui se passait peut-être au même moment chez les Tierney, Margaret et Martin apprenant à leur réveil la fin de l'affaire, essayant d'imaginer un avenir qui les laisserait face à la perte d'un petit-fils et à la fille, brouillée avec eux, qui l'avait causée. Près du lit, Sarah hésita, comme pour retarder la souffrance à venir.

Les yeux de l'adolescente s'ouvrirent, semblèrent un instant ne rien voir puis se fixèrent sur Sarah, qui y lut de la peur et de l'espoir : Mary Ann savait que son amie ne l'aurait pas réveillée sans raison.

— Nous avons gagné, annonça l'avocate en lui prenant la main. La Cour suprême a rejeté l'appel de tes parents.

Mary Ann parut stupéfaite puis aussi effrayée que soulagée. Sarah devinait ce que le fait d'avoir «gagné» devait avoir de complexe : la victoire portait sans doute en elle la crainte du péché, un avant-goût de l'enfer. Deux mois n'avaient pu effacer la jeune fille élevée dans le foyer des Tierney.

Sarah s'agenouilla près du lit.

— Quand le moment viendra, je serai près de toi, promit-elle.

Machinalement, Mary Ann porta une main à son ventre distendu puis se couvrit le visage et éclata en sanglots.

Caroline apprit la nouvelle par Clayton Slade, dont le coup de téléphone la tira d'un sommeil agité. Assise dans son lit, elle réprima un haut-le-cœur. La déclaration du juge Fini était pour elle un coup au plexus solaire. Nous ne voulons pas de vous, disait-il en substance. Nous voulons que le Sénat nous épargne votre présence. En deux mois, sa vie avait été mise à nu, sa réputation ternie, sa fille blessée. Seule consolation, elle avait agi comme elle estimait qu'un juge doit le faire et avait fait face aux conséquences.

Elle continuerait, jusqu'à ce que le Sénat se prononce.

A Washington, Macdonald Gage était d'humeur sombre, lui aussi. Même Mace Taylor, homme froid et pragmatique par excellence, était réduit à un silence songeur.

— Vous n'avez plus de temps, finit par lâcher le lobbyiste.

Gage leva les yeux de sa tasse de café.

— A cause du bébé, vous voulez dire.

— Ouais, le bébé. S'il se trouve qu'il a jamais eu de cerveau, le courant de sympathie pour Masters se renforcera et vous n'obtiendrez pas les derniers votes dont vous avez besoin. Tony Fini a fait ce qu'il a pu pour vous, mais ce n'est peut-être plus qu'une question de jours, ou d'heures.

Le chef de la majorité contempla un moment le tapis avant de répondre :

— Je pourrais demander un vote demain mais Kilcannon pousserait les hauts cris en nous accusant de «tactique de la surprise». Et je n'ai peut-être pas les voix pour gagner...

— Ni pour une obstruction ?

— Certains de nos sénateurs commencent à me tenir des propos vagues, comme s'ils avaient passé un marché avec Kilcannon. La chose la plus stupide au monde pour un avocat, c'est poser une question dont il ignore la réponse. Et pour un chef politique, de réclamer un vote sans être sûr de l'emporter, quand il n'y a rien à gagner dans une défaite et que c'est à soi-même qu'on fera le plus de mal.

Il leva les yeux vers Taylor, ajouta :

— Et puis il y a Palmer.

Taylor soutint son regard sans rien révéler de ses pensées.

— Si j'organise un vote demain, Palmer sera l'inconnue, poursuivit Gage.

— Vous seriez prêt à parier sur un bébé normal ?

— Non, répondit le sénateur. C'est un espoir qu'on peut avoir, pas une possibilité sur laquelle compter.

— Alors, demandez un vote, dit Taylor, qui ne prononça pas le nom de Palmer.

Un peu avant onze heures, Chad Palmer entendit sur sa ligne un déclic signalant un autre appel.

— C'est peut-être elle, dit-il à Henry Nielsen. Ne quittez pas, je vous reprends tout de suite.

Il appuya sur le bouton clignotant.

— Sénateur Palmer ?

C'était une voix d'homme, haut perchée, et envahissante, aux oreilles de Chad.

— Oui, répondit-il, tendu.

— Ici Charlie Trask.

Interdit, Palmer mit un moment à se ressaisir et sentit sa surprise se muer en crainte : l'appel d'un collecteur de ragots, l'homme ayant insinué que Caroline Masters avait des mœurs homosexuelles, était une chose à craindre, ce matin entre tous les autres. Maîtrisant difficilement sa voix, il demanda :

— Que puis-je faire pour vous, monsieur Trask ?

— Je ne tournerai pas autour du pot. Nous sommes au courant de l'avortement de votre fille et je vais révéler l'affaire on line. J'ai pensé que vous aimeriez faire un commentaire avant.

Pris de nausée, Chad sentit tout espoir de protéger Kyle s'envoler.

— Oui, parvint-il à articuler. Cette affaire est sans rapport...

— N'essayez pas ce coup-là, sénateur. La déclaration de la Cour suprême ce matin la met au cœur même du problème. Et Macdonald Gage vient de demander un vote au Sénat. Alors, vous avez quelque chose à dire ou pas ?

Palmer pensa à Kyle.

— Pas à vous, murmura-t-il, et il appuya sur le bouton pour faire disparaître Trask.

24

Le soleil se couchait quand Kyle Palmer rentra chez elle.

Sur une impulsion, Matthew et elle avaient décidé de s'offrir une journée à eux, d'envoyer tout promener : les cours, le travail à mi-temps de Matthew, le monde extérieur. Elle se sentait un peu coupable, mais ce n'est pas tous les jours qu'on s'aperçoit qu'on est peut-être en train de tomber amoureux.

Etudiant en cinéma, Matthew était un grand barbu aux joues rouges, avec des yeux marron pleins de douceur et un sourire si heureux, si sincère qu'il transformait totalement son visage. Ils se parlaient avec tant de facilité, elle et lui. Entre les fois où ils avaient fait l'amour — rendues merveilleuses par la tendresse de Matthew —, ils avaient quasiment parlé toute la nuit. Elle se représentait maintenant les parents de Matthew, ses frères jumeaux adolescents, la petite sœur de six ans qu'il adorait visiblement. Kyle, de son côté, limitait encore les confidences : elle ne voulait pas qu'il la considère comme une marchandise avariée. Mais, si leur relation durait, elle imaginait qu'elle pourrait un jour lui dire presque tout : il avait l'air si bon.

C'était ce qu'elle voulait : quelque chose à elle, une carrière dans la mode, mais aussi un mari qu'elle aimerait et qui l'aimerait, la certitude d'être chacun le centre de la vie de l'autre. Bien qu'elle aimât ses parents, elle attendait autre chose du mariage. Elle savait qu'elle avait été elle-même au centre de la vie d'Allie et que son père, né pour devenir un héros, se sentait chez lui dans le vaste monde, adoré par des gens qui le connaissaient à peine, par des millions d'autres qui ne le connaissaient que de nom. Kyle souhaitait rester dans l'anonymat, avec un mari auprès de qui elle passerait ses jours et ses nuits.

Elle tourna le coin de sa rue dans une sorte de rêve éveillé où ce qu'elle imaginait de Matthew était plus prégnant que ce qui l'entourait, et les hommes et les femmes attroupés devant son appartement, sous-sol confortablement aménagé d'une vieille maison, lui parurent irréels.

Elle se gara le long du trottoir d'en face, commença à traverser la rue, remarqua seulement alors les caméras et sut qu'elles étaient là pour elle.

Les journalistes se ruèrent vers elle. La rousse menant la meute, un reporter local, criait :

— Parlez-nous de votre avortement, Kyle. Votre père avait approuvé votre décision ?

Kyle se figea, incrédule.

— Votre père dit que vous aviez un problème avec la drogue et l'alcool, poursuivit la journaliste.

Une autre voix prit le relais :

— Votre petit ami a déclaré que vous étiez instable, sur le plan émotionnel...

— Allez-vous-en, fit Kyle d'une voix tremblante.

Elle se mit à courir sur la pelouse, fit le tour de la maison jusqu'à la porte du sous-sol. En cherchant la clef à tâtons, elle entendit les reporters lancés à sa poursuite.

Elle claqua la porte derrière elle, descendit l'escalier, s'assit au bord de son lit, pantelante, la peau moite de sueur, parcourut des yeux le rectangle blanc de la pièce sans vraiment remarquer le voyant rouge clignotant de son répondeur. Dehors, elle entendait le brouhaha de ses poursuivants.

Dieu merci, l'appartement n'avait pas de fenêtres.

Hébétée, elle traversa la pièce, vit alors que le répondeur avait enregistré seize messages et se contraignit à appuyer sur le bouton.

« Kyle, je t'en prie, rappelle-nous... » fit la voix de sa mère.

Chaque message ajoutait une pierre à l'histoire, une suite torturée dans laquelle la vérité se démêlait d'elle-même et culminait dans l'explication de son père puis retombait avec les questions des journalistes qui avaient réussi à découvrir son numéro.

Les larmes coulaient sur son visage.

Quelqu'un les avait trahis. Quelqu'un qui était au courant de son avortement, du consentement de sa mère. Dans une interview, Eric avait raconté les « brutalités » de Chad Palmer à son égard, le départ soudain de la famille pour Washington, le complot des parents de Kyle pour mettre fin à sa relation avec leur fille...

« Je t'en prie, plaidait la voix de son père, dès que tu recevras ce message, rentre à la maison. »

Eric.

Son père avait raison, Eric était une ordure. Il s'était servi d'elle puis il l'avait abandonnée. Il faisait maintenant de nouveau irruption dans leur vie — probablement autant pour l'argent que pour la notoriété —, cherchait à faire honte à sa mère et à détruire son père. A cause d'*elle*.

Le téléphone sonna.

Debout près de l'appareil, elle hésita.

— Kyle?

C'était son père. Jamais elle ne l'avait entendu aussi désespéré, aussi humilié. Dans son esprit, il était «Chad Palmer le héros», insensible aux pressions...

Bouleversée, elle détourna la tête.

— Kyle? répéta-t-il. Tu es là?

Elle ne pouvait se résoudre à répondre à ce nouveau Chad Palmer implorant. Enfouissant son visage dans ses mains, elle s'assit de nouveau sur le lit.

Matthew. Il apprendrait toute la vérité sur elle. Kyle Palmer, la toxico-alcoolo-barjot qui avait ruiné la carrière de son père et transformé la vie de sa mère en enfer. La souffrance de Kyle était telle qu'elle ne pensait qu'à une chose : s'échapper. Mais elle ne pouvait pas, les journalistes l'emprisonnaient.

Sur la table, il y avait une bouteille de chianti bon marché que Matthew, ignorant les raisons pour lesquelles Kyle ne buvait pas, avait laissée. Elle se surprit à la regarder. Elle ne devait pas y toucher, mais cela semblait tellement peu important, à présent. C'était une façon de fuir, la seule qui s'offrait à elle. D'un geste saccadé, elle remplit de vin une grande chope.

La lampe de chevet projetait des ombres sur le mur. La chambre s'estompa, devint irréelle. Hébétée par l'alcool — un choc pour un organisme qui n'en avait plus l'habitude —, Kyle ne bougeait que pour verser du vin dans la chope et la porter à ses lèvres. Des images refoulées surgissaient du passé, saisissantes : Eric allongé sur elle, la rage de son père, sa mère lui tenant la main tandis que le médecin glissait le tube entre ses jambes. Des souvenirs qu'elle partageait maintenant avec le monde entier.

Son père ne s'était trompé ni sur Eric ni sur elle. Elle était une ratée, une merde, une tarée de naissance. Son père et sa mère auraient été plus heureux si elle n'était jamais née. Elle se rappelait la peur silencieuse dans les yeux de sa mère, le regard méfiant, inquisiteur derrière un masque de sérénité qui abusait tout le monde sauf Kyle...

Sa pauvre mère, qui l'aimait tant et avait fait tant d'efforts. Elle ne méritait pas ça.

Non, pensa-t-elle. Elle ne mérite pas ça.

Dans un curieux moment de lucidité, Kyle se vit telle qu'elle était : tapie dans sa chambre, ivre, ultime trahison pour ses parents et pour elle-même. Sa main trembla quand elle souleva la bouteille de vin. Dans un sursaut de volonté, elle la jeta violemment contre les briques peintes du mur. Le bruit de verre brisé la fit tressaillir et se lever.

Titubante, elle alla dans la salle de bains et se déshabilla.

La douche était froide : une punition. Kyle s'accroupit, frissonnant sous le jet glacé qui l'aiderait à affronter de nouveau sa vie. Elle sortit de la cabine, les cheveux dégoulinants, la peau bleue.

Ses parents ne devaient pas la voir dans cet état, elle ne pouvait pas les appeler maintenant. Entièrement nue, elle se mit à marcher de long en large dans l'appartement, enjambant les morceaux de verre avec des précautions exagérées de pocharde. Quand le téléphone sonna de nouveau — sa mère cette fois —, elle ne décrocha toujours pas. Il valait mieux que ce soit elle qui les appelle.

Enfin, elle se rhabilla, les doigts gourds et maladroits, se rinça la bouche pour chasser l'odeur de vin de son haleine. Les clefs de la voiture étaient restées dans son jean.

Elle entrouvrit la porte, n'entendit rien.

Dehors, il faisait sombre et froid. Une pluie fine lui cingla le visage. Comme lorsqu'on s'éveille d'un cauchemar, les journalistes avaient disparu.

Kyle décida d'aller chez ses parents.

Alors qu'elle retournait à la voiture, un plan se forma dans son esprit. Elle prendrait le chemin le plus long, par Rock Creek Parkway, les vitres baissées ; le temps d'arriver chez ses parents, elle serait peut-être dégrisée. C'était la seule façon dont elle pouvait les aider. Son père, qui n'avait jamais eu besoin de rien, avait maintenant besoin de tout ce qu'elle pouvait lui apporter.

Assise derrière le volant, elle le vit en pensée, ce père si bel homme qu'elle avait toujours adoré et dont elle avait toujours recherché l'approbation, même quand elle le détestait.

Elle l'aimait, maintenant. Et cet amour, assorti d'un désir farouche de ne pas l'inquiéter, était tout ce qu'elle avait à lui offrir. Elle s'imagina nouant ses bras autour de son cou.

Kyle démarra enfin.

Les rues semblaient un labyrinthe. Une ou deux fois, la mémoire lui fit défaut et elle manqua un carrefour mais, guidée par son sens de l'orientation, elle finit par se retrouver sur Rock Creek Parkway.

Bien que la circulation fût fluide, elle conduisait prudemment : la

500

chaussée était glissante et Kyle ne faisait pas confiance à ses réflexes. Le cou tendu, elle fixait le rectangle d'asphalte mouvant éclairé par ses phares. A sa droite défilaient les formes sombres d'arbres s'abaissant vers la rivière. Par la vitre ouverte, la pluie couvrait son visage de bruine.

Elle se sentait presque bien, à présent.

A la limite de ses phares, quelque chose bougea. Kyle plissa les yeux. Un écureuil filant en travers de la route, l'échine courbée, se figea soudain, paralysé par la lumière.

Kyle écrasa la pédale de frein.

La voiture trembla, se mit à déraper. Kyle donna un brusque coup de volant, perdit complètement le contrôle du véhicule. Dans les moments qui suivirent, elle eut l'impression de regarder un film. Les arbres qui bordaient la route paraissaient irréels. Les premiers semblèrent glisser devant la voiture qui quittait la route. Puis la réalité fit un retour horrible avec le tronc massif qui apparut devant elle, encadré par le pare-brise.

La voiture s'arrêta dans un craquement. Pas Kyle. Projetée en avant, elle eut le temps de souhaiter ne pas avoir oublié d'attacher sa ceinture.

Tels que la police les avait rapportés à Chad Palmer, les faits étaient simples et brutaux. Sa fille était morte ; elle avait bu, apparemment.

Ce ne fut que le lendemain matin qu'il se rendit à l'appartement de Kyle. Le tapis était jonché d'éclats de verre ; sur la table, une chope contenait encore un fond de vin. Le voyant du répondeur clignotait.

Hébété, Chad pressa le bouton de l'appareil.

Avant le dernier message — sa propre voix disant à Kyle qu'il l'aimait —, divers journalistes demandaient à la joindre, parlaient d'Eric et de l'avortement. Palmer eut alors la certitude que ceux qui avaient cherché à le détruire avaient assassiné sa fille.

25

Ce jour-là, Washington s'arrêta.

Pour Kerry Kilcannon, tout avait commencé la veille, quand Lara l'avait appelé pour lui apprendre la nouvelle que NBC News venait de diffuser. Au fil des heures, les circonstances de l'accident et le rôle des médias dans la mort de Kyle Palmer devinrent amèrement clairs.

Kerry ne trouvait pas le sommeil. Percevant la souffrance de sa voix au téléphone, Lara l'avait rejoint et il lui exposa à voix basse sa responsabilité dans les événements qui avaient conduit à la tragédie : les efforts de Chad pour protéger Caroline Masters, la fuite provoquée par Clayton, les documents révélant l'avortement de Kyle. Lara l'écouta d'un air grave.

— Tu ne sais pas d'où cela vient, dit-elle. Et une partie de toi a peur de l'apprendre.

— Oui, reconnut-il. Je ne suis plus sûr de rien.

Le silence se fit dans le bureau personnel de Kerry, où ils se trouvaient. Même pour Lara, il était difficile de parler des sentiments conflictuels qu'elle devinait en lui : compassion pour Chad et Allie, colère contre ceux qui avaient utilisé Kyle, peur d'apprendre qu'ils avaient agi en son nom.

— C'est lourd à porter, dit-elle enfin.

Peut-être faisait-elle allusion à son aveu, peut-être à sa brouille avec Clayton, dont la blessure demeurait ouverte.

— Il faut que je sache, déclara-t-il. Peu importe qui sera touché.

A son expression, elle comprit qu'il ne parlait pas à la légère.

— Et tu penses que nous risquons de l'être ?

Il acquiesça de la tête.

— Ce qu'on a fait à Kyle, on pourrait nous le faire, si je cherche les coupables.

— Eh bien, on nous le fera, répondit Lara.

Son équanimité reflétait sa propre colère et plus encore sa conscience de ce que Kerry devait faire pour recouvrer son équilibre moral.

— Je ne veux pas que tu vives avec ce poids, ajouta-t-elle. Pas seul en tout cas.

Malgré sa tristesse pour les Palmer, Kerry fut sensible à l'importance du moment, à ses implications à la fois subtiles et profondes : Lara ne voulait plus se tenir à l'écart de sa présidence et en fuir les conséquences.

Que Kilcannon fût capable de colères pouvant ébranler le politicien le plus endurci était connu de ses ennemis. Ce qu'ils ne saisissaient pas tout à fait, c'était à quel point le Kerry adulte savait subordonner la rage d'enfant implantée par un père brutal — une épreuve que seuls Lara et Clayton connaissaient — à une froide évaluation de ses utilisations possibles. Kerry était un homme politique pragmatique et, même en ces heures douloureuses, sa détermination de placer Caroline Masters à la tête de la Cour suprême ne le quitta pas. Bien qu'il ignorât encore comment, son intuition lui soufflait que cet objectif était lié à la mort de Kyle Palmer.

Le lien immédiat était évident, toutefois. Après le départ de Lara, Kerry réveilla Chuck Hampton, le chef de la minorité, et lui demanda instamment d'user de tous les moyens possibles pour que Macdonald Gage reporte le vote sur Masters et ajourne la séance par respect envers un collègue en deuil.

En raccrochant, Kerry tira d'un tiroir du bureau une enveloppe de papier kraft portant un timbre oblitéré. Puis il se rasa, enfila un costume et, après avoir traversé l'aile ouest, obscure à quatre heures du matin, il convoqua Clayton dans le bureau ovale. A la demande de Kerry, Kit Pace avait laissé sur sa table des photocopies de tous les articles concernant l'avortement de Kyle Palmer.

En attendant Clayton, il les étudia, du premier bulletin de Charlie Trask au crescendo qui avait rapidement suivi. Pendant une demi-journée, l'affaire s'était répandue dans les médias comme une fièvre : il avait fallu neuf heures environ, estima Kerry, pour consumer Kyle Palmer. Il commença à prendre des notes dans les marges de l'article de Trask et ne leva pas immédiatement la tête à l'entrée de Slade.

— C'est toi qui as fait ça ? demanda-t-il.

Clayton n'eut pas besoin d'explications. Il s'assit, le visage impassible.

— Non, repartit-il. Et je ne sais pas qui l'a fait. Pour qui tu me prends ?

Kerry pouvait interpréter la réponse comme une protestation d'honnêteté ou un constat pragmatique : si la fuite concernant Masters présentait des risques et des avantages, révéler l'avortement de Kyle Palmer n'offrait pas de bénéfices potentiels clairs.

— Chad Palmer aurait pu devenir président, dit Kerry.

— Mais c'est toi qui l'es. Tu me l'as rappelé récemment. Je ne l'ai pas oublié.

Les habitudes ont la vie dure. Kilcannon avait pris celle de faire confiance à Clayton Slade et parvenait difficilement à s'en défaire.

— Celui qui a fait ça, je le ferai rôtir sur une broche, promit-il. Tu peux m'aider ou pas ?

— Qu'est-ce que tu veux que je fasse ? dit Clayton d'une voix sans émotion.

— Appelle le directeur du FBI. Je veux qu'il obtienne une ordonnance de production de pièces et qu'il cherche dans le bureau de Charlie Trask tout document portant le nom de Kyle Palmer...

— La presse va hurler.

— Qu'elle hurle. Je veux les dossiers de Trask, je veux lui flanquer la trouille. Je veux que le FBI interroge le petit ami pour savoir qui l'a retrouvé et l'a fait parler. Je veux qu'on interroge aussi la doctoresse de Kyle. Si le directeur veut savoir pourquoi, dis-lui de m'appeler. D'ici là — si tant est qu'il appelle —, je veux qu'Adam Shaw me prépare une liste plausible de tous les crimes fédéraux concevables commis par la personne à l'origine de la fuite et par tous ceux qui l'auraient aidée. A commencer par ceux qui ont fait qu'un formulaire d'autorisation parentale censé être confidentiel s'est retrouvé dans une enveloppe adressée à Katherine Jones.

Kerry s'interrompit, prit l'enveloppe et la montra à Clayton.

— Celle-ci, pour être précis.

Le secrétaire général écarquilla les yeux, comme s'il prenait lentement conscience de ce que son ami lui avait caché.

— Jones t'a donné le formulaire ?

— Et je l'ai donné à Chad. Mais j'ai gardé ça, et je veux qu'on procède à un relevé d'empreintes, dit Kerry en lançant l'enveloppe sur les genoux de Slade. Je ne connais pas les techniques les plus récentes mais je suis sûr qu'un brillant expert a trouvé le moyen de relever des empreintes sur du papier. Et nos fichiers d'empreintes doivent contenir une kyrielle de suspects possibles.

L'ironie de la dernière remarque n'échappa pas à Slade, qui baissa les yeux vers l'enveloppe qu'il tenait à la main.

— Si on relève tes empreintes uniquement sur l'enveloppe et pas sur ce que le FBI obtiendra de Trask, tu seras peut-être hors d'affaire, fit Kilcannon d'un ton détaché. Dis au directeur que je veux les résultats demain. Au cas où Trask n'aurait pas révélé ses sources d'ici là.

Il y avait une chose que Kilcannon n'avait pas mentionnée : le coup de téléphone qu'il avait l'intention de donner lui-même à Henry Nielsen.

— Comment vous vous sentez, ce matin ? commença-t-il.

Comme Kerry l'avait deviné, le journaliste ne dormait pas, bien qu'il ne fût pas encore six heures.

— En toute franchise, pas très bien, répondit Nielsen.

Kerry ne l'asticota pas davantage.

— A la lecture de votre article, il est clair que vous n'avez pas trouvé le formulaire d'autorisation dans une pochette surprise. Quelqu'un vous l'a remis.

— Oui.

— Qui?

Il entendit un soupir.

— Je ne peux pas vous le dire, monsieur le président. Vous le savez. Nous ne révélons pas nos sources, c'est une question de principe.

— Ah! oui, vos principes. J'avais oublié. Je suppose que le document vous a été remis en personne?

— Oui, répondit Nielsen d'un ton plus ferme. Il n'y avait pas de témoin, personne ne nous a vus. Aucun de mes collaborateurs n'est impliqué.

— Je ne cherche pas de martyrs. Pour l'instant, le document me suffira. L'original qu'on vous a donné, je veux dire.

Nielsen hésita, argua avec moins de certitude :

— Selon le premier amendement, ce document original est peut-être aussi confidentiel.

— J'en doute, répliqua le président en se levant. La personne que vous protégez est un maître chanteur qui a causé la mort d'une jeune femme. Kyle Palmer a payé chèrement pour vos principes.

Après une pause, il reprit :

— Je suis prêt à vous accorder l'absolution. Des agents du FBI se présenteront à votre bureau ce matin avec une assignation. Donnez-leur l'original puis laissez vos avocats porter toutes les plaintes qu'ils voudront. Tout ce que je veux, c'est un délai de vingt-quatre heures.

Dans le silence qui suivit, Kerry imagina le journaliste tentant de concilier les exigences de sa profession avec ses remords, prenant conscience de l'utilisation qu'on pouvait faire du document original.

— Vingt-quatre heures, finit-il par répondre. Et à mon corps défendant, bien sûr.

Ce ne fut qu'après avoir mis la machine en branle que le président s'attela à la triste tâche de se rendre chez Chad et Allie Palmer.

Il trouva une femme qui ne pouvait s'arrêter de pleurer, un homme quasiment muet de chagrin et d'angoisse. Kerry ne pouvait pas leur dire qu'il comprenait ce qu'ils ressentaient, seulement qu'il était profondément affligé et qu'il ferait tout ce qui était en son pouvoir pour punir les coupables. Ce que cela signifiait, il n'en savait rien encore.

26

Deux jours plus tard, le matin de l'enterrement de Kyle Palmer, Kilcannon attendait un coup de téléphone du directeur du FBI.

Le temps lui-même était triste, avec une pluie persistante tombant d'un ciel maussade. Par déférence envers Chad Palmer, le sénat ne siégeait pas et le débat sur la candidature de Masters devait commencer le lendemain. Les positions semblaient figées : les quarante-cinq démocrates étaient pour ; quarante-huit républicains — dont Palmer — étaient contre, les sept derniers ne s'engageant pas. Selon les estimations de Kerry, sur les quarante-huit contre, quarante ou quarante et un seulement soutiendraient une obstruction, différence décisive puisqu'il fallait quarante et une voix pour empêcher la candidature d'être soumise au vote du sénat.

Le président avait fiévreusement fait marcher ses téléphones pour maintenir les sept républicains dans leur non-engagement envers Gage et pour affaiblir le soutien à une obstruction. Personne n'osait cependant interroger Palmer ; personne ne savait si la mort de Kyle avait affecté sa position et, si c'était le cas, dans quel sens. De même, personne en dehors de la Maison-Blanche ne savait ce que Kilcannon visait avec l'assignation d'*Internet Frontier* et la saisie des dossiers de Charlie Trask par le FBI.

La presse avait naturellement élevé les protestations prévisibles Le *New York Times* avait dénoncé un acte « inquiétant », une « attaque contre le Premier Amendement ».

La Maison-Blanche avait accueilli les protestations par un silence de marbre. Sur instructions du président, Kit Pace avait communiqué aux médias une réponse laconique : il s'agissait d'une « affaire criminelle » qu'elle ne pouvait pas commenter. Cette remarque, s'ajoutant à la mort de Kyle Palmer, semblait imposer aux membres du sénat un mutisme inhabituel et embarrassé. Et, par-dessus tout cela, planait le dernier sondage Gallup : quarante-neuf pour cent des Américains soutenaient maintenant la candidature de Masters, trente-sept pour cent s'y opposaient. Ce nouvel état de l'opinion, dû à un glissement des femmes des grandes agglomérations — tranche électorale décisive — en faveur de Masters, semblait condamner Macdonald Gage dans sa quête des trois derniers sénateurs requis pour la battre.

Kerry regardait par la fenêtre de son bureau en songeant à Chad Palmer et à la bataille imminente quand son téléphone sonna.

Le directeur du FBI, Hal Bailey, était un ancien procureur fédéral qui s'était fait une réputation en s'attaquant au crime organisé à New York. Quoique Kerry eût de lui une bonne opinion, il n'avait pas encore indiqué si Bailey garderait son poste, couronnement de sa carrière, et le mandat du directeur arrivait à expiration. Le président avait conscience que c'était là un élément qui pouvait être utile.

— Désolé du temps que cela a pris, s'excusa Bailey, mais nos fichiers sont très vastes.

— Vous avez réussi à relever des empreintes ?

— Un grand nombre, y compris les vôtres. Nous avons utilisé de la ninhydrine, un produit extrêmement fiable. Ensuite, il suffisait de déterminer si la même série d'empreintes figurait sur votre enveloppe, les documents de Trask et ceux d'*Internet Frontier*.

Bailey s'interrompit, reprit à voix basse avec une certaine gêne :

— Ces empreintes constituent le seul indice probant, monsieur le président. La personne qui a payé le petit ami lui a donné un faux nom et le jeune ne semble pas savoir qui l'avait envoyée. Quant à la doctoresse, elle n'est au courant de rien : quelqu'un se serait introduit dans son cabinet, aurait photocopié le formulaire d'autorisation et serait ressorti.

Cela confirmait les craintes de Kilcannon : les responsables de la mort de Kyle Palmer étaient des professionnels.

— Mais vous avez obtenu un résultat ?

— Oui, répondit Bailey, à nouveau réticent. Un jeu d'empreintes est apparu sur chaque document.

— A qui appartiennent-elles ?

— Si vous n'y voyez pas d'objection, monsieur le président, je préfère vous donner l'information en personne.

Trente-cinq minutes plus tard, Hal Bailey se trouvait dans le bureau ovale. Il avait les cheveux coupés ras et la sveltesse nerveuse d'un ancien marine devenu un fanatique de la forme physique. Perché au bord de son fauteuil, il jeta un regard contrarié à Slade, assis près de lui.

— J'ai pensé que Clayton pouvait entendre ce que vous avez à me dire, expliqua Kilcannon.

L'homme du FBI regarda de nouveau le secrétaire général avec réticence puis tendit quelques feuillets au président en précisant:

— Je les ai tapés moi-même pour éviter toute fuite avant que vous n'en preniez connaissance.

Faisant de son visage un masque impassible, Kerry se mit à lire le rapport de Bailey, trois pages de prose bureaucratique décrivant avec minutie chaque étape de l'enquête. Quand il parvint à la dernière, il ne chercha pas à cacher ses émotions.

— Qui est-ce? voulut savoir Clayton.

Un moment, Kerry se contenta de hocher la tête en direction du texte : oui, finalement, c'était la seule explication logique. Puis il leva les yeux vers son plus vieil ami et répondit :

— Mon estimé ancien collègue, le sénateur Mason Taylor.

Quelques minutes plus tard, les deux hommes étaient seuls.

L'expression de Slade demeurait grave et, cependant, Kerry devinait en lui une satisfaction qui faisait écho à la sienne.

— Stupide, lâcha Clayton. Pour un homme aussi intelligent.

— Je crois avoir saisi son raisonnement, dit Kerry. Il y avait des risques; il n'a pas voulu d'un intermédiaire qui pourrait se retourner contre lui. Pas question non plus de demander à une secrétaire de faxer le document : un fax laisse des traces. Il a donc décidé de le remettre lui-même. La ninhydrine ne figurait sans doute pas sur son écran radar.

Clayton considéra un moment le président avant de conclure :

— Si c'est Taylor, c'est Gage.

— Oui, sûrement. Mais nous ne pouvons pas encore le prouver.

— Le Sénat vote demain, rappela Slade avec une détermination anxieuse. Déboulonner Gage pourrait faire la différence.

— J'y ai songé, répondit Kilcannon.

— Alors, qu'est-ce que tu comptes faire?

— Je ne sais pas encore.

Peut-être que si, se dit-il. Peut-être le savait-il depuis le début. Peut-être prétendait-il l'ignorer pour ne s'avouer qu'au dernier moment jusqu'où il était résolu à aller et qui il était prêt à manipuler. Mais tant qu'il n'aurait pas sauté le pas, un doute subsisterait.

— Je ne sais pas, répéta-t-il.

Au moment où il entra dans la cathédrale pour les funérailles de Kyle Palmer, il lui sembla, un moment du moins, que c'était vrai.

Lara était près de lui, à quelques pas d'un échantillon du Washington officiel comprenant notamment un Macdonald Gage sombre, nota Kilcannon avec ironie. Un instant, il se demanda pourquoi Chad ne leur avait pas interdit de venir : si la décision lui avait appartenu, Allie l'aurait certainement fait, il en était sûr. Mais, à de nombreux égards, le Washington officiel était leur famille et si, aux yeux de Chad, certains de ses membres partageaient la responsabilité de la mort de Kyle — ou du moins de la série de manœuvres impitoyables qui avait placé la lutte secrète de la jeune femme sous le regard de tous —, il souhaitait peut-être qu'ils portent témoignage.

Chad Palmer montrait le calme d'un guerrier confronté à une peine amère et indéracinable. Le col de sa chemise — mais c'était peut-être Kerry qui l'imaginait — semblait flotter autour de son cou, comme s'il avait commencé à se ratatiner de l'intérieur. A côté de lui, Allie avait le visage cireux, les yeux bouffis d'avoir pleuré.

Lara suivit le regard de Kerry, lui pressa la main. Comme un courant électrique, cette pression fit surgir une pensée plus noire encore : Lara mise à part, il n'y avait peut-être dans toute l'assistance qu'une seule autre personne qui savait ce que Kilcannon savait. Mais lui seul pouvait décider de ce qu'il devait en faire et changer ainsi peut-être le sort des coupables comme des innocents.

Le service funèbre fut retenu et, selon Kerry, manqua de catharsis. Chad Palmer ne versa aucune larme. Debout près du cercueil de sa fille, il semblait s'être réfugié en lui-même. Son adieu à Kyle, déclaration d'amour désespérée d'un père, provoqua une émotion que Kerry trouva difficile à supporter. Quand Allie dit à sa fille : «Une partie de moi-même est morte avec toi», il sentit la vérité simple de ces mots. Et puis il sentit le poids de sa propre responsabilité, des choix qui l'attendaient.

Un moment, l'église austère s'estompa, les Palmer se fondirent dans l'ombre; l'image la plus prégnante dans son esprit devint celle d'un homme qu'il ne pouvait pas voir : Macdonald Gage, assis derrière lui sur le deuxième banc.

Kerry se força à ramener ses pensées sur Chad et Allie, qui se tenaient devant le cercueil couvert de fleurs contenant le corps de leur unique enfant. Il était en son pouvoir de changer la nature de leur chagrin, de le mettre au service de ses objectifs. Mais avait-il le droit, tout président qu'il était, d'affecter leur vie alors qu'un autre homme l'avait déjà si cruellement éprouvée ?

La question, irrésolue, le hanta jusqu'à la fin de la cérémonie. Puis le cercueil fut porté hors de l'église, les parents de Kyle suivirent ; Kerry et Lara, flanqués d'agents du Secret Service, sortirent sous la pluie.

Dehors, Kilcannon découvrit d'autres agents, des barrières et des voitures de police, rappel de l'encombrant système assurant constamment sa protection. A droite, il vit Macdonald Gage, dont le regard passa du corbillard à l'escorte vigilante du président, et il se demanda à quoi le chef de la majorité pensait.

Comme s'il sentait ses yeux sur lui, Gage tourna vers Kerry un visage empreint d'une piété pharisaïque. Il hésita puis s'avança de quelques pas pour murmurer :

— Triste journée, monsieur le président.

Kerry lui posa une main sur l'épaule.

— Vous ne savez pas à quel point, Mac.

Silencieux, Gage regarda Kilcannon disparaître dans sa limousine noire.

Oh ! si, je sais à quel point, pensa-t-il. Le président avait lui-même fait intervenir le FBI et Gage ne pouvait que se demander ce que cet homme — rancunier dans ses meilleurs jours — savait ou croyait savoir, et que lui-même, chef de la majorité au Sénat des Etats-Unis, voulait ne jamais savoir avec certitude. Mais il y avait une chose que Kilcannon ignorait : la profondeur des regrets de Gage après la mort de Kyle Palmer, le souhait fervent de pouvoir défaire ce qui avait été fait.

C'était fait, cependant, et Gage ne pouvait que repousser dans un coin de son esprit ce qu'il *savait*, finalement. Un jour, il serait peut-être porté à la Maison-Blanche. Mais il y avait d'abord une candidate à battre, un président à vaincre.

Il retourna à son bureau pour travailler.

Kerry et Lara suivaient en silence le cortège funèbre. Aidée par l'escorte présidentielle, la file de voitures roulait à vive allure vers Arlington. Sous les pneus, la pluie répandue sur la chaussée murmurait doucement.

— Qu'est-ce que tu vas faire ? demanda Lara.

Comme avec Clayton, Kerry ne répondit pas et elle lui prit de nouveau la main.

Au cimetière national d'Arlington, les parents et quelques amis proches se tenaient devant l'endroit où Chad Palmer reposerait un jour. Prenant en compte la sensibilité des anciens combattants sur le caractère sacré du lieu, Kilcannon avait joint leurs principales associations et le président de la commission parlementaire concernée pour que Kyle pût y être enterrée. Peut-être était-ce la raison pour laquelle Chad avait suggéré qu'il les accompagne, sa femme et lui, pour ce dernier voyage de leur fille.

Un peu à l'écart des autres, le président et sa fiancée regardaient les poignées de terre tomber sur le cercueil de la jeune morte. Finalement, ce fut Chad qui s'approcha d'eux. Après quelques mots de réconfort, Lara laissa les deux hommes seuls.

— Toutes mes condoléances, dit Kerry.

Si des larmes étaient enfin apparues dans les yeux de Palmer, sa voix demeurait monocorde.

— Cela n'aurait jamais dû arriver, murmura-t-il. Ils n'auraient jamais dû faire ça à ma fille.

Kilcannon hocha la tête, scruta le visage ravagé, posa une main sur l'épaule de Chad.

— Je sais que c'est terriblement dur pour vous, mais j'aimerais vous voir ce soir. Il y a quelque chose que vous devez savoir.

27

Il était plus de dix heures quand Chad Palmer arriva à la Maison-Blanche et pénétra, l'air hagard, dans le bureau personnel du président. Kerry ferma la porte derrière lui, s'enquit :

— Comment va Allie ?

Palmer baissa les yeux, secoua la tête.

— Elle est sous sédatif.

Pour Kilcannon, ce simple mot de « sédatif » résumait l'impuissance de Chad, son incapacité — encore maintenant — à saisir pleinement ce qui leur était arrivé, sa gêne d'avoir confié sa femme à d'autres. Il s'assit, l'air las et détaché de tout ce qui l'entourait. Quand il parla enfin, ce fut avec une sorte de patience désincarnée, comme s'il comprenait que le président ne l'aurait pas fait venir si l'affaire n'était d'une extrême importance.

— De quoi s'agit-il?

Kerry s'apprêtait à présenter des sortes d'excuses ou d'explications, à faire valoir qu'il s'était longuement tourmenté avant de prendre sa décision. Mais les mots qui lui vinrent à l'esprit lui parurent vains et égoïstes. Sans ouvrir la bouche, il prit sur son bureau le rapport du FBI et le tendit à Palmer.

Le sénateur commença à le lire.

Au bout d'un moment, Kilcannon vit l'expression fatiguée de Chad disparaître, remplacée par une impassibilité totale. Il ne parlait pas, ne bougeait pas, ne levait pas la tête du rapport. Mieux que des mots ou des gestes, cette immobilité fit sentir à Kilcannon le poids de ce qu'il venait de faire. Il attendit. Palmer finit par poser sur lui des yeux pleins de larmes.

— Que voulez-vous en échange?

— Rien. Il est à vous.

Il hocha lentement la tête, quitta son siège sans dire un mot et, les joues ruisselantes, sortit de la pièce.

Seul dans son séjour faiblement éclairé, Chad commença à vivre avec la vérité.

Le dernier parent venait de partir, Allie dormait encore. Il n'y avait personne avec qui il pouvait partager son sentiment de culpabilité.

Il n'avait pas protégé Kyle. Il avait pris trop de risques avec Gage, il était allé trop loin dans son soutien à Kilcannon. En partie par ambition, en partie à cause d'un égoïsme d'une autre espèce : Chad Palmer faisait ce qu'il estimait devoir faire, quelles que soient les conséquences. Cet orgueil avait contribué à la mort de sa fille : avec une clarté impitoyable, il voyait que ses propres empreintes étaient aussi sur l'enveloppe.

Que Gage eût été au courant des manœuvres de Taylor, cela ne faisait pour lui aucun doute. A sa manière tortueuse, Gage avait essayé de le prévenir, mais il avait finalement consenti — à tout le moins — à l'acte de cruauté qui avait conduit à la mort de Kyle.

Chad repassa dans son esprit les dernières semaines, comme un film dont il connaissait la fin mais dont il ne pouvait changer le dénouement. De l'enterrement, il ne lui restait que quelques images floues, comme s'il avait été lui aussi sous sédatif. L'impression la plus nette, c'était le bruit de la première poignée de terre — la sienne — s'éparpillant sur le cercueil de Kyle.

Par quel acte pouvait-il rendre maintenant justice à sa fille?

La question lui parut soudain pitoyable. Rien de ce qu'il ferait ne changerait quoi que ce soit pour Kyle ni n'aiderait la femme allongée dans leur chambre obscure à redevenir ce qu'elle était avant. Et il se retrouvait seul, avec l'amour inutile et vaincu d'un père imparfait dont la fille était maintenant un souvenir.

Clayton Slade était assis dans le fauteuil où, un peu plus tôt, Palmer avait lu le rapport du FBI. Troublé par ce souvenir, Kilcannon garda un moment le silence avant de demander :

— Tu as téléphoné à Sarah Dash ?

— Oui. L'avortement est prévu pour demain matin.

Kerry adressa à son ami un sourire triste : tout commentaire était superflu.

— Qu'est-ce que Palmer compte faire ? voulut savoir Slade.

— Je n'en ai aucune idée, répondit Kilcannon. Je ne lui ai pas posé la question, j'avais déjà bien du mal à le regarder.

Clayton eut une expression à la fois compatissante et préoccupée.

— Et lui, il sait ce que nous avons l'intention de faire ?

— Il le saura dès qu'il y réfléchira, répondit Kerry, une trace d'ironie dans la voix. Tu procèdes comme pour Caroline Masters. Sauf que maintenant, c'est le tour du *Post*.

28

A sept heures le lendemain matin, Sarah Dash, assise devant la porte d'une salle d'opération de l'hôpital général de San Francisco, attendait que le Dr Mark Flom avorte Mary Ann Tierney d'un fœtus de sept mois et demi.

Elles étaient venues en secret, avant l'aube, dans une ambulance envoyée les prendre. Mary Ann était maîtresse d'elle-même et cependant effrayée : elle avait rejeté le dernier appel angoissé de son père mais ses peurs étaient de nature à la fois physique et spirituelle.

« Et s'il était normal, finalement ? » avait-elle demandé à Sarah au milieu de la nuit.

Sarah ne lui avait pas parlé du coup de téléphone de Slade. L'appel ne l'avait ni surprise — plus rien ne l'étonnait, maintenant — ni offensée : elle éprouvait de la reconnaissance envers Kilcannon et admirait sa position en faveur de Caroline Masters, mais elle trouvait déconcertant le pragmatisme un peu brusque du secrétaire général.

«Le débat commence demain, lui avait-il rappelé. S'il s'avère que le fœtus est anormal, nous espérons que vous rendrez la nouvelle publique immédiatement.

— Et s'il ne l'est pas ?

— Je n'ai pas à vous dicter votre conduite, avait-il répondu d'une voix tranquille. Mais, du point de vue de votre cliente, moins vous en direz, mieux cela vaudra.»

Sarah attendait, inquiète pour Mary Ann. Elle ne pouvait s'empêcher de se représenter l'intervention qui se déroulait derrière des portes closes. Le mouvement pro-vie avait fait preuve d'habileté en prenant pour cible une opération qui, sous l'horreur viscérale qu'elle inspirait, cachait les raisons médicales qui la motivaient. Le comprenant, Sarah avait fait appel à toutes ses ressources pour amener sa cliente à cet instant. Mais, comme l'adolescente, elle était maintenant consumée par la crainte que — malgré les probabilités médicales — on fût en train, dans cette sale d'opération, de mettre fin à la vie d'un bébé viable.

Ce n'était pas la seule raison de son inquiétude. Deux jours plus tôt, Mark Flom lui avait confié : «C'est une intervention délicate ; peu de médecins en sont capables. A chaque semaine qui passe, elle devient plus difficile. Les Tierney l'ont rendue de deux mois plus difficile pour nous tous.»

A présent que Flom procédait à l'extraction du fœtus, Sarah songeait aux conséquences de cet acte, non seulement pour Mary Ann mais pour d'autres. Après un coup d'œil à sa montre, elle calcula qu'il était plus de dix heures à Washington et que le Sénat avait commencé à débattre de la candidature de Caroline Clark Masters à la présidence de la Cour suprême des Etats-Unis.

Elle parcourut distraitement le *New York Times*. A la veille du vote, disait l'article de tête du journal, on ignorait encore si Macdonald Gage disposait des quarante et une voix nécessaires pour une obstruction. Dans le cas contraire, il manquait au moins deux votes au chef de la majorité et au président Kilcannon sur les cinquante et un requis pour rejeter ou confirmer la candidature. Le sénateur Chad Palmer compliquait encore l'équation : personne ne savait s'il sortirait de son isolement pour voter.

Non, Sarah ne pouvait reprocher a Clayton Slade de lui avoir téléphoné. Mais le fait que l'issue de la candidature de Caroline reposât sur l'état du fœtus constituait une ultime atteinte à la vie privée de Mary Ann, après tout ce qu'elle avait déjà subi.

C'était d'elle avant tout que se souciait Sarah. Elle, elle n'avait eu aucun mal à devenir ce qu'elle était avec des parents progressistes, non croyants, ravis de l'intelligence et de l'indépendance de leur fille. Mais le courage — et l'opiniâtreté — de Mary Ann était presque inexplicables. En deux mois, la jeune fille avait pris une telle place dans sa vie que Sarah était contrariée par cette responsabilité mais qu'elle ne l'aurait rejetée sur personne d'autre. Elle aurait voulu maintenant — dans l'intérêt de Mary Ann comme dans le sien — qu'il y eût un Dieu à qui adresser des prières.

Une heure passa. Fixant le sol, Sarah entendit le Dr Flom approcher et se leva aussitôt.

Encore vêtu de sa blouse de chirurgien, il avait l'air épuisé : lui aussi subissait sans doute la pression de son engagement public.

— Comment va-t-elle ?

— Bien. Encore sous anesthésie, bien sûr. L'intervention s'est déroulée normalement, elle pourra avoir d'autres enfants. Ce qui était le but recherché, en définitive.

Soulagée, Sarah hésita un instant avant de demander :

— Et le fœtus ?

Une expression grave modela les traits fins du médecin, qui secoua lentement la tête.

— Sans espoir. Quand j'ai percé la tête pour la vider, il n'y avait presque rien à l'intérieur. Il n'aurait jamais vécu.

Sarah avala sa salive, baissa les yeux, lutta contre ses émotions : elle avait une décision à prendre. Elle mit en balance ses obligations envers sa cliente, envers Caroline Masters et, d'une certaine façon, envers le président.

— Si je vous y autorise, vous seriez prêt à rendre public ce dernier point ? demanda-t-elle.

Avec un pâle sourire, Flom répondit :

— Il semble avoir une certaine importance. Et pas seulement pour Mary Ann.

29

A dix heures, le président et Clayton Slade commencèrent à regarder le débat sur C-SPAN.

Ils avaient fait tout ce qu'ils pouvaient : les deux grands impondérables — l'avortement de Mary Ann Tierney et la décision de Palmer — ne dépendaient plus d'eux. Dans l'espoir que Chad s'opposerait à Gage, ils avaient retardé jusqu'au dernier moment la communication du rapport du FBI au *Post* : l'article ne paraîtrait pas avant le lendemain, ce qui laisserait un jour à Palmer pour agir de lui-même.

Kilcannon le souhaitait ardemment mais tout ce qu'il savait, c'était que Chad était arrivé au Sénat, silencieux et sombre devant la horde médiatique. Pour le moment, Macdonald Gage avait la parole et lançait son dernier assaut contre Caroline Masters.

— Regarde-le se pavaner, murmura Kerry. Ça doit être commode de ne pas avoir de conscience.

Gage se tenait dans la fosse du Sénat.

C'était l'apogée de son pouvoir, le jour où il s'apprêtait à défier le président lui-même. Les cent sénateurs étaient tous présents, les galeries bondées et cependant silencieuses. De la tribune, Ellen Penn présidait la séance, signe que le gouvernement était résolu, si besoin était, à débloquer par son vote une situation de cinquante-cinquante. A la demande de Gage, Paul Harshman se tenait prêt à rassembler les quarante et une voix nécessaires pour obtenir une obstruction et empêcher un vote sur la candidature de Masters. Le chef de la majorité devrait faire appel à toute son énergie et à toute sa ruse, chasser ses craintes concernant le président, ses remords concernant Kyle Palmer, ses inquiétudes concernant le père de la jeune femme, assis silencieux derrière lui.

Debout au premier rang, Gage se tourna pour s'adresser à ses collègues. Une feuille de papier couverte de notes était posée sur l'écritoire d'acajou jadis utilisée par Henry Clay. Mais Gage n'avait pas besoin d'aide-mémoire : il connaissait les arguments qu'il voulait présenter, les passions qu'il devait soulever ; il n'aurait qu'à laisser les paroles couler. La seule gêne résidait dans les premières phrases :

— Avant de commencer, je tiens à saluer la présence du sénateur de l'Ohio, venu remplir ses obligations d'élu malgré la tragédie personnelle qui le frappe. Aux condoléances que nous lui avons tous présentées, j'aimerais ajouter le témoignage de notre admiration. Vous nous honorez, sénateur Palmer, par votre présence.

Gage s'interrompit en espérant que la sympathie non feinte qu'il avait exprimée toucherait son adversaire blessé. Comme toujours, sa rivalité avec Palmer était teintée de respect. Toutefois, la seule réaction qu'il détecta sur le visage du père de Kyle fut un sourire si bref et si ambigu que Gage ne put le déchiffrer. Surmontant ses craintes, Macdonald Gage parcourut des yeux son auditoire, sénateurs et public. Le silence était total.

— Le moment est venu de décider si la juge Caroline Masters doit présider la plus haute instance judiciaire de notre pays, leur dit-il.

« L'heure n'est pas aux discours partisans, nos responsabilités sont trop graves. La juge Masters nous l'a elle-même fait comprendre. Le verdict rendu dans l'affaire Tierney nous éclaire sur ce que nous pouvons attendre d'elle.

« C'est l'expression de l'arrogance judiciaire qui foule aux pieds la volonté du Congrès et du peuple américain. Qui fait fi du caractère sacré de la vie. Qui abandonne la sagesse des pères fondateurs pour une philosophie extrémiste selon laquelle les juges savent mieux que personne ce qu'il faut faire... même quand il s'agit de supprimer des vies.

« Dans le monde de Caroline Masters, Dieu seul sait ce que nous perdrions. Qui, parmi les vies innocentes que nous aurions vainement cherché à protéger, aurait trouvé le traitement du cancer ou donné la paix à une humanité souffrante. Combien d'entre eux auraient apporté à une famille la joie d'avoir un enfant...

Dans la salle de réunion où il se trouvait avec Slade, Kerry Kilcannon regardait attentivement l'écran. La porte s'ouvrit, Kit Pace entra et posa une feuille de papier devant le président.

Il la lut en silence et ordonna à Slade :

— Fais porter ça à Hampton.

Gage sentait qu'il avait le vent en poupe, que ses mots et ses pensées filaient, avec une passion qui ajoutait à leur force.

— Et combien de parents seraient privés de leur droit à participer à la décision morale la plus importante pour une mineure parce que la juge Masters sait mieux que la famille ce qu'il faut faire ?

« Je n'en dirai pas plus sur ce point car la raison de rejeter cette candidate va au-delà de sa philosophie judiciaire, si contraire soit-elle à nos traditions morales, religieuses et constitutionnelles les plus profondes. Si offensante soit-elle pour ses potentiels collègues de la Cour suprême.

Avec une lenteur délibérée, Gage s'adressa alors directement à son ultime auditoire, les quatre républicains modérés indécis : Spencer James, du Connecticut ; Cassie Rollins, du Maine ; George Felton, de Washington ; et Clare MacIntire, du Kansas.

— Quand on juge la vie privée d'autrui, il faut faire preuve de retenue et de compassion, dit-il à Clare MacIntire. Nul d'entre nous n'est parfait ; nul d'entre nous n'a le droit de jeter la première pierre. Mais, lorsque la conduite personnelle d'un juge incite à se poser aussi des questions sur sa franchise et sa rectitude, nous sommes en droit — nous sommes *contraints* — d'examiner cette conduite.

Petite et brune, la sénatrice fronça les sourcils et détourna les yeux en se demandant, supposait Gage, si elle résisterait dans une primaire à un adversaire financé par Engagement chrétien au cas où elle voterait pour Masters. Se tournant vers Spencer James, Gage poursuivit :

— Nous respectons tous, j'en suis sûr, la décision personnelle du juge Masters, qui a estimé qu'il valait mieux avoir un enfant hors mariage que supprimer une vie...

Il haussa soudain le ton :

— *Mais* que dirons-nous aux jeunes à qui nous prônons l'abstinence et le respect du mariage ? Que dirons-nous à ceux à qui nous demandons de rejeter la promiscuité sexuelle, la drogue et l'alcool ?

Gage prit conscience qu'il risquait par ces mots de réveiller chez Palmer le souvenir des moments douloureux de l'éducation de Kyle. Un coup d'œil furtif lui révéla que Chad, toujours impassible, continuait à fixer non l'orateur mais un point à mi-distance. Gage décida de changer aussi souplement que possible d'orientation.

— Que leur dirons-nous concernant la franchise ? Et comment pourrions-nous leur dire qu'une femme qui a caché son passé — ce que nombre d'entre nous considèrent comme un parjure — est digne d'occuper le sommet d'un système judiciaire fondé sur l'obligation de dire la vérité quand on a juré de le faire ?

Kit Pace entra de nouveau dans la salle. Jetant un regard au poste de télévision, elle murmura :

— Lourd mais efficace.

Le président leva la tête.

— Vous avez eu Hampton ?

— Son directeur de cabinet. Il m'a annoncé que Palmer a demandé à intervenir dans le débat. Sur le temps de parole de Chuck.

— Pour dire quoi ?

— Personne ne le sait. Mais Chuck ne pouvait pas refuser...

Sur l'écran, Gage continuait :

— *Que leur dirons-nous d'un juge qui se prononce contre le caractère sacré de la vie et en faveur d'une amie proche, l'avocate avec qui, quelques semaines plus tôt, elle dînait en tête à tête chez elle… ?*

Le chef de la majorité fit face au public :

— Voici ce qu'avec fermeté et clarté nous devons lui dire : Que sa philosophie nous est étrangère. Que ses déformations de la vérité sont indignes. Que ses conceptions judiciaires sont discutables. Que son intégrité est mise en cause.

« Qu'elle n'est pas digne de présider la Cour suprême, asséna-t-il, haussant de nouveau le ton.

« Le président n'aurait jamais dû proposer sa candidature. Il n'aurait jamais dû la maintenir après tout ce que nous avons appris. Il l'a fait, cependant.

Gage s'interrompit, parcourut des yeux les travées.

— Il nous incombe donc de lui dire ceci : aucun homme, aucune femme n'est au-dessus des lois. Aucune femme, aucun homme ne doit user du pouvoir de la loi s'il n'est pas digne de le faire.

Après cette allusion voilée à la décision de Kilcannon de faire intervenir le FBI, Gage en vint à son envolée finale :

— Nous sommes en démocratie et nous devons faire face à nos obligations sans crainte. Nous devons, si nous sommes des hommes et des femmes intègres, rejeter cette candidature.

Il se rassit sous un tonnerre d'applaudissements qu'Ellen Penn fit cesser en abattant son marteau à plusieurs reprises. J'ai rempli mon rôle, pensa-t-il avec satisfaction. Aucun chef de la majorité dont il se souvenait n'aurait ouvert le débat plus efficacement qu'il ne venait de le faire.

— La parole est au sénateur de l'Illinois, dit Ellen Penn d'un ton sec.

Avec son air habituel d'intellectuel serein, Chuck Hampton se leva lentement. Il revenait au chef de la minorité de parler le premier en faveur de Caroline Masters.

— J'aimerais commencer par vous donner lecture d'un communiqué d'Associated Press…

Son auditoire eut une réaction de surprise, assortie de nervosité en ce qui concernait Gage.

— C'est une déclaration de Sarah Dash, l'avocate de Mary Ann Tierney, poursuivit Hampton, qui ajusta ses lunettes. « Ce matin, Mary Ann Tierney a subi une intervention destinée à mettre fin à sa grossesse et à protéger sa capacité à avoir des enfants ultérieurement. Le médecin qui l'a pratiquée, le Dr Mark Flom, confirme que le cerveau du fœtus ne s'était pas développé et qu'il n'avait aucune chance de survivre...»

Un murmure parcourut les galeries. Consterné, Gage jeta un coup d'œil à Clare MacIntire et vit qu'elle écoutait Hampton avec une sorte de fascination. Celui-ci poursuivait :

— «Pour établir définitivement ce diagnostic, nous avons demandé une autopsie. En ce qui concerne Mary Ann Tierney, l'intervention est réussie. Sa capacité à avoir des enfants n'est plus menacée. Nous en sommes reconnaissants au système judiciaire américain sans lequel nous n'aurions pas été en mesure de prendre cette décision difficile mais parfaitement justifiée...»

Kerry Kilcannon brisa la tension régnant dans la salle en éclatant de rire.

— Ça devrait donner à réfléchir à Gage, dit-il. C'est toi qui lui as soufflé le texte?

Clayton Slade secoua la tête.

— Non. Dash a fait ça toute seule.

Sur l'écran, Chuck Hampton achevait sa lecture du communiqué :

— *«Jusqu'à nouvel ordre, Mary Ann n'a rien à ajouter. Son vœu le plus cher est de retrouver, autant que possible, ce qu'elle n'aurait jamais dû perdre : sa vie privée.»*

Gage se demandait par quoi Hampton allait poursuivre quand celui-ci conclut :

— Cette déclaration parle d'elle-même. Je n'ai rien à ajouter. Je cède la place à mon excellent ami le sénateur de l'Ohio.

Abasourdi, Macdonald Gage était dans l'incapacité d'intervenir. Lorsque le marteau d'Ellen Penn eut enfin raison de la cacophonie, Chad Palmer se leva pour prendre la parole.

30

Chad Palmer examina ses collègues : Chuck Hampton, s'interrogeant visiblement sur les intentions qui l'animaient; Paul Harshman, le fixant d'un air implacable, les bras croisés; son amie Kate Jarman, le visage crispé d'inquiétude. Mais ce fut Macdonald Gage, imprimant à ses traits une expression bienveillante, qui donna à Palmer la froide résolution dont il avait besoin pour commencer :

— J'espère que le Sénat me pardonnera si je parle de la mort de ma fille...

Le silence autour de lui s'approfondit. Ses collègues le regardèrent avec tristesse, nervosité, appréhension, comme s'ils craignaient que, dans son chagrin, il perde toute maîtrise de lui-même ou s'effondre complètement.

— Vous connaissez maintenant une bonne partie de ce qu'elle a souffert. Beaucoup d'entre vous ont traversé des épreuves trop personnelles pour pouvoir les partager. Mais seuls sa mère et moi avons connu la profondeur de sa dépression, de son désespoir, d'un dégoût de soi si grand que, souvent, elle ne pouvait affronter le monde sans engourdir sa souffrance.

« Je suis seul à savoir comme sa mère s'est battue pour la maintenir en vie. Je suis seul à savoir le nombre de jours et de nuits, de mois et d'années où elle s'est accrochée à l'espoir quand il n'y avait aucun espoir.

Sa voix s'étrangla ; il s'interrompit, se redressa.

— Nous seuls connaissons la joie que nous avons ressentie lorsque Kyle est sortie du tunnel. Le bonheur de la voir devenir plus forte et, par-dessus tout, de l'imaginer avec un mari et des enfants.

« Cela, vous n'auriez jamais dû le savoir.

Regardant autour de lui, Palmer vit ses collègues baisser la tête, le visage raviné de compassion.

— Sa vie et nos rêves se sont anéantis un jour, poursuivit-il. Le jour où des hommes implacables et immoraux ont décidé d'utiliser le traumatisme d'une jeune fille de seize ans pour détruire son père. Ils ont à la fois réussi et échoué. Car Kyle est morte, mais je suis là. Et je sais qui ils sont.

La peau moite, Gage attendait la suite et sentait la rage affleurer sous le calme précaire de Palmer.

— Ils ne font pas partie des médias, dit Chad à ses collègues captivés. Ce ne sont pas les médias qui ont volé le formulaire d'autorisation parentale dans le cabinet du médecin de Kyle. Ce ne sont pas eux non plus qui en ont envoyé une copie à une dirigeante du mouvement pour le libre choix en espérant qu'elle se chargerait de dénoncer elle-même l'hypocrisie du père...

C'est donc ainsi que Taylor a procédé, pensa Gage, à nouveau saisi par la peur viscérale qui lui avait fait éviter le lobbyiste ces quatre derniers jours, effrayé de ce qu'il risquait d'apprendre.

— Au lieu de quoi, elle a porté le formulaire au président, qui me l'a lui-même confié. Mais c'était trop tard. Ceux qui ont juré ma perte en avaient remis des photocopies à *Internet Frontier* et à Charlie Trask. Quelques heures plus tard, ma fille était morte.

«Ces photocopies l'ont tuée. Comme l'enveloppe remise au président, elles ont été examinées par le FBI. Le président m'a communiqué le rapport du FBI établi à sa demande.

Gage sentit sa gorge et son estomac se serrer. Dans les galeries, la tension longtemps contenue du public se libéra en un murmure que la vice-présidente ne fit pas taire. Palmer baissa les yeux, lutta pour garder son calme. Quand il releva la tête, sa voix tremblait de colère.

— La tradition veut qu'un sénateur s'abstienne de formuler des attaques personnelles contre ses collègues. Mais aucune loi ne protège l'ex-membre de cette assemblée dont on a relevé les empreintes digitales sur les trois documents.

Palmer parcourut des yeux son auditoire sidéré avant de lâcher :

— Notre éminent ancien collègue Mace Taylor.

Gage eut l'impression que les réactions des sénateurs — des bruits involontaires, des exclamations étouffées, un «Bon Dieu» presque déférent de Leo Weller — lui parvenaient de loin. Puis Palmer se tourna enfin vers lui.

— Nous ne connaissons tous Taylor que trop bien. Et nous connaissons aussi *l'autre* responsable de la mort de Kyle…

Face à Gage, Chad Palmer sentait ses émotions se libérer comme une douleur physique. Gage soutenait stoïquement son regard, conscient sans doute qu'une protestation ne lui attirerait aucune sympathie de la part d'Ellen Penn. Malgré sa fureur, Chad se contraignit à rester immobile jusqu'à ce que tout le Sénat ait pu voir à qui il s'adressait.

— Nous savons tous qui exécute les ordres de Taylor, dit-il au chef de la majorité. Qui tire son pouvoir de l'influence de Taylor. Qui doit plaire aux clients de Taylor pour réaliser ses ambitions de devenir président… Et nous savons tous de qui je semblais menacer les ambitions il y a quelques jours encore…

Kilcannon observait avec une fascination silencieuse ce qu'il avait déclenché.

— *Je ne sais pas encore quel châtiment il subira dans cette vie ou dans l'autre*, disait Palmer. *Mais il serait juste qu'à partir de ce jour tout sénateur qui le croise pense à Kyle Palmer…*

— Ils vont le croire ? demanda Kit Pace au président.

— Pour la plupart, oui. La question est de savoir ce que Chad en fera.

Sur l'écran, le regard de Palmer sur Gage était une accusation. Puis, retrouvant un calme qui devait beaucoup lui coûter, supposa Kerry, Chad se tourna de nouveau vers les autres sénateurs.

— *Mais je ne suis pas ici pour vous demander de pleurer ma fille. Je le ferai à ma manière le reste de ma vie, heure après heure, en m'interrogeant sur l'orgueil et la folie qui m'ont empêché de voir les risques terribles que je lui faisais courir en n'abandonnant pas ma carrière politique...*

Atterré, Gage sentait la vague d'émotion qui submergeait le Sénat et savait que Palmer, malgré son chagrin, avait déclenché les passions pour les utiliser.

— Je suis ici pour me prononcer sur la candidature Masters et vous demander comment nous en sommes venus là, disait Chad.

«Nous ne pouvons plus prétendre que la politique est uniquement affaire d'idées, de valeurs ou d'intérêts en conflit. Trop souvent, elle se réduit à l'argent, à l'élégant système de pots-de-vin quasiment, par lequel ceux qui financent nos campagnes deviennent nos actionnaires. Et des hommes comme Mace Taylor exigent des résultats.

La colère revint dans la voix de Palmer quand il ajouta :

— Si ces résultats impliquent d'éliminer ceux qui se trouvent sur leur chemin, alors ils utiliseront les médias pour détruire n'importe lequel d'entre nous, puis un autre, et un autre encore, jusqu'à ce que ce cycle destructeur bannisse toute honnêteté de la vie politique. Et si la poursuite de leurs objectifs nécessite quelques «pertes civiles», ils n'hésiteront pas non plus.

Il se tut brusquement, dut faire un effort pour se contrôler.

— Ma fille n'est pas la seule victime. Elle n'est que la plus récente et la plus tragique. Depuis le début de la candidature Masters, cette tactique tortueuse a poursuivi deux autres femmes — Mary Ann Tierney et Caroline Masters — jusqu'au plus intime de leur vie privée : la décision de mettre ou non au monde un enfant.

«Une décision pénible à prendre, pour toutes les trois. Dans ma famille, nous avons découvert qu'elle était complexe, sujette aux désaccords et difficile à affronter.

«Caroline Masters l'a affrontée deux fois. D'abord comme jeune femme puis, beaucoup plus tard, comme juge. Je n'approuve pas son verdict dans l'affaire Tierney mais je dois reconnaître certains doutes que l'expérience personnelle de Kyle nous a imposés. Et une certitude : notre dialogue sur l'avortement — auquel j'ai pris part — est lourd d'hypocrisie, de déformations des faits et de tromperies. Et je crois que le problème demeurera tant que le débat sur l'avortement sera politique plutôt qu'éthique...

Il est fini, pensa Gage. Mais la bataille pour sa propre survie avait commencé et s'achèverait peut-être avec le vote sur Caroline Masters.

Palmer vit Kate Jarman lui adresser de la tête un signe d'encouragement : elle avait probablement deviné où il voulait en venir.

— Je crois en notre parti, déclara-t-il. Nous ne sommes pas, par tradition, le parti de ceux qui imposent des règles. Nous ne sommes pas le parti de l'intolérance. Nous ne pensons pas que le gouvernement doit régir notre vie privée. Aussi devons-nous, quel que soit notre point de vue sur l'affaire Tierney, rendre justice à la juge Masters. Sa décision a mis sa vie privée en danger et compromis ses ambitions. Elle a permis à d'autres de souiller sa réputation.

Se tournant de nouveau vers Gage, Palmer lança avec mépris :

— Elle a révélé ce qu'ils sont et a montré Caroline Masters telle qu'elle est. C'est un *seul* verdict dans le contexte de toute une vie méritoire.

Comme Gage avant lui, Palmer chercha le regard de ses collègues hésitants : Clare MacIntire, George Felton, Spencer James et Cassie Rollins.

— L'affaire Tierney était complexe, continua-t-il. Mais le choix est aujourd'hui beaucoup plus clair. C'est un choix entre intégrité et immoralité. C'est, pour moi, choisir entre une femme d'honneur et ceux qui ont sacrifié ma fille.

Dans le silence tendu qui suivit, Chad rassembla ses pensées. J'ai presque terminé, s'imagina-t-il dire à Kyle. J'espère que tu m'approuves.

— D'autres donneront leur avis, reprit-il, mais, une fois qu'ils l'auront fait, je demanderai la clôture du débat. Et je voterai ensuite pour confirmer la candidature de Caroline Masters à la présidence de la Cour suprême des Etats-Unis.

Pour la dernière fois peut-être, le sénateur de l'Ohio, naguère si proche d'accéder à la Maison-Blanche, tenait ses collègues suspendus à ses lèvres.

— Mon vote pour Caroline Masters mettra un terme à mon action dans cette assemblée. Je serais honoré que vous me suiviez dans mon choix.

Epuisé, il se rassit, pensa à Kyle et à Allie. Peu à peu, il entendit les applaudissements du public dans les galeries, les bruits de chaises et les raclements de pieds de collègues qui se levaient, jusqu'à ce que tous les démocrates et la plupart des républicains se retrouvent debout, quoique, pour certains, ce ne fût qu'un geste de courtoisie accordé à contrecœur. Lorsque Gage, resté assis, croisa son regard, les lèvres de Palmer esquissèrent un sourire amer.

Quand les applaudissements moururent enfin, Gage tourna la tête et chercha à attirer l'attention d'Ellen Penn.

— Madame la vice-présidente, fit-il avec nervosité, je demande une suspension...

— Pour quoi faire? l'interrompit Palmer d'une voix basse mais audible. Vous ne pouvez plus vous cacher nulle part, Mac.

Au-dessus d'eux, le visage d'Ellen était vide de toute expression.

— La séance est suspendue jusqu'à une heure et demie, annonça-t-elle.

31

Le lendemain matin, dans la revue de presse que Kit Pace remit au président, les titres rivalisaient de sensationnel : « Le fœtus Tierney était condamné, d'après le médecin », « Palmer démissionne en accusant Gage de la mort de sa fille » ; « Le rapport du FBI identifie l'auteur de la fuite des documents » ; « La candidature Masters en balance ». Les éditoriaux étaient également divers : réflexions sur l'avortement de Mary Ann Tierney et sa signification ; considérations sur la dégradation de la politique ; fulminations pour ou contre Caroline Masters ; critiques de l'utilisation du FBI par le président. « Si nous déplorons la tactique révélée par le rapport, nous jugeons plus alarmant encore l'usage extraconstitutionnel du FBI. »

— Ils m'ont percé à jour, ironisa Kerry à l'adresse de Clayton. Un tyran en herbe. Je pensais qu'ils s'en apercevraient plus tôt.

A vrai dire, il n'avait pas le temps de se préoccuper de ces commentaires. Le débat qui avait repris la veille dans l'après-midi, morne et contenu, suggérait surtout une confusion complète. Le président avait donc recommencé à manier le téléphone pour définir une stratégie avec Chuck Hampton et convaincre les sénateurs indécis. « Vous ne pouvez plus chercher à gagner du temps. Une obstruction reviendrait à cracher sur la tombe de Kyle Palmer », avait-il déclaré à Spencer James.

— Ne dites rien, intima Gage à Mason Taylor. Aucun crime n'a été commis, quoi que Palmer et Kilcannon puissent penser. Ils ne peuvent rien contre vous.

Il y eut un long silence à l'autre bout de la ligne.

— Ce petit salaud essaie de me démolir, répondit le lobbyiste. J'ai besoin d'amis, Mac. D'amis loyaux.

Gage serra les mâchoires.

— Vous pouvez compter sur eux, croyez-moi. Tenez bon, laissez faire le temps. Dans six mois...

— Vous me téléphonerez? Vous avez besoin de moi *maintenant*, Mac.

Bien qu'il ne fût que neuf heures du matin, le chef de la majorité avait les aisselles moites.

— Je m'occupe de cette affaire, répliqua-t-il. Vous aussi, vous avez besoin de moi.

— Alors, nous avons tous les deux besoin de gagner.

Gage raccrocha, commença à calculer. Avec la défection de Palmer, le rapport de forces s'établissait — autant qu'il pût en juger dans la confusion — à quarante-huit voix contre quarante-huit, compte tenu des quatre indécis paralysés par l'intervention de Palmer. Mais Gage sentait le soutien à une obstruction s'éroder sous lui : une nouvelle hésitation, ici; un refus de s'engager, là; une demande de temps pour réfléchir ou laisser l'émotion retomber; la suggestion que, indépendamment de la question de fond, l'état du fœtus privait Gage de la passion idéologique nécessaire pour refuser à Caroline Masters de soumettre sa candidature au Sénat. Palmer avait déposé une motion réclamant la clôture du débat.

De nombreux facteurs pouvaient cependant encore faire pencher la balance en faveur de Gage : convictions sincères, pressions d'électeurs et de groupes d'intérêts; promesses de fonds pour financer une campagne; crainte d'une primaire imposée par la droite; antipathie pour le président; arsenal de faveurs ou de représailles que Gage avait à sa disposition. Mais il sentait que, pour une fois, ses collègues redoutaient Kilcannon presque autant que lui, non seulement parce que le président était impitoyable mais parce qu'il avait de la ressource. Ils ne voulaient pas se retrouver trop près de Gage si Kilcannon parvenait à prouver qu'il avait une part de responsabilité dans la mort de Kyle Palmer.

Le problème, c'était qu'ils croyaient Palmer : Gage n'avait sans doute pas imaginé que la jeune fille mourrait mais il était au courant du plan de Taylor. Et la mort de Kyle Palmer les avait rendus délicats, comme Gage l'avait découvert en appelant Clare MacIntire.

«Je n'ai rien à voir là-dedans, avait-il affirmé. C'est de la culpabilité par association.

— J'en suis convaincue, Mac. Mais nous devons faire attention à quoi on nous associe.

— A l'avortement? A la promiscuité sexuelle? A un président qui prend le FBI pour sa Gestapo personnelle?

— A des filles mortes, avait répondu Clare. Les plus sentimentaux d'entre nous pensent que cela place le reste dans un contexte particulier. Alors, soyez prudent.»

Après un silence, elle avait repris :

«Je ne sais toujours pas comment je voterai. Je m'efforce de m'en tenir au fond, malgré tous ces éléments perturbants.

— Le fond est très clair, dans notre parti.

— Il l'était, avait-elle corrigé.

— Donnez-moi un peu de temps. Laissez Paul bloquer la procédure jusqu'à ce que le soufflé retombe.

— J'y penserai, Mac. Je peux au moins vous promettre ça. Mais rien de plus.»

En reposant le combiné, Gage ne pouvait qu'espérer que la campagne de pressions organisée par Engagement chrétien et ses alliés — fax, coups de téléphone, e-mails de partisans de Clare au Kansas — la forcerait à rentrer dans le rang.

Il composa le numéro de Spencer James.

A dix heures, Kerry vit le débat reprendre sur C-SPAN. Pendant plusieurs heures, les interventions se succédèrent, les sénateurs récapitulant l'un après l'autre leur position. Pourtant, sous la surface, un changement se laissait deviner, et Chuck Hampton téléphona pour annoncer :

— L'obstruction part en eau de boudin. Je crois que nous aurons notre vote.

Peu avant deux heures, Gage entraîna Harshman dans le vestiaire.

— Le soutien à une obstruction se désagrège, je le sens, dit le chef de la majorité. Si nous perdons par un gros écart, cela pourrait nous nuire pour le vote final.

A la surprise de Gage, Harshman le regarda avec ce qui ressemblait à du mépris.

— Chad Palmer n'est pas le seul à avoir des principes, rétorqua-t-il. J'ai aussi les miens.

A quatre heures, tous les sénateurs, sauf les quatre indécis et Kate Jarman, s'étaient prononcés sur le bien-fondé de la candidature Masters. Kilcannon estimait les positions à quarante-huit contre quarante-huit quand il vit Spencer James céder la place à Harshman.

— *Le moment est venu de respirer à fond et de séparer la raison de l'émotion*, argua Harshman. *Le moment est venu de nous rappeler que nous avons de la peine pour Kyle Palmer, pas pour Caroline Masters. Il est temps de distinguer entre une tragédie fortuite — dans laquelle, j'en suis sûr, personne ici ne porte de responsabilité — et un abus de pouvoir délibéré d'un président qui cherche à intimider le Sénat et ses dirigeants, à nous placer sur la route d'un Etat policier...*

— Qu'on mette un peu le nez dans ses comptes, grogna Kilcannon. J'aimerais savoir ce qu'il donne aux bonnes œuvres.

La plaisanterie détendit l'atmosphère dans la salle, fût-ce un instant seulement. Autour de Kerry, Clayton, Kit et Adam Shaw sourirent mais continuèrent à regarder l'écran.

— Je me demande ce que pense Palmer, murmura Slade.

Les yeux sur Harshman, Chad Palmer oscillait entre colère et épuisement. La veille, incapable de dormir, il avait tenu dans ses bras sa femme affligée ; il devait maintenant écouter cet homme médiocre qui faisait étalage de son étroitesse d'esprit.

— Seul un débat, un débat *approfondi* et la réflexion qu'il permet, est digne de cette grande assemblée délibérante. Une assemblée *indépendante*, quoi que pense le président.

«Nous sommes des sénateurs, pas des valets. Nous représentons le peuple et, sur une question aussi cruciale pour notre avenir et nos fondements moraux mêmes, le peuple ne veut pas que la peur, le chagrin ou la pitié précipitent notre jugement.

«Nous sommes sénateurs et le Sénat doit, à son heure, définir sa volonté.

Lançant à Palmer un bref regard de défi, Harshman se rassit sous les applaudissements des adversaires de Caroline Masters encore massés dans les galeries. Tandis qu'Ellen jouait du marteau pour ramener le silence, Chad croisa le regard de Kate Jarman et hocha la tête. La vice-présidente, qui attendait ce signal, déclara aussitôt :

— La parole est à la sénatrice du Vermont.

Kate se leva et annonça à ses collègues :

— J'aurais beaucoup de choses à dire mais je préfère céder mon temps de parole au sénateur Palmer.

Lentement, Chad se mit debout, son regard balayant les travées pour s'arrêter enfin sur Harshman puis sur Gage.

— Nous sommes en effet sénateurs. Et la plupart d'entre nous se montrent dignes de ce nom.

« Le chef de la majorité nous assure que les actes de Mason Taylor sont un mystère pour lui. Le sénateur Harshman nous explique que la candidature de Masters ne doit pas se décider sur des sentiments comme la peine, la honte ou la colère. J'en ajoute un quatrième : le respect de soi.

« Ce sentiment n'est peut-être pas important pour tous les sénateurs, mais je crois qu'une grande majorité d'entre nous répugnerait à s'abriter derrière une obstruction. L'heure est venue. Nous devons faire ce pour quoi les électeurs nous ont envoyés ici : voter.

Sur ce, Ellen Penn demanda — comme prévu — un vote sur la motion de Palmer.

Il se rassit en en prévoyant l'issue. Lui aussi avait donné des coups de téléphone.

— Bien joué, dit le président à Chuck Hampton. Où en sommes-nous ?

— Sur une obstruction ? fit la voix étouffée du chef de la minorité à l'autre bout du fil. Je ne crois pas qu'ils aient plus de trente voix. Le seul problème, c'est qu'ils laissent peut-être filer pour mieux nous battre sur la confirmation même. Autant que je puisse en juger, nous n'avons que quarante-huit voix pour.

Kilcannon réfléchit rapidement.

— Dites à Kate Jarman que j'aimerais lui parler.

Sur C-SPAN le vote sur la clôture du débat se poursuivait.

— *Monsieur Harshman.*

— *Non.*

— *Monsieur Izzo.*

— *Oui.*

— *Monsieur James.*

— *Oui.*

— *Mademoiselle MacIntire.*

— *Oui.*

Quand la moitié des sénateurs eut voté, le décompte s'établissait sur l'écran à vingt-neuf oui contre vingt et un non. Le président eut un moment de doute : sur les cinquante sénateurs restants, il lui fallait trente et un oui pour atteindre soixante et clore le débat.

Il y eut alors une succession de vote pour.

— *Monsieur Nehlen.*

— *Oui.*

— *Monsieur Palmer.*

— *Oui,* répondit Chad avec un léger sourire.

Le soixante et unième oui provint d'une modérée indécise, Cassie Rollins.

— C'est passé, fit Slade à voix basse.

Kilcannon continua à suivre le déroulement du vote en attendant le coup de téléphone de Kate Jarman. La dernière voix pour, portant le total des oui à soixante et onze, appartenait à Leo Weller.

— Je l'ai payé pour rien, celui-là, commenta Kerry. Vous imaginez toutes ces vaches dans nos parcs nationaux !

Le téléphone sonna.

— Bonjour, Kate.

— Bonjour, monsieur le président. Vous voulez faire de moi une femme honorable ?

— Je vis dans l'espoir, répondit-il en riant. Une femme honorable en mérite une autre.

A San Francisco, Caroline Masters regardait la retransmission du vote en compagnie de Blair Montgomery.

— Heureusement qu'il y avait Palmer, dit le vieux magistrat.

Caroline ne répondit pas, elle était trop tendue. Et il lui était difficile de se réjouir de l'événement qui avait conduit Chad Palmer à cette attitude.

— On reste quand même coincés à quarante-huit voix pour la confirmation, murmura-t-elle. Après tout ce qu'il s'est passé.

Kerry reposa le téléphone sur son socle.

— Kate est d'accord pour attendre, dit-il à Clayton. Passe-moi Clare MacIntire.

Sur l'écran, Ellen Penn annonça :

— *Nous passons maintenant au vote sur la candidature de la juge Caroline Clark Masters à la présidence de la Cour suprême. La question est la suivante : le Sénat recommande-t-il et confirme-t-il cette candidature ? L'huissier va procéder à l'appel nominal.*

— *Monsieur Allen.*

— *Non.*

— *Monsieur Azoff.*
— *Oui.*
— *Mademoiselle Baltry.*
— *Oui.*
Inexorablement, les oui et les non se succédaient.

Palmer regardait les votes tomber, gouvernés par une série de facteurs allant du noble au sordide, de l'admirable au mesquin. Le premier indécis, George Felton, lui lança un bref regard d'excuse puis détourna les yeux.
— Non.
Les mains jointes sur son ventre, Gage hocha la tête avec une expression satisfaite. Palmer ferma un instant les yeux.
— Monsieur Izzo.
— Non.
Palmer songea qu'il suffisait d'un vote de plus à Gage pour empêcher Ellen Penn de débloquer une situation d'égalité. De la tribune, la vice-présidente baissa les yeux vers Kate Jarman.
— Mademoiselle Jarman.
La sénatrice resta assise, l'air concentrée sur elle-même, comme pour échapper à la tension environnante. A l'étonnement du public, elle garda le silence et l'huissier appela le nom suivant.
Après avoir reporté son vote, Kate ferma elle aussi les yeux un instant. Les oui et les non continuèrent à se succéder.
— Mademoiselle MacIntire, appela l'huissier.

Gage fixait la sénatrice avec nervosité. Un non de plus et c'était fait.
Clare MacIntire hésitait, sa petite personne perdue au centre d'un vaste silence.
— Oui, dit-elle d'un ton ferme.

— Oui, répéta Adam Shaw à mi-voix.
Kit Pace abaissa comme un piston son poing fermé.
— Qu'est-ce que tu lui as promis ? demanda Slade à Kilcannon. Le ciel et la terre ?
— Rien du tout. Apparemment, elle méprise Mac Gage.

Le vote poursuivit son inexorable progression jusqu'au dernier indécis, Cassie Rollins. Palmer la regarda, haussa les sourcils. Le matin, ils s'étaient rencontrés seul à seule.

«Vous me manquerez, avait-elle dit. Je regrette que vous partiez.

— Il faut me comprendre, Cassie.

— Nous vous comprenons tous. Vous voulez mon vote, je suppose? Le problème, c'est que vous ne pourrez plus rien faire pour moi une fois que vous serez parti.

— Vous savez que c'est Gage, Cassie.

— Je n'en suis pas certaine. Ce que je sais, c'est que nous devons essayer de faire mieux. Considérez ça comme un cadeau d'adieu...»

— Mademoiselle Rollins, appela l'huissier.

Cassie se leva, grande et blonde, image de l'ancienne championne de tennis qu'elle était.

— Oui, lança-t-elle avec force, et elle sourit à Chad Palmer.

Gage se leva aussitôt, se dirigea vers Kate Jarman. La sénatrice attendait, les bras croisés, tandis que le vote s'acheminait vers son inévitable conclusion : cinquante non, quarante-neuf oui avant qu'elle ne s'exprime. Lorsque Gage fut près d'elle, elle fit mine de ne pas le remarquer. Il lui toucha l'épaule, chuchota :

— Kate?

Levant vers lui des yeux froids, elle répondit :

— Vous avez perdu, Mac.

A la fin de l'appel nominal, Kate Jarman se tourna vers Ellen Penn.

— Madame la présidente?

Ellen hocha la tête.

— Je donne la parole à la sénatrice du Vermont.

Kate était maintenant la cible de tous les regards.

— L'appel vient de se terminer. Comment mon vote a-t-il été enregistré?

— Il ne l'a pas été.

Comme Cassie Rollins, elle se tourna vers Palmer.

— Je souhaite maintenant voter oui.

Un brouhaha s'éleva des galeries. Dans les travées, les sénateurs se tournaient l'un vers l'autre, s'efforçaient d'assimiler ce qui venait de se passer. Seul Macdonald Gage demeurait immobile. Mais Chad ne le voyait plus, il se rappelait sa fille pendant leur dernière soirée ensemble, pleine d'espoir, montrant à son père et à sa mère ses dessins de mode...

Ellen Penn le ramena au présent en abattant son marteau d'ivoire. Avec une émotion à peine voilée, elle annonça :

— La présidente de cette assemblée vote oui.

Consciente de vivre un moment d'histoire, elle marqua une pause avant de conclure :

— Le décompte s'établit à cinquante et un oui, cinquante non. Le Sénat recommande et confirme la candidature de Caroline Clark Masters.

Caroline se pencha en avant, se couvrit le visage de ses mains.

— Vous avez réussi, dit Blair Montgomery en lui passant un bras autour des épaules. En avez-vous jamais douté ?

Riant, poussant des cris, parlant tous en même temps, les collaborateurs de Kilcannon se pressèrent autour de leur président. Quand il se leva, Kit Pace le prit dans ses bras puis Adam Shaw lui serra solennellement la main.

— Vous venez de transformer la Cour suprême, monsieur le président.

— Autant que je me souvienne, c'était l'idée, au départ, répondit Kerry en souriant.

Il se tourna vers Clayton qui lui toucha l'épaule d'une main hésitante.

— Félicitations, monsieur le président. Vous avez gagné.

Kerry savait que d'autres l'attendaient dans le bureau ovale et qu'il devait téléphoner tout de suite à la nouvelle présidente de la Cour suprême mais il prit le temps de répondre à Clayton, son ami, malgré tout ce qui s'était passé.

— *Nous* avons gagné, rectifia-t-il. Il a juste fallu faire un peu de ménage.

Pour la première fois depuis des semaines, Slade baissa sa garde et ses yeux s'embuèrent. Il se ressaisit aussitôt.

— Comment nous réagissons ?

Kilcannon réfléchit, se remémora tous les risques qu'il avait courus, sentit enfin la pression se relâcher et eut un grand sourire.

— Je crois qu'une déclaration de victoire dans la roseraie s'impose. La première d'une longue série.

— Qu'est-ce que tu diras ?

— Que c'est un triomphe pour la démocratie, fit Kerry, reprenant un ton calme. Ensuite je répondrai à quelques questions. Juste assez pour crucifier Macdonald Gage.

32

Attendant anxieusement Martin Tierney avec Mary Ann, Sarah songeait au jour où elles s'étaient rencontrées.

L'adolescente était assise toute raide au bord du canapé et Sarah s'étonnait encore de sa minceur relative, de son absence de ventre. Mary Ann semblait d'ailleurs parfois ne pas y être habituée elle-même.

«Comment aurais-je pu supporter que le bébé soit normal?», avait-elle demandé la veille à son avocate.

Sarah n'avait pas répondu. Mais, pour l'essentiel, la jeune fille était résolue à penser qu'elle avait eu raison. L'issue de l'IVG avait changé l'équilibre entre Mary Ann et ses parents, Sarah le sentait.

«J'ai parlé à ton père, avait-elle dit. Ils veulent que tu reviennes vivre chez eux.»

Et maintenant, Mary Ann les attendait. Qu'aurait-elle pu faire d'autre? Elle avait été submergée de propositions d'aide : bourses, endroits où vivre et même offres d'adoption. Mais toutes d'inconnus. Martin et Margaret étaient ses parents et elle avait quinze ans. Dans son cœur et dans son esprit, elle n'avait nulle part ailleurs où aller. Et Sarah n'avait pas révélé qu'elle avait demandé à Martin Tierney, au téléphone, ce qu'il aurait fait, lui, si le fœtus avait été normal.

Après un bref silence, il avait répondu : «J'aurais aimé ma fille. Comme avant.»

Il n'avait pas semblé convaincant, cependant, après avoir mis tant d'ardeur à protéger la vie de son petit-fils.

«Vous devez quand même vous sentir soulagé.»

Le silence avait été cette fois beaucoup plus long.

«D'une certaine façon, c'est mieux, avait-il concédé. Mieux pour nous tous. Mais on utilisera ce dénouement pour justifier l'avortement tardif. Vous l'avez déjà utilisé, et le président aussi, pour sauver Caroline Masters. Je crains que vous n'ayez ouvert la porte à tous les abus.

— C'est le risque que vous avez pris en décidant d'affronter Mary Ann», avait réparti Sarah.

Martin Tierney avait poussé un soupir audible.

«Nous ne concilierons jamais nos conceptions du monde. Inutile d'essayer.»

Ainsi, après ce long conflit, rien entre eux n'avait changé, s'était dit Sarah.

« Qu'avons-nous appris ?

— Rien avait-il répondu. Rien que nous n'ayons déjà su. Les choses que nous connaissons sont différentes, elles le seront toujours. »

Mary Ann et Sarah s'efforcèrent donc de faire la conversation jusqu'à ce qu'enfin la sonnette bourdonnât. En pressant le bouton commandant l'ouverture de la porte d'en bas, Sarah fut soudain tenaillée par le doute : Mary Ann et ses parents parviendraient-ils vraiment à surmonter leurs différends ? Le retour de la jeune fille chez elle ne risquait-il pas d'aggraver son traumatisme ?

D'un coup d'œil par la fenêtre, elle s'assura qu'il n'y avait pas de reporters sur le trottoir. Tant mieux. Mary Ann était aussi déterminée que son avocate à ne plus parler publiquement de l'affaire, à retrouver autant que possible une vie normale. Le dénouement, confirmé par l'autopsie, lui suffisait. La décision d'aider le président et Caroline l'avait aussi aidée.

Sarah se retourna pour regarder l'adolescente, assise au bord du canapé près de sa valise, et songea de nouveau qu'elle était terriblement jeune.

— Le pire est passé, souligna Sarah.

Quelques secondes avant l'arrivée de ses parents, Mary Ann semblait plus angoissée que jamais.

— Pas encore, murmura-t-elle.

Sarah reconnut intérieurement que c'était sans doute vrai, et qu'elle n'y pouvait pas grand-chose.

On sonna à la porte.

Mary Ann se leva vivement, le visage torturé. Sarah la prit dans ses bras.

— J'espère que ça ira, murmura la jeune fille.

Envahie par ses propres doutes, Sarah demeura un moment silencieuse.

— Appelle-moi, dit-elle enfin. Une fois que les choses se seront arrangées.

Mary Ann s'écarta, les yeux brillants de larmes.

— Je t'aime beaucoup, Sarah.

La gorge serrée par l'émotion, Sarah la pressa contre elle puis, se forçant à sourire, la lâcha et alla ouvrir la porte.

Martin Tierney se tenait sur le seuil, les mains jointes devant lui. Comme la situation doit lui paraître étrange, pensa-t-elle. Quelle que fût son opinion, sa fille venait de subir une opération et il n'était pas venu à l'hôpital. Il la regardait maintenant par-dessus l'épaule de Sarah.

— Mary Ann ?

Le ton était si incertain qu'il semblait demander à sa fille si elle l'accompagnait.

Elle fit un pas hésitant dans sa direction ; il baissa les yeux vers la valise.

— C'est tout ce que tu as ?

— Oui. Mes affaires sont à la maison.

Une vie normale aussi, ne pouvait qu'espérer Sarah en silence.

Il souleva la valise.

— Tu te sens bien ?

— Oui. Je me sens bien, répondit Mary Ann.

— Alors, allons-y.

Ils ne s'étaient pas encore touchés, et Margaret n'était pas venue. Sarah songea avec une amertume renaissante que la loi sur la protection de la vie avait bien fait son travail. Alors, avec une hésitation proche de la déférence, Martin Tierney prit le bras de sa fille.

Il se tourna vers Sarah, hocha simplement la tête. Elle se rendit compte qu'elle espérait encore une certaine compréhension entre eux, une atmosphère moins lourde, et qu'il n'y aurait rien de tel. A Martin Tierney, elle ne dit rien ; à Mary Ann, elle répéta :

— Appelle-moi quand tu voudras.

La jeune fille s'immobilisa, prise une dernière fois entre Sarah et ses parents. Puis elle sourit, triste petit mouvement des lèvres, et partit avec son père.

De la fenêtre, Sarah les suivit des yeux en éprouvant beaucoup moins de soulagement qu'elle ne l'avait imaginé de ce desserrement de liens qui, pendant des semaines interminables, ne lui avaient pas laissé d'autre vie et qui avaient sûrement changé celle qu'elle menait avant.

Martin Tierney portait la valise d'une main, enserrait doucement de l'autre le coude de sa fille. Ils s'arrêtèrent devant une Volvo bleue. A la surprise de Sarah, la portière avant droite s'ouvrit, Margaret descendit.

Sur le trottoir, Mary Ann ne bougeait plus. Les bras enveloppants de sa mère se refermèrent autour d'elle, leurs fronts se touchèrent.

Au bout d'un moment, Mary Ann monta à l'arrière et la Volvo bleue disparut. Des larmes emplirent les yeux de Sarah.

Mais elle était libre.

Restée seule, elle réfléchit à la question qui avait émergé de son subconscient quelques jours plus tôt : et maintenant ?

Réponse immédiate : ce soir, des amis qu'elle n'avait quasiment pas vus ces derniers temps l'emmenaient célébrer la victoire ; le lendemain, d'autres amis du cabinet d'avocats donnaient une fête à laquelle — lui avait-on assuré avec humour — John Nolan et le comité directeur feraient une apparition pour lui remettre une distinction. Le sens de la plaisanterie était clair : accédant à la réussite — et, oui, à la gloire —, Sarah n'avait plus à s'inquiéter.

A vingt-neuf ans, elle avait accompli ce que la plupart des autres avocats n'accompliraient jamais.

Elle était *libre*, et libre maintenant de considérer ce que cela signifiait. Probablement pas, imaginait-elle, de devenir associée chez Kenyon & Walker. A un certain moment au cours des deux derniers mois, elle avait pris conscience que les contraintes de l'affaire Tierney lui avaient caché l'avantage de pouvoir défendre ce en quoi elle croyait.

C'était peut-être cela qu'être libre signifiait pour elle. Elle ne serait jamais juge, elle était devenue trop tôt un personnage trop controversé, mais il y avait tant d'autres choses qu'elle pouvait faire : le moment venu, il y aurait peut-être un poste pour elle à la Maison-Blanche, avait laissé entendre Clayton Slade. Le président admirait ses capacités.

Sarah s'était adressé un sourire : elle avait acquis suffisamment d'expérience pour percevoir derrière les propos une tentative de séduction. Le secrétaire général voulait quelque chose. Mais la promesse était peut-être sincère aussi et, de toute façon, Kerry Kilcannon était un président qui méritait qu'on l'aide.

Elle était sûre d'une chose : F. Scott Fitzgerald avait tort. Les vies américaines comportaient un deuxième et un *troisième* acte, avec des millions de permutations dans l'intervalle. Quoi que l'avenir pût lui réserver, Sarah savait qu'elle pouvait l'affronter avec sérénité.

Tout cela à cause d'une fille de quinze ans.

33

Tard dans l'après-midi, Macdonald Gage attendait trois sénateurs qui avaient demandé à le rencontrer en privé.

Depuis vingt-quatre heures, la victoire de Kerry Kilcannon dominait l'actualité, et plus particulièrement sa conférence de presse improvisée dans la roseraie. Bien que Gage pût maintenant en réciter l'essentiel par cœur, il se surprit à regarder attentivement les extraits que CNN en diffusait dans *Inside Politics*.

Le président paraissait dispos, revigoré. Il commença par ce à quoi il fallait s'attendre : la confirmation de Caroline Masters réaffirmait «l'indépendance du système judiciaire en plaçant l'intégrité au-dessus de la politique». Ce ne fut qu'avec les questions que son objectif caché devint perceptible.

— *On vous a sévèrement reproché d'avoir abusé des pouvoirs d'investigation du FBI,* fit observer Sam Donaldson. *La saisie de documents que l'ancien sénateur Taylor aurait transmis aux médias ne constitue-t-elle pas une violation des droits de la presse ?*

Sur le visage en gros plan de Kilcannon, Gage crut déceler une expression vaguement amusée.

— *Commençons par ce que nous savons,* répondit-il. *Premièrement, le formulaire d'autorisation parentale de Kyle Palmer a été volé, en violation de son droit à une vie privée. Deuxièmement, trois photocopies de ce formulaire ont été communiquées à des tiers ; sur chacune d'elles, on a relevé les empreintes de Mason Taylor.*

«Cet acte méprisable est à l'origine de la mort de la jeune fille et laisse présumer une association en vue de violer ses droits civiques, ce qui constitue un crime fédéral.

«J'ai demandé au ministère de la Justice d'établir qui d'autre aurait pu prendre part à cette association et, le cas échéant, de procéder à des mises en examen.

Le regard du président était froid, sa voix posée.

— *Je n'oublierai pas Kyle Palmer. Avant d'essayer de couvrir leurs complices, ceux que nous avons identifiés feraient bien d'y songer.*

— *Le mot «complices» s'applique-t-il au sénateur Gage ?* demanda Kelly Wallace, de CNN.

Le président eut un léger haussement d'épaules.

— *Il s'applique à toutes les personnes impliquées, quelles qu'elles soient.* »

— Mais pensez-vous qu'il doive rester à son poste de chef de la majorité ?

— Je ne préjuge pas des résultats de l'enquête du ministère de la Justice et je ne prétends certainement pas dicter à mes amis républicains du Sénat qui doit ou non les diriger, répondit Kilcannon, esquissant un sourire.

Il s'interrompit, chercha ses mots, ou fit semblant, Gage en était sûr.

— Je dirai simplement ceci : toute personne mêlée à la mort de Kyle Palmer ne saurait être bienvenue ici.

Gage éteignit le poste de télévision, composa de nouveau le numéro de Taylor.

Toujours pas de réponse.

Depuis vingt-quatre heures, Taylor était impossible à joindre.

Gage raccrocha d'un geste rageur, se mit à faire les cent pas en se disculpant : il n'avait pas su ce que Taylor comptait faire, encore moins quand et comment. Le simple fait de savoir que Taylor connaissait des choses et finirait tôt ou tard par s'en servir ne le rendait pas complice. Et Taylor avait tout intérêt, sur le plan professionnel, à n'impliquer personne d'autre.

Mais il pouvait fort bien craquer si Kilcannon lui faisait assez peur. En échange de l'immunité, Taylor pouvait mentir sur le rôle qu'avait joué Gage. Devant un tribunal, l'accusation ne tiendrait pas mais elle laisserait une tache indélébile. Une fois de plus, il regretta d'avoir accepté l'aide de Taylor ; il aurait dû se fier à son instinct : les méthodes du lobbyiste finiraient par le ligoter.

Les méthodes de Taylor... et celles de Kilcannon, découvrait-il un peu tard.

« Cette ville pourrait bien être jonchée un jour des cadavres de ceux qui ont sous-estimé Kerry Kilcannon », l'avait prévenu Chad Palmer.

Toute la journée, Gage avait entendu des rumeurs : des réunions qui se tenaient sans lui ; l'agitation causée par une éventuelle démission du *whip* de la majorité, son second ; des coups de fil entre certains sénateurs et la Maison-Blanche. Il attendait maintenant ses visiteurs : Leo Weller, Paul Harshman et Kate Jarman.

Ils formaient un curieux trio : Weller, un conservateur classique ; Harshman, un agitateur jouissant d'un soutien étroit mais fervent parmi ses collègues ; Jarman, représentant les modérés du parti. Qu'ils aient trouvé une raison commune de solliciter un entretien était en soi inquiétant.

A leur entrée, Gage remarqua avec appréhension qu'ils semblaient mal à l'aise. Harshman n'esquissa même pas un sourire et celui de Weller était forcé à faire peur. Kate Jarman, silencieuse, attendait que quelqu'un d'autre prenne la direction des opérations. Après un échange d'amabilités réduit au minimum, ils s'assirent, Jarman et Harshman tournant la tête vers Weller.

La jovialité habituelle de Weller avait fait place à une expression froide que Gage connaissait mieux que les électeurs du Montana.

— Je suppose que tu sais pourquoi on est ici.

— Aucune idée, répondit Gage, satisfait que son ton eût gardé détachement et autorité. Hier, nous avons perdu d'une voix au Sénat; aujourd'hui, Kilcannon savoure son petit moment de triomphe. Cela ne me semble pas mériter une délégation de trois sénateurs aux mines aussi graves qu'un croque-mort à l'enterrement de la grand-mère.

— L'enterrement, c'était celui de Kyle Palmer, fit Kate Jarman, acerbe.

— Avec lequel je n'ai rien à voir, repartit Gage en détachant ses mots. Où est passé votre cran, Kate ? Kilcannon nous salit...

— C'est vous qu'il salit, corrigea Harshman. Comme l'a fait Palmer.

— *Palmer!* Il parle de «cycle destructeur» tout en s'associant à Kilcannon pour nous détruire. C'est la seule «association» qu'il faut dénoncer.

— Tu parles de qui en disant «nous»? reprit Leo Weller. Je suis sûr que tu as raison, Mac : Kilcannon déforme tes rapports avec Taylor. Mais les gens se font quand même de la bile.

«Taylor représente des tas de types importants pour nous, d'Engagement chrétien aux fabricants d'armes. Il a financé des enquêtes privées qui ont peut-être, d'une certaine façon, et sans qu'on le sache, dépassé certaines limites.

Weller jeta un coup d'œil à Harshman, poursuivit :

— Paul a des échos de ceux qui nous soutiennent, sur le plan politique et financier. Ils ne veulent pas être accusés de ce que Taylor a pu faire. Ils veulent qu'on ne parle plus de cette affaire.

— A propos de ceux qui nous soutiennent, je regrette que les femmes des grandes agglomérations n'en fassent pas partie, intervint Kate Jarman. Elles n'aiment pas notre position sur l'avortement, elles n'aiment pas notre position sur les armes à feu.

«Comment dire les choses de façon délicate, Mac? Etre tenus pour responsables de la mort de la fille de l'un d'entre nous à cause de la divulgation d'un avortement légal qui aurait dû rester confidentiel n'est pas précisément positif.

Elle m'accuse, pensa Gage avec colère. Gardant son calme, il se justifia :

— Nous avons pris une position de principe.

— Contre l'avortement, convint Harshman. Contre la permissivité et le mensonge. Mais tout le bénéfice en a été perdu après la mort de Kyle Palmer.

— C'est peut-être injuste, dit Weller, mais la souris morte, elle est sur le plancher de ta cuisine, Mac. Les gars qui nous soutiennent ne veulent pas que Taylor soit mis en examen.

— Qu'est-ce que je peux y faire ?

Dans le silence qui suivit, Jarman et Harshman regardèrent Weller.

— Démissionne, répondit enfin le sénateur du Montana. C'est beaucoup exiger de toi et ça nous fait mal à tous de te le demander, mais tu n'as plus les voix pour rester. Et c'est pour le bien du parti, Mac. Si tu pars maintenant, Kilcannon reculera peut-être pour le reste.

Gage prit soudain conscience qu'ils avaient *discuté* avec le président, ou plus probablement avec Clayton Slade. Il y avait presque de quoi rire.

Le petit salaud avait fini par l'avoir.

Le lendemain matin, l'attachée de presse du sénateur Macdonald Gage communiqua aux médias une courte déclaration dans laquelle Gage déplorait à nouveau la mort de Kyle Palmer, niait toute implication dans les événements qui l'avaient précédée et démissionnait de son poste de chef de la majorité dans l'intérêt du parti qui lui tenait à cœur.

34

Le matin du jour où elle devait prêter serment pour devenir présidente de la Cour suprême, Caroline Masters prit le petit déjeuner avec sa fille dans sa suite au *Hay-Adams*.

Jackson Watts et Blair Montgomery les rejoindraient plus tard mais les deux femmes avaient voulu avoir ce tête-à-tête.

— Je n'aurais jamais imaginé ça il y a deux mois, dit Caroline.

Brett inclina la tête avec une expression interrogative et un vague air de défi qui évoquèrent pour Caroline sa propre mère, Nicole.

— Je me suis surtout fait du souci pour toi, ajouta-t-elle.

Le regard voilé, Brett fixait sa tasse de café.

— Quelquefois, je dois me rappeler qui je suis. C'est ce qu'il y a de plus étrange dans cette histoire : ne pas être exactement ce qu'on pensait être.

Elle releva la tête avec un sourire narquois.

— Ce qui est curieux aussi, c'est que j'ai maintenant en moi une partie de toi que je n'avais pas avant. J'éprouve une fierté irrationnelle, comme si j'étais pour quelque chose dans ce que tu es.

— Tu l'as été. Tu l'es, répondit Caroline. Quand je te regardais, j'étais si heureuse d'avoir pris la décision de te garder. Mais c'était douloureux de ne pas pouvoir te dire la vérité. Maintenant je peux.

Baissant de nouveau la tête, Brett tendit lentement la main vers celle de sa mère. Caroline sentit une pression légère sur l'extrémité de ses doigts, ferma les yeux.

Bientôt elles partiraient pour la Maison-Blanche. Après quoi, Caroline entrerait dans le monde de la Cour suprême, si puissant et si peu compris. Mais, pour le moment, son passé avait rattrapé son présent. C'était avant tout de cela qu'elle se souviendrait.

CNN retransmettait l'événement depuis la salle est, certaine d'une audience garantie par la controverse — personnelle et politique — entourant la confirmation de Caroline Masters.

Chad Palmer ne regardait pas. Le président l'avait invité à la cérémonie mais Chad ne pouvait imaginer y participer. Il avait fait sa part. Eloigné à présent de tout ce qui pouvait le distraire, il se sentait écrasé par le fait énorme, épouvantable, que sa fille était partie à jamais. Il n'y aurait pas de seconde chance, même pour dire adieu.

Assis dans la pièce où ils prenaient le petit déjeuner, il entendit sa femme derrière lui et leva les yeux.

Allie avait l'air pâle et lointaine. Elle s'éveillait et dormait sans suivre la moindre règle et semblait encore plus détachée du monde que lui. Si douloureuse que fût pour lui la perte de Kyle, elle l'était plus encore pour Allie. Ce qu'il avait perdu en propre, c'était une carrière politique tombée en cendres dans sa bouche. Et il sentait que cette carrière, que l'ardeur avec laquelle il s'y était engagé servaient maintenant de cible à la peine et à la colère d'Allie.

— Viens t'asseoir avec moi, suggéra-t-il.

Elle s'exécuta, resserrant son peignoir autour de sa gorge pour se protéger d'un froid qu'elle imaginait seulement.

Sans un mot, elle posa un regard vide sur le *Washington Post* déplié devant lui, sur la manchette annonçant : «Gage démissionne de son poste de chef de la majorité.»

Chad songea que Macdonald Gage devait maintenant faire lui-même l'expérience de la rapidité avec laquelle l'ambition de toute une vie peut être engloutie. Que Chad n'en retirât qu'une maigre satisfaction ne le surprenait pas : aucun malheur de Gage ne pouvait ressusciter Kyle ni panser les blessures d'Allie. Mais une sorte de justice avait été rendue, avec l'aide du président; elle avait épargné à Chad et Allie l'épreuve de voir Gage sortir indemne de la mort de Kyle, voire d'en bénéficier. De cela au moins, Chad devait essayer d'être reconnaissant.

Allie leva les yeux du journal et, pour la première fois depuis la perte de leur fille, elle parut voir Chad.

— Qu'est-ce que tu vas faire maintenant? demanda-t-elle.

Il considéra la question. La perte d'un enfant avait détruit d'autres couples dans des circonstances bien moins dramatiques, il le savait.

— Je ne sais pas, répondit-il. Pour le moment, simplement être avec toi, seul.

Il lui toucha la joue de ses doigts repliés.

— Tu m'es chère, Allie. Je ne veux pas qu'il nous arrive encore quelque chose.

La tête baissée, elle garda le silence un long moment puis murmura :

— Tu étais un grand sénateur.

Pour ce que cela vaut à mes yeux maintenant... pensa-t-il. Mais cela aurait peut-être un sens dans quelques années. Pour le meilleur ou pour le pire, il avait contribué à placer Caroline Masters à la tête de la Cour suprême.

— Oui, fit-il. Un grand sénateur.

Assis entre Lara et Caroline Masters dans la salle est, Kerry Kilcannon regardait Ellen Penn entamer son allocution de bienvenue. Ellen avait bien gagné ce droit, pensa-t-il, et cela lui donnait, à lui, un moment pour réfléchir.

Il était président depuis deux mois et sept jours.

Pendant cet intervalle de temps, beaucoup de choses étaient arrivées, un grand nombre délibérément provoquées, d'autres fortuites. Il avait été l'agent de la chute de Macdonald Gage. Mais il ne s'appesantirait pas sur ce point. Gage avait lui-même déclenché des événements et ce qui lui arrivait maintenant — une sorte de châtiment moral — n'était que trop rare en politique. Tant mieux si cela faisait pencher le rapport de forces en sa faveur.

En tant que rival, en tant que candidat potentiel à la présidence, Gage était fini. Chad Palmer aussi, pour des raisons très différentes. C'était sans le vouloir qu'il avait causé l'éclipse de Chad, et uniquement pour protéger Caroline Masters, mais cela ne soulageait pas sa conscience.

Il devait pourtant reconnaître que l'évincement de Palmer servait aussi ses intérêts. Après deux mois de présidence, il s'était débarrassé, par chance ou par calcul, de ses deux principaux rivaux. Chad pouvait encore faire beaucoup pour son pays. Cet après-midi, il lui rendrait visite et essaierait de l'aider à reprendre le dessus et de le persuader de rester sénateur. De toute façon, le pays et le président auraient encore besoin de lui un jour.

Jetant un coup d'œil à Caroline Masters, il prit de nouveau conscience qu'il avait gagné.

Mais gagné quoi, exactement?

Une remarquable présidente de la Cour suprême, à coup sûr. Plus d'influence au Congrès. La conviction croissante que Kerry Kilcannon était un président à respecter, et même à craindre.

Et à quel prix?

Les avantages politiques étaient faciles à calculer, les pertes humaines plus dures à estimer. Le monde dans lequel il vivait était ambigu, partagé entre ombre et lumière. Il avait utilisé son pouvoir pour briser Macdonald Gage. Au risque d'en hérisser plus d'un, il l'avait fait au grand jour, sous l'œil critique de la justice. Et, s'il avait utilisé Chad Palmer pour atteindre ses propres objectifs, Chad l'avait toujours su. Ils avaient tous deux agi comme les circonstances et leurs tempéraments l'exigeaient, même aux moments les plus terribles de la tragédie de Chad. Quant aux nombreux autres tournants, fatals à leur manière, Kerry avait fait de son mieux. Il devait apprendre à être en paix avec sa conscience, comme il l'était avec les résultats de ses décisions.

Dans quelques instants, Caroline Masters deviendrait présidente de la Cour suprême des Etats-Unis.

La fille de Caroline était assise près d'elle, avec son ami le juge Jackson Watts et le juge Montgomery, du neuvième circuit. Sarah Dash était absente, bien sûr. Mais Kerry savait que les deux femmes s'étaient parlé et que ce qu'elles s'étaient dit avait fait plaisir à Caroline.

Il effleura la main de Lara, qui lui sourit, puis Ellen Penn convia la juge Masters à la tribune.

Elle s'avança, grande et imposante, mais humble dans ses propos : quelques mots simples pour exprimer sa gratitude, l'engagement de servir la loi et ses concitoyens du mieux qu'elle pourrait, d'introduire un nouvel esprit de collégialité dans la cour qu'elle présiderait.

Une grande ambition, pensa Kerry, pour une candidate ayant reçu tant de coups. Mais elle avait le talent et la volonté nécessaires, et des années devant elle.

Souriant, il alla rejoindre Ellen Penn.

Caroline posa une main sur la Bible, soutint le regard du président avec un petit sourire ironique. Peut-être pensait-elle, comme Kerry, au prix payé ; peut-être à la justesse de la maxime favorite de Chad Palmer : « Il y a pire dans la vie que perdre une élection. » En tout cas, il savait qu'ils ressentaient tous deux un mélange de regret, de tristesse, de satisfaction et, finalement, de fierté devant le chemin qu'ils avaient pris ensemble et qui les avait menés là.

Après cette cérémonie, il se tournerait, renforcé, vers d'autres épreuves et elle assumerait son rôle dans un autre domaine du pouvoir, façonnant les lois d'une manière qui influencerait la vie d'autres Américains bien longtemps après qu'ils auraient tous deux quitté la scène. Mais, en attendant, c'était un instant à partager et à savourer.

— Prête ? murmura Kerry.

Solennelle, maintenant, Caroline acquiesça de la tête, prit sa respiration et répéta après la vice-présidente :

— Moi, Caroline Clark Masters...

REMERCIEMENTS

Dès que l'idée de ce livre m'est venue, j'ai pris conscience qu'il me faudrait pour l'écrire maîtriser un certain nombre de sujets complexes, notamment les aspects politiques d'une âpre bataille autour d'une candidature à la Cour suprême, le fonctionnement du système judiciaire dans une affaire comme celle de Mary Ann Tierney, les manœuvres fascinantes, mais souvent obscures, au Sénat des Etats-Unis, les questions juridiques, morales et médicales découlant de l'avortement tardif et des lois sur l'autorisation parentale, la divulgation de faits de la vie privée pour ruiner des carrières politiques, et l'influence croissante de l'argent dans la politique américaine. Personne ne comprend tout cela ; en tout cas pas moi, qui suis pourtant un ancien avocat et qui observe de près la politique.

Mes recherches pour ce roman ont donc été à la fois un défi à relever et un travail gratifiant. Ceux qui connaissent parfaitement les divers aspects de cette histoire se sont montrés généreux au-delà de toute attente. A tout le moins, je dois m'acquitter de ma dette envers eux en les disculpant de toute responsabilité dans les erreurs ou distorsions éventuelles. Elles sont toutes miennes, et les opinions de tous les personnages, j'en suis l'inventeur. L'aide que diverses personnalités politiques m'ont apportée ne doit pas être interprétée comme une approbation de ce livre ou de l'un ou l'autre des points de vue souvent contradictoires qui y sont exprimés.

Ayant clairement établi que je suis l'ultime responsable, j'exprime ma profonde gratitude à tous ceux qui m'ont permis d'écrire ce roman.

Rich Bond, Mark Childress, Sean Clegg, Ken Duberstein, John Gomperts, C. Boyden Gray, Mandy Grunwald, Harold Ickes, Joel Klein, Peter Knight, Tom Korologos, Mark Paoletta et Ace Smith ont contribué à me faire mieux comprendre la procédure de nomination d'un candidat à la Cour suprême et les manœuvres politiques qui l'entourent. Le regretté Dan Dutko et mon très cher ami Ron Kaufman m'ont non seulement conseillé, mais m'ont présenté à d'autres personnes qui m'ont aussi aidé. Un autre vieil ami, le président George Bush, a eu l'amabilité de m'éclairer sur le processus de nomination, et un ami récent, Bruce Lindsey, a été plus généreux de son temps que je ne pouvais l'espérer. Je remercie tout particulièrement le président Bill Clinton, qui a partagé ses réflexions avec moi et m'a ouvert bien des portes.

Le Sénat des Etats-Unis est un lieu très particulier. J'y ai eu notamment pour guide la sénatrice Barbara Boxer, qui s'est battue si durement et si efficacement pour faire connaître l'épreuve de femmes affrontant un avortement tardif, et le sénateur Bob Dole, de l'avis général l'un des plus grands chefs de la majorité de cette chambre. Mathew Baumgart et Diana Huffman m'ont prodigué des conseils judicieux à la fois sur le sujet et sur la procédure. Mark Gitenstein m'a aussi été d'une grande aide et j'ai tiré profit de sa captivante étude de la candidature de Bork, *Matters of Principle.*

Toute considération équilibrée de l'avortement tardif et des lois sur l'autorisation parentale présente de nombreuses facettes : médicales, psychologiques, éthiques et personnelles. J'ai à cet égard une grande dette envers Claudia Ades, le Dr Nancy Adler, Coreen Costello, le Dr Philip Darney, le Dr Jim Goldberg, le Dr Laurie Green, Erik Parens et le Dr Laurie Zaben. Je me suis beaucoup appuyé sur un article d'Erik Parens et d'Adrienne Asch, du centre Hastings, sur les implications éthiques des tests génétiques d'infirmité. Mes remerciements au Dr Robert Bitonte pour son temps, son aide et sa sollicitude.

Trois militantes du mouvement pour le libre choix ont eu l'amabilité de partager avec moi leurs perspectives politiques et philosophiques : Maureen Britell, Judith Lichtman et Kate Michelman. Plusieurs avocates qui ont défendu ce point de vue dans des procès faisant date m'ont aussi apporté leur aide : merci à Janet Benshoof, Joanne Hustead, Beth Parker, Lori Schecter et, tout particulièrement, à Margaret Crosby. J'ai également enrichi ma réflexion par la lecture d'une étude de textes pour le libre choix faite par NARAL, le professeur Nadine Strossen et d'autres.

A mon grand regret, les représentants de deux importants mouvements pro-vie ont refusé de me rencontrer. Ce roman s'en trouve appauvri, je n'en doute pas. Je n'en suis que plus reconnaissant à

Robert Melnick, qui a représenté le point de vue pro-vie dans plusieurs affaires importantes, de m'avoir prodigué ses conseils. Douglas Johnson, du Comité national pour le droit à la vie, m'a aussi communiqué des documents. En outre, j'ai beaucoup lu pour approfondir ma compréhension d'un point de vue pro-vie plausible dans une affaire comme celle de Mary Ann Tierney : l'article Parens-Asch m'a été très utile, de même que l'excellent livre de Cynthia Gorney, *Articles of Faith*, l'article de Lucinda Franks dans le *New Yorker*, «Wonder Kid», ainsi qu'une étude sur la littérature pro-vie.

Il m'a été beaucoup plus difficile de saisir en profondeur les procédures judiciaires ainsi que les questions qu'implique un appel. Merci au juge Maxine Chesney et à mon perspicace ami Thelton Henderson, tous deux du tribunal fédéral de première instance ; au juge Robert Henry, de la Cour d'appel du dixième circuit ; à l'ancien juge de la Cour d'appel de l'Etat de New York, Milton Mollen ; à Sol Wachtler, ancien président de la plus haute cour de New York, à qui je suis reconnaissant de m'avoir envoyé le verdict curieux dans l'affaire Pierce contre Delamater. Toute ma gratitude au juge Stephen Reinhardt, de la Cour d'appel du neuvième circuit, pour l'intérêt qu'il a témoigné à l'entreprise et pour ses conseils éclairés.

Plusieurs remarquables avocats et professeurs de droit m'ont aidé à cerner les questions posées par l'affaire Tierney et à en bâtir le déroulement : Erwin Chemerinsky, Leslie Landau, Stacey Leyton, Deirdre von Dornum et, plus spécialement, Alan Dershowitz. Pour préparer ce livre, j'ai passé de longues heures à étudier la jurisprudence. En tenant compte du fait que je m'adressais à des lecteurs non spécialistes, je me suis efforcé de poser avec exactitude les problèmes juridiques et de montrer leur solution possible. Je dois ici signaler un changement introduit à des fins narratives : à la différence de la plupart des tribunaux d'Etat, les cours fédérales ont interdit la retransmission de leurs débats à la télévision suite à l'affaire Simpson. Je crois cependant que cette interdiction ne durera pas et mon livre part de cette hypothèse.

Il arrive que la création d'un personnage requière plus que de l'imagination. Ce fut le cas pour le sénateur Chad Palmer, avec son passé militaire, et notamment l'impact de son enlèvement et de son emprisonnement. Je remercie vivement ceux qui m'ont aidé à faire de Chad ce qu'il est : mon confrère romancier et précieux ami William Cohen, ministre de la Défense, le général Joseph Ralston, commandant en chef de l'OTAN, le général Ed Eberhardt, chef d'état-major adjoint de l'armée de l'air, le colonel Ron Rand, le colonel Bob Stice, le colonel Rowdy Yates, le major J.-C. Connors, Larry Benson, Dick Hallion, mon cousin Bill Patterson et mon ami Bob Tyrer. J'ai eu le privilège de passer quelque temps avec deux anciens prisonniers de guerre dont les témoignages ont été capitaux : le général en retraite Charles Boyd, et le colonel en retraite Norman McDaniel, tous deux de l'armée de l'air des Etats-Unis.

Enfin, d'autres m'ont aidé à combler mes lacunes. Le district attorney adjoint Al Giannini m'a fait connaître la ninhydrine, instrument de la perte de Mason Taylor ; le Dr Ken Gottlieb et le Dr Rodney Shapiro m'ont aidé à donner vie à Kyle Palmer et Mary Ann Tierney ; et David Talbot, rédacteur en chef du magazine *Salon,* m'a aidé à réfléchir aux questions journalistiques posées par le passé de Kyle, bien que, personnellement, David ait plutôt tendance à penser qu'il y avait des raisons suffisantes pour préserver la vie privée de la jeune fille. Enfin, les textes publiés par Common Cause, éminent lobby de l'intérêt public, m'ont fourni la base de certaines observations sur le rôle de l'argent dans la politique, ainsi que l'étude de la jurisprudence sur le sujet.

L'un des besoins de tout romancier, c'est de faire partager sa folie. Alison Porter Thomas, mon assistante talentueuse, s'est surpassée pour ce livre. Par ses commentaires détaillés, perspicaces, et parfois simplement insistants, elle m'a incité chaque jour à mieux faire, et chaque jour, grâce à elle, j'ai fait mieux. Pour avoir une autre vue d'ensemble, j'ai fait appel à mon ami et agent Fred Hill, à mes amis chers Anna Chavez et Philip Rotner, et à mon associée dans la vie, Laurie Patterson. Enfin, mes merveilleux éditeurs, Sonny Mehta et Gina Centrello, ont non seulement surmonté leurs réserves initiales sur l'idée de ce livre, mais ils ont approuvé le roman terminé avec un enthousiasme à la fois encourageant et réconfortant. A tous, mes chaleureux remerciements.

Impression réalisée sur CAMERON par

BUSSIÈRE CAMEDAN IMPRIMERIES

GROUPE CPI

à Saint-Amand-Montrond (Cher)
en février 2003

Mise en pages : Bussière

N° d'édition : 27055. — N° d'impression : 27023-025805/1.
Dépôt légal : février 2003.

Imprimé en France